학교시험대비 평가 시리즈

금평아 놀자!

중학 사회 ② 평가문제집

금성출판사

이 책의 구성과 활용법

중학교 사회 ② 평가 문제집은 2015 개정 중학교 사회 ② 교과서에 따른 학습 보조 교재로 학교 시험 대비는 물론 교과 역량 향상과 자기 주도적 학습이 가능하도록 하였습니다.

1 나의 학습 계획표

단원 시작 전에 스스로 학습을 계획하고, 학습이 끝날 때마다 목표를 달성하였는지 확인하며 자기 주도적 학습 능력을 키울 수 있어요.

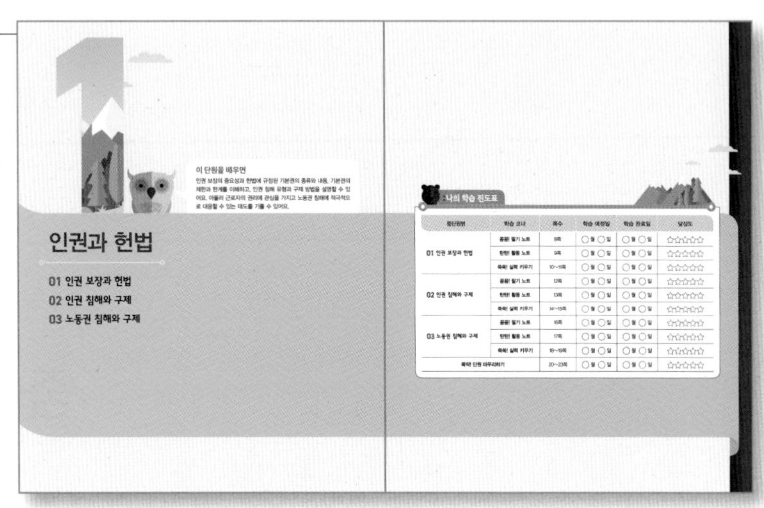

2 꼼꼼! 필기 노트

교과서의 흐름대로 핵심 내용을 구조화하였어요. 꼭 알아야 할 개념이나 원리를 확인하며 기초를 다질 수 있어요.

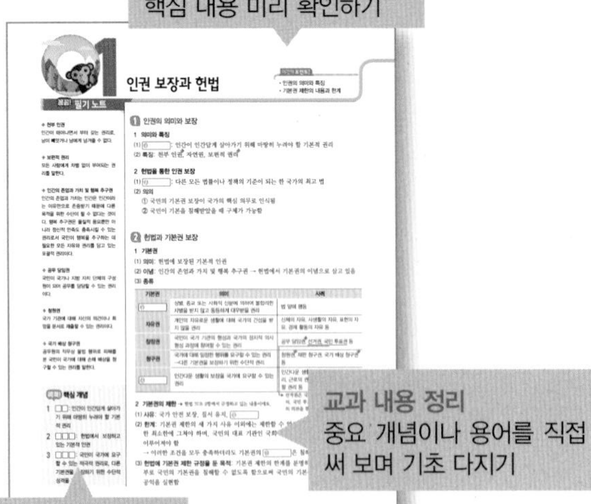

3 탄탄! 활동 노트

개념 이해나 적용에 필요한 활동형 문제를 푸는 과정에서 스스로 원리를 파악할 수 있어요.

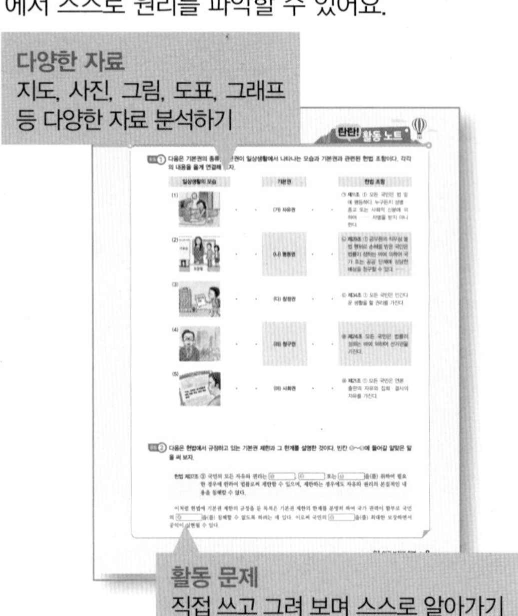

쑥쑥! 실력 키우기

단계별 문제를 풀며 학교 시험에 대비할 수 있어요.

- **1 STEP 개념을 되짚는 확인 문제**
  빈칸 채우기, OX 문제, 선 잇기 등 간단한 문제로 중요 개념 확인하기

- **2 STEP 기초를 다지는 기본 문제**
  시험에 자주 출제되는 선다형 문제로 기초 다지기

- **3 STEP 실력을 완성하는 주관식·서술형 문제**
  주관식 서술형 문제로 교과 역량과 사고력 키우기

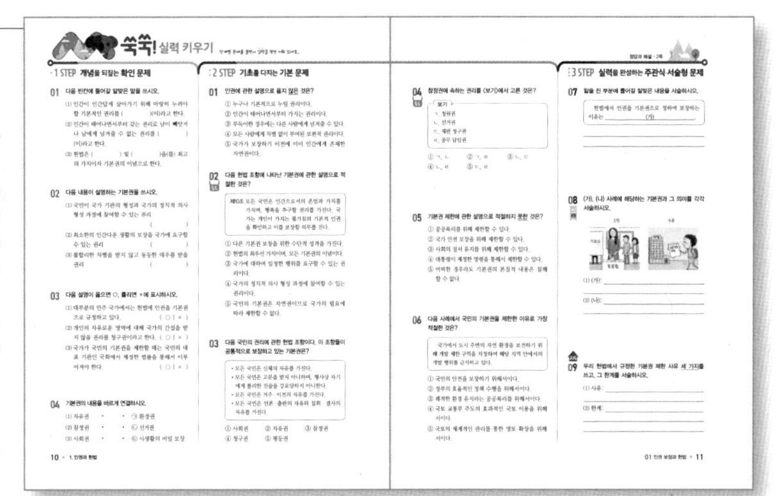

뚝딱! 단원 마무리하기

단원 내용을 종합적으로 점검하고 강화된 서술형 문제로 창의·융합적 사고력을 키우도록 하였어요.

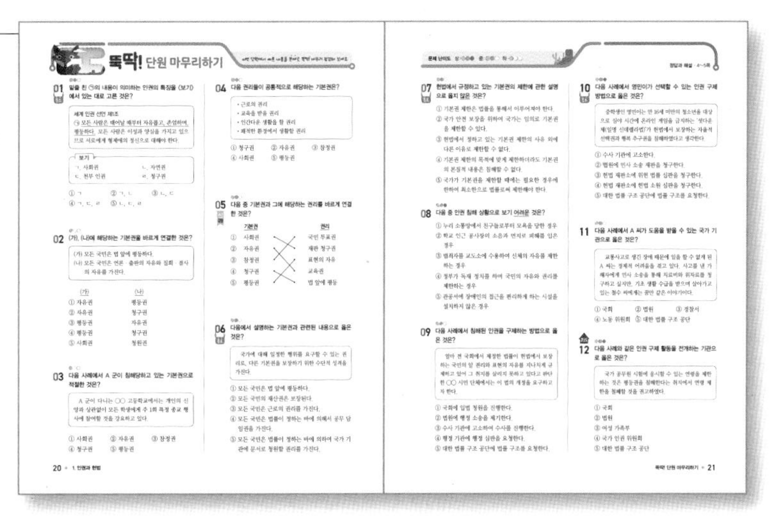

정답과 해설

정답과 오답에 대한 친절한 설명을 통해 자기 주도 학습이 가능하도록 하고, 문제 해결력을 높여 유사 문제 및 응용 문제에도 대비할 수 있도록 하였어요.

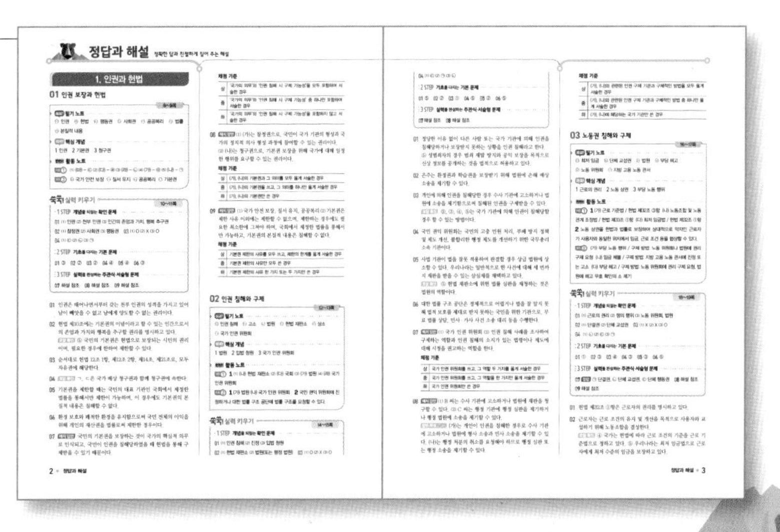

차례

1 인권과 헌법

2 헌법과 국가 기관

3 경제생활과 선택

4 시장 경제와 가격

5 국민 경제와 국제 거래

6 국제 사회와 국제 정치

7 인구 변화와 인구 문제

8 사람이 만든 삶터, 도시

9 글로벌 경제 활동과 지역 변화

10 환경 문제와 지속 가능한 환경

11 세계 속의 우리나라

12 더불어 사는 세계

정답과 해설

이 단원을 배우면

인권 보장의 중요성과 헌법에 규정된 기본권의 종류와 내용, 기본권의 제한과 한계를 이해하고, 인권 침해 유형과 구제 방법을 설명할 수 있어요. 아울러 근로자의 권리에 관심을 가지고 노동권 침해에 적극적으로 대응할 수 있는 태도를 기를 수 있어요.

인권과 헌법

:나의 학습 진도표

중단원명	학습 코너	쪽수	학습 예정일	학습 완료일	달성도
01 인권 보장과 헌법	꼼꼼! 필기 노트	8쪽	◯월 ◯일	◯월 ◯일	☆☆☆☆☆
	탄탄! 활동 노트	9쪽	◯월 ◯일	◯월 ◯일	☆☆☆☆☆
	쑥쑥! 실력 키우기	10~11쪽	◯월 ◯일	◯월 ◯일	☆☆☆☆☆
02 인권 침해와 구제	꼼꼼! 필기 노트	12쪽	◯월 ◯일	◯월 ◯일	☆☆☆☆☆
	탄탄! 활동 노트	13쪽	◯월 ◯일	◯월 ◯일	☆☆☆☆☆
	쑥쑥! 실력 키우기	14~15쪽	◯월 ◯일	◯월 ◯일	☆☆☆☆☆
03 노동권 침해와 구제	꼼꼼! 필기 노트	16쪽	◯월 ◯일	◯월 ◯일	☆☆☆☆☆
	탄탄! 활동 노트	17쪽	◯월 ◯일	◯월 ◯일	☆☆☆☆☆
	쑥쑥! 실력 키우기	18~19쪽	◯월 ◯일	◯월 ◯일	☆☆☆☆☆
뚝딱! 단원 마무리하기		20~23쪽	◯월 ◯일	◯월 ◯일	☆☆☆☆☆

인권 보장과 헌법

이것이 포인트!
- 인권의 의미와 특징
- 기본권 제한의 내용과 한계

꼼꼼! 필기 노트

1 인권의 의미와 보장

1 의미와 특징

(1) ❶ ______ : 인간이 인간답게 살아가기 위해 마땅히 누려야 할 기본적 권리

(2) **특징**: 천부 인권, 자연권, 보편적 권리
→ 국가가 보장하기 이전에 이미 인간에게 존재하는 권리예요.

2 헌법을 통한 인권 보장

(1) ❷ ______ : 다른 모든 법률이나 정책의 기준이 되는 한 국가의 최고 법

(2) **의의**

① 국민의 기본권 보장이 국가의 핵심 의무로 인식됨

② 국민이 기본을 침해받았을 때 구제가 가능함

2 헌법과 기본권 보장

1 기본권

(1) **의미**: 헌법에 보장된 기본적 인권

(2) **이념**: 인간의 존엄과 가치 및 행복 추구권 → 헌법에 기본권의 이념으로 규정하고 있음

(3) **종류**

기본권	의미	사례
❸ ______	성별, 종교 또는 사회적 신분에 의하여 불합리한 차별을 받지 않고 동등하게 대우받을 권리	법 앞에 평등
자유권	개인의 자유로운 생활에 대해 국가의 간섭을 받지 않을 권리	신체의 자유, 사생활의 자유, 표현의 자유, 경제 활동의 자유 등
참정권	국민이 국가 기관의 형성과 국가의 정치적 의사 형성 과정에 참여할 수 있는 권리	공무 담임권, 선거권, 국민 투표권 등
청구권	국가에 대해 일정한 행위를 요구할 수 있는 권리 → 다른 기본권을 보장하기 위한 수단적 권리	청원권, 재판 청구권, 국가 배상 청구권 등
❹ ______	인간다운 생활의 보장을 국가에 요구할 수 있는 권리	인간다운 생활을 할 권리, 교육받을 권리, 근로의 권리, 쾌적한 환경에서 생활할 권리 등

→ 선거권은 국민의 대표를 뽑을 수 있는 권리, 국민 투표권은 특정 사안에 대해 국민의 의견을 투표로 말할 수 있는 권리예요.

2 기본권의 제한 → 헌법 37조 2항에서 규정하고 있는 내용이에요.

(1) **사유**: 국가 안전 보장, 질서 유지, ❺ ______

(2) **한계**: 기본권 제한의 세 가지 사유 이외에는 제한할 수 없고, 제한하는 경우에도 필요한 최소한에 그쳐야 하며, 국민의 대표 기관인 국회에서 제정한 ❻ ______ 을 통해서 이루어져야 함
→ 이러한 조건을 모두 충족하더라도 기본권의 ❼ ______ 은 침해할 수 없음

(3) **헌법에 기본권 제한 규정을 둔 목적**: 기본권 제한의 한계를 분명히 하여 국가 권력이 함부로 국민의 기본권을 침해할 수 없도록 함으로써 국민의 기본권을 최대한 보장하고 공익을 실현함

+ 천부 인권
인간이 태어나면서부터 갖는 권리로, 남이 빼앗거나 남에게 넘겨줄 수 없다.

+ 보편적 권리
모든 사람에게 차별 없이 부여되는 권리를 말한다.

+ 인간의 존엄과 가치 및 행복 추구권
인간의 존엄과 가치는 인간은 인간이라는 이유만으로 존중받기 때문에 다른 목적을 위한 수단이 될 수 없다는 것이다. 행복 추구권은 물질적 풍요뿐만 아니라 정신적 만족도 충족시킬 수 있는 권리로서 국민이 행복을 추구하는 데 필요한 모든 자유와 권리를 담고 있는 포괄적 권리이다.

+ 공무 담임권
국민이 국가나 지방 자치 단체의 구성원이 되어 공무를 담당할 수 있는 권리이다.

+ 청원권
국가 기관에 대해 자신의 의견이나 희망을 문서로 제출할 수 있는 권리이다.

+ 국가 배상 청구권
공무원의 직무상 불법 행위로 피해를 본 국민이 국가에 대해 손해 배상을 청구할 수 있는 권리를 말한다.

콕콕! 핵심 개념

1 □□: 인간이 인간답게 살아가기 위해 마땅히 누려야 할 기본적 권리

2 □□□: 헌법에서 보장하고 있는 기본적 인권

3 □□□: 국민이 국가에 요구할 수 있는 적극적 권리로, 다른 기본권을 보장하기 위한 수단적 성격을 가짐

활동 1 다음은 기본권의 종류, 기본권이 일상생활에서 나타나는 모습과 기본권과 관련된 헌법 조항이다. 각각의 내용을 옳게 연결해 보자.

일상생활의 모습	기본권	헌법 조항
(1)	(가) 자유권	㉠ 제11조 ① 모든 국민은 법 앞에 평등하다. 누구든지 성별·종교 또는 사회적 신분에 의하여 …… 차별을 받지 아니한다.
(2) 기표소 투표함	(나) 평등권	㉡ 제29조 ① 공무원의 직무상 불법 행위로 손해를 받은 국민은 법률이 정하는 바에 의하여 국가 또는 공공 단체에 정당한 배상을 청구할 수 있다. ……
(3) 시청	(다) 참정권	㉢ 제34조 ① 모든 국민은 인간다운 생활을 할 권리를 가진다.
(4)	(라) 청구권	㉣ 제24조 모든 국민은 법률이 정하는 바에 의하여 선거권을 가진다.
(5) ○○ 일보 "수능, 장애인 응시생들에 대한 차별 개선, 편의 제공 확대"	(마) 사회권	㉤ 제21조 ① 모든 국민은 언론·출판의 자유와 집회·결사의 자유를 가진다.

활동 2 다음은 헌법에서 규정하고 있는 기본권 제한과 그 한계를 설명한 것이다. 빈칸 ❶~❹에 들어갈 알맞은 말을 써 보자.

헌법 제37조 ② 국민의 모든 자유와 권리는 ❶ ______, ❷ ______ 또는 ❸ ______을(를) 위하여 필요한 경우에 한하여 법률로써 제한할 수 있으며, 제한하는 경우에도 자유와 권리의 본질적인 내용을 침해할 수 없다.

이처럼 헌법에 기본권 제한의 규정을 둔 목적은 기본권 제한의 한계를 분명히 하여 국가 권력이 함부로 국민의 ❹ ______을(를) 침해할 수 없도록 하려는 데 있다. 이로써 국민의 ❹ ______을(를) 최대한 보장하면서 공익이 실현될 수 있다.

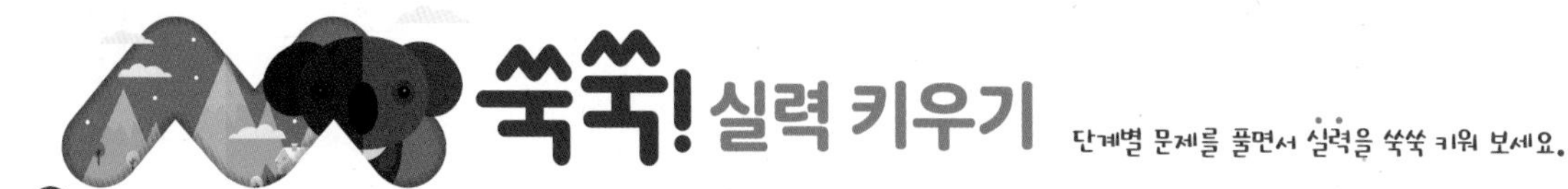

1 STEP 개념을 되짚는 확인 문제

01 다음 빈칸에 들어갈 알맞은 말을 쓰시오.

(1) 인간이 인간답게 살아가기 위해 마땅히 누려야 할 기본적인 권리를 (　　　　)(이)라고 한다.

(2) 인간이 태어나면서부터 갖는 권리로 남이 빼앗거나 남에게 넘겨줄 수 없는 권리를 (　　　　)(이)라고 한다.

(3) 헌법은 (　　　　) 및 (　　　　)을(를) 최고의 가치이자 기본권의 이념으로 한다.

02 다음 내용이 설명하는 기본권을 쓰시오.

(1) 국민이 국가 기관의 형성과 국가의 정치적 의사 형성 과정에 참여할 수 있는 권리 (　　　　)

(2) 최소한의 인간다운 생활의 보장을 국가에 요구할 수 있는 권리 (　　　　)

(3) 불합리한 차별을 받지 않고 동등한 대우를 받을 권리 (　　　　)

03 다음 설명이 옳으면 ○, 틀리면 ×에 표시하시오.

(1) 대부분의 민주 국가에서는 헌법에 인권을 기본권으로 규정하고 있다. (○ | ×)

(2) 개인의 자유로운 영역에 대해 국가의 간섭을 받지 않을 권리를 청구권이라고 한다. (○ | ×)

(3) 국가가 국민의 기본권을 제한할 때는 국민의 대표 기관인 국회에서 제정한 법률을 통해서 이루어져야 한다. (○ | ×)

04 기본권의 내용을 바르게 연결하시오.

(1) 자유권 • 　　• ㉠ 환경권
(2) 참정권 • 　　• ㉡ 선거권
(3) 사회권 • 　　• ㉢ 사생활의 비밀 보장

2 STEP 기초를 다지는 기본 문제

01 인권에 관한 설명으로 옳지 않은 것은?

① 누구나 기본적으로 누릴 권리이다.
② 인간이 태어나면서부터 가지는 권리이다.
③ 부득이한 경우에는 다른 사람에게 넘겨줄 수 있다.
④ 모든 사람에게 차별 없이 부여된 보편적 권리이다.
⑤ 국가가 보장하기 이전에 이미 인간에게 존재한 자연권이다.

02 (중요) 다음 헌법 조항에 나타난 기본권에 관한 설명으로 적절한 것은?

> 제10조 모든 국민은 인간으로서의 존엄과 가치를 가지며, 행복을 추구할 권리를 가진다. 국가는 개인이 가지는 불가침의 기본적 인권을 확인하고 이를 보장할 의무를 진다.

① 다른 기본권 보장을 위한 수단적 성격을 가진다.
② 헌법의 최우선 가치이며, 모든 기본권의 이념이다.
③ 국가에 대하여 일정한 행위를 요구할 수 있는 권리이다.
④ 국가의 정치적 의사 형성 과정에 참여할 수 있는 권리이다.
⑤ 국민의 기본권은 자연권이므로 국가의 필요에 따라 제한할 수 없다.

03 다음 국민의 권리에 관한 헌법 조항이다. 이 조항들이 공통적으로 보장하고 있는 기본권은?

> • 모든 국민은 신체의 자유를 가진다.
> • 모든 국민은 고문을 받지 아니하며, 형사상 자기에게 불리한 진술을 강요당하지 아니한다.
> • 모든 국민은 거주·이전의 자유를 가진다.
> • 모든 국민은 언론·출판의 자유와 집회·결사의 자유를 가진다.

① 사회권　② 자유권　③ 참정권
④ 청구권　⑤ 평등권

3 STEP 실력을 완성하는 주관식·서술형 문제

04 중요 참정권에 속하는 권리를 〈보기〉에서 고른 것은?

보기
ㄱ. 청원권
ㄴ. 선거권
ㄷ. 재판 청구권
ㄹ. 공무 담임권

① ㄱ, ㄴ　② ㄱ, ㄹ　③ ㄴ, ㄷ
④ ㄴ, ㄹ　⑤ ㄷ, ㄹ

05 기본권 제한에 관한 설명으로 적절하지 못한 것은?

① 공공복리를 위해 제한할 수 있다.
② 국가 안전 보장을 위해 제한할 수 있다.
③ 사회의 질서 유지를 위해 제한할 수 있다.
④ 대통령이 제정한 명령을 통해서 제한할 수 있다.
⑤ 어떠한 경우라도 기본권의 본질적 내용은 침해할 수 없다.

06 다음 사례에서 국민의 기본권을 제한한 이유로 가장 적절한 것은?

국가에서 도시 주변의 자연 환경을 보전하기 위해 개발 제한 구역을 지정하여 해당 지역 안에서의 개발 행위를 금지하고 있다.

① 국민의 안전을 보장하기 위해서이다.
② 정부의 효율적인 정책 수행을 위해서이다.
③ 쾌적한 환경 유지라는 공공복리를 위해서이다.
④ 국토 교통부 주도의 효과적인 국토 이용을 위해서이다.
⑤ 국토의 체계적인 관리를 통한 영토 확장을 위해서이다.

07 밑줄 친 부분에 들어갈 알맞은 내용을 서술하시오.

헌법에서 인권을 기본권으로 정하여 보장하는 이유는 ______(가)______.

08 신유형 (가), (나) 사례에 해당하는 기본권과 그 의미를 각각 서술하시오.

(가)

(나)

(1) (가): ______________________

(2) (나): ______________________

09 고난도 우리 헌법에서 규정한 기본권 제한 사유 세 가지를 쓰고, 그 한계를 서술하시오.

(1) 사유: ______________________

(2) 한계: ______________________

인권 침해와 구제

이것이 포인트!
- 일상생활에서의 인권 침해 사례
- 인권 침해 시 구제 방법

꼼꼼! 필기 노트

1 인권 침해

1 ❶ [　　　]: 정당한 이유 없이 다른 사람 또는 국가 기관에 의해 인권을 침해당하거나 보장받지 못하는 상황

2 유형

구분	유형	사례
침해 대상	타인에 의한 침해	학교 안 집단 따돌림
	국가 기관에 의한 침해	국회에 의한 인권 침해, 행정 기관에 의한 인권 침해
침해 내용	정신적 침해	친구들의 따돌림으로 인한 정신적 피해
	물리적 침해	인근 공사장의 소음과 먼지로 인한 피해

3 인권 보장을 위한 올바른 자세

(1) 침해된 인권의 내용은 알고, 법에 정해진 방법과 절차에 따라 구제받으려는 노력이 필요함

(2) 자신의 인권뿐만 아니라 타인의 인권 침해에도 관심을 두고 이를 구제하기 위한 노력이 필요함

2 침해당한 인권의 구제 방법

1 인권 침해 시 구제 방법 → 인권 침해가 발생하면 다양한 국가 기관에 인권 구제를 요청할 수 있어요. 구제 방법은 누가, 어떻게 침해했느냐에 따라 달라져요.

인권 침해 유형	구제 기관	구제 방법
다른 개인이나 단체가 인권을 침해한 경우	• 수사 기관 • ❸ [　　　]	❷ [　　　] 재판 청구
국가 기관이 국민의 기본권을 침해한 경우	❹ [　　　]	헌법 소원 심판✚
입법 기관이 인권을 침해한 경우	입법 기관 (국회, 지방 의회)	입법 청원✚
행정 기관이 인권을 침해한 경우	• 행정 기관 • 법원	• 행정 심판 • 행정 소송✚
사법 기관이 인권을 침해한 경우	상급 법원	❺ [　　　]

→ 입법 기관이 법을 제정하지 않거나, 불필요한 법을 제정하여 인권을 침해하는 경우예요.

2 인권 보장을 위한 국가 기관

국가 기관	❻ [　　　]	국민 권익 위원회	대한 법률 구조 공단
의미	인권 침해와 차별 행위를 개선하기 위해 설립된 독립적인 국가 기관	국민의 고충 민원 처리와 행정 심판을 통해 불합리한 행정 제도를 개선하는 국무총리 소속 기관	경제적으로 어려운 처지에 있거나 법의 보호를 충분히 받지 못하는 국민의 권익 보호를 위한 기관
역할	인권 침해 사례 조사 및 구제 조치, 인권 침해의 소지가 있는 법령이나 제도에 대해 시정 권고 등	행정 민원 처리, 부패 방지 정책 및 제도 개선, 행정 심판, 행정 제도 개선 등	무료 법률 상담, 민사·가사 사건 등 소송 대리 등의 법률 구조 사업
구제 방법	진정✚	진정	법률 구조 요청

✚ 헌법 소원
국가 권력에 의해 기본권을 침해당한 국민이 직접 헌법 재판소에 구제를 요청하는 것이다.

✚ 입법 청원
국민이 입법 기관에 법률을 만들어 달라고 청원하는 것으로, 국회 의원의 소개를 얻어 청원서 등의 서류를 제출하면 법률안 등과 같은 일반 의안에 준해 처리된다.

✚ 행정 심판
행정 기관에 의해 권리를 침해당한 사람이 행정 기관에 잘못을 고쳐 줄 것을 요구하는 것을 말한다.

✚ 행정 소송
행정 기관에 의해 권리를 침해당한 사람이 법원에 재판을 청구하는 것을 말한다.

✚ 진정
국가나 공공 기관에 국민이 어떤 조처를 하여 달라고 요청하는 일을 말한다.

콕콕! 핵심 개념

1 □□: 개인이나 단체가 인권을 침해한 경우 재판을 통해 인권을 구제하는 국가 기관

2 □□ □□: 입법 기관이 법을 제정하지 않거나 불필요한 법을 제정하여 인권을 침해한 경우 입법 기관에 구제를 요청하는 방법

3 □□ □□ □□□: 인권 침해에 관한 진정을 조사하여 관련 법령이나 제도의 시정을 권고하는 독립적인 국가 기관

활동 1 다음은 침해된 인권을 구제받을 수 있는 국가 기관이다. 물음에 답해 보자.

(가) 법원

(나) 헌법 재판소

(다) 국회

(라) 국가 인권 위원회

1 아래와 같은 인권 침해 상황이 발생하였을 때 구제받기 위해 찾아야 할 국가 기관을 (가)~(라)에서 찾아 빈칸에 써 보자.

(1)	공무원 시험에서 제대 군인에게만 가산점을 주는 제도로 인해 여성과 다양한 사유로 군대를 다녀오지 못한 남성들이 차별받고 있다고 생각한 시민들은 헌법 소원 심판을 청구하기 위해 (　　　　　)을(를) 찾았다.
(2)	수입 농산물에서 국민의 건강을 해칠 수 있는 유해 물질이 발견되자 ○○ 시민 단체는 농산물 수입 관련 법을 제정해 달라는 입법 청원을 위해 (　　　　　)을(를) 찾았다.
(3)	새로 입주한 아파트 주민들은 주변 공사장에서 발생하는 먼지와 소음으로 불만이 많다. 이들은 피해를 보상받기 위해 (　　　　　)에 민사 소송을 제기하려고 한다.
(4)	△△ 회사에서 신입 사원 채용을 하면서 지원 자격을 '30세 미만', '대학원 졸업 이상'으로 제한하였다. 지원자들은 이러한 자격 조건이 불합리한 차별이라며 이를 시정해 달라는 진정서를 (　　　　　)에 제출하였다.

활동 2 다음 사례를 읽고, 물음에 답해 보자.

(가) ○○ 중학교에 다니는 A 군은 학기 초부터 같은 반 친구들로부터 괴롭힘을 당해 왔다. 이 사실을 알게 된 A 군의 부모가 학교에 문제를 제기하였고, 학교 측은 자체 조사를 거쳐 학교 폭력 위원회를 열었다. A 군과 A 군의 부모는 가해 학생들의 사과와 A 군의 신체적·정신적 치료비를 요구하였으나 가해 학생들과 가해 학생들의 부모들은 서로 책임을 미루고 있다. A 군과 A 군의 부모는 인권을 침해당하였다며 소송을 제기하기로 하였다.

(나) △△ 중학교에 다니는 B 군은 오른쪽 다리에 장애가 있어 휠체어를 사용한다. 그런데 올해 B 군의 교실이 3층에 배정되면서 학교에서 휠체어로 이동하는 것이 어려워졌다. B 군과 B 군의 부모는 학교 측에 「장애인·노인·임산부 등의 편의 증진 보장에 관한 법률」과 관련 시행령에 따라 교실을 1층에 배정하거나 엘리베이터를 설치해 달라고 요청하였지만 학교 측은 막대한 예산이 든다며 거부하였다. B 군과 B 군의 부모는 인권을 침해받았다며 시정을 요청하기로 하였다.

1 (가), (나) 상황에서 침해된 인권을 구제받기 위해 찾아야 할 국가 기관을 각각 써 보자.

(가) – (　　　　　　　　　)　　　(나) – (　　　　　　　　　)

2 (나)에 제시된 구제 방법 외에 B 군의 침해된 인권을 구제받기 위한 방법은 무엇이 있는지 써 보자.

단계별 문제를 풀면서 실력을 쑥쑥 키워 보세요.

1 STEP 개념을 되짚는 확인 문제

01 다음 빈칸에 들어갈 알맞은 말을 쓰시오.

(1) 정당한 이유 없이 다른 사람 또는 국가 기관으로부터 인권을 침해당하거나 보장받지 못하는 상황을 (   )(이)라고 한다.

(2) 국민이 국가나 공공 기관에 어떤 조처를 해 달라고 요청하는 것을 (   )(이)라고 한다.

(3) 입법 기관이 법을 제정하지 않거나 불필요한 법을 제정하여 인권을 침해하는 경우 국민은 입법 기관에 (   )을(를) 하여 구제받을 수 있다.

02 다음과 같은 활동을 하는 국가 기관을 쓰시오.

(1) 국가 기관이 국민이 기본권을 침해한 경우 헌법 소원 심판을 통해 침해된 인권을 구제한다. (   )

(2) 행정 기관이 인권을 침해한 경우 행정 소송을 통해 침해된 인권을 구제한다. (   )

03 다음 설명이 옳으면 O, 틀리면 X에 표시하시오.

(1) 인권 침해의 유형은 침해의 내용에 따라 정신적 피해와 물리적 피해로 나눌 수 있다. (○ | ×)

(2) 개인이나 단체가 인권을 침해한 경우에는 수사 기관에 재판을 청구하거나 법원에 고소를 하여 구제받을 수 있다. (○ | ×)

(3) 국민 권익 위원회는 국민의 고충 민원 처리와 불합리한 행정 제도를 개선하는 기능을 한다. (○ | ×)

04 다음 국가 기관과 인권 보장 방법을 바르게 연결하시오.

(1) 국가 인권 위원회 •　　• ㉠ 행정 심판

(2) 국민 권익 위원회 •　　• ㉡ 무료 법률 상담

(3) 대한 법률 구조 공단 •　　• ㉢ 불합리한 제도 시정 권고

2 STEP 기초를 다지는 기본 문제

01 (중요) 인권 침해 상황과 가장 거리가 먼 것은?

① 학급 친구들로부터 따돌림을 당하고 있다.
② 경찰관의 불심검문과 폭언으로 정신적인 피해를 입었다.
③ 집 앞에 고층 건물이 들어서면서 햇볕이 잘 들지 않는다.
④ 개인 정보가 유출되었지만 관련 법이 없어 주민 등록 번호를 바꿀 수 없다.
⑤ 법원으로부터 신상 공개 명령을 선고받은 성범죄자의 개인 정보가 전용 웹사이트에 공개되었다.

02 (중요) 다음 사례에서 은주가 침해당한 인권을 구제받기 위해 찾아가야 하는 국가 기관으로 옳은 것은?

> 쾌적한 환경에서 공부하고 싶은 은주는 요즘 학교 근처 아파트 건설 현장에서 발생하고 있는 공사장 소음과 먼지로 불편을 겪고 있다. 은주는 인권이 침해되었다고 생각하고 소송을 제기하려고 한다.

① 국회
② 법원
③ 헌법 재판소
④ 지방 자치 단체
⑤ 국가 인권 위원회

03 다음 사례에서 A 씨가 자신의 인권을 구제받기 위한 방법으로 가장 적절한 것은?

> 아파트 주차장에 주차 문제로 다툼을 벌이던 A 씨는 B 씨에게 폭행을 당해 6주 동안 병원 치료를 받게 되었다.

① 경찰에 고소를 한다.
② 행정 기관에 행정 심판을 요구한다.
③ 헌법 재판소에 헌법 소원 심판을 제기한다.
④ 국회 의원의 소개를 받아 입법 청원을 한다.
⑤ 국가 인권 위원회에 진정하여 시정을 요청한다.

04 중요 다음 내용들과 관련 있는 인권 구제 기관으로 옳은 것은?

> • 고충 민원 • 행정 심판
> • 청탁 금지 • 부패 · 공익 신고

① 국회
② 법원
③ 헌법 재판소
④ 국가 인권 위원회
⑤ 국민 권익 위원회

05 사법 기관의 잘못된 재판으로 인해 인권이 침해당한 경우 구제받을 수 있는 방법으로 가장 적절한 것은?

① 수사 기관에 고소한다.
② 상급 법원에 상소한다.
③ 국민 권익 위원회에 진정한다.
④ 법원에 행정 소송을 제기한다.
⑤ 헌법 재판소에 위헌 법률 심판을 제청한다.

06 다음 글에서 설명하는 국가 기관으로 옳은 것은?

> 경제적으로 어렵거나 법의 보호를 충분히 받지 못하는 국민의 권익 보호를 위해 설립된 법률 복지 서비스 기관이다.

① 국회
② 법원
③ 헌법 재판소
④ 국가 인권 위원회
⑤ 대한 법률 구조 공단

3 STEP 실력을 완성하는 주관식·서술형 문제

07 다음 사례에서 ○○ 씨가 찾아가야 할 국가 기관을 쓰고, 그 역할을 서술하시오.

> ○○ 씨는 사고로 주민 등록 번호가 유출되어 주민 등록 번호를 바꾸려고 하였다. 그러나 지방 자치 단체는 출생 신고 때 정해진 주민 등록 번호는 바꿀 수 없도록 규정되어 있다며 거부하였다. 그래서 ○○ 씨는 주민 등록법 규정을 시정해 달라는 진정을 제기하려고 한다.

(1) 국가 기관: ______________________

(2) 역할: ______________________

____

08 신유형 (가), (나)의 B 씨와 C 씨가 각각 구제를 요청해야 할 국가 기관과 구체적인 방법을 쓰시오.(단, 국가 인권 위원회를 통한 방법은 제외한다.)

> (가) 도로에서 신호를 무시하고 운전하던 A 씨는 마침 횡단보도를 건너던 B 씨를 치고 도주하였다. 이 사고로 B 씨는 전치 2개월의 부상과 정신적 불안을 겪고 있다.
>
> (나) 여군인 헬기 조종사 C 씨는 암에 걸려 투병하다가 완쾌되어 군대로 복귀하였다. 정상적인 업무 수행이 가능함에도 신체검사에서 2급 장애 판정을 받아 전역할 것을 요구받고 있다.

(1) (가): ______________________

____

(2) (나): ______________________

____

노동권 침해와 구제

이것이 **포인트!**

- 노동 삼권의 의미와 유형
- 노동권 침해 유형별 구제 방법

꼼꼼! 필기 노트

1 근로자의 권리

1 근로의 권리

(1) **의미**: 근로 능력을 가진 사람이 국가에 대해 근로의 기회를 요구할 수 있는 권리

(2) **유형**

① 국가는 근로자가 적정한 임금을 받을 수 있도록 [❶] 을 보장함

② 국가는 근로 기준법을 통해 근로 조건의 최저 기준을 보장함
↳ 근로 조건의 기준을 정하여 근로자의 인간 존엄성을 보장하는 법률이에요.

2 노동 삼권

(1) **유형**

① 단결권: 근로 조건의 유지·개선을 위해 단결할 수 있는 권리

② [❷]: 근로자 단체가 근로 조건의 유지·개선을 목적으로 사용자와 교섭할 수 있는 권리

③ 단체 행동권: 단체 교섭이 원만하게 체결되지 않아 노동 쟁의가 발생하게 된 경우 쟁의 행위 등을 할 수 있는 권리
↳ 근로자 측은 파업, 태업 등을 통해 행사할 수 있고 사용자 측은 직장 폐쇄로 행사할 수 있어요.

(2) **의의**: 상대적으로 약자인 근로자가 노동조합을 결성하여 사용자인 기업과 대등한 위치에서 임금과 근로 조건 협상이 가능함

2 노동권 침해와 구제 방법

1 부당 노동 행위

(1) **의미**: 근로자의 노동 삼권을 방해하는 사용자의 행위 예 근로자가 노동조합에 가입했다는 이유로 불이익을 주는 행위, 노동조합에 가입하지 않을 것을 고용 조건으로 제시하는 행위, 근로자가 정당한 단체 행동에 참가한 것을 이유로 불이익을 주는 행위 등

(2) **구제 방법** → 노동 위원회는 노사 간의 이익 및 권리 분쟁을 신속하고 공정하게 조정·판정하는 역할을 해요.

① 노동 위원회에 진정하여 구제를 요청함

② [❸]에 소송을 제기하여 구제를 요청함

2 [❹]

(1) **의미**: 사용자가 정당한 사유 없이 근로자를 해고하는 행위 예 근로자가 육아 휴직을 요청했다는 이유로 해고하는 경우 등

(2) **구제 방법**

① [❺]에 권리 구제를 요청함

② 법원에 해고 무효 확인 소송을 제기함

3 임금 체불

(1) **의미**: 사용자가 근로자에게 임금을 지급하지 않는 행위 예 사용자가 회사 사정이 어렵다는 이유로 임금을 지급하지 않는 경우 등

(2) **구제 방법**: [❻]에 진정 또는 고소하여 구제를 요청함 → 사용자가 계속해서 임금을 주지 않으면 사용자에게 형사 처분이 가능함 → 이때 체납 임금은 민사 소송을 통해 받을 수 있어요.

+ 근로자
직업의 종류와 관계없이 임금을 목적으로 사업이나 사업장에 근로를 제공하는 사람을 말한다.

+ 사용자
사업주 또는 사업 경영 담당자, 그 밖에 근로자에 관한 사항에 대하여 사업주를 위해 일하는 사람을 말한다.

+ 노동 쟁의
노동조합과 사용자 또는 사용자 단체 간에 근로 조건에 관한 주장이 달라서 발생하는 분쟁 상태를 말한다.

+ 진정과 고소
진정은 밀린 임금을 지급 받을 수 있도록 해 달라는 요구로, 해당 지방 고용 노동 관서에서는 사실 관계를 조사하고 임금 지급을 지시한다. 고소는 사용자가 진정에 따른 지급 지시를 불이행하거나 임금을 지급하지 않을 때 사용자를 「근로 기준법」 위반으로 처벌해 달라는 요구로, 해당 지방 고용 노동 관서는 범죄 사실을 조사하여 수사 결과를 검찰에 송치한다.

콕콕! 핵심 개념

1 □□□ □□: 근로 능력을 가진 사람이 국가에 대하여 근로의 기회를 요구할 수 있는 권리

2 □□ □□: 헌법으로 보장하고 있는 근로자의 단결권, 단체 교섭권, 단체 행동권

3 □□ □□ □□: 근로자의 노동 삼권을 방해하는 사용자의 행위

활동 1 다음은 근로자의 권리에 관한 헌법 조항이다. 물음에 답해 보자.

제32조 ① 모든 국민은 근로의 권리를 가진다. 국가는 사회적 · 경제적 방법으로 근로자의 고용의 증진과 적정 임금의 보장에 노력하여야 하며, 법률이 정하는 바에 의하여 최저 임금제를 시행해야 한다.
③ 근로 조건의 기준은 인간의 존엄성을 보장하도록 법률로 정한다.
④ 여자의 근로는 특별한 보호를 받으며, 고용 · 임금 및 근로 조건에 있어서 부당한 차별을 받지 아니한다.
제33조 ① 근로자는 근로 조건의 향상을 위하여 자주적인 ㉠ 단결권 · 단체 교섭권 및 단체 행동권을 가진다.

1 (가)~(다)의 빈칸에 들어갈 알맞은 법을 찾아 쓰고, 위의 자료에서 각각 관련 있는 헌법 조항을 찾아 써 보자.

구분	(가) (　　　)	(나) (　　　)	(다) (　　　)
목적	• 근로 조건의 기준을 정하여 근로자의 기본적 생활을 보장 및 향상 • 균형 있는 국민 경제의 발전 도모	• 근로 조건의 유지 · 개선 • 근로자의 경제적 · 사회적 지위 향상 도모 • 노동관계 조정 → 노동 쟁의 예방 및 해결	• 임금의 최저 수준 보장 • 근로자의 생활 안정 및 노동력의 질적 향상 도모 • 국민 경제의 건전한 발전에 이바지
관련 헌법 조항			

2 밑줄 친 ㉠을 헌법과 법률로 보장하는 이유를 써 보자.

활동 2 (가)~(다)에 나타난 노동권 침해 유형을 빈칸에 쓰고, 각각 구제 방법을 써 보자.

구분	(가) (　　　)	(나) (　　　)	(다) (　　　)
노동권 침해 유형			
노동권 구제 방법			

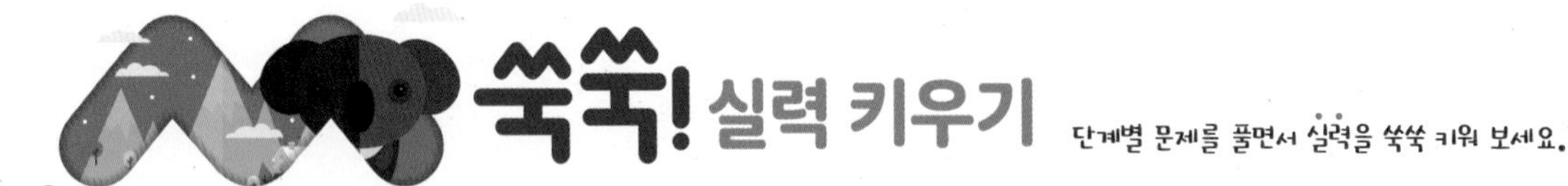

1 STEP 개념을 되짚는 확인 문제

01 다음 빈칸에 들어갈 알맞은 말을 쓰시오.

(1) (　　　　　　)은(는) 근로 능력을 가진 사람이 국가에 대해 근로의 기회를 요구할 수 있는 권리이다.

(2) 근로자의 (　　　　　　)(으)로는 파업, 태업 등이 있다.

(3) 부당 해고를 당한 근로자는 (　　　　　　) 또는 (　　　　　　)에 권리 구제를 요청할 수 있다.

02 다음 내용이 설명하는 근로자의 권리를 쓰시오.

(1) 근로 조건의 유지·개선을 위해 단결할 수 있는 권리 (　　　　　　)

(2) 근로자 단체가 근로 조건의 유지·개선을 목적으로 사용자와 교섭할 수 있는 권리 (　　　　　　)

03 다음 설명이 옳으면 O, 틀리면 X에 표시하시오.

(1) 국가는 사용자의 권리를 보장하기 위해 최저 임금법과 근로 기준법을 규정하고 있다. (○ | ×)

(2) 근로자가 육아 휴직을 요청했다는 이유로 해고를 당했다면 이는 부당 노동 행위에 해당한다. (○ | ×)

(3) 사용자의 임금 체불 행위는 지방 고용 노동 관서에 진정을 통해 권리를 보장받을 수 있다. (○ | ×)

04 노동권 침해 유형과 그 사례를 바르게 연결하시오.

(1) 부당 해고 • 　　• ㉠ 노동조합에 가입하지 않을 것을 조건으로 채용하는 것

(2) 임금 체불 • 　　• ㉡ 근로자를 정당한 이유 없이 해고하는 것

(3) 부당 노동 행위 • 　　• ㉢ 근로자의 야간 수당을 수개월간 미지급하는 것

2 STEP 기초를 다지는 기본 문제

01 다음 헌법 조항과 관련된 국민의 권리로 옳은 것은?

> 제32조 ① … 국가는 사회적·경제적 방법으로 근로자의 고용의 증진과 적정 임금의 보장에 노력하여야 하며, 법률이 정하는 바에 의하여 최저 임금제를 시행하여야 한다.

① 근로자의 권리
② 공정한 재판을 받을 권리
③ 쾌적한 환경에서 살 권리
④ 신체의 자유를 요구할 권리
⑤ 기본권 보장을 요구할 권리

02 (중요) 근로자의 권리에 관한 설명으로 옳지 않은 것은?

① 헌법상 모든 국민은 근로의 권리를 갖는다.
② 근로자는 국가에 대해 근로의 기회를 요구할 수 있다.
③ 근로자는 사용자의 이익을 보장하기 위하여 노동조합을 결성한다.
④ 국가는 인간 존엄성을 보장하는 근로 조건의 기준을 정하고 있다.
⑤ 국가는 법 제정을 통해 근로자에 대해 적정한 임금을 보장하고 있다.

03 헌법상 노동 삼권에 해당하는 것을 〈보기〉에서 있는 대로 고른 것은?

> 보기
> ㄱ. 단결권
> ㄴ. 직장 폐쇄권
> ㄷ. 단체 교섭권
> ㄹ. 단체 행동권

① ㄱ　　② ㄱ, ㄷ　　③ ㄴ, ㄷ
④ ㄱ, ㄷ, ㄹ　　⑤ ㄴ, ㄷ, ㄹ

04 단체 교섭권에 관한 설명으로 옳지 않은 것은?

① 노동 삼권 중 하나이다.
② 근로 조건의 유지 및 개선을 위해 협상할 수 있다.
③ 사용자는 이유 없이 교섭을 거부 또는 회피할 수 있다.
④ 노동조합과 사용자 또는 사용자 단체 간에 이루어진다.
⑤ 원만한 교섭이 이루어지지 않으면 쟁의 행위를 할 수 있다.

05 다음 사례에서 공통으로 나타난 노동권의 침해 유형으로 옳은 것은?

> • 근로자가 노동조합에 가입했다는 이유로 해고하거나 불이익을 주는 행위
> • 근로자가 정당한 단체 행동에 참가하였다는 이유로 불이익을 주는 행위

① 부당 해고 ② 임금 체불
③ 부당 노동 행위 ④ 사생활의 자유 침해
⑤ 쾌적한 환경에서 일할 권리 침해

06 중요 다음 사례를 구제하기 위한 방법으로 옳지 않은 것은?

> 사용자가 경기가 어렵다는 이유로 임금을 지급하지 않고 있다.

① 관할 지방 고용 노동 관서에 고소한다.
② 고용 노동부 누리집의 민원 신청을 통해 진정한다.
③ 사용자가 계속 임금을 주지 않으면 형사 처분을 받게 된다.
④ 임금 체불이 인정되면 지방 고용 노동 관서에서 임금 지급을 명령한다.
⑤ 임금 지급 명령 이후 받지 못한 임금은 형사 소송을 통해 받을 수 있다.

3 STEP 실력을 완성하는 주관식·서술형 문제

[07~08] 다음은 근로자의 권리에 관한 헌법 조항이다. 물음에 답하시오.

> 제33조 ① 근로자는 근로 조건의 향상을 위하여 자주적인 (㉠), (㉡) 및 (㉢)을(를) 가진다.
> ② 공무원인 근로자는 법률이 정하는 자에 한하여 (㉠), (㉡) 및 (㉢)을(를) 가진다.

07 위의 ㉠~㉢에 들어갈 알맞은 말을 쓰시오.

㉠: ______
㉡: ______
㉢: ______

08 신유형 ㉠~㉢을 침해하는 사용자의 행위를 무엇이라고 하는지 쓰고, 이에 관한 구제 방법을 서술하시오.

(1) 사용자의 행위: ______
(2) 구제 방법: ______

09 고난도 밑줄 친 계약 내용에 관하여 A 의원의 주장을 뒷받침하는 근거를 노동 삼권 중 한 가지를 포함하여 서술하시오.

> 국정 감사에서 ○○ 상임 위원회에 속한 A 의원은 △△부에서 용역 업체를 상대로 맺은 계약 내용 중에서 "노동 쟁의로 인하여 청소 관리 용역 업무 수행에 상당한 지장을 초래하였을 때 계약을 해지할 수 있다."라는 내용은 명백한 노동권 침해라고 주장하였다.

뚝딱! 단원 마무리하기

이번 단원에서 배운 내용을 문제로 뚝딱! 마무리 점검해 보세요.

01 중요

밑줄 친 ㉠의 내용이 의미하는 인권의 특징을 〈보기〉에서 있는 대로 고른 것은?

> 세계 인권 선언 제1조
> ㉠ 모든 사람은 태어날 때부터 자유롭고, 존엄하며, 평등하다. 모든 사람은 이성과 양심을 가지고 있으므로 서로에게 형제애의 정신으로 대해야 한다.

보기

ㄱ. 사회권 ㄴ. 자연권
ㄷ. 천부 인권 ㄹ. 청구권

① ㄱ ② ㄱ, ㄴ ③ ㄴ, ㄷ
④ ㄱ, ㄷ, ㄹ ⑤ ㄴ, ㄷ, ㄹ

02

(가), (나)에 해당하는 기본권을 바르게 연결한 것은?

> (가) 모든 국민은 법 앞에 평등하다.
> (나) 모든 국민은 언론 · 출판의 자유와 집회 · 결사의 자유를 가진다.

	(가)	(나)
①	자유권	평등권
②	자유권	청구권
③	평등권	자유권
④	평등권	청구권
⑤	사회권	청원권

03

다음 사례에서 A 군이 침해당하고 있는 기본권으로 적절한 것은?

> A 군이 다니는 ○○ 고등학교에서는 개인의 신앙과 상관없이 모든 학생에게 주 1회 특정 종교 행사에 참여할 것을 강요하고 있다.

① 사회권 ② 자유권 ③ 참정권
④ 청구권 ⑤ 평등권

04

다음 권리들이 공통적으로 해당하는 기본권은?

> • 근로의 권리
> • 교육을 받을 권리
> • 인간다운 생활을 할 권리
> • 쾌적한 환경에서 생활할 권리

① 청구권 ② 자유권 ③ 참정권
④ 사회권 ⑤ 평등권

05  신유형

다음 중 기본권과 그에 해당하는 권리를 바르게 연결한 것은?

	기본권	권리
①	사회권	국민 투표권
②	자유권	재판 청구권
③	참정권	표현의 자유
④	청구권	교육권
⑤	평등권	법 앞에 평등

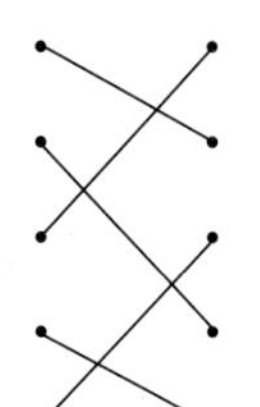

06 중요

다음에서 설명하는 기본권과 관련된 내용으로 옳은 것은?

> 국가에 대해 일정한 행위를 요구할 수 있는 권리로, 다른 기본권을 보장하기 위한 수단적 성격을 가진다.

① 모든 국민은 법 앞에 평등하다.
② 모든 국민의 재산권은 보장된다.
③ 모든 국민은 근로의 권리를 가진다.
④ 모든 국민은 법률이 정하는 바에 의해서 공무 담임권을 가진다.
⑤ 모든 국민은 법률이 정하는 바에 의하여 국가 기관에 문서로 청원할 권리를 가진다.

●●○

07 헌법에서 규정하고 있는 기본권의 제한에 관한 설명으로 옳지 않은 것은?

① 기본권 제한은 법률을 통해서 이루어져야 한다.
② 국가 안전 보장을 위하여 국가는 임의로 기본권을 제한할 수 있다.
③ 헌법에서 정하고 있는 기본권 제한의 사유 외에 다른 이유로 제한할 수 없다.
④ 기본권 제한의 목적에 맞게 제한하더라도 기본권의 본질적 내용은 침해할 수 없다.
⑤ 국가가 기본권을 제한할 때에는 필요한 경우에 한하여 최소한으로 법률로써 제한해야 한다.

●●●

08 다음 중 인권 침해 상황으로 보기 어려운 것은?

① 누리 소통망에서 친구들로부터 모욕을 당한 경우
② 학교 인근 공사장의 소음과 먼지로 피해를 입은 경우
③ 범죄자를 교도소에 수용하여 신체의 자유를 제한하는 경우
④ 정부가 독재 정치를 하며 국민의 자유와 권리를 제한하는 경우
⑤ 관공서에 장애인의 접근을 편리하게 하는 시설을 설치하지 않은 경우

●●○

09 다음 사례에서 침해된 인권을 구제하는 방법으로 옳은 것은?

> 얼마 전 국회에서 제정한 법률이 헌법에서 보장하는 국민의 알 권리와 표현의 자유를 지나치게 규제하고 있어 그 취지를 살리지 못하고 있다고 판단한 ○○ 시민 단체에서는 이 법의 개정을 요구하고자 한다.

① 국회에 입법 청원을 진행한다.
② 법원에 행정 소송을 제기한다.
③ 수사 기관에 고소하여 수사를 진행한다.
④ 행정 기관에 행정 심판을 요청한다.
⑤ 대한 법률 구조 공단에 법률 구조를 요청한다.

●●●

10 다음 사례에서 영민이가 선택할 수 있는 인권 구제 방법으로 옳은 것은?

> 중학생인 영민이는 만 16세 미만의 청소년을 대상으로 심야 시간에 온라인 게임을 금지하는 '셧다운제(일명 신데렐라법)'가 헌법에서 보장하는 자율적 선택권과 행복 추구권을 침해하였다고 생각한다.

① 수사 기관에 고소한다.
② 법원에 민사 소송 재판을 청구한다.
③ 헌법 재판소에 위헌 법률 심판을 청구한다.
④ 헌법 재판소에 헌법 소원 심판을 청구한다.
⑤ 대한 법률 구조 공단에 법률 구조를 요청한다.

●●○

11 다음 사례에서 A 씨가 도움을 받을 수 있는 국가 기관으로 옳은 것은?

> 교통사고로 생긴 장애 때문에 일을 할 수 없게 된 A 씨는 경제적 어려움을 겪고 있다. 사고를 낸 가해자에게 민사 소송을 통해 치료비와 위자료를 청구하고 싶지만, 기초 생활 수급을 받으며 살아가고 있는 A 씨에게는 꿈만 같은 이야기이다.

① 국회 ② 법원 ③ 경찰서
④ 노동 위원회 ⑤ 대한 법률 구조 공단

●●●

12 다음 사례와 같은 인권 구제 활동을 전개하는 기관으로 옳은 것은?

> 국가 공무원 시험에 응시할 수 있는 연령을 제한하는 것은 평등권을 침해한다는 취지에서 연령 제한을 철폐할 것을 권고하였다.

① 국회
② 법원
③ 여성 가족부
④ 국가 인권 위원회
⑤ 대한 법률 구조 공단

13 신유형 다음 그림들이 상징하는 국가 기관들의 공통적인 역할로 옳은 것은?

① 국민의 침해된 인권을 구제한다.
② 공정한 재판을 통해 국민의 기본권을 보장한다.
③ 국민의 기본권을 보장하기 위한 법률을 제정한다.
④ 나라의 살림살이에 필요한 예산을 심의하고 결정한다.
⑤ 국가의 목적이나 공익을 적극적으로 실현해 가는 작용을 한다.

14 다음 사례에서 A 씨가 자신의 인권을 구제받기 위한 방법으로 옳은 것은?

> A씨는 층간 소음으로 고충을 겪고 있다. 윗집에 여러 번 주의해 줄 것을 요청하였으나 해결되지 않고 있다.

① 상급 법원에 상소한다.
② 수사 기관에 고소한다.
③ 국민 권익 위원회에 진정한다.
④ 법원에 행정 소송을 청구한다.
⑤ 헌법 재판소에 헌법 소원 심판을 청구한다.

15 다음 헌법 조항에서 보장하는 근로자의 권리를 무엇이라고 하는지 쓰시오.

> 제33조 ① 근로자는 근로 조건의 향상을 위하여 자주적인 단결권, 단체 교섭권 및 단체 행동권을 가진다.

____

16 밑줄 친 ㉠에 해당하는 행위로 옳은 것을 〈보기〉에서 고른 것은?

> 노사 간 단체 교섭이 원만하게 체결되지 않아 노동 쟁의가 발생하자 노동조합은 내일부터 ㉠ 쟁의 행위를 하기로 하였다.

보기

ㄱ. 태업　　ㄴ. 파업
ㄷ. 직장 폐쇄　　ㄹ. 폭력 시위

① ㄱ, ㄴ　② ㄱ, ㄷ　③ ㄴ, ㄷ
④ ㄴ, ㄹ　⑤ ㄷ, ㄹ

[17~18] 다음은 노동권 침해 사례이다. 물음에 답하시오.

(가)

(나)

17 신유형 (가), (나) 사례와 노동권의 침해 유형을 바르게 나열한 것은?

	(가)	(나)
①	부당 노동 행위	부당 해고
②	부당 노동 행위	임금 체불
③	임금 체불	부당 노동 행위
④	임금 체불	부당 해고
⑤	부당 해고	부당 노동 행위

18 (가)와 같은 노동권 침해를 구제받을 수 있는 행정 기관을 쓰시오.

____

●●○

19 중요

헌법을 통해 기본권을 보장하는 이유를 인권의 보장과 구제의 측면에서 두 가지 서술하시오.

●●●

20 신유형

다음은 국가 인권 위원회의 권고에 관한 수용률을 나타낸 그래프이다. 국가 인권 위원회의 권고 수용률이 낮아지는 이유를 서술하시오.

역대 정부별 국가 인권 위원회 권고 평균 수용률*

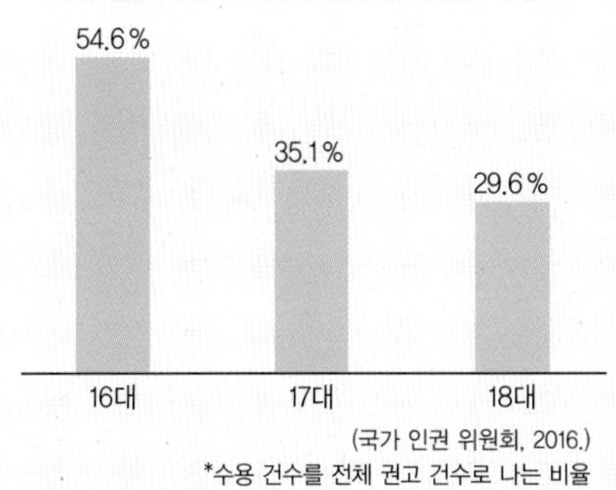

(국가 인권 위원회, 2016.)

*수용 건수를 전체 권고 건수로 나눈 비율

●●○

21

다음 권리들이 해당하는 기본권을 쓰고, 그 의미와 특징을 서술하시오.

> 청원권, 재판 청구권, 국가 배상 청구권

(1) 기본권:

(2) 의미:

(3) 특징:

●●●

22 중요

다음은 우리나라 헌법 조항의 일부이다. 빈칸 ㉠에 들어갈 말을 쓰고, 헌법에서 기본권 제한의 한계를 규정하고 있는 이유를 서술하시오.

> 제37조 ② 국민의 모든 자유와 권리는 국가 안전보장 · 질서 유지 또는 공공복리를 위하여 필요한 경우에 한하여 (　　㉠　　)(으)로써 제한할 수 있으며, 제한하는 경우에도 자유와 권리의 본질적인 내용을 침해할 수 없다.

(1) ㉠:

(2) 이유:

●●○

23 중요

밑줄 친 (가)에 들어갈 내용을 두 가지 서술하시오.

> 인권이 헌법에 기본권으로 정해져 있다고 해서 언제나 저절로 보장되는 것은 아니다. 실제 생활에서는 다양한 유형의 인권 침해가 발생하기도 한다. 이때 인권 보장을 위한 올바른 시민의 자세는 ＿＿＿＿(가)＿＿＿＿.

●●●

24

빈칸 ㉠에 들어갈 말을 쓰고, ㉡에 들어갈 구제 방법을 서술하시오.

> http://www.OOO.co.kr
>
> Q&A
>
> **Q** 삼촌이 근무하시는 회사가 경기가 어렵다면서 3개월째 월급을 안 준대요. 어떻게 해야 하나요?
>
> **A** (　　㉠　　)에 의하면 사용자는 근로자에게 정당한 임금을 주도록 규정하고 있습니다. 이런 경우 ＿＿＿＿㉡＿＿＿＿.

(1) ㉠:

(2) ㉡:

이 단원을 배우면

우리나라 헌법에서 규정하고 있는 대표적인 국가 기관인 국회, 대통령과 행정부, 법원과 헌법 재판소의 위상과 기능을 파악하고, 각 국가 기관이 다른 국가 기관과의 관계 속에서 어떤 역할을 수행하고 있는지 분석하여 설명할 수 있어요.

헌법과 국가 기관

중단원명	학습 코너	쪽수	학습 예정일	학습 완료일	달성도
01 국회	꼼꼼! 필기 노트	26쪽	◯월 ◯일	◯월 ◯일	☆☆☆☆☆
	탄탄! 활동 노트	27쪽	◯월 ◯일	◯월 ◯일	☆☆☆☆☆
	쑥쑥! 실력 키우기	28~29쪽	◯월 ◯일	◯월 ◯일	☆☆☆☆☆
02 행정부와 대통령	꼼꼼! 필기 노트	30쪽	◯월 ◯일	◯월 ◯일	☆☆☆☆☆
	탄탄! 활동 노트	31쪽	◯월 ◯일	◯월 ◯일	☆☆☆☆☆
	쑥쑥! 실력 키우기	32~33쪽	◯월 ◯일	◯월 ◯일	☆☆☆☆☆
03 법원과 헌법 재판소	꼼꼼! 필기 노트	34쪽	◯월 ◯일	◯월 ◯일	☆☆☆☆☆
	탄탄! 활동 노트	35쪽	◯월 ◯일	◯월 ◯일	☆☆☆☆☆
	쑥쑥! 실력 키우기	36~37쪽	◯월 ◯일	◯월 ◯일	☆☆☆☆☆
뚝딱! 단원 마무리하기		38~41쪽	◯월 ◯일	◯월 ◯일	☆☆☆☆☆

국회

이것이 **포인트!**
- 국회의 지위
- 법률의 제·개정 절차

꼼꼼! 필기 노트

+ 대의 민주 정치
현대 국가에서는 영토가 넓고 인구가 많아 모든 국민이 국가 정책을 직접 결정하기가 현실적으로 어렵다. 그래서 대부분 민주 국가에서는 국민이 대표를 뽑아 그들이 정치를 하도록 한다.

+ 입법 기관
법을 만드는 일을 하는 국가 기관이다.

+ 제정과 개정
제정은 새로운 법을 만드는 것이고, 개정은 원래 있던 법을 고치는 것을 말한다.

+ 국정 감사와 국정 조사
국정 감사는 정기 국회부터 20일 동안 상임 위원회별로 소관 행정 기관의 업무에 대해 감사 활동을 하는 것이고, 국정 조사는 검찰에 의한 공정한 수사가 어려운 사건에 대해 국회 차원의 특별 조사를 하는 것이다.

+ 법률의 제정·개정 절차
국회 의원 또는 정부가 제출한 법률안은 국회 의장을 거쳐 해당 상임 위원회에서 심사를 받는다. 상임 위원회의 심사를 거쳐 통과된 법률안은 본회의에 상정되고, 본회의에서 가결되면 대통령이 공포한다. 일반적으로 공포 후 20일이 지나면 법률의 효력이 발생한다.

1 국회

1 의미

(1) ❶ [ ]: 국민을 대표하는 기관 → 의회라고도 불러요.

(2) 지위

① 입법 기관: 헌법 개정의 제안·의결, 법률의 제·개정을 담당함

② 국민의 대표 기관: 국민을 대표하여 다양한 의사를 대변함

③ 국가 권력 통제 기관: 행정부, 사법부 등 다른 국가 기관을 감시하고 비판함
→ 국가 권력의 남용을 방지하고 국민의 기본권을 보장할 수 있어요.

2 조직 → 우리나라 국회는 단원제로 운영하고 있어요.

(1) 구성

① 지역구 국회 의원: 각 지역구의 후보자 중 투표를 통해 선출됨

② ❷ [ ]: 각 정당별 득표율에 비례하여 선출됨

(2) 운영 조직

→ 현재 국회법에는 20인 이상으로 규정하고 있어요.

교섭 단체		• 일정한 수 이상의 국회 의원으로 구성됨 • 국회 의원들의 다양한 의사를 사전에 통합하고 조정함
위원회	❸ [ ]	국방, 외교, 복지 등 각 분야의 관련된 안건이나 법률안을 전담하여 심사함 예 국방 위원회, 보건 복지 위원회, 외교 통일 위원회 등
	특별 위원회	각 상임 위원회에서 담당하는 사안이 아닌 특별한 안건을 처리하기 위해 일시적으로 활동함 예 예산 결산 특별 위원회, 인사 청문 특별 위원회, 윤리 특별 위원회 등
❹ [ ]		• 국회의 의사를 최종적으로 결정하는 곳 • 국회 의원들이 모두 모여 국가의 중요한 문제 논의 및 위원회 심사 안건을 최종적으로 결정함 → 재적 의원 과반수의 출석과 출석 의원 과반수의 찬성으로 의결돼요.

→ 효율적인 의사 진행을 위해 운영하고 있어요.

2 국회의 기능과 권한

❺ [ ]에 관한 기능	법률의 제정 및 개정 권한, 헌법 개정의 제안 및 의결 권한, 외국과의 조약 체결 관한 동의권 등
재정에 관한 기능	❻ [ ] 심의·확정, 결산 심사 등
❼ [ ]에 관한 기능	국정 감사와 국정 조사, 대통령의 선전 포고나 국군의 해외 파병에 대한 동의권, 공무원 임명 동의권, 고위 공직자 탄핵 소추 의결권 등

→ 대통령, 국무총리, 법관 등이 해당해요.

▼ **법률의 제정·개정 절차** → 우리나라는 행정부도 국회처럼 법률안 제출권을 가지고 있어요.

국민의 의사 → 국회 의원 10인 이상 (발의) / 정부 (제출) → 국회 의장 > (회부) 상임 위원회 > (상정) 본회의 > (이송) 대통령 → (15일 이내) 공포 (20일 경과 후 효력 발생)
거부권 행사: 대통령 → 국회 의장

콕콕! 핵심 개념

1 ☐☐: 법을 만드는 일

2 ☐☐☐☐: 국회 의원들의 의사를 사전에 통합하고 조정하는 국회의 조직

3 ☐☐: 예산안 심의·확정 및 결산 심사를 하는 국회의 기능이다.

활동 1 다음은 법률의 제정 · 개정 과정을 나타낸 그림이다. 빈칸 ❶~❻에 공통으로 들어갈 알맞은 말을 써 보자.

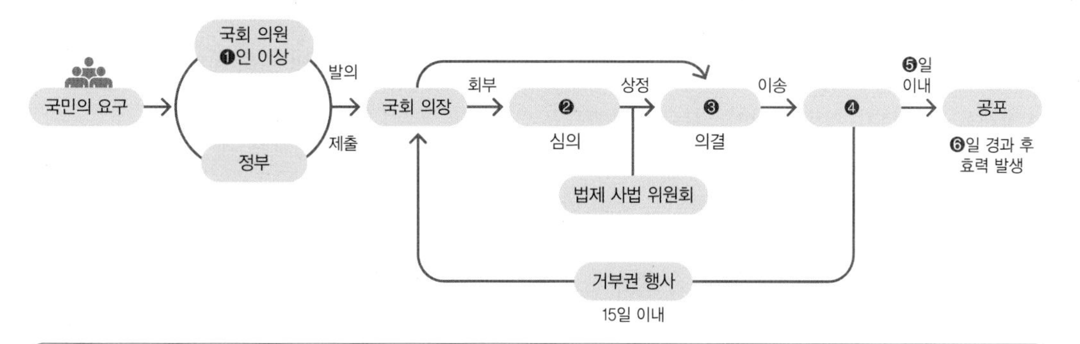

국가 기관인 국회와 정부에서는 국민의 의사를 수렴하여 법률안을 제안 할 수 있다. 정부의 경우 헌법에 따라 국무 회의의 심의를 거쳐 국회 의장에게 제출한다. 국회 의원의 발의를 위해서는 국회 의원 ❶ ________ 명 이상의 찬성이 필요하다. 발의안을 받은 국회 의장은 ❷ ________ 에 회부하여 심사하게 하고, ❷ ________ 에서는 ❸ ________ 에 상정한다. 보통의 경우 ❸ ________ 에서 재적 국회 의원 과반수의 참석과 참석 의원 과반수의 찬성으로 법률안이 의결된다. 의결된 법률안은 정부에 이송되어 ❹ ________ 이(가) ❺ ________ 일 이내에 공포하고, 공포된 법률은 특별한 규정이 없는 한 공포한 날부터 ❻ ________ 일이 경과하면 효력이 발생한다.

활동 2 다음은 수업 시간에 국회의 역할과 권한을 정리한 표이다. 물음에 답해 보자.

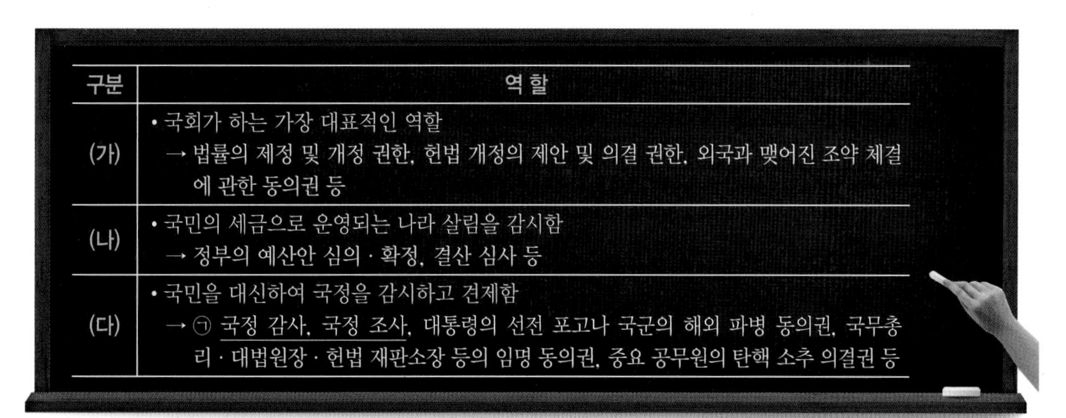

구분	역할
(가)	• 국회가 하는 가장 대표적인 역할 → 법률의 제정 및 개정 권한, 헌법 개정의 제안 및 의결 권한, 외국과 맺어진 조약 체결에 관한 동의권 등
(나)	• 국민의 세금으로 운영되는 나라 살림을 감시함 → 정부의 예산안 심의 · 확정, 결산 심사 등
(다)	• 국민을 대신하여 국정을 감시하고 견제함 → ㉠ 국정 감사, 국정 조사, 대통령의 선전 포고나 국군의 해외 파병 동의권, 국무총리 · 대법원장 · 헌법 재판소장 등의 임명 동의권, 중요 공무원의 탄핵 소추 의결권 등

1 (가)~(다)에 해당하는 국회의 역할을 써 보자.

(가) – (   ) (나) – (   ) (다) – (   )

2 밑줄 친 ㉠에 대한 설명을 보고, 빈칸에 들어갈 알맞은 말을 골라 보자.

국회가 매년 정기적으로 국정 전반을 감사하는 권한은 (국정 감사 | 국정 조사)이고, 필요한 경우에 특정한 사안을 조사할 수 있는 권한은 (국정 감사 | 국정 조사)이다.

쑥쑥! 실력 키우기

단계별 문제를 풀면서 실력을 쑥쑥 키워 보세요.

1 STEP 개념을 되짚는 확인 문제

01 다음 빈칸에 들어갈 알맞은 말을 쓰시오.

(1) 정책을 실행하기 위해 바탕이 되는 법을 만드는 일을 (   )(이)라고 한다.

(2) 국회 의원이나 정부가 제출한 법률안은 국회 의장을 거쳐 해당 (   )에서 심사를 받는다.

(3) 국회는 대통령, 국무총리, 국무 위원 등이 법률을 위반하였을 때에는 파면을 요구하는 (   )을(를) 의결할 수 있다.

02 다음 내용이 해당하는 국회의 역할을 쓰시오.

(1) 국정을 감시하고 견제함 (   )

(2) 헌법 개정 제안 및 의결함 (   )

(3) 국민의 세금으로 운영되는 나라 살림을 감시함 (   )

03 다음 설명이 옳으면 O, 틀리면 X에 표시하시오.

(1) 국회 본회의에서 법률안이 가결되면 국회 의장이 15일 이내에 공포한다. (○ | ×)

(2) 국정 조사는 국회가 매년 정기적으로 국정 전반을 감사하는 권한이다. (○ | ×)

(3) 국회는 헌법 재판소장이 재판관을 선출하고, 대통령이 국무총리, 대법원장, 헌법 재판소의 장 등을 임명할 때 동의하는 권한을 갖는다. (○ | ×)

04 국회의 권한을 바르게 연결하시오.

(1) 입법에 관한 일 •　　　• ㉠ 예산안 심의 · 확정

(2) 재정에 관한 일 •　　　• ㉡ 조약 체결에 대한 동의권

(3) 일반 국정에 관한 일 •　　　• ㉢ 탄핵 소추권

2 STEP 기초를 다지는 기본 문제

01 다음 헌법 조항에 대한 설명으로 옳은 것은?

> 제40조 입법권은 국회에 속한다.

① 입법에 관한 일은 국회 고유의 권한임을 밝히고 있다.
② 국회는 모든 국가 권력의 중심으로서의 지위를 갖는다.
③ 국회는 국가 최고의 법인 헌법을 개정하고 확정할 수 있다.
④ 국회는 정부의 예산안을 심의하고 확정하는 권한을 갖는다.
⑤ 국회는 정부의 정책 집행 과정을 항상 견제하고 감시해야 한다.

02 중요 국회 의원에 대한 설명으로 옳지 않은 것은?

① 선거는 4년마다 실시된다.
② 선거를 할때 두 장의 투표용지를 받는다.
③ 국회 의원 중 의장과 부의장을 선출한다.
④ 지역구 국회 의원은 정당별 득표율에 비례하여 선출된다.
⑤ 국회 의원은 지역구 의원과 비례 대표 의원으로 구성된다.

03 국회를 구성하고 있는 조직을 〈보기〉에서 있는 대로 고른 것은?

> **보기**
> ㄱ. 감사원　　ㄴ. 본회의　　ㄷ. 교섭 단체
> ㄹ. 국무 회의　　ㅁ. 상임 위원회

① ㄱ, ㄴ　　② ㄴ, ㄷ　　③ ㄹ, ㅁ
④ ㄱ, ㄴ, ㄹ　　⑤ ㄴ, ㄷ, ㅁ

04 다음 내용이 설명하는 국회의 조직으로 옳은 것은?

> 국회의 의사를 최종적으로 결정하는 곳으로, 국회 의원 전체가 모여 국가의 중요한 문제를 논의하고, 위원회에서 심사한 안건을 최종적으로 결정한다.

① 본회의 ② 사무처 ③ 교섭 단체
④ 상임 위원회 ⑤ 특별 위원회

05 중요 국회의 법률 제정 과정을 〈보기〉에서 골라 순서대로 바르게 나열한 것은?

> **보기**
> ㄱ. 대통령 공포 ㄴ. 본회의 가결
> ㄷ. 본회의 상정 ㄹ. 상임 위원회 회부
> ㅁ. 국회 의원 발의

① ㄱ-ㄴ-ㄷ-ㄹ-ㅁ ② ㄷ-ㄴ-ㅁ-ㄹ-ㄱ
③ ㄷ-ㄹ-ㄴ-ㅁ-ㄱ ④ ㅁ-ㄷ-ㄴ-ㄹ-ㄱ
⑤ ㅁ-ㄹ-ㄷ-ㄴ-ㄱ

06  국회의 입법에 대한 권한으로 옳지 않은 것은?

① 헌법 개정안 제안 권한
② 중요 공무원 임명 동의권
③ 법률의 제정 및 개정 권한
④ 헌법 개정안 심의 · 의결 권한
⑤ 외국과의 조약 체결에 관한 동의권

07 국회의 일반 국정에 관한 기능으로 옳지 않은 것은?

① 국정 조사권
② 선전 포고 동의권
③ 대통령 탄핵 소추권
④ 예산안 심의 · 확정권
⑤ 국군의 해외 파병 동의권

3 STEP 실력을 완성하는 주관식·서술형 문제

[08~09] 다음은 국회 의원 선거의 투표용지 모형이다. 물음에 답하시오.

(가)

국회 의원 선거 투표
(○○○ 선거구)

1	○○당	김○○	
2	☆☆당	이○○	
3	◇◇당	안○○	
4	♡♡당	권○○	
5	무소속	홍○○	

투표관리관
절취선
No.

(나)

비례 대표 국회 의원 선거 투표

1	○ ○ 당	
2	☆ ☆ 당	
3	◇ ◇ 당	
4	♡ ♡ 당	
5	△ △ 당	
6	□ □ 당	
7	♧ ♧ 당	
8	⊙ ⊙ 당	
9	▽ ▽ 당	

투표관리관
절취선
No.

08 신유형 (가), (나)를 통해 선출되는 국회 의원의 특징을 각각 서술하시오.

고난도

09 우리나라 국회 의원 선거에서 (나)를 통해 국회 의원을 선출하는 이유를 두 가지 서술하시오.

10 다음 권한들을 포괄하는 국회의 기능을 쓰고, 이러한 기능과 권한이 가지는 의의를 권력 분립의 측면에서 서술하시오.

> • 국정 조사 · 감사권
> • 중요 공무원 임명 동의권
> • 대통령의 선전 포고나 국군의 해외 파견 동의권

(1) 역할:
(2) 의의:

02 행정부와 대통령

이것이 포인트!
- 행정부의 주요 조직과 기능
- 대통령의 지위에 따른 권한

꼼꼼! 필기 노트

1 행정부

1 의미

(1) **행정**: 국회에서 제정한 법률을 집행하여 국가의 목적이나 공익을 위해 정책을 만들어 적극적으로 실현해 가는 작용

(2) ❶ [　　　]: 행정 작용을 담당하는 국가 기관 → 현대 복지 국가에서 역할이 더욱 커지고 있어요.

2 조직과 기능

(1) ❷ [　　　] → 국민의 직접 선거로 선출되며, 임기는 5년이며 중임할 수 없어요.
① 의미: 행정부의 최고 책임자
② 역할: 국무 회의를 거쳐 국가의 중요한 일을 결정함

(2) ❸ [　　　] → 국회의 동의를 얻어 대통령이 임명해요. 대통령 자리가 공석일 때 권한을 대행해요.
① 의미: 대통령을 보좌하는 행정부의 2인자
② 역할: 대통령을 도와 행정 각부를 총괄함

(3) ❹ [　　　] → 대통령, 국무총리, 국무 위원으로 구성되어 있어요.
① 의미: 행정부의 최고 심의 기관
② 역할: 행정 각부의 주요 정책이나 국정의 주요 현안 등 국가의 중요한 정책을 심의함

(4) **행정 각부** → 행정 각부의 장관은 국무 위원 중에서 국무총리의 제청으로 대통령이 임명해요.
① 의미: 구체적인 행정 사무를 집행하는 기관
② 역할: 업무의 성격에 따라 여러 부서로 나뉘며 각자 맡은 일을 전문적으로 처리함

(5) **감사원**+ → 감사원장은 국회의 동의를 얻어 대통령이 임명해요.
① 의미: 대통령 직속의 행정부 ❺ [　　　] → 업무상 독립된 지위를 가짐
② 역할: 정부의 예산 사용 감독, 행정부와 공무원의 업무 처리 감찰 등

2 대통령

1 지위

(1) **국가 원수**: 국가 최고 지도자로서 대외적으로 우리나라를 대표함
→ 헌법 제66조 ① 대통령은 국가의 원수이며, 외국에 대하여 국가를 대표한다.

(2) **행정부의 수반**: 행정부의 최고 책임자로서 대내적으로 행정권을 통제함
→ 헌법 제66조 ② 행정권은 대통령을 수반으로 하는 정부에 속한다.

2 대통령의 권한

(1) ❻ [　　　]로서 권한

대외적 국가 대표	조약 체결·비준권, 외교 사절 신임·접수·파견권, 선전 포고, 강화 등
국가와 헌법 수호	긴급 명령권, 계엄 선포권+ 등
헌법 기관 구성	대법원장, 헌법 재판소장 등에 대한 임명권 등

→ 천재지변 등 국가에 긴급한 일이 생긴 경우에 긴급 명령을 내릴 수 있고, 전쟁 등 국가 비상사태가 발생했을 때 계엄을 선포할 수 있어요.

(2) ❼ [　　　]으로서 권한: 행정부 구성 및 지휘·감독권, 국군 통수권, 공무원 임면권+, 대통령령 제정, 국무 회의의 의장 등

+ 국무총리
우리나라의 국무총리 제도는 순수한 대통령제에서는 볼 수 없는 제도로, 대통령제에 의원 내각제를 가미한 요소이다. 국무총리는 국무 위원 임명 제청 및 해임 건의 권한을 가지며, 국무 회의의 부의장으로서의 지위를 가진다. 또한 대통령이 궐위되거나 사고로 인해 직무를 수행할 수 없을 때 대통령 권한 대행권을 행사한다.

+ 감사원
대통령 소속 기구이나 직무에 관하여는 독립된 지위를 가지고 있는 헌법 기관으로, 감사원장을 포함하여 5인 이상 11인 이하의 감사 위원으로 구성한다. 감사원의 주요 권한은 국가 세입·세출 결산, 국가 및 법률이 정한 단체의 회계 검사, 공무원에 대한 직무 감찰 등이 있다.

+ 헌법 기관
감사원, 헌법 재판소 등 헌법의 규정에 따라 설치된 국가 기관을 말한다.

+ 계엄
국가 비상사태가 발생했을 때 행정 및 사법 기능의 전부 또는 일부를 군대가 맡아 다스리는 것을 말한다.

+ 공무원 임면
공무원을 임명하고 해직하는 것이다.

콕콕! 핵심 개념

1 □□: 국회에서 제정한 법률을 집행하여 국가의 목적이나 공익을 적극적으로 실현해 가는 작용

2 □□□: 정부의 예산 사용을 감독하고 행정부와 공무원의 업무 처리를 감찰하는 기관

3 □□ □□: 우리나라 대통령은 국가 최고 지도자로서 외국에 대하여 우리나라를 대표하는 지위

활동 1 다음은 우리나라 행정부의 조직과 기능에 대한 설명이다. 물음에 답해 보자.

구분	역할
㉠	행정부의 최고 책임자
㉡	국가의 중요한 정책을 심의함
㉢	대통령을 도와 행정 각부를 총괄함
㉣	정부의 예산 사용 감독, 행정부와 공무원의 업무 처리 감찰
㉤	업무의 성격에 따라 (가) 여러 부서로 나눠 각자 맡은 일을 전문적으로 처리함

1 밑줄 친 ㉠~㉤에 해당하는 행정부의 조직을 써 보자.

㉠ – ____________ ㉡ – ____________ ㉢ – ____________

㉣ – ____________ ㉤ – ____________

2 밑줄 친 (가)의 여러 부서를 찾아 보고, 빈칸 ❶~❸에 해당하는 부서를 〈보기〉에서 찾아 써 보자.

보기

보건 복지부, 법무부, 행정 안전부, 교육부, 통일부, 환경부

❶ ____________	조류 인플루엔자의 확산을 막기 위한 대책을 마련하였다.
❷ ____________	평화적인 이산가족 상봉을 위하여 남북 대화를 준비하였다.
❸ ____________	학생과 학부모의 부담을 줄여주기 위해 대입 전형료를 인하할 것을 대학 측에 요청하였다.

활동 2 다음 사진을 보고 물음에 답해 보자.

(가) 국무 회의 (나) 정상 회담 (다) 외교 사절 신임 (라) 감사원장 임명장 수여

1 아래의 설명을 읽고, 빈칸 ❶, ❷에 알맞은 말을 써 보자.

대통령은 ❶ ____________ 이자 ❷ ____________ 의 지위를 동시에 가지고 있다. ❶ ____________ (으)로서 대통령은 행정부를 구성하고 지휘 · 감독하며, 국군을 지휘하고 통솔한다. 또한 행정부의 공무원을 임명하거나 해임할 수 있으며, 필요한 사항에 대하여 대통령령을 만들 수 있다. ❷ ____________ (으)로서 대통령은 국가를 대표하여 외국과 조약을 체결하고, 외교 사절을 맞이하거나 해외에 보낸다. 그리고 대법원장, 헌법 재판소의 장 등을 임명하여 헌법 기관을 구성한다. 또한 천재지변 등 국가에 긴급한 일이 생긴 경우 긴급 명령을 내릴 수 있으며, 전쟁과 같은 국가 비상사태가 발생했을 때 계엄을 선포할 수 있다.

2 (가)~(라)는 각각 어떤 대통령의 지위와 관련이 있는지 써 보자.

(가) – ____________ (나) – ____________ (다) – ____________ (라) – ____________

단계별 문제를 풀면서 실력을 쑥쑥 키워 보세요.

1 STEP 개념을 되짚는 확인 문제

01 다음 빈칸에 들어갈 알맞은 말을 쓰시오.

(1) 국회에서 제정한 법률을 집행하여 국가의 목적이나 공익을 적극적으로 실현해 가는 작용을 (　　　　　)(이)라고 한다.

(2) (　　　　　)은(는) 대통령을 도와 행정 각부를 총괄한다.

(3) 대통령은 전쟁과 같은 국가 비상사태가 발생했을 때 (　　　　　)을(를) 선포할 수 있다.

02 다음에서 설명하는 국가 기관을 쓰시오.

(1) 업무의 성격에 따라 여러 부서로 나뉘어 각자 맡은 일을 전문적으로 처리하는 기구 (　　　　　)

(2) 정부의 예산 사용을 감독하고, 행정부와 공무원의 업무 처리를 감찰하는 기구 (　　　　　)

03 다음 설명이 옳으면 O, 틀리면 X에 표시하시오.

(1) 국가의 중요 정책을 심의하는 국무 회의는 대통령, 국무총리, 국무 위원으로 구성된다. (○ | ×)

(2) 대통령은 행정부 수반으로서 외국과 조약을 체결하고, 외교 사절을 맞이하거나 해외에 보낸다. (○ | ×)

(3) 대통령은 행정부의 수반으로서 행정부의 공무원을 임명하거나 해임할 수 있다. (○ | ×)

04 행정부의 조직과 기능을 바르게 연결하시오.

(1) 대통령 • 　　• ㉠ 행정부 최고 책임자

(2) 국무총리 • 　　• ㉡ 행정부의 최고 감사 기관

(3) 국무 회의 • 　　• ㉢ 행정 각부 총괄

(4) 감사원 • 　　• ㉣ 행정부의 심의 기관

2 STEP 기초를 다지는 기본 문제

01 행정에 대한 설명으로 가장 옳은 것은?

① 법을 만드는 일이다.
② 헌법을 수호하는 기관이다.
③ 법을 해석하여 재판을 하는 일이다.
④ 국가의 목적이나 공익을 실현해 가는 작용이다.
⑤ 통치 조직을 가지고 일정한 영토에 다수가 사는 단체이다.

02 다음 내용에 제시된 법률을 실행하는 국가 기관은?

> 2014년 공교육을 담당하는 학교에서의 선행 교육을 금지하는 내용의 법률이 제정되었다. 이에 따라 학교장에게는 선행 교육을 지도·감독하고 선행 교육을 예방하기 위한 교육도 정기적으로 실시하도록 의무를 부과하였다. 이 같은 규정을 어기는 학교와 교사는 불이익을 받도록 규정하였다.

① 국회　② 대법원　③ 행정 각부
④ 감사원　⑤ 청와대

03 중요 대통령의 행정부 수반으로서의 권한을 〈보기〉에서 있는 대로 고른 것은?

> 보기
> ㄱ. 대통령령 제정권
> ㄴ. 긴급 명령 발동권
> ㄷ. 공무원 임명·해임권
> ㄹ. 행정부 지휘·감독권
> ㅁ. 외국과의 조약 체결권

① ㄱ, ㄴ　② ㄴ, ㅁ　③ ㄴ, ㄹ
④ ㄱ, ㄷ, ㄹ　⑤ ㄴ, ㄷ, ㅁ

3 STEP 실력을 완성하는 주관식·서술형 문제

04 중요 다음 내용이 설명하는 기능을 수행하는 행정부의 조직은?

> 행정부의 2인자로, 대통령을 보좌하여 행정 각부를 총괄한다.

① 대통령 ② 감사원 ③ 국무 총리
④ 국무 회의 ⑤ 행정 각부

05 우리나라 대통령에 대한 설명으로 옳지 않은 것은?

① 국군을 지휘하고 통솔한다.
② 임기는 4년으로 중임이 가능하다.
③ 행정부 최고 책임자의 지위를 갖는다.
④ 행정부의 수반이자 국가 원수의 지위를 가진다.
⑤ 국회에서 통과된 법률안에 거부권을 행사할 수 있다.

06 다음 헌법 조항과 관련된 대통령의 지위에 따른 역할로 옳은 것은?

> 제73조 대통령은 조약을 체결·비준하고, 외교 사절을 신임·접수 또는 파견하며, 선전 포고와 강화를 한다.

① 고용 노동부 장관 임명장을 수여하였다.
② '가축 전염병 예방법' 시행령을 공포하였다.
③ 강원도 최전방 지역 국군 장병을 위문하였다.
④ 한국·칠레 간 자유 무역 협정(FTA)을 체결하였다.
⑤ 국무 회의에 의장으로 참석하여 국무 위원들과 국정을 논의하였다.

07 다음은 현우가 작성한 견학 보고서의 일부이다. (가)에 들어갈 국가 기관을 쓰고, 그 역할을 한 가지 서술하시오.

방문 일자	○○○○년 ○월 ○일
국가 기관	(가) ________
특징	• 행정부의 감사 기관 • 대통령 소속 기관이지만, 업무상으로 독립된 헌법상의 필수 기관 • 원장을 포함하여 5인 이상 11인 이하의 위원으로 구성함

(1) (가): ____________
(2) 역할: ____________

08 다음은 대통령의 권한과 관련된 헌법 조항이다. (가), (나)와 관련된 대통령의 지위를 각각 서술하시오.

> (가) 제77조 ① 대통령은 전시·사변 또는 이에 준하는 국가 비상사태에 있어서 법률이 정하는 바에 의하여 계엄을 선포할 수 있다.
> (나) 제78조 대통령은 헌법과 법률이 정하는 바에 의하여 공무원을 임면한다.

____

09 신유형 다음 대통령의 가상 일정에 나타난 (가)~(라) 중 성격이 다른 업무를 찾아 쓰고, 그 이유를 서술하시오.

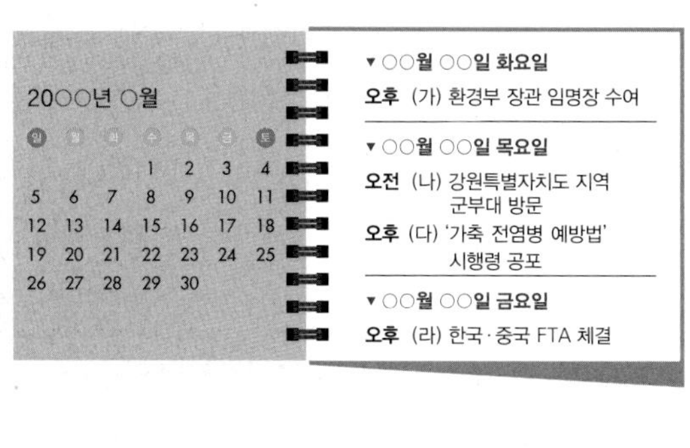

____

____

법원과 헌법 재판소

이것이 포인트!
- 법원의 기능
- 헌법 재판소의 위상과 역할

꼼꼼! 필기 노트

+ 사법권의 독립
우리 헌법에서는 법원의 조직과 운영이 독립적으로 이루어지도록 하고, 법관의 임기와 신분을 보장하며, 법관이 헌법과 법률에 의하여 양심에 따라 독립하여 재판할 수 있도록 한다. 이를 통해 사법부가 외부 세력의 간섭 없이 공정한 재판을 할 수 있도록 보장하여 궁극적으로 국민의 기본권을 보장한다.

+ 지방 법원 지원
지방 법원의 사무를 나누어 처리하기 위해 그 관할 구역 안에 설치한 법원이다.

+ 헌법 재판
국회에서 만든 법률이나 국가 기관의 작용이 헌법에 위배되거나 국민의 기본권을 침해하였는지를 판단하는 재판을 말한다.

+ 헌법 재판소의 구성
헌법 재판관은 헌법과 법률을 바탕으로 그 양심에 따라 독립하여 재판권을 행사할 수 있도록 국회, 대통령, 대법원장이 각각 3명씩 선출·지명하고 9명 모두 대통령이 임명한다. 헌법 재판관의 임기는 6년이고, 연임이 가능하다.

1 법원

1 사법과 사법부

(1) **사법**: 국가가 법을 해석하고 적용하여 옳고 그름을 판단하는 것

(2) ❶ ______ (법원): 사법 작용을 담당하는 국가 기관

(3) **역할**: 법적 분쟁 해결, 국민의 권리 보호, 사회 질서 유지 등

대법원 → 고등 법원, 특허 법원 → 지방 법원, 가정 법원, 행정 법원 → 지원

▲ 법원 조직도

2 조직과 기능

(1) ❷ ______ → 사법부의 최고 법원이에요.

① 역할: 하급 법원의 최종심, 명령·규칙·처분의 위헌·위법 여부 최종 심사 등

② 구성: 대법원장과 대법관으로 구성 (→ 대통령이 국회의 동의를 받아 임명해요.)

(2) ❸ ______: 1심 법원의 판결에 대한 항소 사건 담당 등

(3) **지방 법원**+: 1심 사건의 재판, 지방 법원 단독 판사 판결에 대한 항소 사건 담당 등

(4) **특수 법원** → 특허 법원은 고등 법원급으로, 특허 법원의 판결에 불복할 경우에는 대법원에서 최종 심판을 해요.

❹ ______	특허 업무와 관련된 분쟁을 해결함
행정 법원	행정 기관의 잘못으로 국민의 권리와 이익이 침해된 사건을 담당함
❺ ______	주로 가사 사건과 소년 보호 사건을 담당함
군사 법원	군인의 형사 사건을 담당함
회생 법원	기업 및 개인의 회생이나 파산 사건을 전담함

→ 2017년에 신설된 법원으로, 현재는 서울에만 있어요.

2 헌법 재판소

1 위상

(1) **지위**: 헌법의 해석과 관련한 다툼을 해결하기 위해 설치한 독립된 국가 기관
→ 헌법 수호 기관, ❻ ______

(2) **구성**

① 법관의 자격을 가진 총 9명의 재판관으로 구성+

② 헌법 재판소의 장: 국회의 동의를 얻어 대통령이 임명함

2 역할과 권한

→ 헌법 재판소가 해당 법률이 헌법에 위배된다고 판단하면 그 법률은 결정이 있은 날로부터 효력을 잃거나 법률이 개정될 때까지만 효력을 유지해요.

위헌 법률 심판	법원의 제청으로 재판의 전제가 되는 법률이 헌법에 위반되는지 여부를 판단함
❼ ______	국가 권력의 행사가 국민의 기본권을 침해하였는지 심판함
탄핵 심판	고위 공직자가 직무상 위법한 행위를 한 경우 파면 여부를 심판함
정당 해산 심판	민주적 기본 질서를 어긴 정당의 해산 여부를 심판함
❽ ______	국가 기관이나 지방 자치 단체 간의 권한 분쟁을 심판함

→ 기본권을 침해당한 국민이 직접 권리 구제를 신청해요.

콕콕! 핵심 개념

1 □□: 법을 해석하고 적용하는 작용

2 □□□: 사법부의 최고 법원으로 하급 법원의 최종심과 명령·규칙·처분의 최종 심사를 담당함

3 □□ □□□: 헌법의 해석과 관련한 다툼을 해결하기 위해 설치한 독립된 국가 기관

활동 1 다음은 법원의 조직도이다. 물음에 답해 보자.

(가)
고등 법원 / 특허 법원
지방 법원 / 가정 법원 / 행정 법원
지원

1 다음은 (가)에 대한 설명이다. 빈칸 ❶~❸에 알맞은 말을 써 보자.

사법부의 최고 법원으로 대통령이 국회의 동의를 받아 임명하는 ❶ ______ 와(과) ❶ ______ 의 제청으로 임명된 ❷ ______ 등으로 구성된다. 심급 제도에 따라 하급 법원의 ❸ ______ 을(를) 담당한다. 또한 명령이나 규칙, 처분이 헌법이나 법률에 어긋나는지 최종 심사하기도 한다.

2 아래와 같은 사건을 담당하는 법원을 위 조직도에서 찾아 빈칸에 써 보자.

(1)	국가 기관의 부당한 행정 작용에 대한 사건	
(2)	1심 법원의 판결에 대한 항소 사건	
(3)	이혼, 상속 등의 가사 사건, 소년 보호 사건	
(4)	특허 업무와 관련된 사건	

활동 2 다음은 헌법 재판소의 구성과 의의에 대한 설명이다. 빈칸에 알맞은 말을 써 보자.

헌법 재판소에서는 한 국가의 최상위 법인 ❶ ______ 에 의해서 심판한다. 국회가 만든 법률이 헌법에 어긋나는지를 판단하고, 국가 기관의 행위가 국민의 기본권을 침해하였는지를 판단하는 역할을 한다. 따라서 헌법 재판소는 헌법 수호 기관인 동시에 국민의 ❷ ______ (이)라고 할 수 있다.

헌법 재판소는 총 ❸ ______ 명의 재판관으로 구성된다. 이 중 3명은 ❹ ______ 에서 선출하고, 3명은 대통령이 지명하며, 3명은 대법원장이 지명하여 대통령이 임명한다. 이를 통해 민주적인 정당성을 확보하고, ❺ ______ 의 원리를 실현하여 국민의 기본권을 최대한으로 보장하고 있다.

활동 3 다음은 헌법 재판소의 역할과 권한을 정리한 표이다. 빈칸에 알맞은 말을 써 보자.

	역할	권한
(1)	국가 기관이나 지방 자치 단체 간의 권한 분쟁을 해결한다.	
(2)	고위 공직자가 위법한 행위를 한 경우 파면 여부를 심판한다.	
(3)	재판의 전제가 되는 법률이 헌법에 위반되는지 여부를 심판한다.	
(4)	민주적 기본 질서를 어긴 정당의 해산 여부를 심판한다.	
(5)	국가 권력의 행사가 국민의 기본권을 침해하였는지 심판한다.	

단계별 문제를 풀면서 실력을 쑥쑥 키워 보세요.

1 STEP 개념을 되짚는 확인 문제

01 다음 빈칸에 들어갈 알맞은 말을 쓰시오.

(1) (　　　　　)은(는) 법을 해석하고 적용하여 옳고 그름을 판단하는 역할을 담당하는 국가 기관이다.

(2) (　　　　　)은(는) 소년 보호 사건과 이혼, 상속 같은 가사 사건을 다룬다.

(3) 우리나라에서는 헌법의 해석과 관련한 다툼을 해결하기 위해 법원과는 별도로 독립된 기관인 (　　　　　)을(를) 설치하여 운영하고 있다.

02 각급 법원과 그 업무를 바르게 연결하시오.

(1) 대법원 • 　　• ㉠ 잘못 부과된 세금 문제 해결
(2) 특허 법원 • 　　• ㉡ 특허 관련 분쟁 해결
(3) 행정 법원 • 　　• ㉢ 하급 법원의 최종심

03 다음 내용이 설명하는 헌법 재판소의 권한을 쓰시오.

(1) 재판의 전제가 되는 법률이 헌법에 위반되는 지 여부를 심판한다. (　　　　　)

(2) 국가 권력의 행사가 국민의 기본권을 침해하였는지 여부를 심판한다. (　　　　　)

04 다음 설명이 옳으면 O, 틀리면 X에 표시하시오.

(1) 지방 법원은 1심 사건을 재판하거나 지방 법원 단독 판사의 판결에 대한 항소 사건을 재판한다. (○ | ×)

(2) 대법원은 대통령이 국회의 동의를 받아 임명하는 헌법 재판관과 대법관으로 구성된다. (○ | ×)

(3) 권한 쟁의 심판은 헌법 재판소에서 민주적 기본 질서에 위배되는 정당의 해산 여부를 판단하는 것이다. (○ | ×)

2 STEP 기초를 다지는 기본 문제

01 사법(司法)에 대한 설명으로 옳은 것은?

① 법률을 제정하는 일이다.
② 법률을 집행하는 과정이다.
③ 법률을 해석하고 적용하는 일이다.
④ 행정 전반을 감시하고 감독하는 일이다.
⑤ 국민의 복지 증진을 위해 정책을 집행하는 일이다.

02 다음과 같은 역할을 하는 법원은?

> • 심급 제도에 따라 하급 법원의 최종심
> • 명령이나 규칙, 처분의 위헌·위법 여부 심사

① 대법원 ② 고등 법원 ③ 지방 법원
④ 특허 법원 ⑤ 행정 법원

03 각급 법원과 그 역할이 바르게 연결되지 않은 것은?

① 지방 법원 – 1심 사건을 재판
② 대법원 – 하급 법원의 최종심 담당
③ 특허 법원 – 행정과 관련된 사건 재판
④ 가정 법원 – 가정과 소년에 관한 사건 재판
⑤ 고등 법원 – 1심 판결에 대한 항소 사건 재판

04 다음의 상황에서 ○○ 씨가 찾아가야 하는 법원으로 가장 적절한 것은?

> 남편의 가정 폭력으로 피해를 입은 ○○ 씨는 더 이상 결혼 생활을 유지할 수 없다고 생각하고 이혼을 하려고 한다.

① 가정 법원 ② 행정 법원 ③ 대법원
④ 고등 법원 ⑤ 특허 법원

05 중요 헌법 재판소의 권한으로 옳지 않은 것은?

① 민주적 기본 질서를 어긴 정당의 해산 여부를 심판한다.
② 국가 기관과 지방 자치 단체 간의 권한 분쟁을 해결한다.
③ 국가 권력의 행사가 국민의 기본권을 침해하였는지를 심판한다.
④ 행정부와 공무원의 업무 처리를 감찰하고 위반 여부를 심판한다.
⑤ 국가 고위 공직자가 위법한 행위를 한 경우 파면 여부를 심판한다.

06 헌법 재판소의 구성에 대한 설명으로 옳은 것은?

① 14명으로 구성된다.
② 헌법 재판관의 임기는 4년으로 연임할 수 없다.
③ 헌법 재판관은 모두 대법원장의 제청으로 대통령이 임명한다.
④ 헌법 재판소장은 대통령의 동의를 받아 국회에서 임명한다.
⑤ 국회에서 3명을 선출하고 대통령과 대법원장이 각각 3인씩 지명한다.

07 중요 다음 사례와 관련된 헌법 재판소의 권한과 청구 주체가 바르게 연결된 것은?

> 최○○씨 등 재일 교포 10명은 "재외 국민의 선거권을 제한하는 선거법 관련 규정이 위헌"이라며 헌법 재판을 신청하였다. 이에 대해 헌법 재판소가 "관련 조항은 헌법에 합치되지 않는다."라고 결정하여 재외 국민도 선거권을 행사할 수 있게 되었다.

	헌법 재판소의 권한	청구 주체
①	탄핵 심판	국회의 소추
②	정당 해산 심판	정부의 청구
③	위헌 법률 심판	법원의 제청
④	헌법 소원 심판	기본권을 침해당한 국민
⑤	권한 쟁의 심판	해당 국가 기관의 청구

3 STEP 실력을 완성하는 주관식·서술형 문제

08 다음 헌법 조항이 공통으로 보장하는 내용이 무엇인지 쓰고, 그 목적을 서술하시오.

> 제101조 ① 사법권은 법관으로 구성된 법원에 속한다.
> 제103조 법관은 헌법과 법률에 의하여 그 양심에 따라 독립하여 심판한다.

(1) 보장 내용: ____________________
(2) 목적: ____________________

____

09 신유형 밑줄 친 ㉠과 ㉡에 해당하는 국가 기관을 쓰고, 각각의 기능을 서술하시오.

> △△ 씨는 회사 공금 횡령 혐의로 재판을 받게 되었는데, ㉠ 법원이 유죄 판결을 내렸다. △△ 씨는 이에 불복하여 ㉡ 법원에 항소장을 제출하였다.

(1) ㉠: ____________________
기능: ____________________
(2) ㉡: ____________________
기능: ____________________

10 고난도 다음과 같이 구성되는 국가 기관이 무엇인지 쓰고, 이와 같이 선출하는 이유를 서술하시오.

> 재판관은 총 9명이며 대통령이 임명하는데, 그 중에서 3명은 국회에서 선출한 사람을, 3명은 대법원장이 지명한 사람을, 나머지 3명은 대통령이 지명한 사람을 대통령이 임명한다.

(1) 국가 기관: ____________________
(2) 이유: ____________________

____

뚝딱! 단원 마무리하기

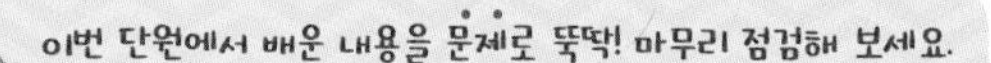

01 (가)~(다)의 역할을 담당하는 국가 기관을 바르게 연결한 것은?

> (가) 법률을 집행하고 법률의 테두리 내에서 정책을 결정한다.
> (나) 법률을 적용하고 해석하는 과정을 통해 분쟁을 해결한다.
> (다) 국민 전체의 이익을 위해 법률을 제정한다.

	(가)	(나)	(다)
①	입법부	행정부	사법부
②	행정부	사법부	입법부
③	사법부	입법부	행정부
④	입법부	사법부	행정부
⑤	사법부	행정부	입법부

02 중요 ㉠에 들어갈 국가 기관의 기능으로 옳지 않은 것은?

> 헌법 제40조 입법권은 (㉠)에 속한다.

① 법률의 제정 및 개정 권한을 가진다.
② 고위 공직자의 탄핵 소추 의결권을 가진다.
③ 예산안을 심의·확정하고, 결산을 심사한다.
④ 외국과의 조약 체결에 관한 동의권을 가진다.
⑤ 대통령을 도와 국가의 중요한 정책을 심의한다.

03 다음 내용과 같은 역할을 하는 국가 기관은?

> • 효율적인 의사 진행을 위한 조직
> • 국방, 외교, 복지 등 각 분야의 관련된 안건이나 법률안을 전담하여 심사함

① 본회의 ② 의장단 ③ 교섭 단체
④ 상임 위원회 ⑤ 특별 위원회

04 국회의 조직에 대한 설명으로 옳지 않은 것은?

① 지역구 의원과 비례 대표 의원으로 구성된다.
② 효율적인 의사 진행을 위해 상임 위원회를 둔다.
③ 국회 의원이 있는 모든 정당은 교섭 단체가 된다.
④ 국회의 의사를 최종적으로 결정하는 곳은 본회의이다.
⑤ 비례 대표 국회 의원은 각 정당의 득표율에 비례하여 선출된다.

05 신유형 다음은 국회의 입법 과정을 나타낸 것이다. ㉠~㉤에 대한 설명으로 옳은 것은?

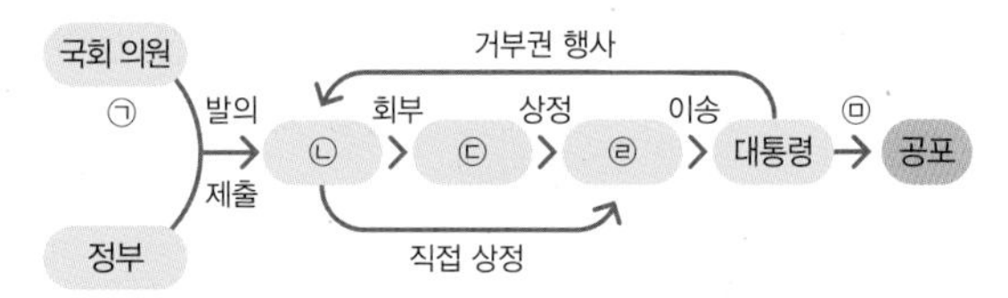

① ㉠은 국회 의원 20명 이상의 찬성이 필요하다.
② ㉡은 ㉢, ㉣을 거치지 않고 법률안을 이송할 수 있다.
③ ㉢은 같은 정당에 속한 의원들끼리만 구성할 수 있다.
④ ㉣은 본회의로, 재적 국회 의원 3분의 2이상이 참석해야만 의결할 수 있다.
⑤ ㉤은 대통령이 15일 이내에 법률안을 공포하고, 보통 20일이 경과한 후부터 효력이 발생한다.

06 중요 국회의 일반 국정에 관한 기능에 해당되는 권한을 〈보기〉에서 고른 것은?

> **보기**
> ㄱ. 공무원 임명 동의권
> ㄴ. 예산안 심의·확정권
> ㄷ. 국정 감사 및 조사권
> ㄹ. 법률의 제정 및 개정권

① ㄱ, ㄴ ② ㄱ, ㄷ ③ ㄱ, ㄹ
④ ㄴ, ㄷ ⑤ ㄷ, ㄹ

●●○

07 행정부에 관한 설명으로 옳지 않은 것은?

① 법률을 집행하는 국가 기관이다.
② 여러 가지 정책을 수립하고 실행한다.
③ 구체적인 행정 사무는 국무총리를 통해 집행된다.
④ 행정 작용은 국가의 목적이나 공익 실현을 위해 실행된다.
⑤ 현대 복지 국가에서는 행정부의 역할이 커지는 현상이 나타난다.

●●●

08 중요 다음 내용에서 설명하고 있는 행정부의 조직을 쓰시오.

- 대통령을 도와 행정 각부를 총괄한다.
- 우리나라의 정부 형태가 대통령제와 의원 내각제가 혼합된 정부 형태임을 알 수 있다.

●●○

09 다음 내용과 관련된 국가 기관에 대한 설명으로 옳지 않은 것은?

- 대통령 직속 기관이다.
- 정부의 예산 사용을 감독한다.
- 행정부와 공무원의 업무 처리를 감찰한다.

① 정부의 예산 사용을 감독한다.
② 행정부와 공무원의 업무 처리를 감찰한다.
③ 이 기관의 장은 국회의 동의를 얻어 대통령이 임명한다.
④ 국가의 중요한 정책을 심의하는 행정부 내 최고 심의 기구이다.
⑤ 대통령 소속 기구이지만 직무에 관하여는 독립성을 보장받는 헌법 기관이다.

●●○

10 중요 다음 사례와 관련된 대통령의 지위에 해당하는 권한으로 옳은 것은?

대통령은 지난달에 1주일 간 미국을 방문하여 미국 대통령과 정상 회담을 가졌다.

① 헌법 기관을 조직할 수 있다.
② 국군을 지휘하고 통솔할 수 있다.
③ 공무원을 임명하거나 해임할 수 있다.
④ 행정부를 구성하여 지휘 · 감독할 수 있다.
⑤ 명령을 제정하고 행정 각부를 총괄할 수 있다.

●●●

11 신유형 대통령의 지위에 따른 역할로 적절한 것을 〈보기〉에서 골라 바르게 연결한 것은?

보기

ㄱ. 중국에 신임 대사를 파견하였다.
ㄴ. 국회에서 임명을 동의한 대법원장에게 임명장을 수여하였다.
ㄷ. 국회 본회의에서 통과된 법률안에 대해 거부권을 행사하였다.
ㄹ. 국무 회의에서 저출산 · 고령화 문제를 해결하기 위한 방안을 논의하였다.
ㅁ. 강원도 지역의 군부대에 방문하여 군사 훈련 상황을 보고받고, 장병들을 격려하였다.

	행정부 수반	국가 원수
①	ㄱ, ㄴ	ㄷ, ㄹ, ㅁ
②	ㄴ, ㅁ	ㄱ, ㄷ, ㄹ
③	ㄱ, ㄹ, ㅁ	ㄴ, ㄷ
④	ㄴ, ㄷ, ㄹ	ㄱ, ㅁ
⑤	ㄷ, ㄹ, ㅁ	ㄱ, ㄴ

12 다음 대화에서 설명하고 있는 국가 기관은?

중요

> 갑: 이 기관은 법원 조직 중 최고 법원으로, 최종 적인 심판을 담당해.
> 을: 맞아! 또한 대통령 및 국회 의원 선거의 효력에 관한 재판을 담당하지.
> 병: 행정부의 명령 또는 규칙의 위헌 · 위법 여부를 심사하기도 해.

① 대법원 ② 고등 법원 ③ 특허 법원
④ 지방 법원 ⑤ 행정 법원

13 다음 사례를 해결하기 위한 재판을 하는 법원은?

> 김○○ 씨는 음식점을 운영하고 있다. 지난 주말 청소년인줄 모르고 술을 판매하다 적발되어 영업 정지 처분을 받았다. 김 씨는 이러한 처분이 부당함을 주장하는 재판을 신청하기 위해 법원으로 갔다.

① 대법원 ② 고등 법원 ③ 특허 법원
④ 행정 법원 ⑤ 가정 법원

14 다음 글에서 설명하고 있는 국가 기관을 쓰시오.

> 헌법의 해석과 관련된 사건을 해결하는 곳으로, 헌법 수호 기관이자 기본권 보장 기관이다.

15 법원의 역할로 옳은 것을 〈보기〉에서 고른 것은?

> **보기**
> ㄱ. 국민의 기본권을 보호한다.
> ㄴ. 법률이 무엇인가를 판단하고 선언한다.
> ㄷ. 법질서를 유지하고 사회 질서를 확립한다.
> ㄹ. 국민에게 필요한 법을 파악하여 제정한다.
> ㅁ. 국민이 필요로 하는 분야의 정책을 수립한다.

① ㄱ, ㄴ, ㄷ ② ㄱ, ㄷ, ㄹ ③ ㄴ, ㄷ, ㄹ
④ ㄴ, ㄹ, ㅁ ⑤ ㄷ, ㄹ, ㅁ

16 다음 사례에 관한 설명으로 옳은 것은?

중요

> 친일파의 후손들은 「친일 반민족 행위자 재산의 국가 귀속에 관한 특별법」이 기본권을 침해한다고 판단하여 헌법 재판소에 심판을 청구하였다.

① 민주적 기본 질서를 어긴 정당의 해산 여부를 심판한다.
② 국가 기관이나 지방 자치 단체 간의 권한 분쟁을 해결한다.
③ 고위 공직자가 위법한 행위를 한 경우 파면 여부를 심판한다.
④ 국가 권력의 행사가 국민의 기본권을 침해하였는지를 심판한다.
⑤ 재판의 전제가 되는 법률이 헌법에 위반되는지 여부를 심판한다.

17 다음 사례에 해당하는 헌법 재판소의 권한을 쓰시오.

중요

> ○○시와 △△시는 강을 사이에 두고 인접해 있다. 두 지역의 상수원으로 이용되는 강의 오염이 점차 심해지자 강의 수질 관리를 두고 ○○시와 △△시의 갈등이 발생하였다. 이를 놓고 두 지방 자치 단체는 헌법 재판소에 심판을 청구하였다.

18 다음의 제도를 시행해야 하는 이유를 서술하시오.

중요

대통령이 행정부의 고위 공직자를 임명할 때 국회의 검증 절차를 거치게 함으로써 행정부를 견제하도록 한다. 고위 공직에 지명된 사람이 자신이 맡을 공직을 수행해 나가는 데 적합한 업무 능력과 인성적 자질을 갖추었는지를 국회에서 인사 청문회를 통해 검증하는 것이다. 우리나라는 제16대 국회가 2000년 6월 「인사 청문회법」을 제정함으로써 도입되었다.

19 빈칸 ㉠에 공통으로 들어갈 국회의 조직을 쓰고, 이 조직의 구성 요건과 기능을 서술하시오.

○○당은 어제 치뤄진 국회 의원 재보궐 선거에서 3명이 당선되어 (㉠)을(를) 구성할 수 있게 되었다. (㉠)을(를) 구성하면 각종 국회 의사 일정 조정에 개입할 수 있고, 국고 보조금 지원도 늘어나는 등 여러 혜택이 주어진다.

(1) ㉠:

(2) 구성 요건:

(3) 기능:

20 다음 헌법 조항과 관련된 대통령의 지위와 그 지위에 해당하는 대통령의 권한 두 가지를 서술하시오.

제75조 대통령은 법률에서 구체적으로 범위를 정하여 위임받은 사항과 법률을 집행하기 위하여 필요한 사항에 관하여 대통령령을 발할 수 있다.

(1) 지위:

(2) 권한:

21 다음은 사법권의 독립을 보장하는 헌법 조항이다. 사법권의 독립을 헌법으로 명시한 이유를 서술하시오.

제101조 사법권은 법관으로 구성된 법원에 속한다.
제103조 법관은 헌법과 법률에 의하여 그 양심에 따라 독립적으로 심판한다.
제106조 ① 법관은 탄핵 또는 금고 이상의 형의 선고에 의하지 아니하고는 파면되지 아니하며, 징계 처분에 의하지 아니하고는 정직, 감봉 기타 불리한 처분을 받지 아니한다.

[22~23] 다음 내용을 읽고, 물음에 답하시오.

(㉠)은(는) 법관의 자격을 가진 총 9명의 재판관으로 구성되는데 이 중 3명은 국회에서 선출하고, 3명은 대법원장이 지명하며, 3명은 대통령이 지명한다. 그리고 이들은 모두 대통령이 임명한다.

22 ㉠에 들어갈 알맞은 말을 쓰고, ㉠의 권한을 두 가지 서술하시오.

(1) ㉠:

(2) 권한:

23 우리나라에서 ㉠을 설치하여 운영하는 목적을 서술하시오.

중요

이 단원을 배우면

생산, 분배, 소비 중심으로 경제생활을 이해하고, 합리적 선택과 경제 문제를 자원의 희소성과 연관지어 설명할 수 있어요. 또한 경제 체제의 유형별 특징을 비교하고, 기업의 역할과 사회적 책임을 파악할 수 있어요. 아울러 자산 관리의 필요성과 신용 관리의 중요성을 설명할 수 있어요.

경제생활과 선택

:나의 학습 진도표

중단원명	학습 코너	쪽수	학습 예정일	학습 완료일	달성도
01 합리적 선택과 경제 체제	꼼꼼! 필기 노트	44, 46쪽	◯월 ◯일	◯월 ◯일	☆☆☆☆☆
	탄탄! 활동 노트	45, 47쪽	◯월 ◯일	◯월 ◯일	☆☆☆☆☆
	쑥쑥! 실력 키우기	48~49쪽	◯월 ◯일	◯월 ◯일	☆☆☆☆☆
02 기업의 역할과 사회적 책임	꼼꼼! 필기 노트	50쪽	◯월 ◯일	◯월 ◯일	☆☆☆☆☆
	탄탄! 활동 노트	51쪽	◯월 ◯일	◯월 ◯일	☆☆☆☆☆
	쑥쑥! 실력 키우기	52~53쪽	◯월 ◯일	◯월 ◯일	☆☆☆☆☆
03 경제생활과 금융 생활	꼼꼼! 필기 노트	54쪽	◯월 ◯일	◯월 ◯일	☆☆☆☆☆
	탄탄! 활동 노트	55쪽	◯월 ◯일	◯월 ◯일	☆☆☆☆☆
	쑥쑥! 실력 키우기	56~57쪽	◯월 ◯일	◯월 ◯일	☆☆☆☆☆
뚝딱! 단원 마무리하기		58~61쪽	◯월 ◯일	◯월 ◯일	☆☆☆☆☆

합리적 선택과 경제 체제

이것이 **포인트!**
- 경제 활동의 구분
- 경제 주체 간의 경제 활동

꼼꼼! 필기 노트

1 경제 활동

1 의미

(1) **경제 활동**: 인간의 필요와 욕구를 충족하기 위해 필요한 재화와 서비스를 ❶ [ ], ❷ [ ], ❸ [ ]하는 모든 활동

(2) **중요성**
① 개인적 측면: 개인의 행복한 삶의 기본적 토대
② 사회적 측면: 사회 전체의 생산과 소비 증대 → 물질적 풍요

(3) **구성**
① 생산: 재화나 서비스를 만들거나 그 가치를 증대시키는 일
→ 생산은 무언가를 만들어내는 활동뿐만 아니라 상품을 저장하고 운반하는 행위도 포함돼요.
예 책, 컴퓨터 등 물건을 만들어 내는 활동, 교육, 예술, 보관, 운송 등
② ❹ [ ]: 생산 활동에 참여한 사람들에게 생산 요소를 제공한 대가를 나누어 주는 것 예 임금, 이자, 지대 등
③ 소비: 분배된 소득을 가지고 생산 활동의 결과물인 재화나 서비스로 욕구를 충족시키는 것

2 경제 주체

가계	• ❺ [ ] 활동의 주체 • 필요한 소득을 얻기 위해 기업에 노동, 토지, 자본 등 생산 요소를 제공함 • 저축 활동, 국가에 세금 납부 등
❻ [ ]	• 생산 활동의 주체 • 가계로부터 제공받은 생산 요소로 재화나 서비스를 생산하여 공급함 • 가계에 생산 요소를 사용한 대가를 지불함
❼ [ ]	• 가계와 기업으로부터 거둔 세금으로 생산과 소비 활동을 함 • 사회 간접 자본 마련 및 공공 서비스 제공 • 경제 활동에 관련된 법과 제도 마련
외국	• 무역 활동의 주체 → 세계화로 그 중요성이 더욱 커지고 있어요. • 수출 · 수입을 통해 교역을 함

→ 시장 경제의 질서를 유지하고 국민 경제의 효율성과 형평성을 추구해요.

▼ 경제 주체 간 경제 활동

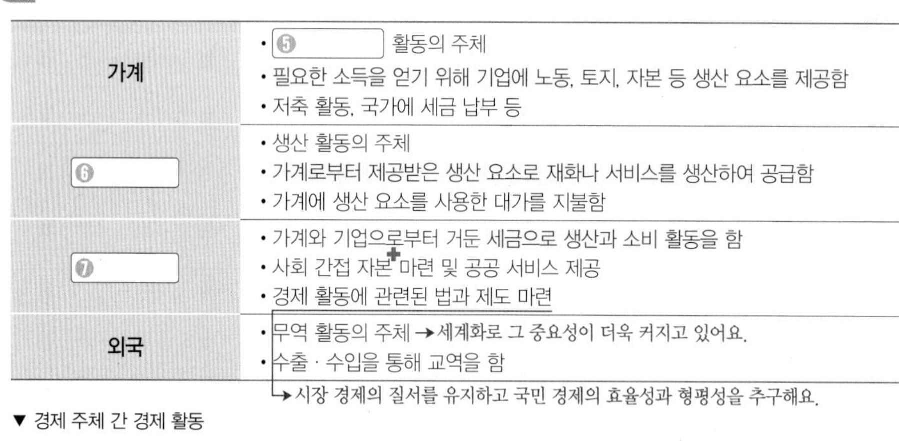

+ 재화
옷, 집 등 형태가 있는 물건을 말한다.

+ 서비스
의사의 진료, 영화 상영 등과 같이 인간에게 유용하지만 형태가 없는 것을 말한다.

+ 경제 주체
경제 활동에 참여하는 개인 또는 집단을 의미한다.

+ 생산 요소
생산을 위해 필요한 요소를 말하며, 가계는 토지, 노동, 자본 등의 생산 요소를 기업에 제공하고 기업은 그 대가로 지대, 임금, 이자 등을 지급한다.

노동	생산을 위한 인간의 활동
자본	생산에 이용되는 공장, 기계, 도구 등 생산 설비와 각 종 재고 물건 등
토지	땅, 나무, 광석과 같이 자연이 직접 제공하는 각종 자연 자원

+ 사회 간접 자본
도로, 항만, 통신, 전력 등과 같이 국민의 생산 활동과 소비 활동을 간접적으로 지원해 주고 국가 경제 발전의 기초가 되는 공공 시설을 말한다.

콕콕! 핵심 개념

1 □□□□: 인간의 필요와 욕구를 충족하기 위해 재화와 서비스를 생산, 소비, 분배하는 활동

2 □□: 가계와 기업으로부터 거둔 세금으로 생산과 소비 활동을 하고, 사회 간접 자본과 공공 서비스를 제공하는 경제 주체

활동 1 다음은 보람이의 일기이다. 물음에 답해 보자.

○○○○년 ○월 ○일
오늘 일찍 일어나 중요한 회의를 앞둔 아버지를 위해 구두를 닦았다. 아버지가 고맙다며 용돈을 주셨다. 그래서 학교 수업을 마치고 친구들과 시내로 나가 ㉠ 영화를 보고 ㉡ 동생에게 줄 생일 선물을 산 뒤, 피자 가게에 갔다. 얼마 전 개업한 이 가게는 외국에 유학을 갔다 온 요리사가 ㉢ 직접 피자를 만들어 파는 곳인데, 맛집으로 소문이 나서 줄을 서서 사 먹어야 했다. 친구들과 즐거운 시간을 보내고 돌아오는 길에 은행에 들러 남은 용돈을 저축하였다. 어릴 때부터 용돈을 아껴서 조금씩 저축을 했더니 ㉣ 이자까지 더해져 꽤 많은 돈이 모여 있는 통장을 보니 너무 뿌듯했다. 집으로 돌아오다가 ㉤ 병원에서 진료를 받고 오시는 어머니와 동생을 만나 오늘 있었던 일을 이야기하며 집으로 돌아왔다.

1 ㉠~㉤의 경제 활동을 생산, 소비, 분배로 구분하고, 그 이유를 써 보자.

생산 활동	
소비 활동	
분배 활동	

2 보람이의 일기에 나타난 재화와 서비스를 모두 찾아 구분해 보자.

(1) 재화: ______________ (2) 서비스: ______________

활동 2 다음 그림을 보고 물음에 답해 보자.

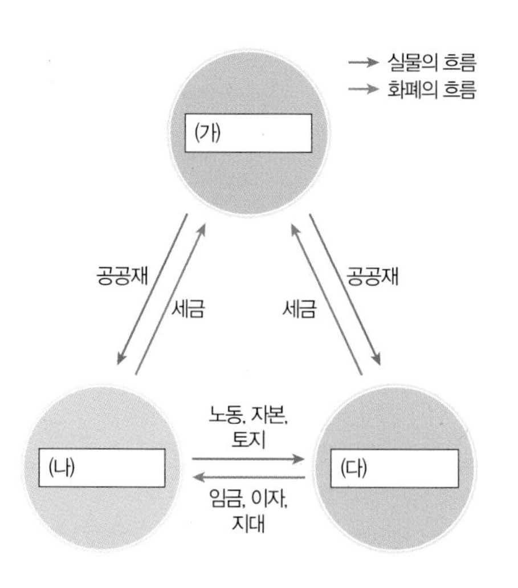

1 (가)~(다)에 들어갈 경제 주체를 써 보자.

2 (가)~(다)의 경제 주체와 관련된 내용을 각각 〈보기〉에서 찾아 써 보자.

보기
ㄱ. 소비 활동의 주체
ㄴ. 사회 간접 자본 생산
ㄷ. 최소의 비용으로 최대의 이윤 추구
ㄹ. 경제 활동과 관련한 법과 제도 제정
ㅁ. 생산 요소 제공

(가)	
(나)	
(다)	

합리적 선택과 경제 체제

이것이 포인트!
- 기회비용과 합리적 선택의 의미
- 기본적인 경제 문제의 유형

꼼꼼! 필기 노트

3 희소성과 합리적 선택

1 희소성

(1) **의미**: 인간의 욕구에 비해 이를 충족시켜 줄 수단이 ⑧ [ ] 으로 부족한 상태
→ ⑨ [ ] 으로 인해 우리 생활은 선택의 연속임

(2) **특징**
① 상대성: 자원의 절대적인 양이 아닌 인간의 필요와 욕구 정도에 따라 달라짐
② 가변성: 장소나 시대에 따라 희소성이 달라질 수 있음

2 합리적 선택

(1) **편익**: 선택으로부터 얻는 이익이나 만족감
(2) ⑩ [ ] : 어떤 것을 선택함으로써 포기하게 되는 여러 대안이 가지는 가치 중 가장 큰 것 → 기회비용에는 직접 지불한 돈 이외에 시간과 같이 보이지 않는 가치의 비용도 포함해요.
(3) ⑪ [ ] → 비용보다 편익이 큰 선택을 말해요.
① 비용이 같은 경우: 편익이 가장 큰것을 선택함
② 편익이 같은 경우: 비용이 가장 적게 드는 것을 선택함

(4) **합리적 선택을 위한 의사 결정 과정**

문제 인식	대안 탐색	대안 평가	대안 선택과 실행	실행 결과의 반성
해결해야 할 문제를 분명히 인식함	이용가능한 자원을 확인하고, 다양한 대안을 탐색함	평가 기준을 마련하고, 구체적인 대안을 평가함	평가 기준에 가장 적합한 최적의 대안을 선택함	선택 결과를 평가하고 반성함

4 경제 문제와 경제 체제

1 기본적인 경제 문제

(1) **발생 원인**: 자원의 희소성으로 인해 모든 사회에서 나타남
(2) **유형**
① 생산물의 ⑫ [ ] 와 ⑬ [ ] 의 문제: 한정된 자원으로 무엇을 얼마나 생산할 것인가?
② ⑭ [ ] 의 문제: 어떻게 생산할 것인가?
③ ⑮ [ ] 의 문제: 생산물을 누구에게 어떤 방식으로 분배할 것인가?

2 경제 체제

(1) **의미**: 경제 문제들을 해결해 나가는 여러 제도나 방식
(2) **유형**

구분	특징
⑯ [ ] 경제 체제	• 국가가 모든 생산 수단을 소유함 • 국가의 명령과 통제를 통해 경제 문제를 해결함
⑰ [ ] 경제 체제	• 사유 재산 제도를 기반으로 개인의 자유로운 경제 활동을 보장함 • 시장 거래를 통해 경제 문제를 해결함
혼합 경제 체제	• 계획 경제 체제와 시장 경제 체제가 혼합된 형태 • 오늘날 대부분의 국가가 채택하고 있음

+ 희소성과 희귀성
희소성은 단순히 자원의 양이 많고 적음에 따라 결정되는 것이 아니라 인간의 필요나 욕구에 비해 자원의 양이 부족한 것을 의미한다. 단순히 양이 적은 것은 희귀성에 해당한다.

+ 자유재와 경제재
존재량이 무한하여 특별한 대가를 치르지 않고 무상으로 얻을 수 있는 재화를 자유재라 하고, 희소하기 때문에 대가를 지불해야만 얻을 수 있는 재화를 경제재라 한다.

+ 기회비용의 구성
기회비용에는 지출한 돈과 같이 겉으로 드러나는 명시적 비용뿐만 아니라 지출이 이루어진 것은 아니지만 포기한 가치인 암묵적 비용도 포함된다.

+ 사유 재산 제도
재산의 소유와 사용, 처분이 재산을 소유한 사람의 의사에 따라 자유롭게 이루어지도록 보장하는 제도를 말한다

콕콕! 핵심 개념

3 □□□: 인간의 욕구보다 자원의 양이 상대적으로 부족한 상태
4 □□□□: 선택으로 인해 포기한 여러 대안 중에 가장 가치가 큰 것
5 □□ □□ □□: 사유 재산 제도를 기반으로 개인의 자유로운 경제 활동과 시장 거래를 통해 경제 문제를 해결하는 경제 체제

활동 3 다음 내용을 읽고, 물음에 답해 보자.

(가)

과거에는 왼쪽의 김홍도의 그림 「우물가」처럼 마을마다 우물이 있어 마음대로 우물에서 물을 퍼 사용하였으나 현대에는 시장이나 마트에서 값을 지불하고 물을 사 먹기도 한다.

(나)

황남 대총에서 손잡이에 금으로 만든 실이 감긴 유리병이 발견되었다. 그런데 놀랍게도 금으로 만든 실은 장식용이 아니라 깨진 유리병의 손잡이를 수리하기 위해 감아둔 것이었다. 신라인들에게는 금보다 유리병이 더 귀한 물건이었던 것이다. 오늘날에 유리병은 귀한 물건이 아니다. 지금은 음료수를 사 먹고 유리병은 버릴 정도로 흔한 물건이지만, 고대 사회에서의 유리는 당시로써는 매우 높은 수준의 가공 기술이 필요한 귀한 물건이었다.

1 (가), (나)에서 공통적으로 파악할 수 있는 개념과 그 의미를 써 보자.

(1) 개념: ______________________

(2) 의미: ______________________

____

2 (가), (나)를 통해 알 수 있는 **1**의 개념이 갖는 특징을 써 보자.

____

____

활동 4 다음은 은주가 용돈 만 원으로 하고 싶은 일과 각각의 만족감을 정리한 표이다. 물음에 답해 보자. (단, 은주가 하고 싶은 일을 하기 위하여 지불하는 비용은 만 원으로 같다.)

용돈 만 원으로 하고 싶은 일	만족감을 돈의 가치로 표현했을 때
떡볶이 사 먹기	7,000원
피시방 가기	9,000원
책 사기	12,000원

1 만약 은주가 만 원으로 피시방에 가기로 결정하였다면 이것은 합리적 선택인지 판단하고, 그 이유를 써 보자.

____

____

2 은주에게 합리적 선택은 무엇인지 판단하고, 그 이유를 써 보자.

____

____

단계별 문제를 풀면서 실력을 쑥쑥 키워 보세요.

1 STEP 개념을 되짚는 확인 문제

01 다음 빈칸에 들어갈 알맞은 말을 쓰시오.

(1) (   )은(는) 인간의 필요와 욕구를 충족시키기 위해 재화와 서비스를 생산, 소비, 분배하는 모든 활동이다.

(2) (   )은(는) 재화나 서비스를 만들거나 그 가치를 증대시키는 것이다.

(3) (   )은(는) 생산에 참여한 사람들에게 그 대가를 나누어주는 것이다.

02 다음 내용이 설명하는 용어를 쓰시오.

(1) 어떤 것을 선택함으로써 포기하게 되는 여러 대안이 갖는 가치 중 가장 큰 것을 말한다. (   )

(2) 사유 재산 제도를 바탕으로 개인의 자유로운 경제 활동을 보장하는 경제 체제이다. (   )

03 다음 설명이 옳으면 O, 틀리면 X에 표시하시오.

(1) 가계는 생산 활동의 주체로 최소 비용으로 최대의 이윤을 추구한다. (○ | ×)

(2) 자원의 희소성은 자원의 절대적인 양이 부족하여 발생한다. (○ | ×)

(3) 비용이 같을 경우에는 편익이 가장 큰 것을 선택하는 것이 합리적이다. (○ | ×)

04 각 경제 주체와 관련된 설명을 바르게 연결하시오.

(1) 가계 • • ㉠ 생산 활동의 주체

(2) 기업 • • ㉡ 세금을 활용한 생산과 소비 활동

(3) 정부 • • ㉢ 소비 활동의 주체

2 STEP 기초를 다지는 기본 문제

01 다음 사례에서 공통적으로 나타나는 경제 활동은?

- 기업에서 최신 휴대폰을 출시하고 판매하는 것
- 교사가 학생을 가르치는 것
- 택배 회사가 상품을 배송하는 것

① 생산 ② 분배 ③ 소비
④ 교환 ⑤ 특화

02 (중요) 경제 활동의 유형과 〈보기〉의 사례를 바르게 연결한 것은?

보기

ㄱ. 친구와 떡볶이를 사먹었다.
ㄴ. 회사에서 첫 월급을 받았다.
ㄷ. 공장에서 자동차를 만들었다.
ㄹ. 백화점에서 원피스를 구입하였다.
ㅁ. 병원에서 의사가 환자를 진료하였다.

	생산	분배	소비
①	ㄱ	ㄴ, ㄹ	ㄷ, ㅁ
②	ㄱ, ㄴ	ㄷ, ㅁ	ㄴ, ㄹ
③	ㄴ, ㄷ	ㅁ	ㄱ, ㄹ
④	ㄷ, ㄹ	ㄴ, ㅁ	ㄱ
⑤	ㄷ, ㅁ	ㄴ	ㄱ, ㄹ

03 경제 주체에 관한 설명으로 옳지 않은 것은?

① 가계 – 기업에 생산 요소를 제공한다.
② 가계 – 최소 비용으로 최대 만족을 추구한다.
③ 기업 – 최대 비용으로 최대 이윤을 추구한다.
④ 정부 – 사회 간접 자본과 공공 서비스를 생산한다.
⑤ 외국 – 교역 상대국으로, 세계화로 인해 중요성이 커지고 있다.

3 STEP 실력을 완성하는 주관식·서술형 문제

04 중요 자원의 희소성에 관한 설명으로 옳은 것을 〈보기〉에서 고른 것은?

보기
ㄱ. 시대나 장소에 따라 변할 수 있다.
ㄴ. 희소성의 문제는 개인에게만 나타난다.
ㄷ. 자원의 양이 많고 적음에 따라 결정된다.
ㄹ. 희소성으로 인해 선택의 문제에 직면한다.

① ㄱ, ㄴ ② ㄱ, ㄹ ③ ㄴ, ㄷ
④ ㄴ, ㄹ ⑤ ㄷ, ㄹ

05 다음 사례에서 지수의 선택에 따른 기회비용은? (단, 지수의 선택에 따른 만족감의 크기는 모두 같다.)

지수는 편의점에서 시급 8,000원을 받으며 아르바이트를 하고 있다. 그런데 얼마 전 응모한 콘서트 티켓이 당첨되어 아르바이트 대신 콘서트에 가기로 하였다. 콘서트로 인해 빠지게 되는 아르바이트 시간은 총 3시간이다.

① 0원 ② 8,000원 ③ 16,000원
④ 24,000원 ⑤ 32,000원

06 다음은 경제 체제를 비교한 표이다. 빈칸 ㉠, ㉡에 들어갈 경제 체제의 특징으로 옳은 것은?

구분	시장 경제 체제	계획 경제 체제
경제 문제 해결 주체	시장의 가격 기구	㉡
생산 수단 소유	개별 경제 주체	국가 또는 공동 소유
경제 활동 동기	㉠	국가의 명령과 통제

	㉠	㉡
①	형평성 추구	개별 경제 주체
②	국가 경제 발전	개별 경제 주체
③	개인의 이익 추구	국가의 계획과 명령
④	공공복리 증진	국가의 계획과 명령
⑤	질서 유지	국가의 계획과 명령

07 신유형 다음 내용을 통해 알 수 있는 자원의 희소성의 특징을 서술하시오.

똑같은 선풍기지만 냉대 기후 지역에서는 인기가 없고, 열대 기후 지역에서는 많은 사람이 사려고 해서 물량이 부족할 지경이다.

______

08 빈칸 (가), (나)에 들어갈 내용을 서술하시오.

〈합리적 선택〉
• 비용이 같을 경우: ____(가)____
• 편익이 같을 경우: ____(나)____

(1) (가): ______
(2) (나): ______

09 중요 (가)~(다)와 관련된 경제 문제를 각각 쓰고, 이러한 경제 문제가 발생하는 원인을 서술하시오.

(가) 무엇을 얼마나 생산할 것인가?
(나) 어떻게 생산할 것인가?
(다) 누구에게 분배할 것인가?

(1) (가): ______
(나): ______
(다): ______
(2) 원인: ______

기업의 역할과 사회적 책임

이것이 포인트!
- 기업가 정신의 의미
- 기업의 사회적 책임의 의미

꼼꼼! 필기 노트

1 기업의 역할

1 기업의 역할

(1) ❶ ______ **활동**: 사람들에게 필요한 재화와 서비스를 공급함
(2) ❷ ______ **제공**: 생산을 위해 필요한 노동력 확보를 위해 근로자를 고용함
(3) ❸ ______ **창출**: 생산 요소를 제공한 대가로 임대료나 이자, 임금 등의 소득을 지급함
(4) **세금 납부**: 국가에 세금을 납부하여 국가 재정에 이바지함

2 기업가 정신

(1) **의미**: 실패의 위험을 무릅쓰고 끊임없는 ❹ ______ 을 통해 새로운 수익을 창출하고, 경쟁력을 확보해 나가려는 기업가의 도전 정신과 의지

예 개인용 컴퓨터 시장을 개척한 스티브 잡스, 페이스북을 설립한 마크 저커버그, 고객의 취향에 맞는 컴퓨터 구매 시스템을 만든 마이클 델, 새로운 분야를 개척하고 도전한 정주영 회장, '강남 스타일' 열풍을 만든 가수 싸이 등

(2) **중요성**
① 기업의 이윤 확대 → 기업은 최소 비용으로 최대 이윤을 얻는 것이 주된 목적이에요.
② 기술 혁신과 새로운 가치 창출에 이바지함
③ 경제 활성화를 통해 경제 발전에 이바지함

(3) **실현 방법**
① 고부가 가치의 신상품 개발
② 새로운 판매처 및 시장 개척
③ 기술 혁신을 통한 새로운 생산 방법 도입
④ 새로운 자원의 개발
⑤ 신경영 기법의 도입

2 기업의 사회적 책임 → 오늘날 기업의 사회적 역할이 커지면서 기업의 사회적 책임에 대한 요구가 커지고 있어요.

1 의미: 기업이 본래 목적인 경제적 책임 외에 기업과 관련된 이해 관계자와 사회 전반에 걸쳐 법적·윤리적 및 자선적 책임을 지는 활동

2 유형

구분	내용
사회에 대한 책임	• ❺ ______ 의 테두리 내에서 이윤을 추구해야 함
소비자에 대한 책임	• 소비자의 권익을 보호해야 함 → 안전하고 우수한 상품 제공, 합리적인 가격에 따른 상품 공급, 소비자 피해 보상에 능동적 대처
근로자에 대한 책임	• 노동에 대한 정당한 임금을 제공해야 함 • 안전하고 쾌적한 작업 환경을 제공해야 함
타 기업에 대한 책임	• 거래 업체와 공정하게 거래해야 함 • 협력하면서도 공정한 경쟁 관계를 유지해야 함
지역 사회에 대한 책임	• 자선이나 기부와 같은 ❻ ______ 에 참여해야 함
환경에 대한 책임	• 생태계를 보호하고 환경 오염을 줄여나가도록 노력해야 함

3 효과: 사회적 책임을 다하는 기업은 긍정적인 이미지가 높아져 장기적으로 기업의 발전에 도움이 될 수 있음

+ 기업의 형태
동네 가게와 같은 개인 기업, 은행이나 회사와 같은 법 형태의 기업, 수자원 공사와 같은 국가가 경영하는 공기업 등이 있다.

+ 기업가
좁은 의미의 기업가는 새로운 일을 만들어 내는 사람 즉, '창업가'를 의미하지만, 넓은 의미의 기업가는 '기업가적 사고와 행동'이 일상화되어 있는 사람을 의미한다.

+ 이윤
기업이 생산물을 팔아 얻은 수입에서 생산물을 만드는 데 들어간 비용을 뺀 차액이다.

+ 기업가 정신
미래의 불확실성 속에서도 장래를 정확하게 예측하고 변화를 모색하는 것이 기업의 주요 임무이며, 이를 기업가 정신이라고 한다. 미국의 경제학자 슘페터는 기업가의 혁신 과정을 '창조적 파괴'라고 정의하고, 혁신이야말로 경제가 발전하는 유일한 요인이라고 강조하였다.

+ 혁신
새로운 제품의 개발, 비용을 절감하는 새로운 생산 방식의 도입, 새로운 시장의 개척 등을 총칭하는 말이다.

콕콕! 핵심 개념

1 □□: 기업이 생산물을 팔아 얻은 수입에서 생산물을 만드는 데 들어간 비용을 뺀 차액
2 □□□ □□: 미래의 불확실성 속에서도 정확하게 예측하고 변화를 모색하는 것
3 □□: 새로운 제품 개발, 비용 절감, 새로운 시장 개척 등을 총칭하는 말

활동 1 다음 신문 기사를 읽고 물음에 답해 보자.

△△일보 ○○○○년 ○월 ○일 ○요일

'낙하산을 탄 샌드위치'를 아시나요?

호주 멜버른의 한 샌드위치 가게는 개업과 동시에 젊은이들 사이에서 입소문을 타고 현재 수많은 관광객이 찾는 명소로 거듭났다. 이 가게는 7층에 위치하며, 테이블이나 의자는 물론 가구나 인테리어도 존재하지 않고, 심지어 고객이 음식을 받고 계산을 하는 창구도 없다. 샌드위치 가게의 이름은 '재플슈츠'로, 샌드위치의 호주식 명칭인 '제플(Jeffle)'과 '낙하산(Chute)'의 합성어이다. 샌드위치를 주문하는 방법은 간단하다. 고객이 샌드위치의 메뉴를 정하고 스마트폰으로 주문과 결제를 한 후 원하는 시간을 정해 밑에서 기다리면 7층에 위치한 가게에서 샌드위치를 낙하산으로 떨어뜨려 준다. 종이 봉지와 비닐을 이용한 소형 낙하산에 매달린 샌드위치를 받은 고객들은 골목길이나 대로변에 앉아 편하게 먹거나 가져가서 먹기도 한다. ㉠ 별도의 비용과 공간의 부담 없이 특별한 아이디어 하나만으로 성공한 '재플슈츠'가 주는 의미는 크다. 외신들은 이 가게에 '신개념 팝업 레스토랑'이라는 명칭을 부여하며, 사업 성공에 아이디어가 미치는 영향을 분석하기도 하였다.

– 해럴드 경제, 2015. 1. 15. –

1 다른 샌드위치 매장과 차별화한 '재플슈츠'의 아이디어를 써 보자.

2 밑줄 친 ㉠의 의미를 '기업가 정신'과 관련지어 써 보자.

활동 2 다음을 읽고, 물음에 답해 보자.

(가) 1982년 미국 시카고에서 한 시민이 독극물이 투여된 약을 복용하고 사망한 사건이 발생하였다. 이 약을 생산하는 ○○ 기업은 곧바로 현장에 직원을 급파하고, 이 사건을 모두 언론에 공개하였다. 또한 2억 4천 만 달러의 비용을 감수하고 문제가 없는 약 3천 만 병의 약을 모두 수거하여 폐기하였고, 이후 이물질을 넣지 못하도록 용기를 새로 제조하여 재출시하였다. 이러한 조치로 ○○ 기업에 대한 소비자들의 신뢰가 향상되어 매출액과 주가를 크게 상승하였다.

(나) 2000년 일본 오사카 지역 주민들이 △△ 기업에서 생산한 우유를 마시고 집단 식중독이 일어난 사건이 발생하였다. 보건 당국의 검사 결과, 공장의 우유 생산 밸브를 제대로 소독하지 않아 균에 감염되어 있다는 사실이 밝혀졌다. 이에 △△ 기업은 피해자들에게 보상해 주는 선에서 사건을 덮고 넘어가려고 하였다. 그러나 환자가 2천 여 명을 넘어서자 회사 측은 사건 발생 30시간만에 '저지방 우유' 제품에 문제가 있음을 공표하였다. 하지만 기자 회견에서도 변명과 거짓말을 일삼았다. 이후 피해자가 1만 명이 넘어서자 △△ 기업은 버티지 못하고 파산하게 되었다.

1 (가)와 (나) 기업의 사례에서 공통적으로 나타나는 기업의 사회적 책임을 써 보자.

2 (가)와 (나) 기업의 사례를 비교하여 기업의 사회적 책임이 기업에 미치는 영향을 써 보자.

쑥쑥! 실력 키우기

단계별 문제를 풀면서 실력을 쑥쑥 키워 보세요.

1 STEP 개념을 되짚는 확인 문제

01 다음 빈칸에 들어갈 알맞은 말을 쓰시오.

(1) 기업은 재화와 서비스를 (　　　　　　)하여 판매함으로써 이윤을 얻는다.

(2) 기업이 제품을 생산하기 위해서는 토지와 건물 임대, 자본 투자, 생산 설비 확충, 근로자 등 (　　　　　　)이(가) 필요하다.

(3) 기업은 국가에 (　　　　　　)을(를) 납부하여 국가 재정에 이바지한다.

(4) 기업가 정신은 실패의 위험을 무릅쓰고 끊임없는 (　　　　　　)을(를) 통해 경쟁력을 확보해야 한다.

02 다음 내용이 설명하는 용어를 쓰시오.

(1) 새로운 제품의 개발, 비용을 절감하는 새로운 생산 방식의 도입, 새로운 시장의 개척 등을 말한다. (　　　　　　)

(2) 기업의 본래 목적인 경제적 책임 외에 기업 관련 이해 관계자의 사회 전반에 걸쳐 법적 · 윤리적 및 자선적 책임을 말한다. (　　　　　　)

03 다음 설명이 옳으면 O, 틀리면 X에 표시하시오.

(1) 기업의 소비 활동의 주체이다. (○ | ×)

(2) 기업은 일자리를 제공하고 소득을 창출하는 역할을 한다. (○ | ×)

04 기업의 사회적 책임에 해당하는 활동을 〈보기〉에서 있는 대로 고르시오.

보기
ㄱ. 소비자의 권익 보호
ㄴ. 사회 공헌 활동 참여
ㄷ. 무조건적인 이윤 추구
ㄹ. 노동자에게 정당한 임금 제공

2 STEP 기초를 다지는 기본 문제

01 기업의 역할로 옳은 것을 〈보기〉에서 고른 것은?

보기
ㄱ. 세금 납부
ㄴ. 사회 간접 자본 제공
ㄷ. 재화와 서비스 생산 및 판매
ㄹ. 생산 요소 제공 및 소득 획득

① ㄱ, ㄴ　② ㄱ, ㄷ　③ ㄴ, ㄷ　④ ㄴ, ㄹ　⑤ ㄷ, ㄹ

[02~03] 다음을 보고 물음에 답하시오.

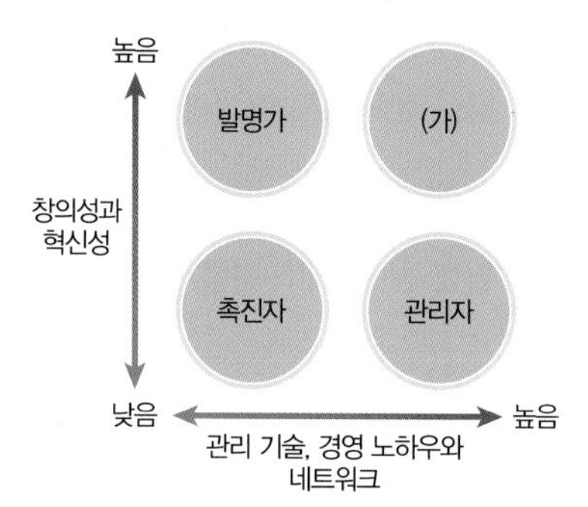

02 (가)에 들어갈 용어로 가장 적절한 것은?

① 기업가　② 사업가　③ 노동자　④ 통제자　⑤ 관찰자

03 기업의 이윤 확대를 위한 (가)의 도전 정신과 의지와 관련된 활동을 〈보기〉에서 있는 대로 고른 것은?

보기
ㄱ. 새로운 시장 개척
ㄴ. 새로운 경영 기법의 도입
ㄷ. 환경 보호 활동
ㄹ. 사회 공헌 활동
ㅁ. 부가가치가 높은 신상품 개발

① ㄱ, ㄷ　② ㄴ, ㅁ　③ ㄷ, ㄹ　④ ㄱ, ㄴ, ㅁ　⑤ ㄴ, ㄹ, ㅁ

3 STEP 실력을 완성하는 주관식·서술형 문제

04 중요 다음 글에 관한 설명으로 옳지 않은 것은?

> 대표적인 원격 근무 시스템에는 한국형 무정차 결제 시스템인 '하이 패스'가 있다. 하이 패스가 도입된 이후 명절이나 주말 등 고속도로 통행 차량이 많아질 때 요금소 앞에서 기다리는 행렬이 크게 줄었다는 점이다. 하이 패스를 이용하는 차량의 평균 고속도로 요금소의 통과 시간은 3초에 불과하다. 또한 하이 패스 도입으로 물류비 및 유류비가 절감되고, 전자 통행권 발권으로 종이 사용 비용이 감소하여 사회적 비용 절감 효과도 크게 나타나는 것으로 분석되고 있다.

① 통행 시간 관련 비용이 감소하였다.
② 환경 오염 관련 비용이 감소하였다.
③ 혁신은 경영 분야에서만 한정적으로 나타난다.
④ 공공 부문에서도 기업가 정신을 발휘될 수 있다.
⑤ 주말과 명절에 고속도로 요금소가 붐비는 현상이 많이 해소되었다.

05 중요 다음 두 사례에서 공통적으로 나타나는 내용으로 가장 적절한 것은?

> • ○○ 기업은 정보 기술(IT) 업체라는 특성을 살려 눈동자를 움직여 컴퓨터를 조작할 수 있도록 한 '안구 마우스'를 개발하여 거동이 불편한 장애인들에게 저렴한 가격으로 보급하였다.
> • △△ 기업은 저소득층에게 창업용 차량을 무상으로 제공해 주는 캠페인 활동과 장애인들이 여행하는 데 도움을 주는 활동 등 사회 공헌 활동을 전개하고 있다.

① 기업은 경제적 책임만을 진다.
② 기업의 목표는 이윤 극대화이다.
③ 기업의 사회적 역할이 커지고 있다.
④ 기업의 이윤 창출 활동과는 무관하다.
⑤ 기업은 윤리적 · 자선적 책임을 지지 않는다.

06 다음에 나타난 인물들을 통해 공통적으로 설명할 수 있는 개념과 그 의미를 서술하시오.

> • 스티브 잡스(기업인): 창의성에 가장 필요한 '관련짓기 인지 활동'을 통해 겉으로는 관계없는 것들을 서로 연결하여 관계를 만들고, 유사점을 파악하면서 새로운 분야를 개척하여 개인용 컴퓨터 시대를 열었다.
> • 김연아(피겨 스케이팅 선수): 실패의 두려움을 극복하고 새로운 실수를 반복하면서 기술을 익히며, 발레 동작을 피겨 스케이팅에 접목하여 새로운 기회에 도전하였다.

(1) 개념: ______
(2) 의미: ______

[07~08] 다음을 보고 물음에 답하시오.

> 지연: 요즘 기업들이 많이 달라진 것 같아. 예전에는 돈을 버는 것만 생각했다면 요즘에는 근로 여건이나 환경 문제도 신경을 쓰는 것 같아. 심지어 기부나 자선 사업도 많이 해.
> 현민: 이상하네. 기업은 이윤을 남기는 것이 목적일텐데……. 돈도 안 되는 일을 왜 하는 걸까?

07 위의 대화에서 지연이가 이야기하고 있는 기업의 활동과 관련된 개념을 쓰고, 구체적인 활동 내용 중 두 가지를 서술하시오.

(1) 개념: ______
(2) 활동 내용: ______

08 신유형 밑줄 친 현민이의 마지막 질문에 관한 적절한 대답을 서술하시오.

03 경제생활과 금융 생활

이것이 **포인트!**
- 생애 주기별 경제생활의 특징
- 합리적인 자산 관리 방법

꼼꼼! 필기 노트

1 경제생활과 자산 관리

1 일생 동안 이루어지는 경제생활 → 생애 주기에 따라 소득과 소비의 크기가 달라져요.

(1) **유소년기**: 주로 부모의 소득에 의존하여 생활함

(2) ❶ ______ : 경제 활동을 시작하는 시기 → 소득과 소비가 모두 적음

(3) **중 · 장년기**: ❷ ______ 은 가장 높지만 ❸ ______ 도 많음

(4) **노년기**: 은퇴 이후 소득이 크게 줄지만 ❹ ______ 생활은 지속됨
→ 소득을 얻을 수 있는 기간은 한정되어 있지만 소비는 평생 이루어져요.

2 자산 관리

(1) **의미**: 자신의 소득을 ❺ ______ 하여 재산을 만들고 그 크기를 늘려가기 위해 계획을 세우고 이를 실천하는 것 → 경제적으로 지속 가능한 소비 생활을 영위하기 위해 평생에 걸친 경제생활 계획을 세워야 해요.

(2) **필요성**

① 미래의 필요에 대비: 자녀 교육, 주택 마련 등 생애 주기별 경제생활과 질병, 사고 등 예상치 못한 지출에 대비해야 함

② 지속 가능하고 안락한 삶 유지: 일정한 생활 수준의 유지를 위해 필요함

③ ❻ ______ 의 연장: 은퇴 이후의 생활 기간이 길어짐 → 안정적인 노후 생활을 대비해야 함

3 자산 관리 방법

(1) **저축**: 소득 중 소비하지 않고 모아두는 것 → 원금이 보장되고 정해진 이자 수익을 얻음
→ 안전성을 추구해요. 예 예금, 적금, 보험 등

(2) **투자**: 이익을 얻기 위해 주식, 채권, 부동산 등을 구입하는 것 → 원금 손실의 위험이 있지만 고수익을 얻을 수 있음 예 주식, 채권, 펀드, 부동산 등
→ 수익성을 추구해요.

2 합리적인 자산 관리와 신용 관리

1 합리적인 자산 관리

(1) ❼ ______ **과 기간 고려**: 소득과 지출 규모를 고려하여 저축이나 투자의 목적과 기간을 살펴야 함 예 안전한 목돈 마련 → 예금이나 적금, 예기치 못한 사고나 질병 대비 → 보험

(2) **자산의 특성 파악**: 수익성, 위험성, 유동성을 종합적으로 고려하여 알맞은 방법을 선택해야 함

(3) ❽ ______ : 적정한 수익을 얻으면서 위험성을 줄이기 위해서는 자산을 적절히 분산하여 장기적으로 운용해야 함

2 신용 관리

(1) ❾ ______ : 돈을 빌려 쓰거나 상품을 사용한 뒤 약속한 날짜에 그 대가를 치를 수 있는 능력

(2) **신용 거래** → 신용 거래를 할 때는 항상 그에 따른 책임과 결과를 고려해야 해요.

① 장점: 현금이 없어도 거래할 수 있어 현재의 소득보다 더 많은 소비가 가능함

② 단점: 충동구매나 과소비를 할 우려가 있고, 부채를 제대로 갚지 못하면 신용 등급이 낮아지거나 ❿ ______ 가 되어 불이익을 겪게 됨

+ 생애 주기별 소득–소비 곡선

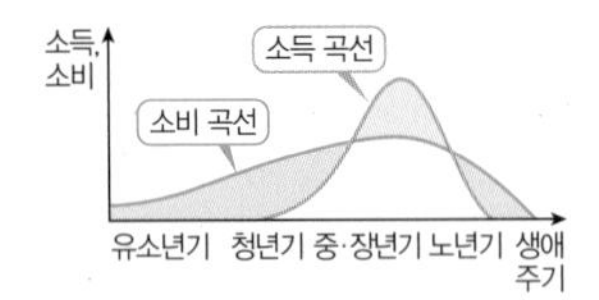

+ 자산
개인이나 단체가 소유하고 있는 경제적 가치가 있는 유형 · 무형의 재산을 말한다. 부동산, 귀금속, 자동차 등 실물 자산과 예금, 주식, 채권 등 금융 자산이 있다.

+ 채권
정부나 기업이 돈을 빌리면서 원금과 이자를 정해진 날짜까지 지급하기로 약속한 차용 증서이다.

+ 주식
주식회사가 자본금을 마련하기 위해 발행하는 증서로, 주식을 소유한 주주가 기업의 경영에 참여하며, 기업의 이익을 배당받는다.

+ 펀드
전문가가 투자자들로부터 투자금을 모아 펀드를 형성하여 투자를 대행하고 수익금을 투자자에게 돌려주는 금융 상품이다.

+ 자산 관리 시 고려 사항
- 수익성: 투자 원금으로부터 수익이 발생하는 정도
- 위험성: 투자 원금을 손해 볼 수 있는 정도
- 유동성: 자산을 손쉽게 현금화할 수 있는 정도

콕콕! 핵심 개념

1 □□: 개인이나 단체가 소유하고 있는 경제적 가치가 있는 재산

2 □□: 돈을 빌려 쓰거나 상품을 사용한 뒤 약속한 날짜에 그 대가를 치를 수 있는 능력

활동 1 다음은 자산의 특성을 나타낸 그래프이다. 물음에 답해 보자.

안전성
(가)
(나)
수익성

1 자산 관리를 위해 고려해야 할 자산의 특성 3가지와 그 의미를 써 보자.

(1) ____________________

(2) ____________________

(3) ____________________

2 (가), (나)에 해당하는 자산의 종류를 <보기>에서 골라 바르게 분류해 보자.

보기

㉠ 예금 ㉡ 주식 ㉢ 적금 ㉣ 보험 ㉤ 채권 ㉥ 부동산 ㉦ 연금

(가)		(나)	

활동 2 다음 소설 『허생전』과 『베니스의 상인』의 내용을 읽고, 물음에 답해 보자.

(가) …… 허생은 변 부자에게 인사하며 말했다. "내가 집이 가난해서 무얼 좀 해 보려고 하니, 만 냥을 빌려 주시기 바랍니다." 그러자 변씨는 "그러시오." 하고 당장 만 냥을 내주었다. 허생은 감사하다는 인사도 없이 가 버렸다. 허생이 나가자, 주위 사람들 모두가 무슨 영문인지 변 부자에게 물었다. 변 부자는 "남에게 무엇을 빌리러 오는 사람은 자신에 대해 과장하고, 능력을 자랑하면서도 비굴함이 얼굴에 나타나기 마련인데, 저 객은 형색은 허술하지만 말이 간단하고, 눈을 오만하게 뜨며, 얼굴에 부끄러운 기색이 없는 것으로 보아 재물이 없이도 스스로 만족할 수 있는 사람이오. 안 주면 모르되, 이왕 만 냥을 주는 바에 성명은 물어 무엇을 하겠는가?"라고 말했다. ……

– 박지원, 『허생전』 –

(나) 이탈리아 베니스에 거주하는 상인 안토니오는 절친한 친구인 베사니오의 결혼 자금을 마련하기 위해 고리 대금 업자인 샤일록을 찾아간다. 안토니오는 샤일록에게 베사니오의 결혼 자금을 빌리는 데 성공하지만 빌린 돈을 기한 내 상환하지 못할 때에는 안토니오 소유의 선박 또는 심장에서 가장 가까운 살 1파운드를 떼어 주어야 한다는 계약서에 서명하였다.

– 세익스피어, 『베니스의 상인』 –

1 위 내용에서 허생과 안토니오가 돈을 빌리기 위해 공통적으로 필요한 것을 써 보자.

____

2 1을 사용한 거래를 할 때 주의해야 할 점을 써 보자.

____

쑥쑥! 실력 키우기

단계별 문제를 풀면서 실력을 쑥쑥 키워 보세요.

1 STEP 개념을 되짚는 확인 문제

01 다음 빈칸에 들어갈 알맞은 말을 쓰시오.

(1) 경제적으로 지속 가능한 소비 생활을 영위하려면 재산을 만들고 그 크기를 늘려가는 (   )이(가) 필요하다.

(2) 자산에는 부동산, 귀금속과 같은 (   ) 자산과 예금, 주식, 채권과 같은 (   ) 자산이 있다.

(3) (   )은(는) 투자한 원금으로부터 수익이 발생하는 정도를 말한다.

02 다음 내용이 설명하는 용어를 쓰시오.

(1) 돈을 빌려 쓰거나 상품을 사용한 뒤 약속한 날짜에 그 대가를 치를 수 있는 능력이다. (   )

(2) 여러 군데 나누어 투자하여 위험을 분산시키는 투자 행동을 말한다. (   )

03 다음 설명이 옳으면 O, 틀리면 X에 표시하시오.

(1) 일생 동안 소비는 평생 이루어지지만 소득을 얻는 기간은 한정되어 있다. (○ | ×)

(2) 안전한 목돈 마련이 목적이라면 주식이나 펀드에 투자하는 것이 바람직하다. (○ | ×)

(3) 신용 거래를 할 때에는 항상 그에 따른 결과와 책임을 고려하여야 한다. (○ | ×)

04 각 생애 주기별로 나타나는 경제 활동을 바르게 연결하시오.

(1) 유소년기 •　　• ㉠ 소득이 가장 큼
(2) 청년기 •　　• ㉡ 부모의 소득에 의존
(3) 중 · 장년기 •　　• ㉢ 소득과 소비 모두 적음
(4) 노년기 •　　• ㉣ 소득이 줄어드는 시기

2 STEP 기초를 다지는 기본 문제

[01~02] 다음은 생애 주기에 따른 소득과 소비를 나타낸 그래프이다. 물음에 답하시오.

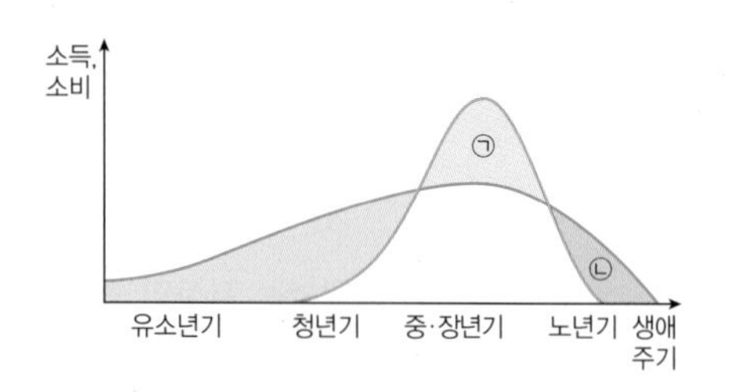

01 생애 주기에서 소득이 소비보다 많은 시기는?

① 유소년기　② 청년기
③ 중 · 장년기　④ 노년기
⑤ 생애주기 전체

02 (중요) 위 그래프에 관한 설명으로 옳은 것을 〈보기〉에서 고른 것은?

> 보기
> ㄱ. 유소년기에는 소득이 없어 자산 관리가 필요하지 않다.
> ㄴ. ㉠은 저축에 해당하며 노년기를 대비하는 역할을 한다.
> ㄷ. 고령화 추세가 강화될수록 ㉡이 증가한다.
> ㄹ. 노년기에는 수익성을 중시하는 자산 관리를 해야 한다.

① ㄱ, ㄴ　② ㄱ, ㄷ　③ ㄴ, ㄷ
④ ㄴ, ㄹ　⑤ ㄷ, ㄹ

03 자산 관리의 필요성으로 옳은 것을 〈보기〉에서 있는 대로 고른 것은?

> 보기
> ㄱ. 인간의 평균 수명이 연장되었다.
> ㄴ. 소득 획득의 불안정성이 감소하였다.
> ㄷ. 노후 대책에 대한 필요성이 감소하였다.
> ㄹ. 미래의 예기치 못한 위험에 대비해야 한다.

① ㄱ, ㄴ　② ㄱ, ㄹ　③ ㄴ, ㄷ
④ ㄱ, ㄴ, ㄹ　⑤ ㄴ, ㄷ, ㄹ

04 중요 자산 관리에 관한 설명으로 옳지 않은 것은?

① 목적과 기간을 고려하여 자산을 관리해야 한다.
② 높은 수익을 추구한다면 채권이나 부동산에 투자해야 한다.
③ 노년기에는 공격적인 투자를 통해 높은 소득을 얻어야 한다.
④ 안전한 목돈 마련이 목적이라면 주식보다 예금에 투자해야 한다.
⑤ 일반적으로 안전한 자산은 수익성이 낮고, 수익성이 높은 자산은 위험성이 높다.

05 ㉠~㉢에 들어갈 자산의 종류를 바르게 연결한 것은?

- (㉠): 은행 등 금융 기관에 돈을 맡기면 사전에 정해진 이자율에 따라 지급되는 이자를 받을 수 있다.
- (㉡): 정부, 기업 등이 필요한 자금을 빌리면서 언제까지 갚겠다는 것을 표시한 증서를 통해 원금과 이자를 지급받을 수 있다.
- (㉢): 기업은 자본금 마련을 위해 투자자에게 판매하고, 투자자는 실적에 따른 이익을 배당받을 수 있다.

	㉠	㉡	㉢
①	예금	채권	주식
②	예금	주식	채권
③	채권	예금	주식
④	채권	주식	예금
⑤	주식	채권	예금

06 중요 다음 사례와 같은 거래의 수단으로 옳은 것은?

- 은행 대출
- 휴대 전화 요금 납부
- 신용 카드 사용
- 전기 요금 납부

① 저축 ② 신용 ③ 투자
④ 소득 ⑤ 이윤

3 STEP 실력을 완성하는 주관식·서술형 문제

07 신유형 다음 글을 통해 알 수 있는 자산 관리 방법과 그 의미를 서술하시오.

미국의 경제학자 제임스 토빈은 "계란을 한 바구니에 담지 말라. 계란을 한 바구니에 넣을 경우 바구니가 넘어지면 모든 계란이 깨질 수 있다."라고 말하였다.

(1) 자산 관리 방법: ______________________
(2) 의미: ______________________

[08~09] 다음 사진을 보고, 물음에 답하시오.

고난도
08 위와 같은 거래의 수단을 쓰고, 그 의미를 서술하시오.

(1) 거래 수단: ______________________
(2) 의미: ______________________

고난도
09 위와 같은 거래의 장단점을 각각 한 가지 서술하시오.

(1) 장점: ______________________
(2) 단점: ______________________

뚝딱! 단원 마무리하기

이번 단원에서 배운 내용을 문제로 뚝딱! 마무리 점검해 보세요.

[01~02] 다음 글을 읽고, 물음에 답하시오.

> 경제 활동이란 인간의 필요와 욕구를 충족시키기 위해 필요한 ㉠ 재화와 ㉡ 서비스를 ㉢ 생산, ㉣ 분배, ㉤ 소비하는 활동이다.

01 ㉠, ㉡에 해당하는 사례가 바르게 연결된 것은?

	㉠	㉡
①	아이돌 가수의 공연	빵 가게의 피자 빵
②	전자 상가의 컴퓨터	치과 의사의 진료
③	학원 강사의 수업	택배 회사의 배달
④	새로 출간된 책	떡 가게의 떡 케이크
⑤	방과 후 수업	오락실에 뽑은 인형

02 밑줄 친 ㉢~㉤의 사례로 옳은 것은?

① ㉢: 인터넷 강의를 들었다.
② ㉢: 길을 가다가 만 원을 주웠다.
③ ㉣: 편의점에서 일하고 월급을 받았다.
④ ㉤: 인형 뽑기가 유행하자 뽑기 가게를 차렸다.
⑤ ㉤: 소비자가 주문한 상품을 택배로 배송해 주었다.

03 중요 밑줄 친 ㉠~㉤에 관한 설명으로 옳은 것은?

> 진희 씨는 아침 일찍 일어나 사람이 가득 찬 ㉠ 지하철을 타고 출근하였다. ㉡ 회사에 도착하여 바쁘게 업무를 보다가 점심 시간이 되어 근처 식당에서 ㉢ 비빔밥을 먹었다. 회사로 돌아와 업무를 보던 중 어제 인터넷 쇼핑몰에서 주문한 ㉣ 상품이 배송중이라는 문자와 함께 이번 달 ㉤ 월급이 입금되었다는 문자를 받았다.

① ㉠: 재화를 소비하였다.
② ㉡: 소비 활동의 주체이다.
③ ㉢: 생산 요소에 해당한다.
④ ㉣: 생산 활동에 해당한다.
⑤ ㉤: 국가에서 지급하는 것이다.

[04~05] 다음 글을 읽고, 물음에 답하시오.

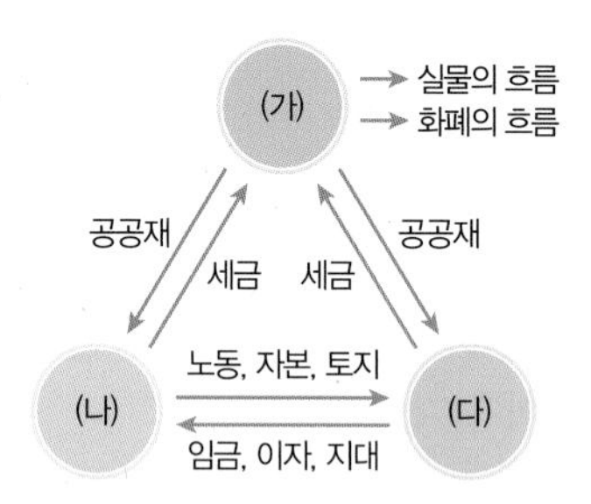

04 (가)~(다)에 들어갈 경제 주체를 각각 쓰시오.

(가): ________ (나): ________ (다): ________

05 위 그림의 (가)~(다)에 관한 설명으로 옳지 않은 것은?

① (가): 사회 간접 자본을 생산한다.
② (가): 경제와 관련된 제도를 만든다.
③ (나): 소비 활동의 주체로, 세금을 납부한다.
④ (다): 생산 요소를 제공하고 소득을 얻는다.
⑤ (다): 재화나 서비스를 생산하고, 공급한다.

06 중요 다음 내용과 관련된 개념에 대한 설명으로 옳은 것을 〈보기〉에서 있는 대로 고른 것은?

> 속담에 '바다는 메워도 사람 욕심은 못 메운다.'라는 말이 있듯이 인간의 욕구는 무한하다. 하지만 이러한 인간의 욕구를 충족시킬 수 있는 자원의 양은 한정되어 있다.

보기

ㄱ. 시간의 흐름과는 상관이 없다.
ㄴ. 경제 문제가 발생하는 원인이다.
ㄷ. 자원의 절대적인 양에 따라 결정된다.
ㄹ. 사회적 상황과 밀접하게 관련되어 있다.

① ㄱ ② ㄴ, ㄹ ③ ㄷ, ㄹ
④ ㄱ, ㄴ, ㄹ ⑤ ㄴ, ㄷ, ㄹ

●●○

07 (가)~(다)에 관한 사례로 옳지 않은 것은?

> (가) 무엇을 얼마나 생산할 것인가?
> (나) 어떻게 생산할 것인가?
> (다) 누구에게 분배할 것인가?

① (가): 도서관을 지을까? 체육관을 지을까?
② (가): 휴대폰과 노트북 중 무엇을 생산할까?
③ (나): 밀가루 반죽을 손으로 할까? 기계로 할까?
④ (다): 필요한 채소를 재배할까? 대량 구매할까?
⑤ (다): 직원들에게 각각 성과급을 얼마나 줄까?

[08~09] 다음 글을 읽고, 물음에 답하시오.

> 우리는 (㉠)(으)로 인해 끊임없이 선택의 순간에 직면하게 된다. 이때 합리적인 선택을 하기 위해서는 (㉡)와(과) (㉢)을(를) 고려해야 한다. 피시방에서 게임을 했을 때 느끼는 즐거움은 (㉡)에 해당한다. 반면, 게임을 하기 위해 쓴 돈과 시간은 (㉢)에 해당한다. 합리적인 선택은 ___________(가)___________.

●○○

08 위 글의 빈칸 ㉠~㉢에 들어갈 알맞은 말을 바르게 연결한 것은?

	㉠	㉡	㉢
①	희소성	비용	편익
②	희소성	편익	비용
③	효율성	비용	편익
④	효율성	편익	비용
⑤	형평성	편익	비용

●●○

09 중요 위 글의 밑줄 친 (가)에 들어갈 문장으로 옳은 것은?

① 편익이 가장 큰 선택이다.
② 비용이 가장 적은 선택이다.
③ 선택에 대한 비용보다 편익이 커야 한다.
④ 편익이 같은 경우 비용이 가장 큰 선택이다.
⑤ 비용이 같은 경우 편익이 가장 작은 선택이다.

●●●

10 신유형 다음은 지수와 현우가 용돈 만 원으로 하고 싶은 일과 편익을 정리한 표이다. 이에 관한 설명으로 옳은 것을 〈보기〉에서 고른 것은? (단, 선택에 따른 비용은 모두 같다.)

지수의 선택	편익	현우의 선택	편익
책 구입	10	옷 구입	10
영화 관람	8	영화 관람	8
햄버거 구입	6	미술관 관람	7

> **보기**
> ㄱ. 지수와 현우의 영화 관람에 대한 편익이 같다.
> ㄴ. 지수의 책 구입에 대한 기회비용은 14이다.
> ㄷ. 현우의 미술관 관람에 대한 기회비용은 10이다.
> ㄹ. 지수와 현우가 함께 영화를 보는 것이 합리적 선택이다.

① ㄱ, ㄴ ② ㄱ, ㄷ ③ ㄴ, ㄷ
④ ㄴ, ㄹ ⑤ ㄷ, ㄹ

●●●

11 다음 사례에서 A 씨가 회사를 그만두고 온라인 세탁소를 운영할 때 1년 동안의 기회비용은?(단, 선택에 따른 만족감은 모두 같다.)

> ○○ 기업에서 월 300만 원을 받으며 일하고 있는 A 씨가 회사를 그만두고 세탁 서비스를 제공하는 온라인 세탁소를 운영할 준비를 하고 있다. 1년 동안 온라인 세탁소를 운영하는 데 들어갈 비용은 5,000만 원이고, 예상 수입은 6,500만 원이다.

① 1,500만 원 ② 3,600만 원 ③ 5,000만 원
④ 7,100만 원 ⑤ 8,600만 원

12 다음과 같은 역할을 하는 경제 주체로 옳은 것은?

중요

- 재화와 서비스를 생산하여 판매한다.
- 일자리를 제공하며 소득을 창출한다.
- 세금을 납부하여 국가 재정에 이바지한다.

① 가계 ② 기업 ③ 정부
④ 외국 ⑤ 소비자

13 (가)와 관련된 내용으로 옳은 것을 〈보기〉에서 있는 대로 고른 것은?

((가))은(는) 기업이 실패의 위험을 무릅쓰고 끊임없는 혁신을 통해 새로운 수익을 창출하고, 경쟁력을 확보해 나가려는 기업의 도전과 의지를 말한다.

보기

ㄱ. 자기 주도적인 삶의 자세를 지닌다.
ㄴ. 사회의 모든 영역에서 발휘될 수 있다.
ㄷ. 새로운 가능성과 기회를 포착하는 능력이 있다.
ㄹ. 실천보다 기발한 아이디어를 더 중시한다.

① ㄱ, ㄴ ② ㄱ, ㄷ ③ ㄴ, ㄷ
④ ㄱ, ㄴ, ㄷ ⑤ ㄴ, ㄷ, ㄹ

14 다음은 생애 주기에 따른 소득과 소비를 나타낸 그래프이다. 이에 관한 설명으로 옳지 않은 것은?

중요

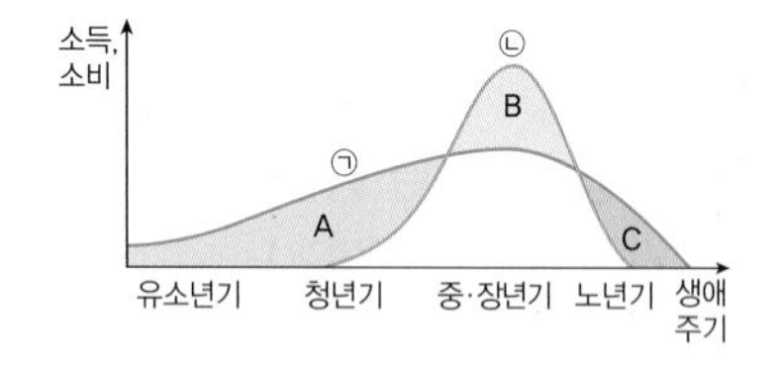

① ㉠은 소비를 나타내는 곡선이다.
② ㉡은 소득을 나타내는 곡선이다.
③ A 시기는 자산 관리를 시작하는 시기이다.
④ B 시기는 소득이 가장 많아 자산 관리가 중요한 시기이다.
⑤ 평균 수명이 연장될수록 C 시기에 대비할 필요성이 감소한다.

15 자산 관리에 관한 설명으로 옳지 않은 것은?

① 투자는 수익성은 높지만 위험성도 높다.
② 정기 예금은 위험성은 낮지만 수익성도 낮다.
③ 부동산은 높은 수익을 얻을 수 있지만 유동성이 적다.
④ 높은 수익을 얻기 위해서는 적금보다 주식에 투자하는 것이 낫다.
⑤ 연령이 높아지면 소득이 적기 때문에 수익성이 큰 투자를 늘려야 한다.

16 다음 글을 통해 알 수 있는 자산 관리 방법으로 가장 적절한 것은?

유대인들의 경전인 『탈무드』에는 다음과 같은 표현이 나온다. "모든 사람은 자신의 돈을 세 부분으로 나누도록 한다. 그래서 1/3은 토지에, 다른 1/3은 사업에 나머지 1/3은 현금으로 보유하라."

① 자산의 특성을 잘 파악해야 한다.
② 소득과 지출 규모를 고려해야 한다.
③ 자산을 적절히 분산하여 운용해야 한다.
④ 저축이나 투자의 목적과 기간을 고려해야 한다.
⑤ 가장 수익성은 높은 상품에 집중 투자해야 한다.

17 빈칸 ㉠에 들어갈 용어를 쓰시오.

(㉠)(은)는 돈을 빌려 쓰거나 상품을 사용한 뒤 약속한 날짜에 그 대가를 치를 수 있는 능력을 말한다. (㉠)(을)를 활용하면 현재의 소득보다 많은 소비를 할 수 있기 때문에 적절히 이용하면 유연하게 자산을 운용할 수 있지만, 잘못 관리하면 불이익을 당할 수도 있다.

18 다음 기사를 통해 알 수 있는 '깨끗한 공기'의 경제적 성격 변화를 '희소성' 측면에서 서술하시오.

> **△△일보** ○○○○년 ○월 ○일 ○요일
>
> "수제 청정 공기 팝니다"…영국판 '봉이 김선달'?
>
> 영국의 한 청년이 사람의 손길이 닿지 않은 청정 지역의 깨끗한 공기를 병에 넣어 판매하고 있다. 온라인을 통해 한 병에 80파운드라는 높은 금액에 판매하고 있지만 한 달만에 영국에서만 1만 6,000파운드의 매출액을 기록했다. 한편, 더욱더 심해지는 대기 오염으로 인해 동아시아를 중심으로 깨끗한 공기를 '사서라도 마시겠다'는 수요가 점점 늘어나고 있다. – 해럴드 경제, 2017. 5. 20. –

19 다음 사례에 나타난 경제 문제를 서술하시오.

> 운동화를 생산하는 ○○ 기업은 가격 경쟁력을 높이기 위해 인건비가 저렴한 동남아시아로 생산 공장을 이전할지, 이전과 같이 국내에서 생산할지 고민하고 있다.

20 다음 헌법 조항을 통해 알 수 있는 우리나라의 경제 체제의 특징을 서술하시오.

> 제119조 ① 대한민국의 경제 질서는 개인과 기업의 경제상의 자유와 창의를 존중함을 기본으로 한다.
>
> ② 국가는 균형 있는 국민 경제의 성장 및 안정과 적정한 소득의 분배를 유지하고, 시장의 지배와 경제력의 남용을 방지하며, …… 경제에 관한 규제와 조정을 할 수 있다.

21 신유형 하준이가 공연 관람을 선택하여 발생한 기회비용을 모두 서술하시오.

> 하준이는 시간당 1만 원의 임금을 받으며 하루 3시간씩 아르바이트를 하고 있다. 그런데 어느 날 좋아하는 가수의 공연을 보러 가기 위해 아르바이트를 포기하였다. 하준이가 공연을 보기 위해 지출한 내용은 아래와 같다.

지출 내용	
공연 티켓 요금	20,000원
대중교통 요금(왕복)	4,000원

[22~23] 다음 글을 읽고, 물음에 답하시오.

> 회사원인 A 씨는 안정적인 노후를 대비하기 위해 노후 자금을 마련하려고 한다. 현재 자산 관리 방법으로 고민하는 것은 (가) <u>부동산을 구입하는 것</u>, (나) <u>은행에 예금하는 것</u>, (다) <u>주식 투자를 하는 것</u>이다.

22 고난도 (가), (나), (다)를 자산 관리를 위해 고려해야 할 <u>세 가지</u> 요소 측면에서 비교하여 서술하시오.

23 A 씨가 합리적으로 자산 관리를 하기 위한 방법을 <u>두 가지</u> 서술하시오.

이 단원을 배우면

시장의 의미를 이해하고, 기준에 따라 시장을 구분할 수 있어요. 또한 수요 법칙과 공급 법칙의 원리를 파악하여 시장 가격이 결정되는 과정을 설명할 수 있어요. 아울러 수요와 공급에 영향을 미치는 다양한 요인에 따른 시장 가격의 변동을 분석할 수 있어요.

시장 경제와 가격

:나의 학습 진도표

중단원명	학습 코너	쪽수	학습 예정일	학습 완료일	달성도
01 시장의 의미와 종류	꼼꼼! 필기 노트	64쪽	◯월 ◯일	◯월 ◯일	☆☆☆☆☆
	탄탄! 활동 노트	65쪽	◯월 ◯일	◯월 ◯일	☆☆☆☆☆
	쑥쑥! 실력 키우기	66~67쪽	◯월 ◯일	◯월 ◯일	☆☆☆☆☆
02 수요·공급과 시장 가격의 결정	꼼꼼! 필기 노트	68쪽	◯월 ◯일	◯월 ◯일	☆☆☆☆☆
	탄탄! 활동 노트	69쪽	◯월 ◯일	◯월 ◯일	☆☆☆☆☆
	쑥쑥! 실력 키우기	70~71쪽	◯월 ◯일	◯월 ◯일	☆☆☆☆☆
03 시장 가격의 변동	꼼꼼! 필기 노트	72쪽	◯월 ◯일	◯월 ◯일	☆☆☆☆☆
	탄탄! 활동 노트	73쪽	◯월 ◯일	◯월 ◯일	☆☆☆☆☆
	쑥쑥! 실력 키우기	74~75쪽	◯월 ◯일	◯월 ◯일	☆☆☆☆☆
뚝딱! 단원 마무리하기		76~79쪽	◯월 ◯일	◯월 ◯일	☆☆☆☆☆

시장의 의미와 종류

이것이 포인트!
- 시장의 역할
- 시장의 종류

꼼꼼! 필기 노트

1 시장

1 의미

(1) ❶ [ ]

① 분업을 통해 생산된 상품의 거래가 이루어지는 곳

② 상품을 사려는 사람과 팔려는 사람이 만나 자유로운 거래가 이루어지는 곳

(2) 형성 과정

자급자족 경제		물물 교환 경제		시장 경제
• 자신에게 필요한 모든 것은 스스로 만들어 사용함 → 필요한 물건을 모두 직접 만들 수 없고, 많은 시간과 노력이 필요함	➡	• 사회적 분업으로 잉여 생산물이 발생하여 쓰고 남은 물건을 교환함 → 거래 상대방을 찾는 데 시간과 노력이 많이 필요함	➡	• 효율적인 거래를 위해 시간과 장소를 정해 모이기 시작하면서 시장이 형성됨 → 화폐로 상품을 교환함

2 역할

(1) ❷ [ ]와 분업 가능: 각자 잘하는 일에 전념하여 상품을 생산하고 필요한 물건을 서로 교환함 → 전문성이 신장하고, 물질적으로 풍요로워질 수 있어요

(2) 생산자와 소비자 연결: 상품의 수요와 공급을 연결하여 가격을 결정함

(3) ❸ [ ] 비용 감소: 거래 상대방을 찾는 데 드는 비용과 시간을 줄여줌
→ 편리하고 효율적인 거래 가능

(4) ❹ [ ] 제공: 거래에 참여하는 사람들에게 상품에 대한 정보를 제공해 줌

3 종류

기준	내용
거래 상품	• 생산물 시장: 재화와 서비스를 거래하는 시장 예 농수산물 시장, 전자 상가 등 • ❺ [ ] 시장: 생산물을 만드는 데 필요한 생산 요소인 노동, 토지, 자본 등을 거래하는 시장 예 부동산 시장, 취업 박람회, 주식 시장 등
형태	• ❻ [ ] 시장: 거래하는 모습이 구체적으로 드러나는 시장 예 재래 시장, 꽃 시장, 백화점 등 • 보이지 않는 시장: 거래하는 모습이 드러나지 않는 시장 예 외환 시장, 노동 시장, 전자 상거래 등
개설 주기	• ❼ [ ] 시장: 매일 열리는 시장 • 정기 시장: 일정한 간격을 정해 주기적으로 열리는 시장
❽ [ ]의 수	• 완전 경쟁 시장: 다수의 거래자 참여, 동질의 상품 거래, 완전한 정보를 가지고 자유로운 거래 등을 특징으로 하는 시장 • 불완전 경쟁 시장: 완전 경쟁의 조건을 갖추지 않는 모든 시장 예 독점적 경쟁 시장, 독점 시장, 과점 시장 등

4 현대 사회의 시장

(1) 편리하고 효율적인 거래를 위해 시장의 종류가 다양해지고 있음

(2) 정보 통신 기술의 발달로 인터넷을 통한 ❾ [ ]의 규모가 점차 확대되고 있음

+ 분업

의미	생산 과정을 여러 개의 부분과 과정으로 나누어 서로 다른 사람들이 구분된 특정 부문에서 전문적으로 일하는 노동 형태
장점	빠른 일처리 가능, 효율적 생산, 전문성 향상, 직업의 종류가 다양해짐
단점	전체를 보는 시야가 좁아짐, 다른 분야의 업무 처리 불가 등

+ 자급자족
필요한 물건을 스스로 만들어 사용하는 것을 말한다.

+ 화폐
화폐는 시장 거래에서 교환의 매개로, 물물 교환의 불편함을 없애고 시장에서 상품의 교환과 유통을 원활하게 하기 위해 등장하였다. 화폐는 가치 측정, 교환, 가치 저장, 지불 등의 기능을 한다.

+ 전자 상거래
인터넷을 이용해 상품을 사고 파는 행위를 말한다.

콕콕! 핵심 개념

1 □□: 상품의 거래가 이루어지는 곳

2 □□: 생산 과정을 여러 부문으로 나누어 전문적으로 일하는 노동 형태

3 □□ □□□: 인터넷을 통해 물건을 사고 파는 행위

활동 1 다음은 사회 변동 과정을 나타낸 그림이다. 물음에 답해 보자.

1 시장의 형성 과정을 (가)~(다) 시기별 경제 형태와 서로 연관지어 설명해 보자.

____

____

활동 2 다음 그림을 보고, 아래 표를 완성해 보자.

구분	컴퓨터 판매 매장에 가서 살 때	인터넷에서 살 때
장점	• ______ • ______	• ______ • ______
단점	• ______ • ______	• ______ • ______

활동 3 다음의 기준에 따라 시장을 구분하고, 〈보기〉에 제시된 시장들을 분류하여 기호로 써 보자.

(1) 거래하는 모습이 구체적으로 드러나는가?
- 예 → ______ 시장
- 아니오 → ______ 시장

(2) 거래하는 상품이 생산물인가?
- 예 → ______ 시장
- 아니오 → ______ 시장

보기

㉠ 미용실　㉡ 대형 할인점　㉢ 주식 시장　㉣ 꽃 시장　㉤ 편의점　㉥ 인력 시장
㉦ 인터넷 서점　㉧ 크리스마스 시장　㉨ 외환 시장　㉩ 수산물 시장　㉪ 구인·구직 사이트

단계별 문제를 풀면서 실력을 쑥쑥 키워 보세요.

1 STEP 개념을 되짚는 확인 문제

01 다음 빈칸에 들어갈 알맞은 말을 쓰시오.

(1) (   )은(는) 상품을 사려는 사람과 팔려는 사람이 모여 거래하는 곳이다.

(2) (   )은(는) 물물 교환의 불편함을 없애고 시장에서 상품의 교환을 원활하게 하기 위해 등장하였다.

(3) (   ) 시장은 노동, 토지, 자본 등을 거래하는 시장이다.

02 다음 내용이 설명하는 용어를 쓰시오.

(1) 생산 과정을 여러 개의 과정으로 나누어 다른 사람들이 전문적으로 일하는 노동 형태를 말한다. (   )

(2) 인터넷을 이용해 상품을 사고파는 행위로 현대 사회에서 규모가 확대되고 있는 시장을 말한다. (   )

03 다음 설명이 옳으면 O, 틀리면 X에 표시하시오.

(1) 자급자족 경제에서부터 특화와 분업이 발달하기 시작하였다. (○ | ×)

(2) 시장이 발달함에 따라 거래 비용이 감소하였다. (○ | ×)

(3) 주식 시장이나 전자 상거래는 눈에 보이지 않기 때문에 시장으로 볼 수 없다. (○ | ×)

04 시장을 구분하는 기준과 시장의 종류를 바르게 연결하시오.

(1) 거래 상품 •　　• ㉠ 상설 시장 – 오일장

(2) 개설 주기 •　　• ㉡ 완전 경쟁 시장 – 독점 시장

(3) 공급자의 수 •　　• ㉢ 생산물 시장 – 생산 요소 시장

2 STEP 기초를 다지는 기본 문제

01 중요 다음 글에서 설명하는 ㉠의 역할로 옳지 않은 것은?

> (㉠)은(는) 과거에는 특정한 장소만을 의미했으나 오늘날에는 시공간을 뛰어넘어 상품을 사고팔기 위한 정보가 교환되고 거래가 이루어지는 모든 곳을 포함한다.

① 상품에 대한 정보를 제공한다.
② 특화와 분업을 가능하게 한다.
③ 자급자족 경제를 가능하게 한다.
④ 수요와 공급을 연결하여 가격을 형성하게 한다.
⑤ 거래 상대방을 찾는 데 드는 비용과 시간을 줄여 준다.

02 다음 그림과 같은 노동 형태로 옳은 것은?

① 분업　② 협동　③ 경쟁
④ 물물 교환　⑤ 자급자족

03 화폐에 관한 설명으로 옳은 것을 <보기>에서 고른 것은?

> 보기
> ㄱ. 물물 교환의 매개 수단이다.
> ㄴ. 가치를 저장하고 측정할 수 있다.
> ㄷ. 시장이 형성되면서 필요성이 감소하였다.
> ㄹ. 최근에는 전자 화폐가 일반적으로 사용되고 있다.

① ㄱ, ㄴ　② ㄱ, ㄹ　③ ㄴ, ㄷ
④ ㄴ, ㄹ　⑤ ㄷ, ㄹ

3 STEP 실력을 완성하는 주관식·서술형 문제

04 중요 다음은 시장의 형성 과정에서 나타난 사건들이다. 순서대로 바르게 나열한 것은?

ㄱ. 전자 상거래의 규모가 확대되고 있다.
ㄴ. 분업과 특화를 통해 생산량이 증가하였다.
ㄷ. 필요한 물건을 모두 직접 만들어 사용하였다.
ㄹ. 효율적인 거래를 위해 시간과 장소를 정해 모이기 시작했다.

① ㄱ-ㄴ-ㄷ-ㄹ ② ㄴ-ㄱ-ㄷ-ㄹ
③ ㄴ-ㄷ-ㄹ-ㄱ ④ ㄷ-ㄱ-ㄹ-ㄴ
⑤ ㄷ-ㄴ-ㄹ-ㄱ

05 다음 중 구분 기준이 다른 시장은?

① 백화점 ② 꽃 시장 ③ 편의점
④ 주식 시장 ⑤ 수산물 시장

06 다음 두 시장을 구분하는 기준으로 옳은 것은?

(가)	(나)

① 상품 가격 ② 거래 상품 ③ 개설 주기
④ 공급자 수 ⑤ 수요자 수

[07~08] 다음 표를 보고 물음에 답하시오.

(가) 자급자족 경제 ➡ (나) 물물 교환 경제 ➡ (다) 시장 경제

07 고난도 (나) 사회가 (가) 사회보다 생산량이 증가한 이유를 서술하시오.

08 (다) 사회에서 사용되는 거래 수단을 쓰고, 그 기능을 두 가지 서술하시오.

(1) 거래 수단:

(2) 기능:

09 신유형 다음에 제시된 용어를 모두 사용하여 시장의 의미를 서술하시오.

소비자, 생산자, 특화, 분업, 거래

02 수요 · 공급과 시장 가격의 결정

이것이 포인트!
- 수요 법칙과 공급 법칙
- 시장 가격의 결정 원리
- 시장 가격의 기능

꼼꼼! 필기 노트

✚ 수요량의 변동과 공급량의 변동
가격이 변동하면 수요량이 변하는 수요량의 변동은 수요 곡선 위에서 점의 이동으로 나타난다. 수요량의 변동과 마찬가지로 가격 변동에 따른 공급량의 변동도 공급 곡선 상의 점의 이동으로 나타난다.

✚ 수요 법칙의 예외
일반적으로 수요 법칙에 따라 가격과 수요량은 음(−)의 관계이지만, 가격이 올라도 수요량이 증가하는 재화도 있다. 사람들이 사회적 지위를 과시하기 위해 소비를 하는 경우에는 가격이 올라도 수요량이 줄지 않는데, 이러한 현상을 '베블렌 효과'라고 한다.

✚ 시장 가격의 결정

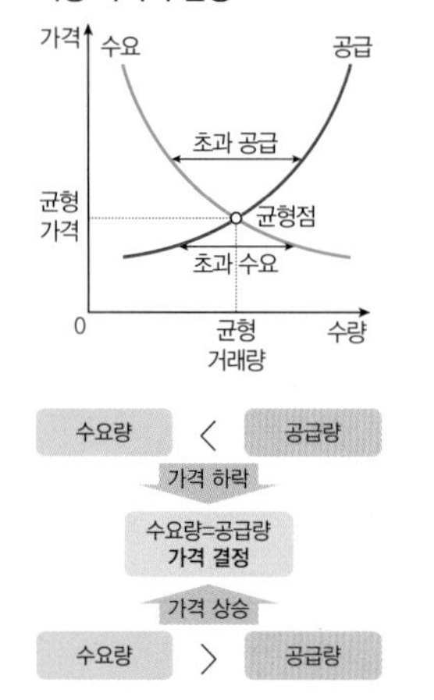

1 수요와 공급

1 수요

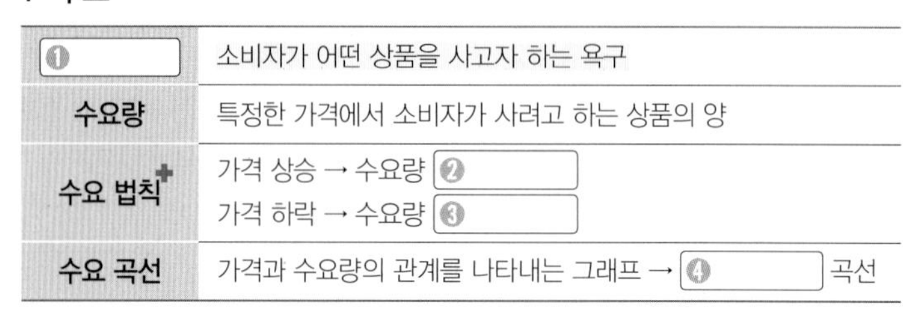

❶	소비자가 어떤 상품을 사고자 하는 욕구
수요량	특정한 가격에서 소비자가 사려고 하는 상품의 양
수요 법칙✚	가격 상승 → 수요량 ❷ 가격 하락 → 수요량 ❸
수요 곡선	가격과 수요량의 관계를 나타내는 그래프 → ❹ 곡선

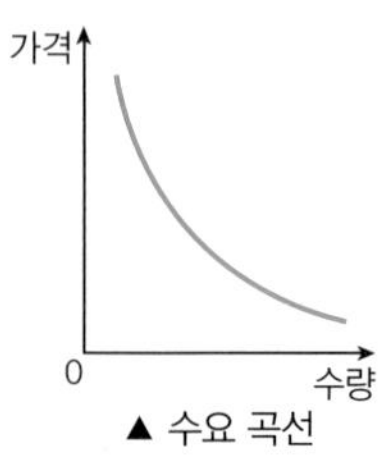

▲ 수요 곡선

2 공급

❺	생산자가 어떤 상품을 팔고자 하는 욕구
공급량	특정한 가격에서 어떤 상품을 판매하고자 하는 상품의 양
공급 법칙	가격 상승 → 공급량 ❻ 가격 하락 → 공급량 ❼
공급 곡선	가격과 공급량의 관계를 나타내는 그래프 → ❽ 곡선

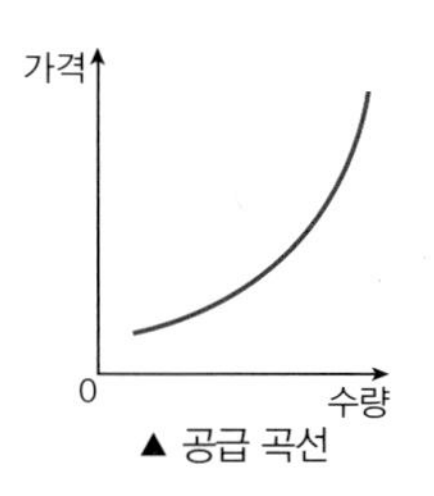

▲ 공급 곡선

2 시장 가격 = 균형 가격

1 의미

(1) ❾ : 수요량과 공급량이 일치하여 시장의 균형을 이루는 지점의 가격
→ 수요 곡선과 공급 곡선이 만나는 점에서 형성

(2) **균형 거래량:** 균형 가격에서 거래되는 상품의 양

2 결정 원리

(1) ❿ : 수요량 〈 공급량 → 공급자 간 경쟁 → 가격 하락

(2) ⓫ : 수요량 〉 공급량 → 수요자 간 경쟁 → 가격 상승

(3) **시장 가격의 결정✚:** 수요량과 공급량이 일치하는 상태 → 균형 상태
↳ 수요량과 공급량이 일치할 때에는 모든 경제 주체가 만족하고 있기 때문에 외부의 충격이 발생하지 않는 한 변화하지 않아요.

3 기능

(1) **경제 활동의** ⓬ : 소비자가 무엇을 얼마나 살지, 생산자가 무엇을 얼마나 만들지 결정하도록 도와주는 역할을 함
① 가격 ⓭ : 소비자는 소비량을 줄이고, 생산자는 생산량을 늘리려 함
② 가격 ⓮ : 소비자는 소비량을 늘리고, 생산자는 생산량을 줄이려 함

(2) **자원의 효율적** ⓯ : 경제 주체들에게 합리적인 경제 활동의 방향을 알려주고, 그에 따라 경제 행위를 하도록 이끌어 자원을 효율적으로 배분하는 역할을 함
① 소비자: 가장 큰 만족을 얻을 수 있는 상품을 구입하도록 함
② 생산자: 가장 낮은 비용으로 생산할 수 있는 생산자가 상품을 공급하도록 함

콕콕! 핵심 개념

1 □□□□: 가격이 상승하면 수요량이 감소하고 가격이 하락하면 수요량이 증가하는 현상

2 □□□□: 가격과 공급량의 관계를 그림으로 나타낸 것으로, 일반적으로 우상향 곡선으로 나타남

3 □□□□: 수요량과 공급량이 일치하는 지점의 가격

활동 ① 다음 그래프를 보고 물음에 답해 보자.

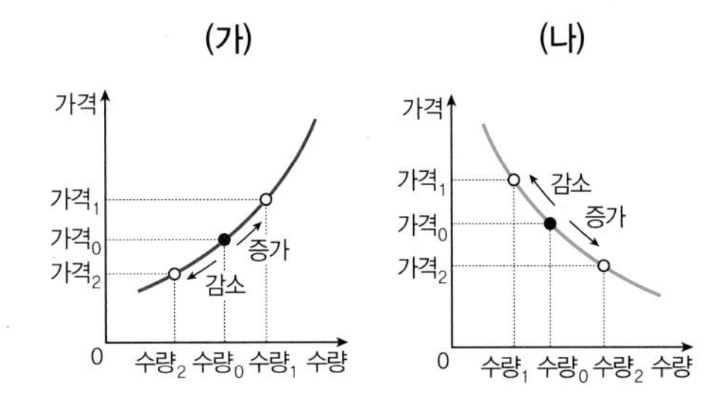

1 빈칸 ㉠~◎에 알맞은 말을 써 보자.

(가)	(나)
㉠ ______________ 법칙	㉡ ______________ 법칙
상품의 가격이 상승하면 ㉢ ______________ 이(가) ㉣ ______________ 하고, 가격이 하락하면 ㉢ ______________ 이(가) ㉤ ______________ 한다.	상품의 가격이 상승하면 ㉥ ______________ 이(가) ㉦ ______________ 하고, 가격이 하락하면 ㉥ ______________ 이(가) ◎ ______________ 한다.

2 (나) 곡선의 원리가 적용되지 않는 사례를 찾아 써 보자.

____

활동 ② 다음은 딸기 시장의 수요 곡선과 공급 곡선을 나타낸 그래프이다. 물음에 답해 보자.

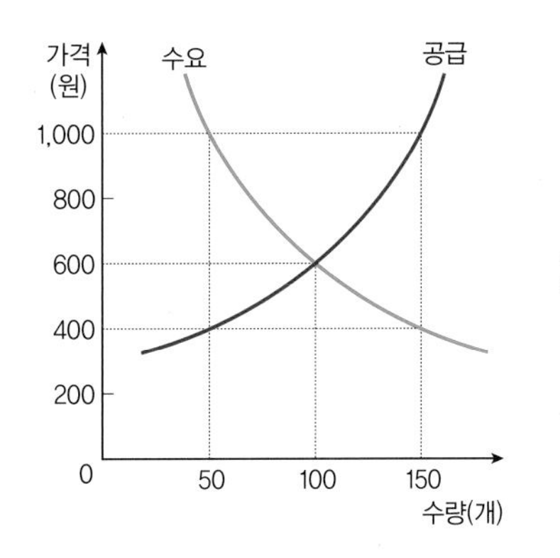

1 딸기의 시장 가격과 균형 거래량을 써 보자.

• 시장 가격: ______________ • 균형 거래량: ______________

2 딸기의 가격이 1,000원일 때와 400원일 때, 각각 딸기 시장에 어떤 현상이 나타날지 비교해 보자.

____

____

____

활동 ③ 다음 내용을 보고, 물음에 답해 보자.

우리가 매일 식사를 마련할 수 있는 것은 푸줏간 주인과 양조장 주인, 그리고 빵집 주인의 자비심 때문이 아니라 그들이 자기 자신의 이익을 위해 일하기 때문이다. 각 개인은 …… 공공의 이익을 증진하려고 의도하지 않고, 자신이 얼마나 공공의 이익을 촉진하는지도 모른다. …… 오로지 자기 자신의 이익을 위할 뿐이다. 이 경우 그는 많은 다른 경우에서처럼 '보이지 않는 손'에 이끌려 그가 전혀 의도하지 않았던 목적을 달성하게 된다.

– 애덤 스미스, 『국부론』 –

1 밑줄 친 '보이지 않는 손'이 의미하는 것이 무엇인지 써 보자.

____

2 위 글을 통해 파악할 수 있는 '보이지 않는 손'의 역할을 써 보자.

____

쑥쑥! 실력 키우기

단계별 문제를 풀면서 실력을 쑥쑥 키워 보세요.

1 STEP 개념을 되짚는 확인 문제

01 다음 빈칸에 들어갈 알맞은 말을 쓰시오.

(1) 소비자가 어떤 상품을 사고자 하는 욕구를 (　　　　　)(이)라고 한다.

(2) 가격이 상승하면 수요량이 (　　　　　)하고 가격이 하락하면 수요량이 (　　　　　)한다는 것이 수요 법칙이다.

(3) 공급 곡선은 가격과 공급량의 양의 관계를 나타내는 (　　　　　)하는 곡선이다.

(4) 시장 가격은 소비자가 무엇을 얼마나 살지, 생산자가 무엇을 얼마나 만들지 결정하도록 도와주는 경제 활동의 (　　　　　)역할을 한다.

02 다음 내용이 설명하는 용어를 쓰시오.

(1) 가격이 상승하면 공급량이 증가하고, 가격이 하락하면 공급량이 감소하는 법칙이다. (　　　　　)

(2) 수요량과 공급량이 일치하여 시장의 균형을 이루는 지점의 가격이다. (　　　　　)

03 다음 설명이 옳으면 O, 틀리면 X에 표시하시오.

(1) 생산자가 어떤 상품을 팔고자 하는 욕구를 공급량이라고 한다. (○ | ×)

(2) 수요량보다 공급량이 많으면 초과 공급이 발생하여 가격이 상승한다. (○ | ×)

(3) 시장 가격은 자원을 효율적으로 배분하는 역할을 한다. (○ | ×)

04 다음 표를 보고, 이 상품의 균형 가격과 균형 거래량을 각각 구하시오.

가격(원)	300	500	700	900
수요량(개)	50	40	30	20
공급량(개)	20	40	60	80

• 균형 가격: (　　　)원 • 균형 거래량: (　　　)개

2 STEP 기초를 다지는 기본 문제

01 빈칸의 ㉠, ㉡에 들어갈 말을 바르게 연결한 것은?

> 소비자가 상품을 사려는 욕구를 (㉠)(이)라고 하며, 특정한 가격에 소비자가 사려고 하는 상품의 양을 (㉡)(이)라고 한다.

	㉠	㉡
①	수요	공급
②	수요	수요량
③	수요	공급량
④	공급	수요
⑤	공급	수요량

02 중요 다음 내용을 나타내는 그래프로 옳은 것은?

> 가격이 오르면 수요량이 감소하고, 가격이 내리면 수요량은 증가한다.

①
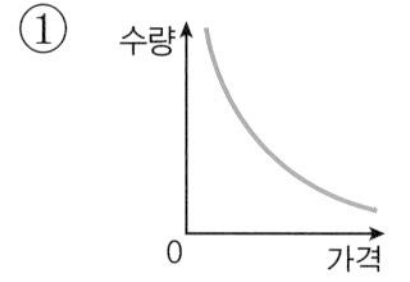

②
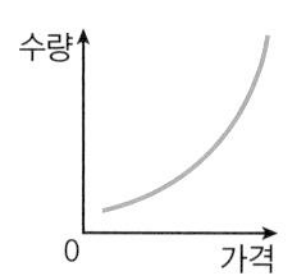

③
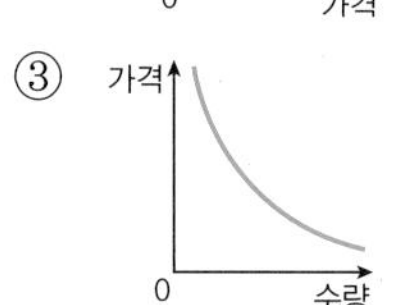

④
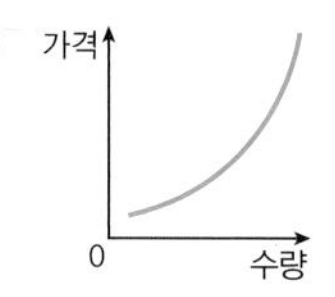

⑤
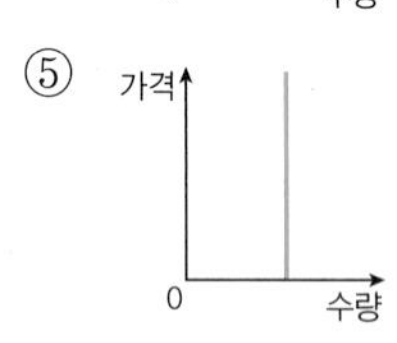

03 중요 수요 법칙과 공급 법칙에 대한 설명으로 옳지 않은 것은?

① 수요 곡선은 우하향한다.
② 가격과 수요량은 음의 관계이다.
③ 가격과 공급량은 양의 관계이다.
④ 가격이 하락하면 공급량은 감소한다.
⑤ 수요와 공급은 가격에 따라 변화한다.

04 다음 그래프에 대한 설명으로 옳은 것을 〈보기〉에서 고른 것은?

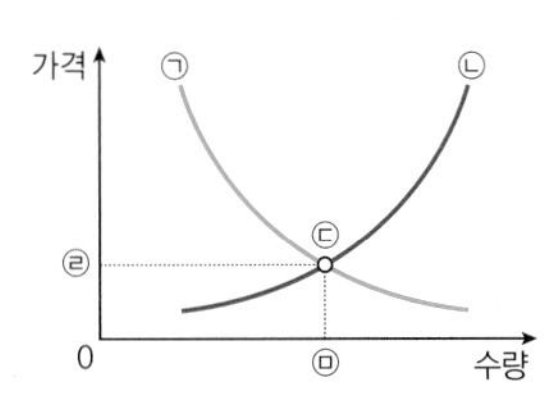

보기

ㄱ. ㉠은 수요 곡선, ㉡은 공급 곡선이다.
ㄴ. ㉢에서는 수요량이 공급량보다 많다.
ㄷ. ㉣은 시장 가격, ㉤은 균형 거래량이다.
ㄹ. ㉣보다 낮은 가격에서는 초과 공급이 발생한다.

① ㄱ, ㄴ ② ㄱ, ㄷ ③ ㄴ, ㄷ
④ ㄴ, ㄹ ⑤ ㄷ, ㄹ

05 중요 다음 그래프에 대한 설명으로 옳지 않은 것은?

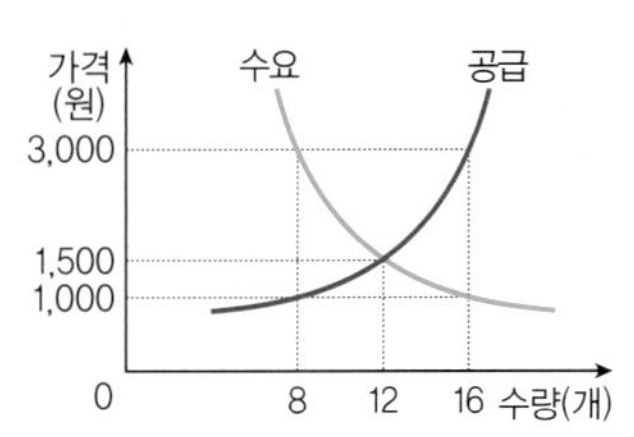

① 균형 거래량은 12개이다.
② 균형 가격은 1,500원이다.
③ 가격이 1,000원일 때, 거래량은 16개이다.
④ 가격이 3,000원일 때 초과 공급이 발생한다.
⑤ 가격이 1,500원보다 높을 때 공급량이 수요량보다 많다.

06 시장 가격의 기능에 대한 설명으로 옳지 않은 것은?

① 희소성으로 인한 경제 문제를 해결한다.
② 경제 활동의 이익을 균등하게 배분한다.
③ 합리적인 경제 활동의 방향을 알려준다.
④ 경제 주체의 행동을 결정하는 신호등 역할을 한다.
⑤ 소비자와 생산자에게 경제 활동에 필요한 정보를 제공한다.

3 STEP 실력을 완성하는 주관식·서술형 문제

[07~08] 다음 사례를 읽고, 물음에 답하시오.

- 심한 가뭄으로 과일 가격이 크게 올라 과일 가게에 손님이 줄었다.
- 연말 할인 행사를 진행하는 백화점에 소비자들이 구름같이 몰려들고 있다.

07 위 사례와 관련된 경제 법칙의 명칭과 의미를 서술하시오.

(1) 명칭: ______________________

(2) 의미: ______________________

____

고난도

08 위 사례와 관련된 법칙을 곡선으로 나타내시오.

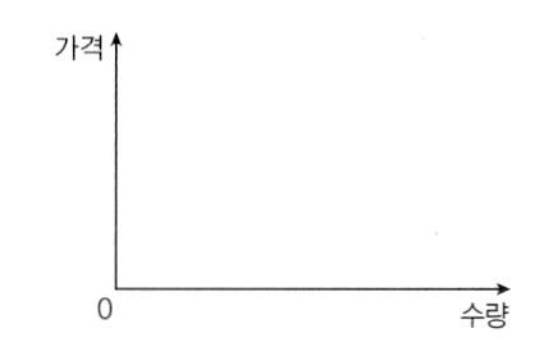

09 

다음 사례에 나타난 시장 가격의 기능을 서술하시오.

노트북의 가격이 상승하면 소비자들은 노트북에 대한 소비를 줄이고, 노트북 회사는 노트북을 더 많이 만들어 공급한다.

____

____

10 빈칸 ㉠~㉢에 들어갈 알맞은 말을 쓰시오.

수요량과 공급량이 일치할 때 (㉠)이(가) 형성된다. 만약 수요량이 공급량보다 많은 초과 수요가 발생하면 가격이 (㉡)하고, 공급량이 수요량보다 많은 초과 공급이 발생하면 가격이 (㉢)하게 된다.

㉠: __________ ㉡: __________ ㉢: __________

시장 가격의 변동

이것이 포인트!
- 수요 변화에 따른 가격 변동
- 공급 변화에 따른 가격 변동

꼼꼼! 필기 노트

+ 대체재
비슷한 만족을 주거나 비슷한 용도로 사용되어 서로 대체하여 사용할 수 있는 재화를 말한다. 두 상품이 대체 관계에 있는 경우 한 재화의 가격이 상승하면 다른 재화의 수요가 증가한다.
예 쇠고기와 돼지고기, 콜라와 사이다 등

+ 보완재
함께 소비할 때 만족이 커지는 상호 보완적인 관계에 있는 재화를 말한다. 두 상품이 보완 관계에 있는 경우 한 재화의 가격이 상승하면 다른 재화의 수요가 감소한다.
예 치킨과 콜라, 돼지고기와 상추 등

+ 수요와 공급이 함께 변화할 때 시장 균형의 변화
수요와 공급이 동시에 변동할 때에는 수요 곡선과 공급 곡선 중 어느 쪽이 더 많이 이동하는가에 따라 가격과 거래량의 증감이 달라진다. 예를 들어, 감귤 주스가 건강에 좋다는 방송 이후 감귤 주스의 수요가 증가하여 수요 곡선이 오른쪽으로 이동하고, 폭염과 가뭄으로 인한 귤 농사의 흉년으로 귤의 가격이 상승하면서 귤의 공급이 감소하여 공급 곡선이 왼쪽으로 이동하였다고 가정해 보자. 이때 수요가 큰 폭으로 증가하고 공급은 약간 감소하면 균형 거래량은 증가하지만, 공급이 큰 폭으로 감소하고 수요가 약간 증가하면 균형 거래량이 감소한다.

콕콕! 핵심 개념

1 □□□: 용도가 비슷하여 서로 대신하여 사용할 수 있는 경쟁 관계에 있는 재화

2 □□□: 함께 사용할 때 만족도가 더욱 커지는 상호 보완 관계에 있는 재화

1 수요 변화와 가격 변동

1 수요 변화 요인

소득		증가	감소
기호		❶	❷
연관 상품 가격	대체재의 가격	상승	하락
	보완재의 가격	하락	상승
미래에 대한 기대		가격 상승 예상	가격 하락 예상
소비자 수		증가	감소
		⬇ 수요 ❸	⬇ 수요 ❹

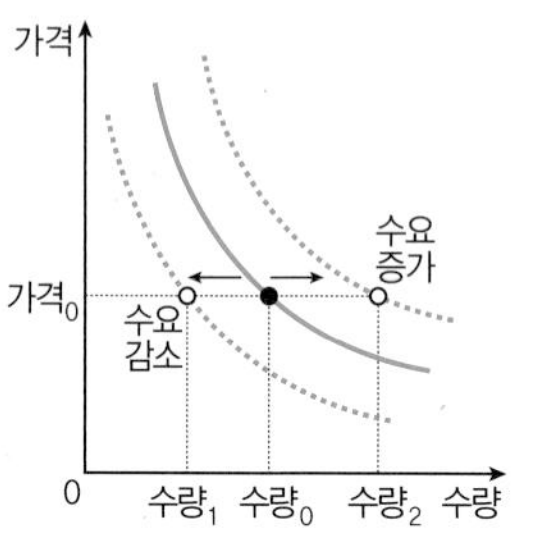

▲ 수요 곡선의 이동

2 수요 변화에 따른 가격 변동 →공급은 일정하다고 가정해요.

(1) **수요 증가**: 수요 곡선이 ❺ 으로 이동
→ 균형 가격 ❻ , 균형 거래량 ❼

(2) **수요 감소**: 수요 곡선이 ❽ 으로 이동
→ 균형 가격 ❾ , 균형 거래량 ❿

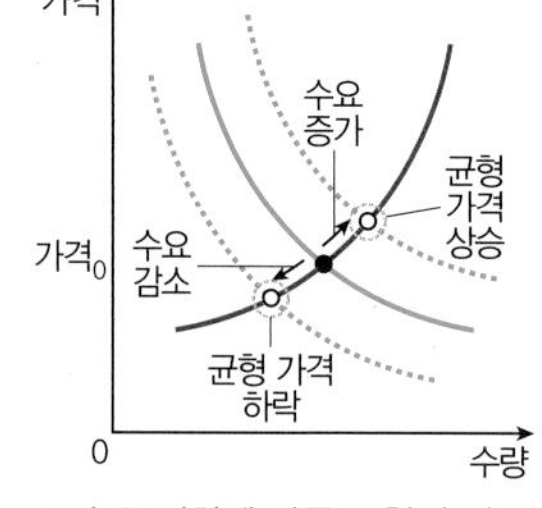

▲ 수요 변화에 따른 균형의 변동

2 공급 변화와 가격 변동

1 공급 변화 요인

생산 비용	생산 요소 가격 하락	생산 요소 가격 증가
생산 기술	발달	–
미래에 대한 기대	가격 하락 예상	가격 상승 예상
공급자 수	증가	감소
조세	감소	증가
	⬇ 공급 ⓫	⬇ 공급 ⓬

→날씨도 공급에 영향을 미쳐요. 특히 농수산물의 경우, 날씨가 좋으면 공급이 증가하고, 태풍이나 가뭄 등이 발생하면 공급이 감소해요.

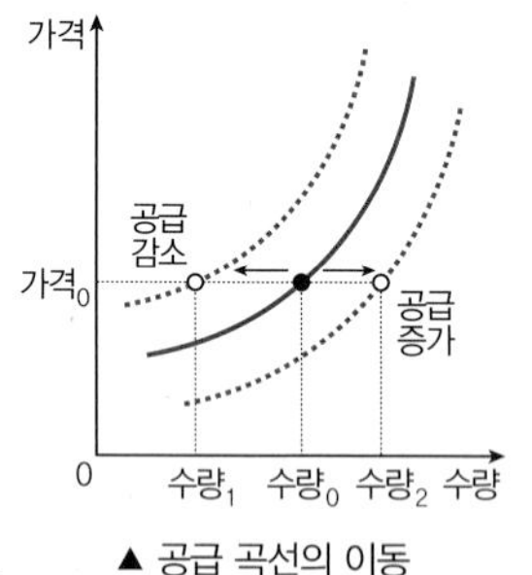

▲ 공급 곡선의 이동

2 공급 변화에 따른 가격 변동 →수요는 일정하다고 가정해요.

(1) **공급 증가**: 공급 곡선이 ⓭ 으로 이동
→ 균형 가격 ⓮ , 균형 거래량 ⓯

(2) **공급 감소**: 공급 곡선이 ⓰ 으로 이동
→ 균형 가격 ⓱ , 균형 거래량 ⓲

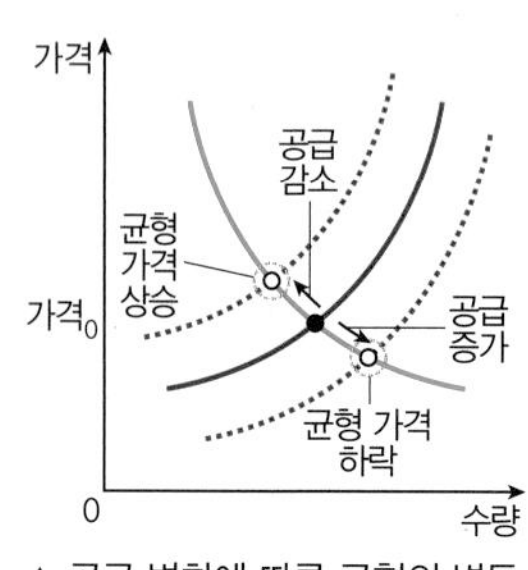

▲ 공급 변화에 따른 균형의 변동

활동 1 다음 〈보기〉의 내용을 보고, 물음에 답해 보자.

> **보기**
> ㉠ 생산 비용 ㉡ 대체재의 가격 ㉢ 기호 ㉣ 조세 ㉤ 보완재의 가격 ㉥ 생산 기술

1 〈보기〉의 ㉠~㉥을 수요 변화 요인과 공급 변화 요인으로 바르게 분류해 보자.

수요 변화 요인	공급 변화 요인

2 ㉠~㉥의 변화에 따른 수요 또는 공급의 변화와 시장 가격의 변동으로 알맞은 내용을 골라 보자.

요인 변화	수요 또는 공급의 변화	시장 가격의 변동
㉠ 생산 비용 하락	(수요 | 공급) (증가 | 감소)	가격 (상승 | 하락)
㉡ 대체재의 가격 증가	(수요 | 공급) (증가 | 감소)	가격 (상승 | 하락)
㉢ 기호 감소	(수요 | 공급) (증가 | 감소)	가격 (상승 | 하락)
㉣ 조세 증가	(수요 | 공급) (증가 | 감소)	가격 (상승 | 하락)
㉤ 보완재의 가격 증가	(수요 | 공급) (증가 | 감소)	가격 (상승 | 하락)
㉥ 생산 기술 발전	(수요 | 공급) (증가 | 감소)	가격 (상승 | 하락)

활동 2 다음은 배추 가격에 관한 뉴스 보도이다. 물음에 답해 보자.

〈2018년 월별 배추 가격 변화〉

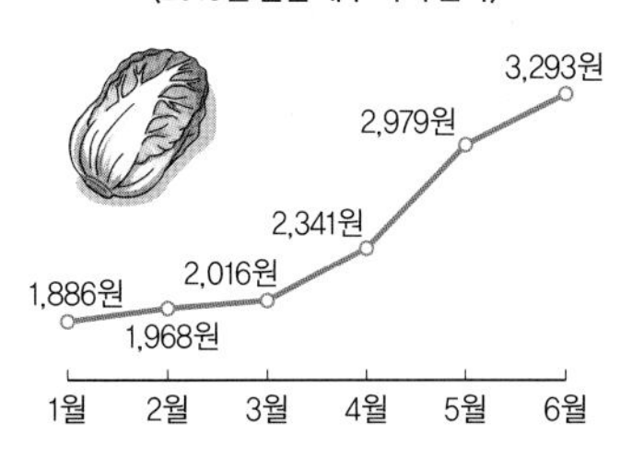

안녕하십니까. ○○ 뉴스의 리포터 김싱싱 기자입니다. 매달 오르는 채소 가격으로 소비자들이 울상을 짓고 있습니다. 그 중에서도 배추 가격의 상승 폭은 매우 두드러지는데요. 엎친 데 덮친 격으로 다음 달 장마의 영향으로 배추 가격은 계속 오를 전망입니다.

1 위의 내용을 보고, 수요와 공급이 어떻게 변화할지 예측하여 이유와 함께 써 보자.

2 **1**의 수요와 공급의 변화에 따른 균형 가격과 균형 거래량의 변화를 그림으로 그려 설명해 보자.

(1) 수요 변화

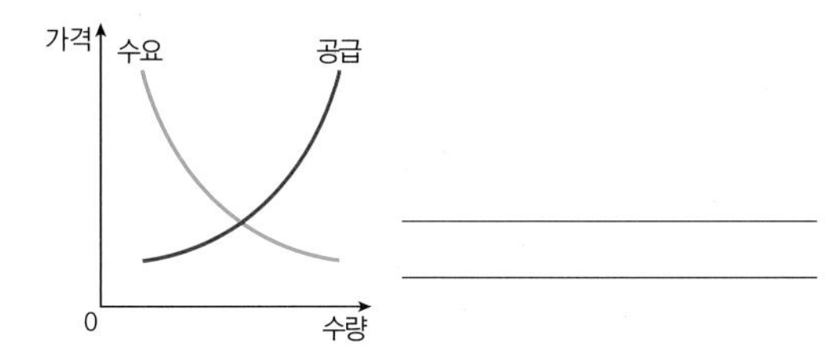

(2) 공급 변화

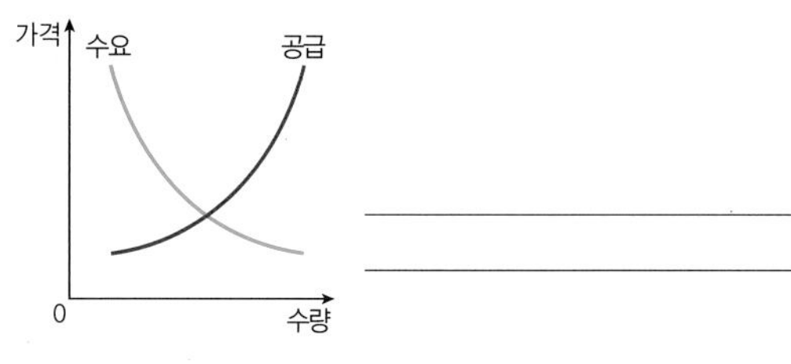

단계별 문제를 풀면서 실력을 쑥쑥 키워 보세요.

1 STEP 개념을 되짚는 확인 문제

01 다음 빈칸에 들어갈 알맞은 말을 쓰시오.

(1) (　　　　　　) 변동 요인에는 소득, 소비자의 기호, 연관 재화의 가격 변화 등이 있다.

(2) 커피와 설탕, 돼지고기와 상추처럼 함께 사용할 때 만족도가 더욱 커지는 재화를 (　　　　　　)(이)라고 한다.

(3) 수요가 증가하면 수요 곡선 자체가 (　　　　　　)으로 이동하여 가격이 상승한다.

(4) 미래에 가격이 오를 것으로 예상되면 공급은 (　　　　　　)한다.

02 빈칸에 들어갈 알맞은 말을 고르시오.

(1) 인구가 증가하면 수요는 (증가 | 감소)한다.

(2) 콜라의 가격이 하락하면 사이다의 수요는 (증가 | 감소)한다.

(3) 기술 향상으로 생산 비용이 감소하면 공급은 (증가 | 감소)한다.

(4) 태풍이나 가뭄이 발생하면 농수산물의 공급이 (증가 | 감소)할 확률이 높다.

03 다음 설명이 옳으면 O, 틀리면 X에 표시하시오.

(1) 소득이 감소하면 수요가 감소한다. (○ | ×)

(2) 생산 기술이 향상되거나 생산 비용이 증가하면 공급이 증가한다. (○ | ×)

(3) 가격 이외의 요인으로 인해 수요나 공급이 변화할 때는 수요·공급 곡선 자체가 이동한다. (○ | ×)

04 수요와 공급의 변화 요인에 해당하는 것을 모두 골라 바르게 연결하시오.

(1) 수요 변화 •　　　　• ㉠ 조세

　　　　　　　　　　• ㉡ 생산 기술

(2) 공급 변화 •　　　　• ㉢ 소득 수준

　　　　　　　　　　• ㉣ 대체재의 가격

2 STEP 기초를 다지는 기본 문제

01 수요의 변화 요인을 〈보기〉에서 고른 것은?

> **보기**
> ㄱ. 소비자 수　　ㄴ. 소득 수준
> ㄷ. 생산 비용　　ㄹ. 생산 기술

① ㄱ, ㄴ　② ㄱ, ㄷ　③ ㄴ, ㄷ　④ ㄴ, ㄹ　⑤ ㄷ, ㄹ

02 중요 다음 그래프와 같은 변화를 가져올 수 있는 요인으로 옳은 것을 〈보기〉에서 고른 것은?

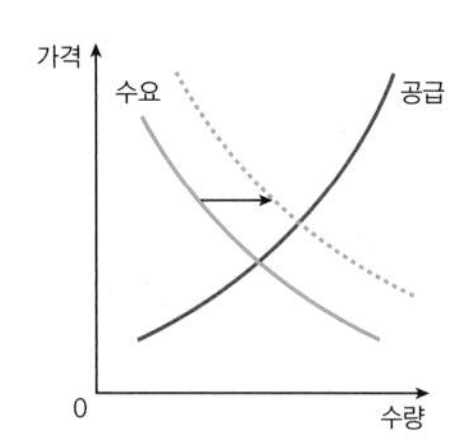

> **보기**
> ㄱ. 생산비가 절감되었다.
> ㄴ. 소득 수준이 향상되었다.
> ㄷ. 소비자들의 선호가 증가하였다.
> ㄹ. 경기 침체로 도산하는 기업이 증가하였다.

① ㄱ, ㄴ　② ㄱ, ㄷ　③ ㄴ, ㄷ　④ ㄴ, ㄹ　⑤ ㄷ, ㄹ

03 다음 사례와 관련 있는 개념으로 가장 적절한 것은?

> • 꿩 대신 닭　　• 상추와 깻잎
> • 콜라와 사이다　　• 쇠고기와 돼지고기

① 수요　② 공급　③ 대체재　④ 보완재　⑤ 시장 가격

3 STEP 실력을 완성하는 주관식·서술형 문제

04 중요 다음 그림과 같은 상황에서 국수의 공급과 가격 변화를 바르게 연결한 것은?(단, 다른 조건은 일정하다고 가정한다.)

	국수 공급	국수 가격
①	증가	상승
②	증가	하락
③	감소	상승
④	감소	하락
⑤	변화 없음	변화 없음

05 다음 사례에 나타난 ○○ 휴대폰 시장의 변화를 보여 주는 옳은 것은?

> 새로 출시된 ○○ 휴대폰의 배터리가 갑자기 폭발하는 사고가 이어져 소비자들의 불안이 증가하고 있다.

①
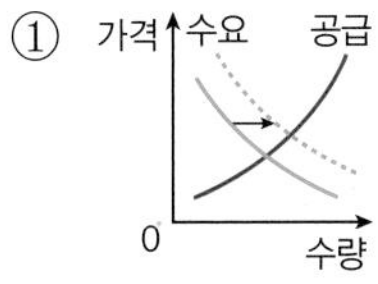

②
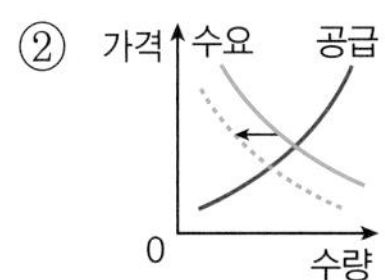

③
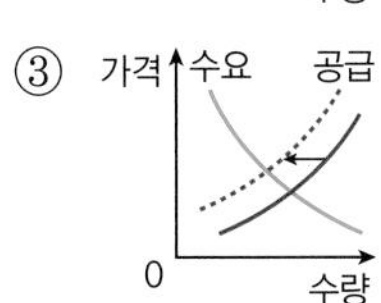

④
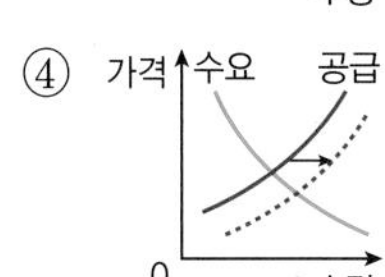

⑤
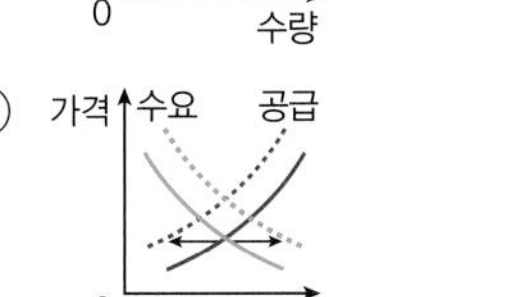
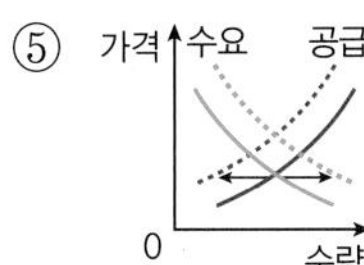

06 신유형 다음은 △△ 영화관의 요금표이다. 주중 영화표 가격과 주말 영화표 가격이 다른 이유를 서술하시오.

△△ 영화관 요금표	
주중(월~목)	8,000원
주말(금~일)	10,000원

07 다음의 상황이 콜라의 수요에 미치는 영향을 이유와 함께 서술하시오.

> 치킨의 가격이 하락하였다.

08 다음과 같은 상황이 나타날 때 반도체 시장에 나타날 변화를 그래프로 그리고, 가격과 거래량의 변화를 서술하시오.(단, 다른 조건은 일정하다고 가정한다.)

> 반도체의 생산 단계를 크게 줄일 수 있는 기술 혁신이 이루어져 생산 비용이 크게 절감되었다.

(1)
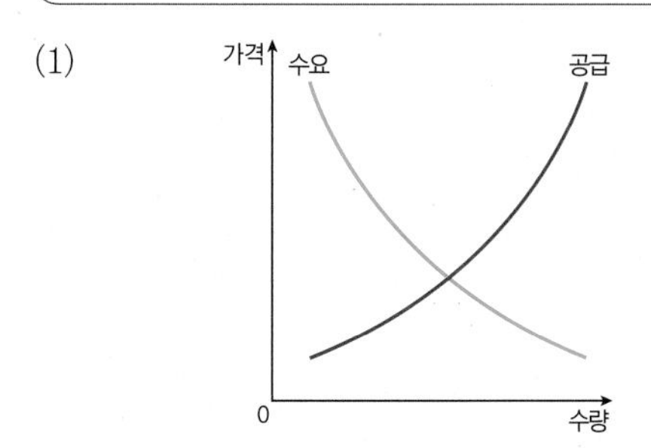

(2) 가격과 거래량의 변화: ______________________

뚝딱! 단원 마무리하기

이번 단원에서 배운 내용을 문제로 뚝딱! 마무리 점검해 보세요.

[01~02] 다음 글을 읽고 물음에 답하시오.

(㉠) 경제	• 필요한 것을 스스로 생산하여 소비함
⬇	
(㉡) 경제	• 필요한 물건을 서로 교환함 • (㉢)와(과) 특화를 통해 생산량이 증가함
⬇	
(㉣) 경제	• 물건을 사거나 팔고자 하는 사람들이 시간과 장소를 정해 모여서 거래하기 시작하면서 (㉤)이(가) 형성됨

01 ㉠~㉤에 들어갈 단어의 연결이 옳지 않은 것은?

① ㉠ – 자급자족　② ㉡ – 물물 교환
③ ㉢ – 협업　④ ㉣ – 화폐
⑤ ㉤ – 시장

02 중요 ㉤의 역할로 옳은 것을 〈보기〉에서 있는 대로 고른 것은?

> 보기
> ㄱ. 상품의 가격이 결정된다.
> ㄴ. 수요와 공급을 연결해 준다.
> ㄷ. 상품에 대한 다양한 정보를 제공해 준다.
> ㄹ. 종류와 숫자가 증가하여 거래 비용이 증가한다.

① ㄱ, ㄴ　② ㄱ, ㄷ　③ ㄴ, ㄷ
④ ㄱ, ㄴ, ㄷ　⑤ ㄴ, ㄷ, ㄹ

03 시장에 대한 설명으로 옳지 않은 것은?

① 백화점은 눈에 보이는 시장이다.
② 수요자와 공급자가 만나는 곳이다.
③ 재화와 서비스가 거래되는 곳이다.
④ 주식 시장은 보이지 않으므로 시장으로 볼 수 없다.
⑤ 오늘날에는 전자 상거래와 같은 새로운 형태의 시장이 등장하였다.

[04~05] 다음 그래프를 보고 물음에 답하시오.

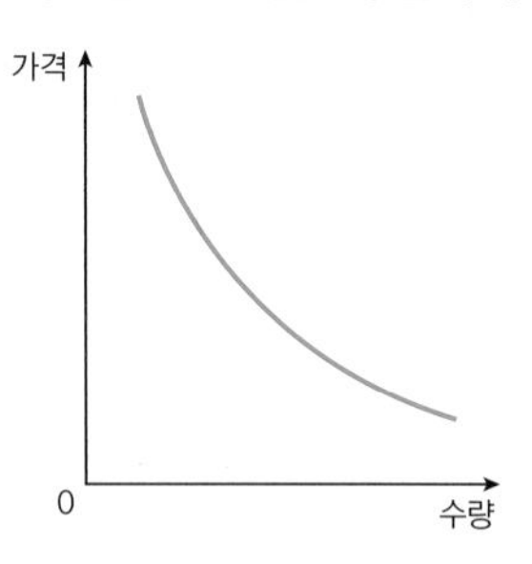

04 위 그래프에 대한 설명으로 옳은 것은?

① 가격이 오르면 수요가 감소한다.
② 가격이 오르면 수요가 증가한다.
③ 가격이 오르면 수요량이 감소한다.
④ 가격이 오르면 수요량이 증가한다.
⑤ 가격과 수요량의 양의 관계가 있다.

05 중요 위 그래프를 이동시키는 요인으로 옳은 것을 〈보기〉에서 고른 것은?

> 보기
> ㄱ. 원자재 가격이 크게 올랐다.
> ㄴ. 미래에 가격이 오를 것으로 예상된다.
> ㄷ. 경제 성장으로 소득 수준이 향상되었다.
> ㄹ. 업계 불황으로 여러 점포가 문을 닫았다.

① ㄱ, ㄴ　② ㄱ, ㄷ　③ ㄴ, ㄷ
④ ㄴ, ㄹ　⑤ ㄷ, ㄹ

06 시장 가격의 역할로 옳은 것을 〈보기〉에서 고른 것은?

> 보기
> ㄱ. 사회 전체의 공익을 실현한다.
> ㄴ. 가치를 저장하는 역할을 한다.
> ㄷ. 경제 활동의 신호등 역할을 한다.
> ㄹ. 자원을 효율적으로 배분하는 역할을 한다.

① ㄱ, ㄴ　② ㄱ, ㄷ　③ ㄴ, ㄷ
④ ㄴ, ㄹ　⑤ ㄷ, ㄹ

●●○

07 다음은 볼펜의 공급 곡선을 나타낸 그래프이다. 이에 대한 설명으로 옳은 것을 〈보기〉에서 고른 것은?

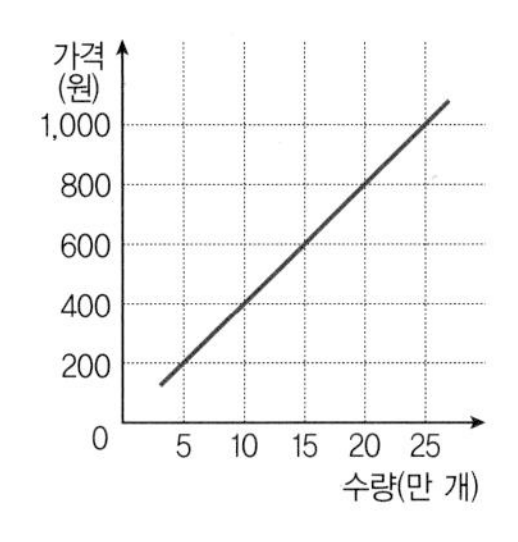

보기

ㄱ. 가격이 오를수록 공급량은 증가한다.
ㄴ. 가격과 공급량은 음(−)의 관계가 나타난다.
ㄷ. 가격이 600원일 때 공급량은 15만 개이다.
ㄹ. 가격이 200원씩 오를 때마다 공급량은 10만 개씩 증가한다.

① ㄱ, ㄴ ② ㄱ, ㄷ ③ ㄴ, ㄷ
④ ㄴ, ㄹ ⑤ ㄷ, ㄹ

●○○

08 빈칸 ㉠~㉢에 들어갈 알맞은 말을 쓰시오.

소비자가 어떤 상품을 사고자 하는 욕구를 (㉠)(이)라고 하고, 특정한 가격에서 소비자가 사려고 하는 상품의 양을 (㉡)(이)라고 한다. 가격이 오르면 (㉡)은(는) 감소하고, 가격이 하락하면 (㉡)은(는) 증가하기 때문에 (㉠) 곡선은 (㉢)하게 그려진다.

㉠: ________ ㉡: ________ ㉢: ________

●○○

09 중요 다음은 과자 시장의 수요량과 공급량을 조사한 표이다. 과자의 시장 가격과 균형 거래량을 구하시오.

가격(원)	500	1,000	1,500	2,000	2,500
수요량(개)	500	400	300	200	100
공급량(개)	100	200	300	400	500

• 시장 가격: (   ) • 균형 거래량: (   )

[10~11] 다음은 사과 시장의 수요 곡선과 공급 곡선이다. 물음에 답하시오.

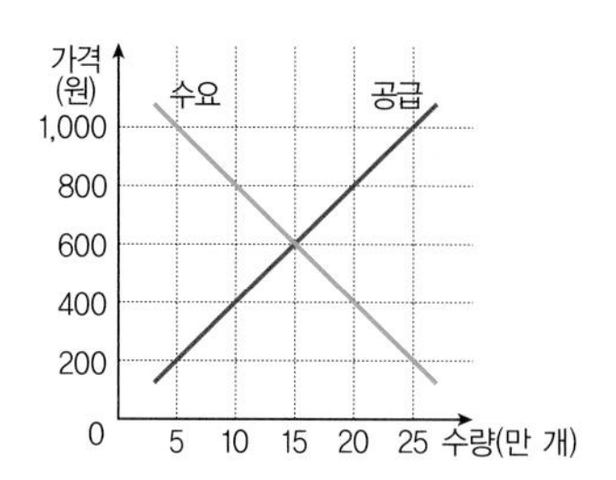

●●○

10 위 그래프에 대한 설명으로 옳은 것을 〈보기〉에서 고른 것은?

보기

ㄱ. 가격이 400원일 때 10만 개의 초과 공급이 발생한다.
ㄴ. 가격이 800원일 때 10만 개의 초과 공급이 발생한다.
ㄷ. 가격이 400원일 때 수요자 간 경쟁으로 가격이 상승한다.
ㄹ. 가격이 800원일 때 수요자 간 경쟁으로 가격이 하락한다.

① ㄱ, ㄴ ② ㄱ, ㄷ ③ ㄴ, ㄷ
④ ㄴ, ㄹ ⑤ ㄷ, ㄹ

●○○

11 중요 위 사과 시장에서 균형 가격과 균형 거래량을 바르게 연결한 것은?

	균형 가격	균형 거래량
①	200원	10만 개
②	400원	10만 개
③	600원	15만 개
④	800원	15만 개
⑤	1,000원	20만 개

12 다음 뉴스 보도 이후 바나나 시장에 나타날 변화로 가장 적절한 것은?

> 안녕하십니까? △△ 뉴스 김○○ 기자입니다. 최근 바나나의 효능이 알려지면서 큰 화제입니다. 바나나는 식이섬유가 풍부하고 나트륨 배출에 효과적이어서 다이어트에 도움이 된다고 합니다.

① 바나나의 수요와 공급 모두 변동이 없다.
② 바나나의 공급 곡선이 왼쪽으로 이동한다.
③ 바나나의 수요 곡선이 왼쪽으로 이동한다.
④ 바나나의 공급 곡선이 오른쪽으로 이동한다.
⑤ 바나나의 수요 곡선이 오른쪽으로 이동한다.

13 ㉠에 들어갈 말에 대한 사례로 옳은 것을 <보기>에서 고른 것은?

> (㉠)(은)는 비슷한 만족을 주거나 비슷한 용도로 사용되어, 어느 것을 선택하더라도 상관없는 재화를 말한다.

보기

ㄱ. 감자와 고구마　　ㄴ. 커피와 녹차
ㄷ. 자동차와 휘발유　　ㄹ. 피자와 콜라

① ㄱ, ㄴ　② ㄱ, ㄷ　③ ㄴ, ㄷ
④ ㄴ, ㄹ　⑤ ㄷ, ㄹ

14 다음과 같은 상황에서 나타날 과일 시장의 변화를 바르게 연결한 것은?

> 올 여름 장마와 태풍이 겹치면서 하우스 붕괴, 낙과 등으로 과수 농가가 큰 피해를 입었다.

	수요·공급	시장 가격	균형 거래량
①	수요 증가	상승	증가
②	수요 감소	하락	감소
③	공급 증가	하락	증가
④	공급 감소	상승	감소
⑤	변화 없음	변화 없음	변화 없음

고난도

15 다음과 같은 상황에서 쇠고기 시장의 변화를 나타낸 그래프로 옳은 것은?

> 전국적으로 구제역이 강타하면서 돼지고기를 찾는 소비자들의 발길이 끊겼다.

①
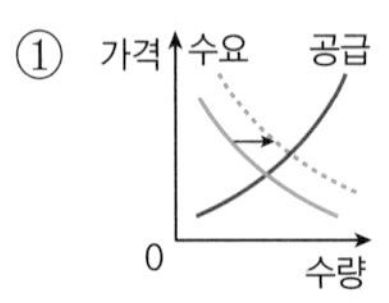

②
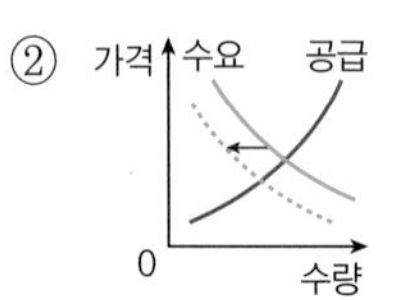

③
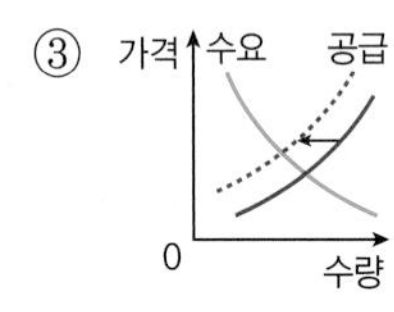

④
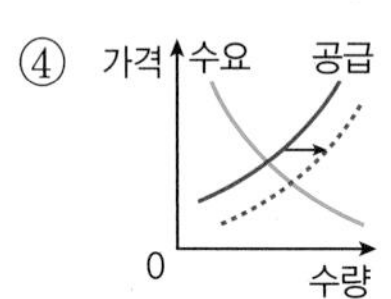

⑤
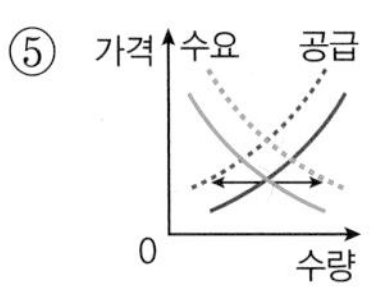

16 신유형 다음 그래프와 같이 시장 균형이 A에서 B로 이동한 요인으로 옳은 것을 <보기>에서 고른 것은?

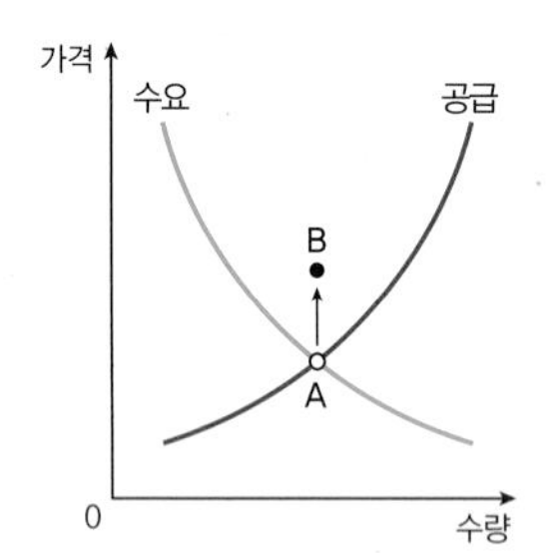

보기

ㄱ. 경기 침체로 국민 소득이 감소하였다.
ㄴ. 빵의 주원료인 밀가루 가격이 올랐다.
ㄷ. 자동차를 생산하는 새로운 기술이 개발되었다.
ㄹ. 레몬이 다이어트에 탁월한 효능을 지녔다는 사실이 알려졌다.

① ㄱ, ㄴ　② ㄱ, ㄷ　③ ㄴ, ㄷ
④ ㄴ, ㄹ　⑤ ㄷ, ㄹ

●●○
17 다음 중 ㉠에 들어갈 알맞은 말을 쓰고, ㉠의 장점과 단점을 각각 한 가지 서술하시오.

(㉠)은(는) 생산 과정을 여러 개의 부분과 과정으로 나누어 서로 다른 사람들이 구분된 특정 부문에서 전문적으로 일하는 노동 형태이다.

(1) ㉠: ____________________

(2) 장점: ____________________

(3) 단점: ____________________

[18~20] 다음은 건강 빵의 수요 곡선과 공급 곡선을 나타낸 그래프이다. 물음에 답하시오.

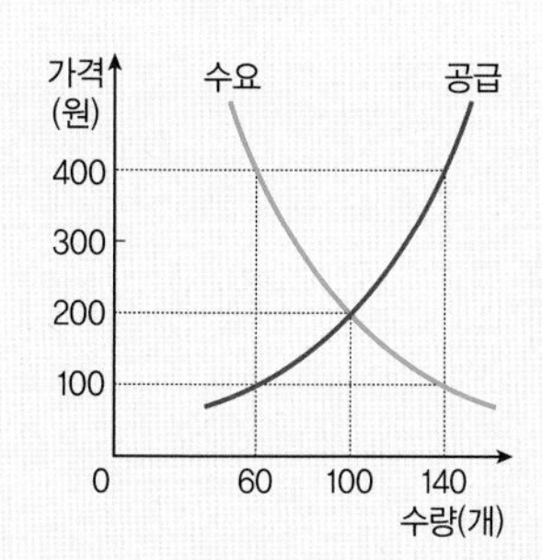

●●○
18 건강 빵의 시장 가격과 균형 거래량을 쓰시오.

(1) 시장 가격: __________원

(2) 균형 거래량: __________개

●●○
19 건강 빵의 가격이 400원일 경우 시장에 나타나는 현상을 서술하시오.

●●○
20 건강 빵의 가격이 100원일 경우 시장에 나타나는 현상을 서술하시오.

●●○
21 다음 (가), (나) 그래프에 나타난 변화의 의미를 비교하여 서술하시오.

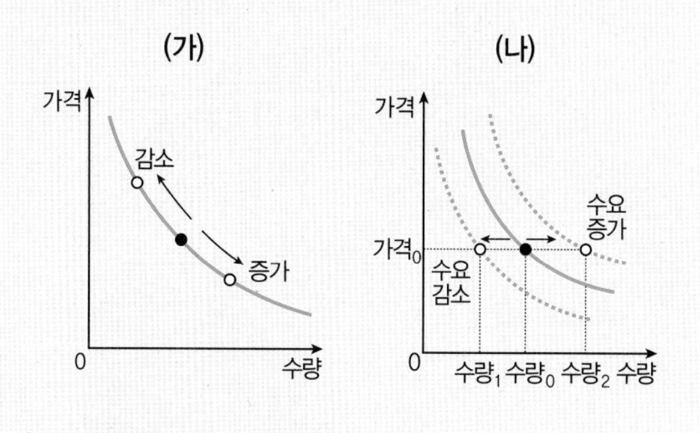

●●●
22 신유형 다음 기사를 읽고, 이와 같은 현상이 나타나는 이유를 수요와 공급 측면에서 서술하시오.

△△일보 ○○○○년 ○월 ○일 ○요일

"성수기엔 2배"...여름 휴가 펜션 요금에 놀란 A 씨

7~8월에 집중되는 여름 휴가로 인해 휴가지 숙박 시설의 요금은 '부르는 대로'이다. …(중략)… 대부분 숙박 시설은 6월 말에 비해 7~8월에 평균적으로 1.3배~2배에 달하는 가격으로 요금을 올려 받고 있었다.

●●●
23 다음과 같은 상황이 자전거 시장에 미치는 영향을 시장 가격과 균형 거래량의 변화 측면에서 서술하시오.

기름 값이 크게 오르면서 자동차 운행 비용이 증가하자 자동차 운전자 중 일부가 자동차 대신 자전거를 타기 시작하였다.

이 단원을 배우면

국내 총생산의 의미와 한계를 파악하고, 경제 성장이 미치는 영향을 설명할 수 있어요. 또한 물가 상승과 실업이 국민 생활에 미치는 영향과 이를 해결하기 위한 방안을 경제 주체별로 제시할 수 있어요. 아울러 국제 거래의 의미와 필요성을 알고, 국제 거래 과정에서 나타나는 환율의 결정과 변동을 분석할 수 있어요.

국민 경제와 국제 거래

:나의 학습 진도표

중단원명	학습 코너	쪽수	학습 예정일	학습 완료일	달성도
01 국민 경제의 이해	꼼꼼! 필기 노트	82쪽	◯월 ◯일	◯월 ◯일	☆☆☆☆☆
	탄탄! 활동 노트	83쪽	◯월 ◯일	◯월 ◯일	☆☆☆☆☆
	쑥쑥! 실력 키우기	84~85쪽	◯월 ◯일	◯월 ◯일	☆☆☆☆☆
02 물가 상승과 실업	꼼꼼! 필기 노트	86, 88쪽	◯월 ◯일	◯월 ◯일	☆☆☆☆☆
	탄탄! 활동 노트	87, 89쪽	◯월 ◯일	◯월 ◯일	☆☆☆☆☆
	쑥쑥! 실력 키우기	90~91쪽	◯월 ◯일	◯월 ◯일	☆☆☆☆☆
03 국제 거래와 환율	꼼꼼! 필기 노트	92, 94쪽	◯월 ◯일	◯월 ◯일	☆☆☆☆☆
	탄탄! 활동 노트	93, 95쪽	◯월 ◯일	◯월 ◯일	☆☆☆☆☆
	쑥쑥! 실력 키우기	96~97쪽	◯월 ◯일	◯월 ◯일	☆☆☆☆☆
뚝딱! 단원 마무리하기		98~101쪽	◯월 ◯일	◯월 ◯일	☆☆☆☆☆

국민 경제의 이해

이것이 **포인트!**
- 국내 총생산과 경제 성장의 관계
- 경제 성장이 삶에 미치는 영향

꼼꼼! 필기 노트

1 국내 총생산(GDP)

1 의미: 일정 기간 동안 ❶ [   ]에서 새롭게 생산된 ❷ [   ]의 시장 가치를 합한 것

일정 기간 동안	보통 1년의 기간 동안 생산된 재화와 서비스만 대상으로 함
❶ [ ]에서	생산자의 국적에 관계없이 그 나라 안에서 생산된 것만 포함함
새롭게 생산된	그해에 새로 생산된 것의 가치만을 포함함
❷ [ ]의 가치를	중간 생산물은 제외하고 최종적으로 생산된 재화나 서비스의 가치만을 포함함+
시장 가격으로 환산	시장에서 거래되는 재화나 서비스의 가치를 시장 가격으로 계산한 것이므로 시장에서 거래되지 않는 것은 포함되지 않음

→ 각 생산 단계에서 발생한 부가 가치의 총합이라고 표현하기도 해요.

2 활용

(1) 한 나라의 전체적인 경제 규모를 파악할 수 있음 → 일반적으로 국내 총생산이 클수록 경제 활동 규모가 큼

(2) **1인당 국내 총생산**: 한 해의 국내 총생산을 그 나라의 ❸ [   ]로 나눈 것 → 국가 간 국민의 경제생활 수준을 비교해 볼 수 있음 → 그 나라의 1인당 국민 소득의 크기를 나타내요.

3 한계

(1) 가정주부의 가사 노동, 무료 누리 소통망 서비스(SNS), 지하 경제 활동 등 시장에서 거래되지 않는 것은 포함되지 않음

(2) 국민 복지 수준이나 삶의 질+, 소득 분배 상태 등을 정확하게 반영하지 못함

→ 공해나 환경오염, 범죄나 교통사고 등으로 인한 피해, 여가에 사용된 시간의 가치나 만족감 등은 포함되지 않아요.

2 경제 성장

1 의미

(1) **경제 성장**: 한 나라의 경제 규모가 시간이 지남에 따라 커지는 현상
→ ❹ [   ]의 증가

(2) **경제 성장률**: 물가 변동을 제거한 실질 국내 총생산+의 증가율
→ 국내 총생산은 시장 가격으로 표시되므로, 실제 생산량이 증가하지 않더라도 재화나 서비스의 가격이 상승하면 국내 총생산이 증가한 것처럼 나타나므로 실질 국내 총생산을 이용해요.

$$\text{경제 성장률(\%)} = \frac{\text{금년도 실질 GDP} - \text{전년도 실질 GDP}}{\text{전년도 실질 GDP}} \times 100$$

2 영향

긍정적 영향	• 고용 증대, 국민 소득 증가 → 물질적으로 풍요로운 생활 가능 • 평균 수명 연장, 문화 시설 보급, 교육 및 복지 수준 향상, 사회 · 문화적 욕구 충족 → ❺ [ ] 향상
부정적 영향	• 자연 자원의 고갈, 오염 물질 배출 증가 → ❻ [ ] 발생 • ❼ [ ] 확대 → 사회 갈등 발생

3 경제 성장과 삶의 질의 관계: 경제 성장은 삶의 질을 높이는 데 이바지하지만, 경제 성장에 비례하여 삶의 질이 향상되는 것은 아님 → 지속 가능한 경제 성장을 위한 노력 필요

+ 국민 경제 지표
한 국가의 경제가 어떤 상태에 있는지 파악하기 위하여 경제 현상을 통계 수치로 표현한 것이다.
예 국민 소득, 물가 상승률, 실업률, 경제 성장률 등

+ 최종 생산물과 중간 생산물
최종 생산물은 구매 후 더는 판매가 되지 않는 생산물을 말한다. 밀가루로 빵을 만들어 먹으면 그 밀가루는 다시 판매되지 않으므로 최종 생산물이다. 그러나 밀가루로 빵을 만들어 다시 판매한다면 그 밀가루는 중간 생산물이다.

+ 삶의 질
국민 개개인이 생활 속에서 느끼는 행복과 만족감을 말한다.

+ 실질 국내 총생산과 명목 국내 총생산
실질 국내 총생산은 그 해의 최종 생산물의 생산량을 기준 연도의 시장 가격으로 계산한 것이고, 명목 국내 총생산은 그해의 최종 생산물의 생산량을 그해의 시장 가격으로 계산한 것이다.

콕콕! 핵심 개념

1 □□□□□□: 한 국가의 경제가 어떤 상태에 있는지 파악하기 위하여 경제 현상을 통계 수치로 표현한 것

2 □□ □□□: 일정 기간 동안 한 나라 안에서 새롭게 생산된 최종 생산물의 가치를 시장 가격으로 환산한 것

3 □□ □□: 한 나라의 경제 규모가 시간이 지남에 따라 커지는 현상

활동 ① 다음 자료를 보고 물음에 답하시오.

(가) 가정주부의 가사 노동	(나) 우리나라 공장에서 생산하여 판매한 자동차	(다) 외국에서 일하는 우리나라 근로자의 임금	(라) 교사의 수업
	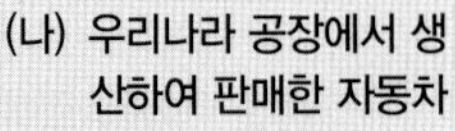 		

1 (가)~(라) 사례 중 국내 총생산에 포함되지 않는 것을 찾아보고, 그 이유를 각각 써 보자.

---

2 국내 총생산이 가지는 한계를 써 보자.

활동 ② 다음은 가상의 A 국에서 1년 동안 이루어진 모든 생산 활동을 나타낸 것이다. A 국의 올해 국내 총생산을 계산하여 계산 과정과 함께 써 보자(단, 다른 생산 활동은 없다고 가정한다.).

농부가 밀을 심고 1년 동안 재배하여 수확하였다. 농부는 수확한 밀을 제분업자에게 800만 원에 판매하였다. 제분업자는 밀을 가공하여 밀가루를 만들었다. 제분업자는 만든 밀가루를 제빵업자에게 1,200만 원을 받고 팔았다. 제빵업자는 그 밀가루를 사용하여 빵을 만들어 팔아 2,500만 원의 수익을 얻었다.

활동 ③ 다음 자료를 보고, 물음에 답하시오.

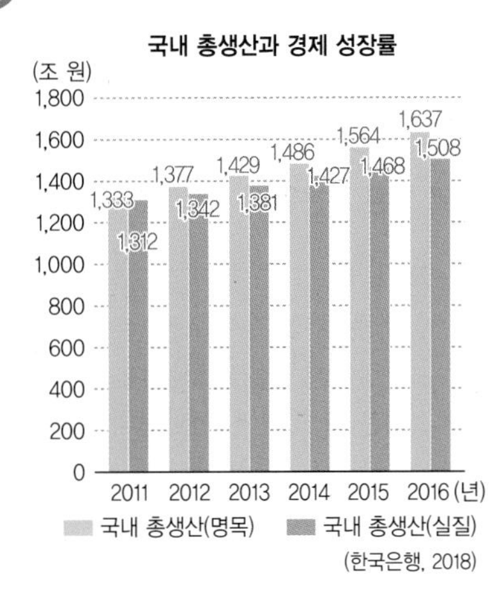

1 그래프에서 우리나라의 국내 총생산(GDP)이 어떻게 변화하고 있는지 분석해 보자.

---

2 경제 성장률을 구할 때 명목 국내 총생산이 아닌 실질 국내 총생산을 사용하는 이유를 써 보자.

단계별 문제를 풀면서 실력을 쑥쑥 키워 보세요.

1 STEP 개념을 되짚는 확인 문제

01 다음 빈칸에 들어갈 알맞은 말을 쓰시오.

(1) (   )은(는) 한 국가의 경제가 어떤 상태에 있는지 파악하기 위해 경제 현상을 통계 수치로 표현한 것이다.

(2) (   )은(는) 한 해의 국내 총생산을 그 나라의 인구수로 나눈 것으로, 그 나라의 1인당 국민 소득의 크기를 나타낸다.

(3) 그 해의 최종 생산물의 생산량을 기준 연도의 시장 가격으로 계산한 것을 (   )(이)라고 한다.

02 다음 빈칸에 들어갈 알맞은 말을 고르시오.

(1) 국내 총생산은 일정 기간 동안 한 나라 안에서 새롭게 생산된 (중간 생산물 | 최종 생산물)의 가치를 시장 가격으로 환산한 것이다.

(2) 전체적인 경제 규모를 비교할 때에는 (국내 총생산 | 1인당 국내 총생산)을 이용한다.

(3) 시간이 지남에 따라 한 나라의 경제 규모가 커지는 현상을(경기 변동 | 경제 성장)이라고 한다.

03 다음 설명이 옳으면 O, 틀리면 X에 표시하시오.

(1) 국내 총생산은 한 나라 전체의 경제 규모와 생산 능력을 파악할 수 있도록 한다. (○ | ×)

(2) 국내 총생산으로 국민 개개인의 소득이나 생활 수준을 파악할 수 있다. (○ | ×)

(3) 경제 성장의 정도를 보여주는 경제 성장률은 실질 국내 총생산의 증가율로 나타낸다. (○ | ×)

(4) 국외에서 생산된 것, 중고품, 중간 생산물 등도 국내 총생산에 포함된다. (○ | ×)

2 STEP 기초를 다지는 기본 문제

01 다음 글에서 설명하는 개념으로 옳은 것은?

> 한 나라의 경제 규모와 생산 능력을 파악하기 위해 널리 이용되는 것으로, 일정 기간 동안 한 나라 안에서 새로이 생산된 최종 생산물의 시장 가치를 합한 것이다.

① 국내 총생산 ② 국민 총생산
③ 물가 상승률 ④ 경제 성장률
⑤ 1인당 국내 총생산

02 중요 국내 총생산에 관한 설명으로 옳지 않은 것은?

① 한 나라의 경제 규모와 생산 능력을 파악하는 데 유용하다.
② 국내 총생산이 클수록 경제 활동 규모가 큰 나라라고 할 수 있다.
③ 국내 총생산은 개인의 삶의 질이나 복지 수준을 정확하게 반영한다.
④ 국외 생산품, 중고품, 중간 생산물 등은 국내 총생산에 포함되지 않는다.
⑤ 국민 1인당 평균적인 소득 수준을 비교할 때에는 1인당 국내 총생산을 활용한다.

03 국내 총생산에 반영되지 않는 것을 〈보기〉에서 있는 대로 고른 것은?

> 보기
> ㄱ. 가정주부의 가사 노동
> ㄴ. 빵집에서 빵을 만드는 데 사용된 밀가루
> ㄷ. 지은 지 20년 된 아파트의 매매 대금
> ㄹ. 아르바이트를 한 후 받은 한 달 월급

① ㄱ, ㄴ ② ㄱ, ㄷ ③ ㄱ, ㄴ, ㄷ
④ ㄱ, ㄷ, ㄹ ⑤ ㄴ, ㄷ, ㄹ

3 STEP 실력을 완성하는 주관식·서술형 문제

04 중요 **밑줄 친 ㉠~㉤을 바르게 설명한 것은?**

> ㉠ 일정 기간 동안 ㉡ 한 나라 안에서 ㉢ 새로이 생산된 ㉣ 최종 생산물의 ㉤ 시장 가치를 합한 것을 국내 총생산이라고 한다.

① ㉠ – 보통 5년의 기간을 두고 파악한다.
② ㉡ – 우리나라 국민이 생산한 것은 모두 반영된다.
③ ㉢ – 지은 지 오래된 아파트여도 새롭게 거래된 것은 국내 총생산에 포함된다.
④ ㉣ – 생산 과정에서 사용된 원료나 부품 등은 국내 총생산에 반영되지 않는다.
⑤ ㉤ – 가정주부의 가사 노동, 지하 경제 활동 등도 국내 총생산에 반영된다.

05 **경제 성장에 관한 설명으로 옳지 않은 것은?**

① 한 나라의 경제 규모가 커지는 현상을 말한다.
② 경제 성장은 언제나 삶의 질 향상으로 이어진다.
③ 경제 성장의 혜택이 편중되어 빈부 격차가 확대될 수 있다.
④ 경제 성장의 정도를 보여주는 경제 성장률은 실질 국내 총생산의 증가율로 나타낸다.
⑤ 경제 성장률을 측정하기 위해서는 물가 변동을 제외한 실질 국내 총생산을 이용한다.

06 **경제 성장이 우리 생활에 미치는 영향으로 옳지 않은 것은?**

① 경제가 성장하면 일자리가 늘어난다.
② 자연 자원이 고갈되며 환경이 파괴될 수 있다.
③ 국민 소득이 증가하여 물질적으로 풍요로운 생활을 할 수 있게 된다.
④ 경제 성장으로 공평한 소득 분배가 이루어져 빈부 격차가 줄어들게 된다.
⑤ 질 높은 교육이나 의료 시설, 문화생활 등 사회·문화적인 욕구를 충족하는 데 이바지한다.

07 **다음 내용이 설명하는 용어를 쓰고, 그것이 가지는 한계 두 가지를 서술하시오.**

> • 한 나라의 전체적인 생산 수준을 파악할 수 있는 지표
> • 일정 기간 동안 한 나라 안에서 새롭게 생산된 모든 최종 생산물의 시장 가치를 합한 것

(1) 개념: ______________________
(2) 한계: ______________________
____

08 중요 **국내 총생산에 포함되지 않는 것을 <보기>에서 있는 대로 고르고, 그 이유를 각각 서술하시오.**

> **보기**
> ㄱ. 가정주부의 가사 노동
> ㄴ. 외국인 근로자가 우리나라에서 생산한 재화
> ㄷ. 베트남 공장에서 생산된 우리나라 기업의 자동차
> ㄹ. 커피 전문점에서 한 달 동안 아르바이트를 하고 받은 월급

(1) 포함되지 않는 것: ______________________
(2) 이유: ______________________
____

09 **빈칸 ㉠에 들어갈 용어를 쓰고, ㉠이 우리 생활에 미치는 영향을 긍정적 측면과 부정적 측면에서 각각 한 가지 서술하시오.**

> 한 나라의 경제 규모가 시간이 지남에 따라 커지는 현상을 (㉠)(이)라고 한다.

(1) ㉠: ______________________
(2) 긍정적 측면: ______________________
____
(3) 부정적 측면: ______________________
____

02 물가 상승과 실업

이것이 포인트!
• 물가 상승의 영향
• 물가 상승의 해결 방안

꼼꼼! 필기 노트

✚ 물가 지수
수많은 상품의 가격을 특수한 방식으로 평균하여 작성한 지표로서 기준 시점의 물가를 100으로 놓고 비교 시점의 물가를 나타내는 지수이다. 어떤 시점의 물가가 100보다 크면 기준 시점보다 물가가 상승한 것이고, 100보다 작으면 기준 시점보다 하락한 것이다.

✚ 물가 지수의 종류

소비자 물가 지수	소비자가 구입하는 주요 재화와 서비스를 대상으로 조사한 것
생산자 물가 지수	기업 간에 거래되는 주요 재화와 서비스를 대상으로 조사한 것
수출입 물가 지수	수출 상품과 수입 상품의 평균 가격을 측정한 것

✚ 총수요
국민 경제에서 경제의 구성원들이 일정 기간 동안 구매하려는 재화와 서비스의 총량을 말한다.

✚ 통화량
한 나라 안에서 실제로 사용되고 있는 화폐의 양을 말한다.

✚ 국제 수지
일정한 기간 동안 한 나라와 다른 나라 사이에서 이루어진 경제적 거래를 체계적으로 집계한 것을 말한다.

1 물가와 국민 생활

1 의미

(1) ❶ [ ]: 시장에서 거래되는 여러 가지 상품의 가격을 합하여 평균한 것

(2) ❷ [ ]: 물가의 변동을 한눈에 알아볼 수 있도록 수치로 표현한 것 → 기준 시점의 물가와 비교한 수치✚

예 소비자 물가 지수, 생산자 물가 지수, GDP 디플레이터 등

▲ 기준 물가

▲ 비교 물가

→ 물가 지수가 109.81이라는 것은 기준 연도에 비해 물가가 9.81% 상승했음을 의미해요.

2 물가 상승

(1) ❸ [ ]: 물가가 일정 기간 동안 지속적으로 상승하는 현상

(2) 원인

① 총수요✚가 총공급보다 많은 경우: 가계의 소비 증가, 기업의 투자 증가, 정부의 지출 증가 등으로 인해 상품에 대한 총수요가 증가하는데, 총공급이 이에 미치지 못할 경우 발생함

② 생산비 ❹ [ ]: 임금, 임대료, 원자재 가격 등 생산하는 데 드는 비용이 경제 전반에서 증가하면 발생함 → 생산비가 증가하면 기업이 공급을 줄이거나 제품의 가격을 올려 물가가 상승해요.

③ ❺ [ ] 증가: 통화량✚이 많아지면 소비나 투자가 활발해짐 → 화폐의 가치가 하락하고 재화와 서비스의 가격이 상승하여 발생함

(3) 영향

① ❻ [ ] 하락: 화폐 가치 하락 → 주어진 소득으로 구매할 수 있는 재화의 양이 줄어듦

② 불건전한 거래의 확산: 안정적인 소비와 계획적인 투자보다 부동산 투기와 같은 부작용이 일어날 가능성이 높아짐

③ 국제 수지✚ 악화: 자국 상품의 가격이 외국 상품에 비해 상대적으로 비싸져서 수출은 감소하고, 수입은 증가함 → 무역 불균형 발생

④ 소득과 부의 불공평한 재분배
- 유리한 사람: 실물 자산 소유자, 채무자, 수입업자 등
- 불리한 사람: 금융 자산 보유자, 봉급 또는 연금 생활자, 채권자, 수출업자 등

3 물가 안정을 위한 노력

(1) **정부:** ❼ [ ] 실시 → 정부 지출 축소, 조세 확대, 공공요금 인상 억제, 생활필수품의 가격 인상 규제 등

(2) **중앙은행:** 통화량 감소 및 이자율 상승 정책 실시 → 기업의 투자와 가계의 소비가 위축되어 총수요가 감소하여 물가가 안정되어요.

(3) **기업:** 기술 개발, 기술 혁신 등을 통한 생산성 향상 및 생산비 절감 노력

(4) **근로자:** 생산성을 넘어서는 지나친 임금 인상 요구 자제, 생산성 향상을 위한 노력

(5) **소비자:** 과소비 자제, 건전하고 합리적인 소비 자세 필요

콕콕! 핵심 개념

1 □□: 여러 상품의 가격을 합하여 평균한 것

2 □□ □□: 기준 시점의 물가를 100으로 보았을 때 해당 시점의 물가를 표현한 지수

3 □□□□□: 물가가 지속적으로 상승하는 현상

활동 1 다음 내용을 읽고, 물음에 답해 보자.

NEUE BERLINER
ZEITUNG.
«DAS 12UHR BLATT»
Der Dollar in Newyork=1 Million Mark.

독일은 제1차 대전 이후 전쟁 배상과 경제 복구 비용을 충당하기 위해 무리하게 통화량을 늘리게 된다. 그 결과, 매월 1,000% 이상의 물가 상승이 나타나는 초인플레이션 현상을 겪게 되었다. 1923년 초인플레이션 현상이 종료되었을 때 독일의 물가는 2년 전에 보다 300억 배 상승한 결과를 나타냈다고 한다.

◀ 1923년 당시 뉴욕에서 1달러는 독일에서 백만 마르크에 해당한다는 신문 기사이다.

1 위 사례와 같은 초인플레이션 현상이 경제에 미치는 영향을 써 보자.

____

2 위 사례와 같은 현상을 해결하기 위한 각 경제 주체의 노력을 적어 보자.

정부	
중앙은행	
기업	
근로자	
소비자	

활동 2 다음은 소비자 물가 지수와 생활 물가 지수를 나타낸 그래프이다. 물음에 답해 보자.

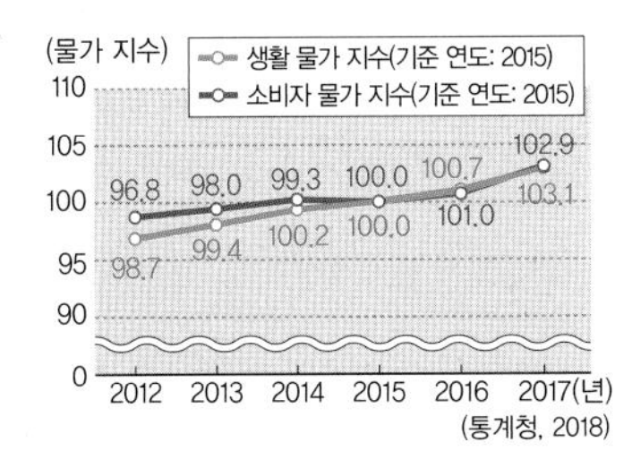

(통계청, 2018)

1 왼쪽의 그래프와 같은 경제 현상이 발생하는 원인을 써 보자.

____

2 위와 같은 경제 현상이 발생할 때, 유리한 사람과 불리한 사람을 〈보기〉에서 골라 구분해 보자.

보기

ㄱ. 매달 일정한 연금을 받아 생활하는 A 씨
ㄴ. 100만 원의 채무를 가지고 있는 B 씨
ㄷ. 부동산을 소유하고 있는 C 씨
ㄹ. 외국에 가방을 수출하는 수출업자 D 씨
ㅁ. 외국으로부터 수입한 가방을 판매하는 수입업자 E 씨

(1) 유리한 사람: ______________ (2) 불리한 사람: ______________

물가 상승과 실업

이것이 포인트!
- 실업의 영향
- 실업의 해결 방안

꼼꼼! 필기 노트

2 실업과 국민 생활

1 의미

(1) ⑧ [ ]: 일할 의사와 능력이 있으나 일을 하지 못하고 있는 상태

(2) ⑨ [ ]: 한 나라의 경제 활동 인구 중에서 실업자가 차지하는 비율

$$실업률(\%) = \frac{실업자\ 수}{경제\ 활동\ 인구} \times 100$$

2 영향

(1) **개인적 측면**

① 직장과 소득의 상실로 인한 생계유지 곤란

② 직업을 통한 ⑩ [ ]의 기회 상실

③ 심리적 불안 및 자신감과 사회적 소속감 상실

(2) **사회적 측면**

① 인적 자원의 낭비 → 사회 전체의 생산 감소 → 경제 성장 저하

② 가계의 소득 감소 → 소비 위축 → 기업의 생산과 투자 감소

→ '실업 증가 → 소득 감소 → 소비 감소 → 생산 위축 → 경기 침체 → 실업 증가'의 악순환이 반복해요.

③ 실업 수당 지급 등 복지 비용 증가 → 정부 재정 부담 증가

④ 빈부 격차 심화 → 사회 불안 및 사회 문제 증가

예 가족 해체, 계층 간 갈등, 생계형 범죄 증가 등

3 유형과 대책

→ 경기가 나빠지면 기업이 생산과 투자를 줄여 고용이 감소해요.

유형		원인	대책
자발적 실업	⑪ [ ] 실업	일자리를 찾는 과정에서 일시적으로 발생함	구인·구직 정보 시스템 구축, 고용 지원 센터 운영, 취업 박람회 개최 등
비자발적 실업	⑫ [ ] 실업	경기 침체로 기업이 고용을 줄이는 경우에 발생함	총수요 확대 정책 실시 → 공공사업 확대, 기업의 생산과 고용 확대 유도 등
	⑬ [ ] 실업	기술 개발 등으로 산업 구조가 변화하여 특정 산업이 쇠퇴하거나 일자리가 사라지는 경우에 발생함	직업 교육 및 인력 개발 프로그램 확대 등
	계절적 실업	계절의 변화에 따른 고용 기회의 감소로 발생함	농공 단지 조성, 공공 근로 사업 확대 등

→ 계절적 실업은 농업, 건설업 등에서 비수기인 계절에 주로 발생해요

4 고용 안정을 위한 노력

(1) **정부:** 공공사업 확대, 재정 지출 확대를 통한 일자리 창출, 체계적인 직업 훈련 및 다양한 취업 정보 제공 등

(2) **기업:** 새로운 일자리 창출, 고용 안정 방법 모색 등

(3) **근로자:** 변화하는 작업 환경에의 적응, 자기계발 노력 등

+ 경제 활동 인구
15세 이상의 노동 가능 인구 중 전업주부, 학생, 일을 할 수 없는 연로자, 심신 장애자, 구직 단념자 등의 비경제 활동 인구를 제외한 일할 능력과 의사가 있는 사람이다. 경제 활동 인구는 취업자와 실업자로 구분된다.

> 경제 활동 인구
> = 노동 가능 인구(15세 이상) − 비경제 활동 인구
> = 취업자 + 실업자

+ 가족 해체
개인적·사회적 사정으로 가족 구성원 간의 조화가 파괴되어 가정생활이 어려워지고, 가족 구성원의 생활 욕구를 충족하지 못하는 것이다.

+ 자발적 실업
일할 능력이 있으면서도 현재의 조건에서는 일할 의사가 없어 발생하는 실업이다.

+ 비자발적 실업
일할 의사와 능력이 있지만 일자리를 얻지 못해 발생하는 실업이다.

콕콕! 핵심 개념

4 □□ □□ □□: 15세 이상의 노동 가능 인구 중 일할 의사와 능력을 가진 사람들

5 □□□ □□: 경기 침체로 기업이 고용을 줄여 나타나는 실업

6 □□□ □□: 더 나은 일자리를 찾는 과정에서 일시적으로 발생하는 실업

활동 3 다음은 다영이네 가족 구성원을 소개하는 글이다. 물음에 답해 보자.

아버지	얼마 전까지 의류 공장에서 근무하시던 아버지께서는 의류 산업 쇠퇴로 공장이 문을 닫게 되어 새로운 직장을 알아보고 계신다.
어머니	어머니는 결혼을 하시면서 직장을 그만두시고 전업주부로 살아오셨다.
이모	이모는 작년에 임용고시에 합격하여 현재 고등학교 교사로 근무하고 있다.
오빠	IT 회사에 근무하던 오빠는 얼마 전 더 나은 직장을 구하기 위해 일을 그만두고 자격증 공부를 하며 취업 준비를 하고 있다.
다영이	중학생인 다영이는 장래희망인 의사의 꿈을 이루기 위해 열심히 공부하고 있다.

1 다영이네 가족 구성원을 경제 활동 인구와 비경제 활동 인구로 구분하여 써 보자.

(1) 경제 활동 인구 – ____________ (2) 비경제 활동 인구 – ____________

2 다영이네 가족 중 실업자에 해당하는 사람을 찾아 각각 어떤 실업 유형에 해당하는지 구분하고, 이를 해결하기 위한 정부 차원의 노력을 써 보자.

____

____

활동 4 다음 자료를 보고, 물음에 답해 보자.

〈우리나라의 경제 활동 인구(2017년)

(통계청, 2018)

1 빈칸 ㉠~㉢에 들어갈 알맞은 말을 쓰고, 밑줄 친 (가)에 들어갈 적절한 사례를 써 보자.

15세 이상의 노동 가능 인구 중에서 일할 의사와 능력을 가진 사람들을 (㉠)(이)라고 한다. (㉠)은(는) 일을 하고 있는 (㉡)와(과) 일을 하지 않고 있는 (㉢)(으)로 구분된다. ___(가)___ 등은 대표적인 비경제 활동 인구이다.

(1) ㉠ – ____________ ㉡ – ____________ ㉢ – ____________

(2) (가) – ____________

2 2017년 우리나라의 실업률을 계산 과정과 함께 적어 보자.

____

____

단계별 문제를 풀면서 실력을 쑥쑥 키워 보세요.

1 STEP 개념을 되짚는 확인 문제

01 다음 빈칸에 들어갈 알맞은 말을 쓰시오.

(1) (　　　　　　)은(는) 여러 상품의 가격을 합하여 평균한 것이다.

(2) (　　　　　　)은(는) 물가가 지속적으로 상승하는 현상을 말한다.

(3) (　　　　　　)은(는) 일할 의사와 능력이 있으나 일을 하지 못하고 있는 상태를 말한다.

02 실업의 유형과 이에 대한 설명을 바르게 연결하시오.

(1) 마찰적 실업 •　　• ㉠ 더 나은 일자리를 찾는 과정에서 일시적으로 발생

(2) 구조적 실업 •　　• ㉡ 경기 침체로 기업이 고용을 줄여 발생

(3) 경기적 실업 •　　• ㉢ 산업 구조의 변화로 인해 쇠퇴하는 산업에서 발생

03 다음 설명이 옳으면 O, 틀리면 X에 표시하시오.

(1) 물가가 상승하게 되면 일정한 소득으로 살 수 있는 재화와 서비스의 양이 늘게 된다. (○ | ×)

(2) 경제 활동 인구는 일을 하고 있는 취업자와 일을 하지 않고 있는 실업자로 구분된다. (○ | ×)

(3) 정부는 경기적 실업을 해결하기 위해 총수요를 축소하는 정책을 펼쳐야 한다. (○ | ×)

04 다음 빈칸에 들어갈 알맞은 말을 고르시오.

(1) 정부는 물가 상승이 우려될 경우 정부 지출을 (줄이고 | 늘리고), 세금을 (줄여야 | 늘려야)한다.

(2) (구조적 실업 | 계절적 실업)은 농업, 관광업, 건설업 등의 종사자들이 계절의 특성에 따라 일자리를 잃는 것을 말한다.

(3) (근로자 | 기업)은(는) 변화하는 작업 환경에의 적응과 자기 계발에 힘써야 한다.

2 STEP 기초를 다지는 기본 문제

01 물가에 관한 설명으로 옳지 않은 것은?

① 물가가 상승하면 구매력은 감소하게 된다.
② 총수요가 총공급보다 많으면 물가가 상승한다.
③ 경제 전반에 생산비가 증가하면 물가가 상승한다.
④ 물가는 여러 상품의 가격을 합하여 평균한 것을 말한다.
⑤ 물가 상승은 소득과 부를 공평하게 재분배하는 데 도움이 된다.

02 (중요) 다음 빈칸에 들어갈 용어로 옳은 것은?

> 물가가 일정한 기간 동안 지속적으로 오르는 현상을 (　　　　　)(이)라고 한다.

① 물가 지수　② 인플레이션　③ 디플레이션
④ 국내 총생산　⑤ 경제 성장률

03 (중요) 다음 사례에서 나타나고 있는 현상이 국민 생활에 미치는 영향을 바르게 연결한 것은?

> **△△일보**　　○○○○년 ○월 ○일 ○요일
>
> 질주하는 경제, 경기 과열 '경고음'
>
> ○○국 경제가 물가와 부동산 가격이 폭등하는 과열 조짐을 보인다. 특히 생활필수품 물가와 임대료의 급등으로 서민층의 생활이 크게 압박을 받고 있다. 정부가 나서서 경제의 과열을 막는 조치를 마련해야 할 때이다.

	화폐 가치	상품 구매력	생활 수준
①	하락	감소	하락
②	하락	감소	상승
③	하락	증가	하락
④	상승	감소	상승
⑤	상승	증가	상승

3 STEP 실력을 완성하는 주관식·서술형 문제

04 실업에 관한 설명으로 옳은 것은?

① 구직 활동을 포기한 구직 단념자도 실업자에 포함된다.
② 일할 의사는 있으나 능력이 없어 일을 하지 못하고 있는 상태를 말한다.
③ 구조적 실업은 경기 침체로 인해 기업이 고용을 줄여 발생하게 된다.
④ 사회적 측면에서 인적 자원이 활용되지 않고 낭비되고 있음을 뜻한다.
⑤ 15세 이상의 노동 가능 인구는 일을 하고 있는 취업자와 일을 하지 않고 있는 실업자로 구분된다.

05 다음은 실업의 종류와 원인에 관한 설명이다. 빈칸 ㉠, ㉡에 들어갈 용어를 바르게 연결한 것은?

> 실업은 일할 능력과 의사가 있음에도 불구하고 일자리를 구하지 못하는 상태를 말한다. 그 중에서도 경제 상황이 나빠져 기업이 고용을 줄이는 경우를 (㉠)(이)라고 하고, 기술 개발 등으로 산업 구조가 변화하여 관련 부문의 일자리가 사라진 경우를 (㉡)(이)라고 한다.

	㉠	㉡
①	경기적 실업	마찰적 실업
②	경기적 실업	구조적 실업
③	구조적 실업	경기적 실업
④	구조적 실업	마찰적 실업
⑤	마찰적 실업	구조적 실업

06 다음은 어떤 사회의 경제 활동 인구를 나타낸 것이다. 이 사회의 실업률을 바르게 계산한 것은?

(단위: 명)

전체 인구	노동 가능 인구	경제 활동 인구	취업자	실업자
80,000	60,000	40,000	30,000	10,000

① 10% ② 15% ③ 25%
④ 30% ⑤ 35%

07 ㉠에 들어갈 알맞은 개념을 쓰고, ㉠이 미치는 영향을 사회적 측면에서 두 가지 서술하시오.

> (㉠)은(는) 일할 능력과 의사가 있음에도 불구하고 일자리를 구하지 못하는 상태를 말한다.

(1) ㉠: ______________________

(2) 사회적 측면: ______________________

____

08 다음 신문 기사와 같은 현상이 나타날 때 필요한 정부와 중앙은행의 노력을 각각 한 가지 서술하시오.

> **△△일보** ○○○○년 ○월 ○일 ○요일
>
> 최근 수년간 ○○국 경제의 저성장 흐름이 뚜렷하다. 기업들은 생산해도 상품이 팔리지 않자 고용을 줄이고 있다. 그 결과 실업률이 높은 수준을 유지하고 있다. 이에 경기 활성화를 위한 정부 정책이 필요하다는 목소리가 높다.

(1) 정부: ______________________

____

(2) 중앙은행: ______________________

____

09 다음 사례를 통해 알 수 있는 실업의 유형을 쓰고, 이를 해결하기 위한 방안을 두 가지 서술하시오.

> 의류 공장에 다니던 철수 씨는 의류 공장들이 인건비가 저렴한 중국으로 이전하게 되면서 일자리를 잃게 되었다.

(1) 유형: ______________________

(2) 해결 방안: ______________________

____

국제 거래와 환율

이것이 포인트!
- 국내 거래와 국제 거래의 특징 비교
- 국제 거래의 필요성

꼼꼼! 필기 노트

1 국제 거래

1 의미

(1) **국제 거래**: 나라와 나라 사이에 이루어지는 상품, 노동, 자본, 기술 등의 거래

(2) ❶ ______ : 우리나라 기업이 다른 나라에 물품을 판매하는 것

(3) ❷ ______ : 외국으로부터 물품을 구입하여 국내로 들여오는 것

2 특징

❸ ______ 부과	상품이 국경을 넘을 때 통관 절차를 거치며 관세를 내야 함
❹ ______ 고려	거래하는 두 나라의 화폐가 달라 서로 화폐를 교환해야 함
제한적 이동	나라마다 법과 제도가 달라 상품 및 생산 요소의 이동이 국내보다 자유롭지 못함
큰 시장 규모	전 세계의 소비자를 대상으로 하기 때문에 국내 거래보다 시장 규모가 큼

3 발생 요인

(1) 국가 간 ❺ ______ 의 차이 발생: 국가 간 경제 여건이 다름 → 각국은 생산에 유리한 상품을 특화하여 교역함으로써 더 적은 비용으로 많은 양을 생산할 수 있음

→ 국가마다 자연 환경, 자원, 노동, 자본, 지식, 기술 수준 등이 서로 달라요.

(2) **발생 원리**

① ❻ ______ 우위: 각국의 생산비가 절대적으로 적게 드는 재화를 특화하여 국제 거래를 통해 양국 모두 거래의 이익을 얻게 됨

② ❼ ______ 우위: 다른 국가보다 상대적으로 생산비가 적게 드는 상품을 특화하여 국제 거래를 통해 양국 모두가 거래의 이익을 얻게 됨

2 국제 거래의 확대

1 국제 거래의 필요성

(1) **국가 간 생산 여건의 차이**: 같은 상품이라도 나라마다 생산 비용이 달라짐 → 각각 잘 만들 수 있는 것을 생산하여 수출하고 수입함으로써 서로 이득을 볼 수 있음

(2) **생산 규모 확대**: 세계 시장을 상대로 대규모로 생산을 할 수 있음 → 생산비 절약

(3) **생산 기술 발전**: 선진국의 발전된 생산 기술을 도입 할 수 있음 → 생산비 절약

(4) **부족한** ❽ ______ **도입**: 생산 시설을 확충, 고용을 증대시킬 수 있음

2 국제 거래의 영향

(1) **긍정적 영향**

① 소비 편익의 증대 → 여러 나라의 상품 중에서 선택할 수 있음

② 효율성과 생산성 향상 → 경영 혁신, 품질 혁신, 연구 개발 투자가 증가함

(2) **부정적 영향**

① 경쟁력이 약한 국내 산업의 약화 → 상대적으로 비용이나 생산 기반의 국제 경쟁력이 약한 산업의 쇠퇴

② 해외 경제 여파에 따른 국내 영향이 커짐 → 경제의 대외 의존도가 높아져 세계 경제의 영향을 크게 받음

+ 국제 거래
국제 거래는 국가 간 서로 다른 환경의 차이로 국내 거래와는 다른 특징이 있다. 국제 거래는 거래하는 국가 간의 지리적 거리가 멀어 물건을 직접 확인하고 대금을 치르기 어려우므로 신용과 신뢰가 매우 중요하다. 또한 운송비가 훨씬 많이 들고 운송 과정에서 발생할 수 있는 상품 손상, 분실 등 많은 위험에도 대비해야 한다. 국제 거래에서는 세계 시장에서의 거래이므로 낮은 가격으로 좋은 품질의 상품을 생산하지 않으면 경쟁에서 살아남기 어렵다.

+ 관세
상품이 국경을 통과할 때 부과하는 세금이다.

+ 특화
가장 효율적으로 생산할 수 있는 재화를 선택하여 생산 요소와 자원을 집중적으로 투입하여 생산하는 것을 말한다.

+ 비교 우위
경제적 능력이 서로 다른 국가 간의 국제 거래를 설명해 주는 원리로, 비교 우위에 있다는 것은다른 국가보다 비용을 덜 들이고 더 높은 생산성을 가질 수 있다는 의미이다.

콕콕! 핵심 개념

1 □□ □□: 국가 간에 이루어지는 상품, 노동, 자본, 기술 등의 상업적 거래

2 □□ □□: 다른 나라에 비해 상대적으로 생산비가 싼 상품을 생산하여 교환하면서 서로 이익을 얻는 것

활동 ① 다음 내용을 보고, 물음에 답해 보자.

(가)	(나)

포도 농사를 짓는 동현 씨는 전국에 포도를 납품하고, 포도 주스 생산과 판매, 포도 따기 체험 프로그램도 함께 하고 있다.	우리나라에서 스마트폰을 생산하는 A 기업은 최근 개발한 스마트폰을 미국에서도 출시하여 판매하고 있다.

1 (가)의 거래와 달리 (나)의 거래가 가지는 특징을 써 보자.

2 오늘날 (나)와 같은 거래가 필요한 이유를 써 보자.

활동 ② 다음은 A 국과 B 국이 신발과 스마트폰을 생산하는 데 드는 비용을 나타낸 표이다. 물음에 답해 보자.

구분	신발 1켤레 생산비	스마트폰 1개 생산비
A 국	1만 원	5만 원
B 국	2만 원	15만 원

1 빈칸 ㉠, ㉡에 들어갈 알맞은 말을 써 보자.

A국은 신발과 스마트폰을 B국보다 적은 비용으로 생산할 수 있다. 따라서 A국은 B국에 대해 신발과 스마트폰에 (㉠)이(가) 있다고 할 수 있다. (㉠) 이론에 따르면 A국이 신발과 스마트폰에 대해 모두 (㉠)이(가) 있기 때문에 A국과 B국의 교역은 성립할 수 없다.

그러나 (㉡) 이론에 따르면, A국은 신발 1켤레 생산비가 B국의 1/2배, 스마트폰 1개의 생산비가 B국의 1/3배로 스마트폰 1개의 생산비가 신발 1켤레의 생산비보다 상대적으로 적게 든다. 따라서 A국은 스마트폰에 (㉡)이(가) 있고, B국은 신발에 (㉡)이(가) 있다고 볼 수 있다.

㉠ – ____________ ㉡ – ____________

국제 거래와 환율

이것이 포인트!
- 국내 거래와 국제 거래의 특징 비교
- 국제 거래의 필요성

꼼꼼! 필기 노트

3 환율

1 의미: 외국 화폐와 교환되는 자국 화폐의 비율 예 1,200원/달러

2 결정 원리

(1) 외화의 수요

① 환율이 오르면 외화의 수요가 감소하고, 환율이 내리면 외화의 수요가 증가함

② 외화의 수요 요인: ⑨ ______, 우리나라 국민의 해외여행, 우리나라 국민의 해외 투자, 외채 상환 등 → 외국에서 외화를 사용하려는 경우에 외화 수요가 발생해요.

(2) 외화의 공급

① 환율이 오르면 외화의 공급이 증가하고, 환율이 내리면 외화의 공급이 감소함

② 외화의 공급 요인: ⑩ ______, 외국인의 국내 관광, 외국인의 국내 투자, 차관✚ 도입 등
↳ 외화가 국내로 들어오는 경우에 외화 공급이 발생해요.

(3) 환율의 결정: 외환 시장에서 외화의 수요와 공급에 의해 결정
↳ 외화의 수요와 공급이 일치하는 지점에서 환율이 결정돼요.

3 환율의 변동

환율 상승		환율 하락	
• 외화에 대한 수요 증가 → 외화의 수요 곡선이 오른쪽으로 이동 → 환율 상승 • 외화에 대한 공급 감소 → 외화의 공급 곡선이 왼쪽으로 이동 → 환율 상승	▲ 외화 수요 증가에 따른 환율 상승	• 외화에 대한 수요 감소 → 외화의 수요 곡선이 왼쪽으로 이동 → 환율 하락 • 외화에 대한 공급 증가 → 외화의 공급 곡선이 오른쪽으로 이동 → 환율 하락	▲ 외화 공급 증가에 따른 환율 상승

4 환율의 변동이 국내 경제에 미치는 영향

	환율 ⑪ ______	환율 ⑫ ______
원화 가치✚	원화 가치 하락	원화 가치 상승
국제 거래	• 수출 상품의 외화 표시 가격 하락 → 수출 증가 • 수입 상품의 원화 표시 가격 상승 → 수입 감소	• 수출 상품의 외화 표시 가격 상승 → 수출 감소 • 수입 상품의 원화 표시 가격 하락 → 수입 증가
국내 물가	해외 원자재의 국내 가격 상승 → 국내 물가 ⑬ ______	해외 원자재의 국내 가격 하락 → 국내 물가 ⑭ ______
투자	외채 상환 부담 증가	외채 상환 부담 감소
외채 상환	• 우리나라 시장의 해외 투자 감소 • 외국인의 국내 투자 증가	• 우리나라 시장의 해외 투자 증가 • 외국인의 국내 투자 감소
기타	• 우리나라 사람의 해외여행 및 유학 감소 • 외국인 근로자의 본국 송금 감소	• 우리나라 사람의 해외여행 및 유학 증가 • 외국인 근로자의 본국 송금 증가

✚ 균형 환율의 결정

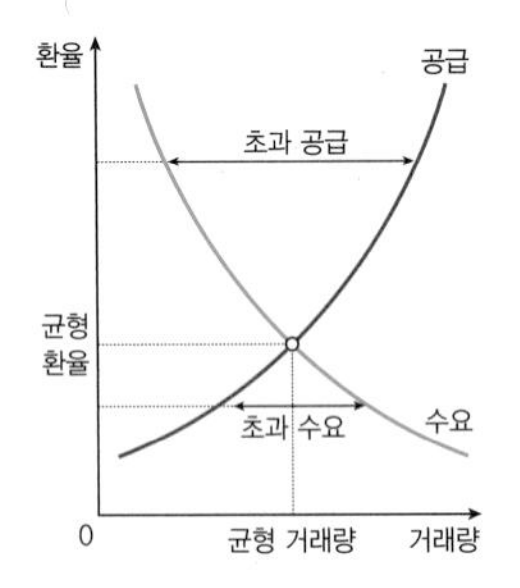

✚ 차관
한 나라의 정부나 기업이 다른 나라 정부나 공적 기관으로부터 자금을 빌려 오는 것을 말한다.

✚ 환율의 변동과 원화의 가치
달러 환율이 1,000원에서 1,100원으로 상승하면 1달러를 살 때 100원을 더 지급해야 하며, 이는 원화의 가치가 그만큼 떨어졌음을 의미한다.

콕콕! 핵심 개념

3 □□: 외국 화폐와 교환되는 자국 화폐의 비율

4 □□ □□: 수입, 우리나라 국민의 해외여행, 외채 상환 등 외국에서 외화를 사용하려는 경우에 발생함

5 □□ □□: 수출, 외국인의 국내 관광, 외국인의 국내 투자 등 외화가 국내로 들어오는 경우에 발생함

활동 3 다음 자료를 보고 물음에 답해 보자.

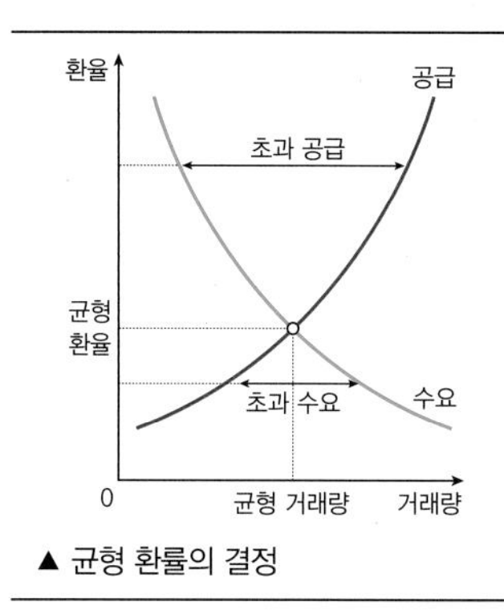▲ 균형 환율의 결정	(가) 우리나라 드라마가 해외에서 큰 인기를 얻게 되면서 외국인 관광객과 외국인 유학생이 급증하게 되었다.
	(나) 메르스 사태 이후 전염병의 위험이 커지면서 해외여행을 떠나려는 우리나라 국민이 감소하게 되었다.
	(다) 최근 우리나라에 대한 일본의 '반(反)한' 감정이 커지게 되면서 일본 기업의 국내 투자가 감소하고, 일본인 관광객 수가 감소하게 되었다.
	(라) 중국 금융 시장의 투자 수익률이 높아지면서 우리나라 국민의 중국 투자가 증가하게 되었다.

1 빈칸 ❶~❼에 들어갈 알맞은 개념을 써 보자.

외국의 화폐와 교환되는 자국 화폐의 비율인 ❶ ______은 외화의 수요와 공급에 의해 결정된다. (가)의 경우에는 외화의 공급은 증가하게 되는 한편, (나)의 경우에는 외화의 ❷ ______이(가) ❸ ______하게 된다. (다)의 경우에는 외화의 ❹ ______이(가) ❺ ______하게 되는 한편, (라)의 경우에는 외화의 ❻ ______이(가) ❼ ______하게 된다.

❶ – ______ ❷ – ______ ❸ – ______ ❹ – ______
❺ – ______ ❻ – ______ ❼ – ______

2 (가)~(라)의 상황에서 각각 환율 변동이 어떻게 나타날지 그래프에 표시해 보자.

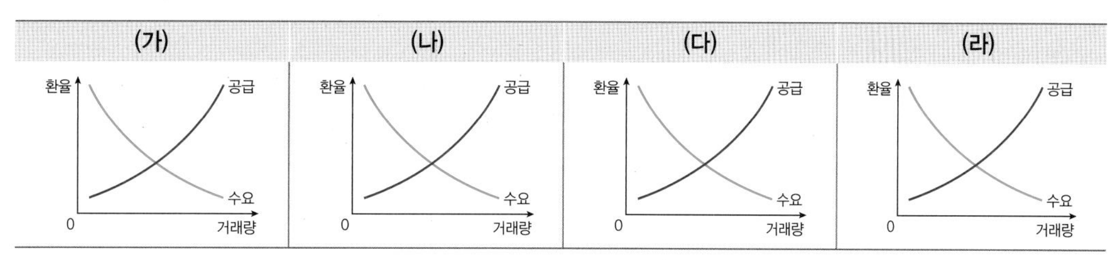

3 (라)의 상황으로 인해 나타난 환율의 변화가 각 경제 주체에게 어떤 영향을 미치는지 표에 정리해 보자(각 경제 주체별로 유리하면 '유', 불리하면 '불'이라고 쓴다.).

(1) 자녀를 해외 유학 보낸 부모	
(2) 국내 상품을 수출하는 수출업자	
(3) 해외 상품을 수입해서 판매하는 수입업자	
(4) 우리나라를 여행하려는 외국인 관광객	
(5) 본국에 송금하는 외국인 근로자	

쑥쑥! 실력 키우기

단계별 문제를 풀면서 실력을 쑥쑥 키워 보세요.

1 STEP 개념을 되짚는 확인 문제

01 다음 빈칸에 들어갈 알맞은 말을 쓰시오.

(1) (　　　　　)은(는) 국가 간에 이루어지는 상품, 노동, 자본, 기술 등의 상업적 거래를 말한다.

(2) (　　　　　)(이)란 상대국에 비하여 상대적으로 생산비가 적게 드는 재화를 특화하여 상호 교환함으로써 양국 모두가 거래의 이익을 얻게 되는 것을 말한다.

(3) 환률이 오르면 외화 수요는 (　　　　　)하고, 환율이 내리면 외화 공급은 (　　　　　)한다.

02 빈칸에 들어갈 용어를 〈보기〉에서 골라 쓰시오.

보기
수출　　수입　　관세　　환율

(1) 국제 거래에서는 물품이 국경을 넘을 때 통관 절차를 거치며 (　　　　　)을(를) 내야 한다.

(2) 각 나라는 각각 잘 만들 수 있는 것을 생산하여 (　　　　　)하고, 생산에 불리한 상품은 (　　　　　)하여 사용한다.

(3) 국제 거래를 위해 외환 시장에서 자국의 화폐와 외국의 화폐를 교환하는데 이때 외국의 화폐와 교환되는 자국 화폐의 비율을 (　　　　　)(이)라고 한다.

03 다음 설명이 옳으면 O, 틀리면 X에 표시하시오.

(1) 국제 거래는 재화, 서비스, 생산 요소의 이동이 국내 거래에 비해 자유롭다. (○ | ×)

(2) 국제 거래는 세계 시장을 상대로 대규모로 생산하여 생산 단가가 낮아져 교역국 모두가 이득을 보게 된다. (○ | ×)

(3) 외화의 수요가 증가하거나 외화의 공급이 감소하면 환율은 하락하게 된다. (○ | ×)

(4) 환율이 상승하면 수출업자들은 손해를 보게 되고, 수입업자들은 이익을 보게 된다. (○ | ×)

2 STEP 기초를 다지는 기본 문제

01 빈칸에 들어갈 용어로 옳은 것은?

국가와 국가 사이에 이루어지는 재화, 서비스, 노동, 자본 기술과 같은 생산 요소 등의 상업적 거래를 (　　　　)(이)라고 한다.

① 자유 무역　② 국내 거래　③ 국제 거래
④ 공정 무역　⑤ 비교 우위

02 중요 국제 거래에 관한 설명으로 옳지 않은 것은?

① 국제 거래는 물품이 국경을 넘을 때 통관 절차를 거치게 된다.
② 국제 거래는 세계화의 영향으로 인해 지속적으로 감소되고 있다.
③ 국제 거래는 나라마다 법과 제도가 달라 상품 이동이 국내보다 자유롭지 못하다.
④ 각 나라의 기후, 자연 자원, 생산 기술 등이 다르기 때문에 국제 거래가 발생하게 된다.
⑤ 국제 거래는 세계 시장을 상대로 대규모로 생산하기 때문에 생산 단가가 낮아지게 된다.

03 국제 거래와 관련 있는 개념에 관한 설명으로 옳은 것을 〈보기〉에서 있는 대로 고른 것은?

보기
ㄱ. 관세: 상품이 국경을 통과할 때 부과하는 세금
ㄴ. 환율: 외국 화폐와 교환되는 자국 화폐의 비율
ㄷ. 비교 우위: 다른 나라에 비해 절대적으로 생산비가 싼 상품을 생산하여 교환하면 서로 이익을 얻는다는 것
ㄹ. 절대 우위: 다른 나라에 비해 상대적으로 생산비가 싼 상품을 생산하여 교환하면 서로 이익을 얻는다는 것
ㅁ. 특화: 가장 효율적으로 생산할 수 있는 재화를 선택하여 생산 요소와 자원을 집중적으로 투입하여 생산하는 것을 말한다.

① ㄱ, ㄴ　② ㄷ, ㅁ　③ ㄱ, ㄴ, ㅁ
④ ㄴ, ㄷ, ㄹ　⑤ ㄴ, ㄹ, ㅁ

3 STEP 실력을 완성하는 주관식·서술형 문제

04 중요 **환율 변동에 관한 설명으로 옳지 않은 것은?**

① 환율이 상승하면 외채 상환 부담이 커지게 된다.
② 환율이 하락하면 우리나라 국민의 해외여행이 증가하게 된다.
③ 환율은 외화의 수요와 공급에 변화가 있으면 그 영향으로 변동한다.
④ 환율이 상승하면 우리나라 원화의 가치는 상승하였음을 의미한다.
⑤ 환율이 상승하면 수출업자는 수출품의 가격을 낮출 수 있게 되어 수출이 증가한다.

05 중요 **다음은 외화의 수요와 공급을 나타낸 그래프이다. 균형 환율이 E_0에서 E_1으로 이동하게 된 원인으로 옳은 것은?**

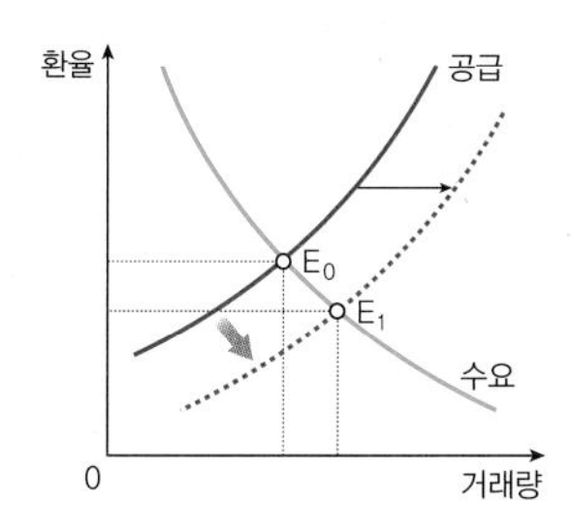

① 외채 상환 증가
② 외국 상품에 대한 수입 증가
③ 우리나라 국민의 해외여행 증가
④ 우리나라 국민의 해외 투자 증가
⑤ 외국인의 국내 기업에 대한 투자 증가

06 **환율이 하락할 경우 유리해지는 사람을 〈보기〉에서 고른 것은?**

> **보기**
> ㄱ. 한국 여행을 계획 중인 미국인
> ㄴ. 미국 유학을 준비 중인 한국인
> ㄷ. 미국 회사의 의류를 수입하는 한국인 기업가
> ㄹ. 미국에 자동차를 수출하는 한국인 기업가

① ㄱ, ㄴ ② ㄱ, ㄷ ③ ㄴ, ㄷ
④ ㄴ, ㄹ ⑤ ㄷ, ㄹ

07 **㉠에 들어갈 개념을 쓰고, ㉠의 특징을 두 가지 서술하시오.**

> 국가와 국가 사이에 이루어지는 재화, 서비스, 노동, 자본 기술과 같은 생산 요소 등의 상업적 거래를 (㉠)(이)라고 한다.

(1) ㉠: ____________________
(2) 특징: ____________________

____

고난도

08 **다음은 외화의 수요와 공급을 나타낸 그래프이다. 균형 환율이 E_0에서 E_1으로 이동하게 될 수 있는 원인을 두 가지 서술하시오.**

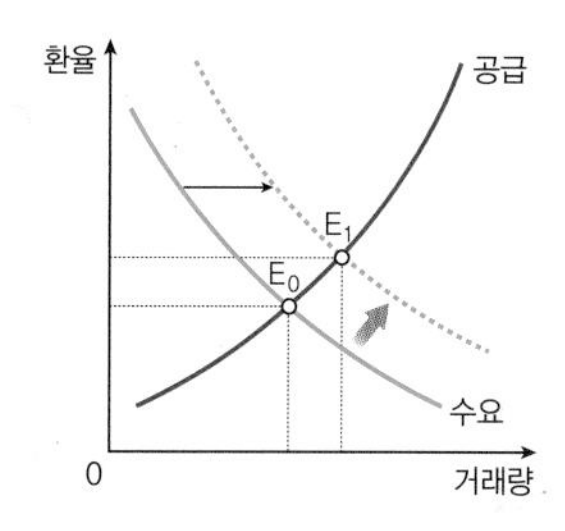

____

____

09 **빈칸 ㉠, ㉡에 들어갈 개념을 쓰시오.**

> 국제 거래가 발생하게 된 이론에는 (㉠)와(과) (㉡)이 있다. (㉠)은(는) 다른 나라에 비해 절대적으로 생산비가 싼 상품을 생산하여 교역하면 서로 이익을 얻는다는 것이고, (㉡)은(는) 다른 나라에 비해 상대적으로 생산비가 싼 상품을 생산하여 교환하면 서로 이익을 얻는다는 것이다.

(1) ㉠: ____________ (2) ㉡: ____________

뚝딱! 단원 마무리하기

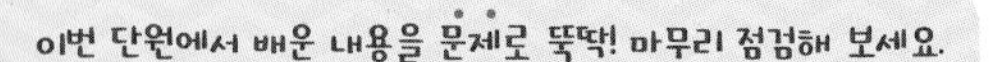

01 국내 총생산에 관한 설명으로 옳은 것은?

① 시장에서 거래되지 않는 상품은 제외된다.
② 생산 과정에서 중간에 사용된 재료도 포함한다.
③ 국내 총생산은 보통 10년 동안 생산된 상품을 대상으로 한다.
④ 생산 지역에 관계없이 한 나라의 국민이 생산한 것만을 측정한다.
⑤ 국내 총생산이 클수록 국민 개개인의 소득이 높은 나라라고 할 수 있다.

02 중요 국내 총생산에 해당하지 않는 사례를 〈보기〉에서 있는 대로 고른 것은?

보기
ㄱ. 어머니의 설거지를 도와드리고 받은 용돈
ㄴ. 우리나라 의류 공장에 근무하는 외국인 근로자의 월급
ㄷ. 해외에서 음식점을 운영하고 있는 한국인의 월 소득
ㄹ. 10년 전 지어진 아파트를 부동산을 통해 매매한 대금

① ㄱ, ㄷ ② ㄴ, ㄷ ③ ㄴ, ㄹ
④ ㄱ, ㄷ, ㄹ ⑤ ㄴ, ㄷ, ㄹ

03 중요 국내 총생산의 한계로 옳은 것을 〈보기〉에서 있는 대로 고른 것은?

보기
ㄱ. 국내 총생산은 국가의 경제 활동 규모를 파악하는 데 유용하지 못하다.
ㄴ. 국내 총생산은 가정주부의 가사 노동, 지하 경제 활동 등을 포함하지 못한다.
ㄷ. 국내 총생산은 국민 개개인의 소득이나 생활 수준 파악에 용이하지 못하다.
ㄹ. 국내 총생산은 외국인이 국내에서 생산한 재화와 서비스의 가치를 포함하지 못한다.

① ㄱ, ㄴ ② ㄱ, ㄷ ③ ㄴ, ㄷ
④ ㄱ, ㄴ, ㄹ ⑤ ㄴ, ㄷ, ㄹ

04 경제 성장이 우리 생활에 미치는 영향으로 옳지 않은 것은?

① 경제가 성장하면 일자리가 늘어나게 된다.
② 경제 성장과 삶의 질은 비례하여 높아진다.
③ 경제가 성장하면 의료 혜택이 확대될 수 있다.
④ 경제 성장의 혜택이 편중되어 빈부 격차가 확대될 수 있다.
⑤ 경제가 성장 과정에서 환경이 오염될 수 있다.

05 신유형 다음은 가상의 갑, 을, 병국의 경제 성장률을 비교한 표이다. 이에 대한 설명으로 옳은 것을 〈보기〉에서 고른 것은?

	2015년도	2016년도	2017년도
갑국	5.0%	-6.7%	10.7%
을국	1.4%	-2.9%	0.9%
병국	4.2%	4.3%	4.5%

보기
ㄱ. 갑국의 경제 규모가 가장 크다.
ㄴ. 을국이 가장 큰 경기 변동을 경험하였다.
ㄷ. 을국이 2015년에 비해 2016년의 경제 규모가 축소되었다.
ㄹ. 병국은 2016년에 비해 2017년의 경제 규모가 확대되었다.

① ㄱ, ㄴ ② ㄱ, ㄷ ③ ㄴ, ㄷ
④ ㄴ, ㄹ ⑤ ㄷ, ㄹ

06 중요 인플레이션의 발생 원인으로 옳은 것을 〈보기〉에서 고른 것은?

보기
ㄱ. 가계의 소비 증가 ㄴ. 원자재 가격의 하락
ㄷ. 통화량의 감소 ㄹ. 임금의 상승

① ㄱ, ㄴ ② ㄱ, ㄹ ③ ㄴ, ㄷ
④ ㄴ, ㄹ ⑤ ㄷ, ㄹ

●●●
07 다음 그래프에 나타난 경제 현상이 국민 생활에 미칠 수 있는 영향으로 옳지 않은 것은?

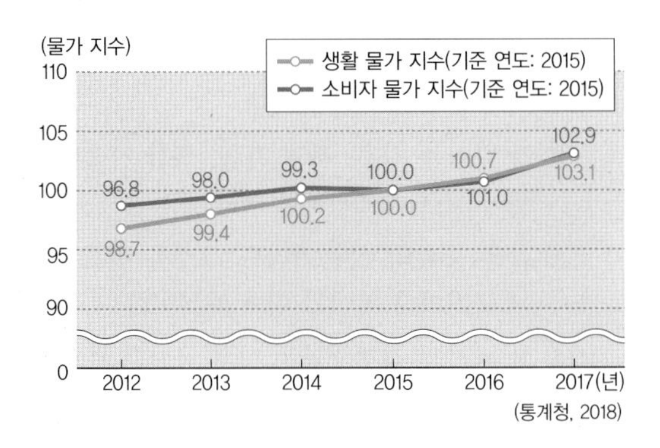

① 같은 금액으로 살 수 있는 물품이 줄어들게 된다.
② 고정된 소득을 받는 임금 근로자들에게 불리해진다.
③ 금융 자산을 보유한 사람과 실물 자산을 보유한 사람의 소득 격차가 심해진다.
④ 화폐의 가치가 떨어지고, 부동산이나 금과 같은 실물 자산의 가치가 상승한다.
⑤ 돈을 빌린 사람은 돈을 갚을 때의 가치가 돈을 빌렸을 때의 가치보다 커져 불리하게 된다.

●●○
08 물가에 관한 설명으로 옳은 것은?

① 물가 상승은 실물 자산의 가치를 떨어뜨리게 된다.
② 물가가 상승하게 되면 수출이 늘고 수입이 줄어들게 된다.
③ 임금이나 원자재 가격이 상승하게 되면 물가가 하락하게 된다.
④ 시중에 유통되는 통화량이 증가하게 되면 물가가 상승하게 된다.
⑤ 물가가 지속적으로 급격하게 상승하는 현상을 디플레이션이라고 한다.

●●○
09 물가 안정을 위한 각 경제 주체들의 노력으로 옳지 않은 것은?

① 정부는 정부 지출을 늘리고, 세금을 줄여야 한다.
② 중앙은행은 통화량을 축소시킬 정책을 펼쳐야 한다.
③ 근로자는 과도한 임금 인상 요구를 자제해야 한다.
④ 기업은 효율적인 경영을 통해 생산비를 절감해야 한다.
⑤ 소비자는 과소비를 억제하고 합리적인 소비 생활을 해야 한다.

●●○
10 실업에 관한 설명으로 옳지 않은 것은?

① 실업은 개인과 사회에 여러 가지 부정적인 영향을 미친다.
② 실업자는 직장과 소득의 상실로 경제적 · 심리적 고통을 느낀다.
③ 직업을 구하는 것을 포기한 구직 단념자는 실업자에 포함되지 않는다.
④ 실업률이 높으면 정부의 실업 수당 지급이 늘어 재정에 부담이 된다.
⑤ 15세 이상의 노동 가능 인구는 경제 활동 인구와 실업자로 구분할 수 있다.

●○○
11 다음 사례에 나타난 실업의 유형으로 옳은 것은?

> ○○ 회사에 근무 중이던 은지 씨는 최근 좀 더 나은 연봉과 근무 조건의 회사로 옮기기 위해 회사를 그만두었다. 은지 씨는 새로운 직장을 얻기 위해 취업 박람회에 참석하며 노력하고 있다.

① 구조적 실업 ② 경기적 실업 ③ 마찰적 실업
④ 계절적 실업 ⑤ 비자발적 실업

12 다음은 어떤 사회의 경제 활동 인구를 가상으로 나타낸 것이다. 실업률을 바르게 계산한 것은?

(단위: 명)

전체 인구	노동 가능 인구	경제 활동 인구	취업자	실업자
60,000	40,000	10,000	8,000	2,000

① 5% ② 10% ③ 15%
④ 20% ⑤ 25%

13 중요 다음 사례와 같은 유형의 실업을 줄이기 위한 대책으로 적절한 것은?

> 이○○ 씨는 A 사의 부장으로 근무 중이었지만, 최근 정리 해고를 당하게 되었다. 경기 침체로 A 사가 인력을 줄이고 불필요한 비용을 절감하기 위한 정책을 시행했기 때문이다.

① 산업 구조의 변화에 따른 직업 훈련을 확대해야 한다.
② 고용 지원 센터를 운영하여 취업 정보를 제공해야 한다.
③ 농공 단지 조성 등을 통해 계절적으로 발생하는 실업을 해결해야 한다.
④ 취업 박람회 등을 개최하여 직업 탐색에 드는 시간과 비용을 줄여야 한다.
⑤ 정부는 총수요를 확대하는 정책을 통해 기업이 생산과 고용을 늘리도록 유도해야 한다.

14 실업이 국민 생활에 미치는 영향으로 옳지 않은 것은?

① 실업은 사회 전체의 생산을 감소하게 한다.
② 실업은 개인에게 사회적 고립감을 느끼게 한다.
③ 실업은 직업을 통한 자아실현의 기회를 상실하게 한다.
④ 실업은 정부의 실업자에 대한 재정 지출을 감소하게 한다.
⑤ 실업은 개인의 소득을 상실하게 하여 생계를 곤란하게 한다.

15 중요 국제 거래가 필요한 이유로 적절하지 않은 것은?

① 선진국의 생산 기술을 도입하여 생산비를 낮출 수 있기 때문이다.
② 세계 시장을 상대로 대규모로 생산하면 생산 단가가 낮아지기 때문이다.
③ 각 나라는 기후, 자연 자원, 생산 기술의 양과 질 등이 서로 다르기 때문이다.
④ 같은 종류의 상품이라도 그것을 만드는 생산비는 국가마다 차이가 있기 때문이다.
⑤ 한 나라의 경제생활은 다른 국가와 관계 없이 독자적으로 이루어질 수 있기 때문이다.

16 환율에 관한 설명으로 옳은 것을 <보기>에서 고른 것은?

> **보기**
> ㄱ. 외화의 수요와 공급에 의해 결정된다.
> ㄴ. 외국의 화폐와 교환되는 자국 화폐의 비율이다.
> ㄷ. 외국인의 국내 관광이 감소하게 되면 환율은 하락한다.
> ㄹ. 우리나라 국민의 해외여행이 증가하게 되면 환율은 하락한다.

① ㄱ, ㄴ ② ㄱ, ㄷ ③ ㄴ, ㄷ
④ ㄴ, ㄹ ⑤ ㄷ, ㄹ

17 중요 환율 상승이 우리 경제에 미치는 영향으로 옳은 것을 <보기>에서 고른 것은?

> **보기**
> ㄱ. 국내 경기가 침체된다.
> ㄴ. 국내 실업률이 증가하게 된다.
> ㄷ. 외채 상환 부담이 증가하게 된다.
> ㄹ. 수출이 증가하고, 수입이 감소하게 된다.

① ㄱ, ㄴ ② ㄱ, ㄷ ③ ㄴ, ㄷ
④ ㄴ, ㄹ ⑤ ㄷ, ㄹ

18 (가)와 (나)가 국내 총생산에 포함되지 않는 이유를 서술하시오..

중요

(가) 축구 선수 □□ 씨는 프리미어리그에 진출하여 50억 원을 벌었다.
(나) 얼마 전 ○○ 씨는 5년 전 지어진 아파트를 3억 원에 매매하였다.

(1) (가): ____________________

(2) (나): ____________________

19 ㉠에 공통으로 들어갈 경제 개념을 쓰고, ㉠이 발생하는 원인을 두 가지 서술하시오.

- (㉠)은(는) 물가가 일정 기간 동안 지속적으로 오르는 현상을 의미한다.
- (㉠)이(가) 발생하게 되면, 소비자의 구매력이 감소하게 된다.

(1) ㉠: ____________________
(2) 발생 원인: ____________________

20 다음 사례에 나타난 실업의 유형을 쓰고, 그 발생 원인과 대책을 각각 한 가지씩 서술하시오.

1970년대와 1980년대 초까지 우리나라의 수출 산업으로 떠올랐던 섬유나 신발 산업이 쇠퇴하게 되면서 많은 사람들이 일자리를 잃게 되었다.

(1) 실업의 유형: ____________________
(2) 발생 원인: ____________________
(3) 대책: ____________________

21 다음은 우리나라 물가 지수 그래프이다. 이와 같은 상황에서 경제적으로 유리한 사람과 불리한 사람을 〈보기〉에서 각각 1명씩 고르고 그 이유를 서술하시오.

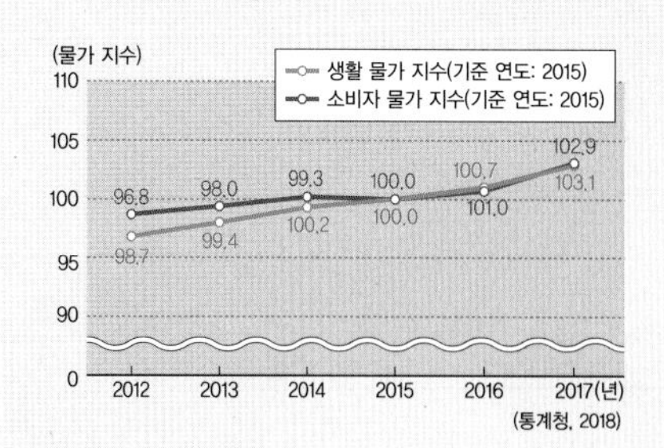

보기

채무자	근로자	수출업자
수입업자	기업가	채권자

(1) 유리한 사람: ____________________
이유: ____________________
(2) 불리한 사람: ____________________
이유: ____________________

[22~23] 다음 그래프를 보고, 물음에 답하시오.

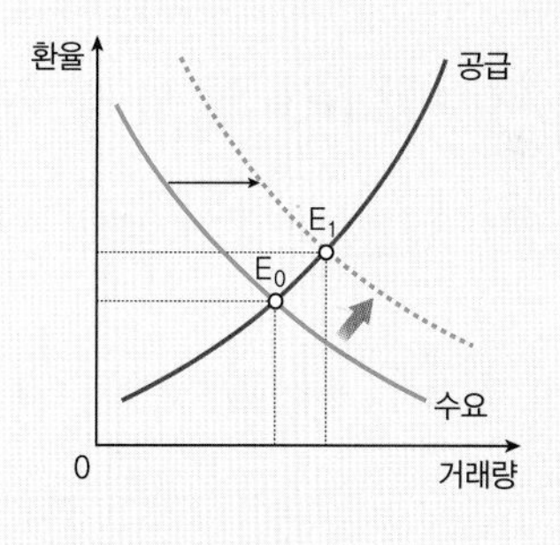

22 위의 그래프에서 균형 환율이 E_0에서 E_1으로 이동하도록 하는 요인을 두 가지 서술하시오.

____

23 위의 그래프와 같은 환율 변동이 국내 경제에 미치는 영향을 두 가지 서술하시오.

____

이 단원을 배우면

국제 사회의 특성을 국내 사회와 비교하여 설명할 수 있고, 국제 사회의 여러 행위 주체의 활동을 구분할 수 있어요. 국제 사회에 존재하는 경쟁과 갈등, 협력의 다양한 모습과 우리나라가 직면하고 있는 국가 간의 갈등 문제를 파악하고, 이를 해결하기 위한 정부의 외교적 노력과 시민 사회의 역할을 탐색할 수 있어요.

국제 사회와 국제 정치

:나의 학습 진도표

중단원명	학습 코너	쪽수	학습 예정일	학습 완료일	달성도
01 국제 사회의 특성과 행위 주체	꼼꼼! 필기 노트	104쪽	◯월 ◯일	◯월 ◯일	☆☆☆☆☆
	탄탄! 활동 노트	105쪽	◯월 ◯일	◯월 ◯일	☆☆☆☆☆
	쑥쑥! 실력 키우기	106~107쪽	◯월 ◯일	◯월 ◯일	☆☆☆☆☆
02 국제 사회의 다양한 모습과 공존 노력	꼼꼼! 필기 노트	108쪽	◯월 ◯일	◯월 ◯일	☆☆☆☆☆
	탄탄! 활동 노트	109쪽	◯월 ◯일	◯월 ◯일	☆☆☆☆☆
	쑥쑥! 실력 키우기	110~111쪽	◯월 ◯일	◯월 ◯일	☆☆☆☆☆
03 우리나라의 국제 관계와 외교 활동	꼼꼼! 필기 노트	112쪽	◯월 ◯일	◯월 ◯일	☆☆☆☆☆
	탄탄! 활동 노트	113쪽	◯월 ◯일	◯월 ◯일	☆☆☆☆☆
	쑥쑥! 실력 키우기	114~115쪽	◯월 ◯일	◯월 ◯일	☆☆☆☆☆
뚝딱! 단원 마무리하기		116~119쪽	◯월 ◯일	◯월 ◯일	☆☆☆☆☆

국제 사회의 특성과 행위 주체

이것이 **포인트!**
- 국제 사회의 특성
- 국제 사회 행위 주체별 특성

꼼꼼! 필기 노트

+ 주권
국가의 의사를 최종적으로 결정하는 권력이다. 주권은 대내적으로는 최고의 절대적 힘을 지니고, 대외적으로는 자주적 독립성을 지닌다.

+ 국내 사회와 국제 사회 비교

	국내 사회	국제 사회
행위자	개인, 집단, 정부	주권 국가, 국제기구
중앙 정부	존재	부재
정치적 영향력	한 나라에 한정됨	두 나라 이상의 국가 관계 에 발생하여 다른 나라에도 영향을 미침
갈등 해소	국내법, 정부의 권력 행사 등	국제법, 전쟁, 외교 등

+ 국제법
국제 사회에서 적용되는 법규로 주로 국가와 국제기구를 규율한다. 그러나 개별 국가의 의사를 강제하는 것은 어렵기 때문에 국제 사회의 분쟁을 해결하는 데 한계가 있다.

콕콕! 핵심 개념

1 □□ □□: 세계 여러 나라가 서로 교류하면서 공존하는 사회
2 □□: 국제 사회에서 독립적인 주권을 지닌 행위 주체
3 □□□ □□: 세계 각지에 자회사와 공장을 설립하여 활동하면서 국제 사회에 미치는 영향력을 확대하고 있는 기업

1 국제 사회 → 국내 사회: 자국 국민 간에 관계를 맺고 더불어 살아가는 사회를 말해요.

1 의미

(1) ❶ [　　]: 세계 여러 나라가 서로 교류하면서 공존하는 사회
(2) **오늘날의 모습**: ❷ [　　]을 가진 나라들이 서로 교류하면서 활동함 → 오늘날 세계는 교통 · 통신의 발달에 힘입어 국가 및 민간 부문의 교류와 상호 의존성 증가
→ 현재 전 세계에는 200여 개국이 있으며, 각국은 독립적인 주권을 지니고 있어요.

2 특성+

❸ [　　] 추구	개별 국가들은 국제 관계에서 자국의 이익을 최우선으로 추구함 → 각국의 이해관계가 대립하면 적대 관계가 되고, 국가 간의 갈등 발생
중앙 정부의 부재	대립과 갈등을 조정하고 해결할 수 있는 강력한 중앙 정부가 존재하지 않음 → 국제기구와 국제법+은 강제력 행사에 한계가 있음
❹ [　　] 작용	각국은 독립적 주권을 가지고 있으나, 현실적으로 강대국이 약소국에 비해 더 많은 영향력을 행사함
국가 간 협력 확대	국가 간 상호 의존성 증가 → 환경, 인권 등 한 나라만의 노력으로 해결할 수 없는 국제 문제들이 늘어나면서 국제 협력이 증가함

2 국제 사회의 행위 주체

1 ❺ [　　]

(1) **의미**: 일정한 영토와 국민에 기초한 주권+을 가진 집단
(2) **특성**
① 국제 사회에서 가장 기본이 되는 행위 주체
② 주권 평등의 원칙에 따라 각국은 독립적인 주권을 가진 대등한 행위 주체임

2 ❻ [　　] → 다국적 기업과 국제기구는 '초국가적 행위 주체'로 분류하기도 해요.

(1) **의미**: 세계 각지에 자회사, 지사, 공장 등을 설립하여 국제적 규모로 상품을 생산하고 판매하는 기업
(2) **특성**
① 세계화의 진전으로 국가 간의 경계가 약화되고, 국가 간 상호의존성이 더욱 증가함 → 다국적 기업의 역할과 영향력 확대
② 경제력을 바탕으로 국제 정치, 문화 등 여러 분야에 영향을 미침
→ 때때로 다국적 기업은 국가의 공공 정책과 시민 생활을 위협하기도 해요.

3 ❼ [　　]

(1) **의미**: 정부, 민간단체, 개인 등을 회원으로 하여 국제적으로 영향력을 행사하는 행위 주체 → 국제 교류의 증대로 국제기구의 수와 역할이 크게 증가하고 있어요.
(2) **유형**

정부 간 국제기구	각 나라의 정부를 회원으로 하는 국제기구 예 국제 연합(UN), 유럽 연합(EU), 국제 통화 기금(IMF) 등
❽ [　　]	개인과 민간단체를 회원으로 하는 국제기구 예 국경 없는 의사회, 그린피스, 국제 사면 위원회 등

활동 1 다음은 루소의 '사슴 사냥 게임'이라는 우화를 재구성한 글이다. 국제 사회의 특성과 관련지어 아래 빈칸 ❶, ❷에 알맞은 말을 써 보자.

> ○○ 마을은 겨울만 되면 양식이 부족하여 마을 뒷산에 사는 사슴과 토끼 사냥을 한다. 만약 사슴을 잡으면 마을 전체가 배불리 먹을 수 있지만, 한 사람이라도 빠지면 사슴이 도망가서 사냥에 실패한다. 만약에 토끼를 잡으면 한 가족은 배불리 먹을 수 있고 혼자서도 잡을 수 있다는 장점이 있지만 한 사람이 빠지게 되어 마을 사람들은 사슴을 잡지 못해 굶어야 한다.
>
> 어느 날 ㉠ 마을 사람들 모두가 다 같이 뒷산으로 가서 사슴을 잡기 위해 둥그렇게 자기 자리를 지키며 사슴을 몰아가는 중이었다. 모두가 이대로 계속 자기 자리를 지켜야만 사슴을 잡을 수 있지만, 오늘 사슴을 잡을 수 있을지 없을지는 불확실한 상황이다. 그때, 가장 힘이 센 A 씨의 앞으로 토끼 한 마리가 나타났다. 토끼 정도는 A 씨 혼자서도 확실히 잡을 수 있고, 토끼 한 마리라면 A 씨 가족은 배불리 먹을 수 있다. ㉡ A 씨는 자신의 가족만이라도 배불리 먹이기 위해 사슴 사냥 무리에서 벗어나 앞에 있는 토끼를 잡기로 하였다.

위 내용에서 밑줄 친 ㉠은 국제 사회에서는 한 나라의 노력으로 해결할 수 없는 국제 문제들이 생기면서 ❶ ______ 이(가) 나타나고 있음을 보여준다. 밑줄 친 ㉡은 국제 사회에서 ❷ ______ 을(를) 최우선으로 추구하는 모습을 비유적으로 나타낸다.

활동 2 다음 자료를 보고 물음에 답해 보자.

(가) 그린피스(Greenpeace)

(나) 다국적 기업(M사)

(다) 국제 사면 위원회(AI)

(라) 대한민국

(마) 국제 연합(UN)

1 (가)~(마)에 나타난 국제 사회의 행위 주체를 모두 써 보자.

____

2 다음 빈칸에 들어갈 알맞은 말을 골라 보자.

국제기구는 회원 자격을 기준으로 나눌 수 있다. 국제 연합(UN), 경제 협력 개발 기구(OECD) 등과 같은 (정부 간 국제기구 | 국제 비정부 기구)와 국경 없는 의사회(MSF), 국제 사면 위원회(AI) 등과 같은 (정부 간 국제기구 | 국제 비정부 기구)로 나눌 수 있다.

단계별 문제를 풀면서 실력을 쑥쑥 키워 보세요.

1 STEP 개념을 되짚는 확인 문제

01 다음 빈칸에 들어갈 알맞은 말을 쓰시오.

(1) 전 세계의 여러 나라가 서로 밀접한 관계를 맺으면서 서로 교류하면서 공존하는 사회를 (　　　　　)(이)라고 한다.

(2) (　　　　　)은(는) 세계 여러 나라에 자회사와 공장을 설립하여 상품을 생산하고 판매하는 기업이다.

(3) (　　　　　)은(는) 정부, 민간단체, 개인 등을 회원으로 하여 세계 평화와 질서 유지를 위해 다양한 분야에서 상호 협력한다.

02 빈칸에 들어갈 알맞은 말을 고르시오.

(1) 국제 사회는 국가 간 대립과 갈등을 조정하고 해결할 수 있는 강력한 중앙 정부가 (있다 | 없다).

(2) 국제 사회의 가장 기본적인 특징은 원칙적으로 (자국의 이익 | 국제적 협력)을 최우선으로 추구한다는 점이다.

03 다음 설명이 옳으면 O, 틀리면 X에 표시하시오.

(1) 국제 사회에서는 기본적으로 약육강식과 같은 힘의 논리가 작용하기 쉽다. (○ | ×)

(2) 국제 교류의 증대로 국제기구 및 다국적 기업의 수와 역할이 크게 축소되고 있다. (○ | ×)

(3) 오늘날 세계는 교통·통신의 발달에 힘입어 국가 및 민간 부문의 교류와 상호 의존성이 감소하고 있다. (○ | ×)

04 국제기구와 각각 해당하는 사례를 모두 바르게 연결하시오.

(1) 정부 간 기구 •

(2) 국제 비정부 기구 •

• ㉠ 그린피스
• ㉡ 국제 연합(UN)
• ㉢ 세계 무역 기구(WTO)
• ㉣ 국제 사면 위원회(AI)

2 STEP 기초를 다지는 기본 문제

01 다음 대화에서 빈칸에 공통으로 들어갈 내용은?

> 동현: (　　　　)(이)란 무엇일까?
> 수진: 오늘날 세계는 교통 · 통신의 발달에 힘입어 국가 및 민간 부문의 교류와 상호 의존성이 증가하고 있어. 이처럼 세계 여러 나라가 서로 교류하면서 공존하는 사회를 말해.
> 동현: 그렇다면 (　　　　)은(는) 언제 성립되었을까?
> 수진: 베스트팔렌 조약에 의해 독립된 주권을 가진 민족 국가가 등장하면서 형성되었어.

① 개방 사회 ② 국제 사회 ③ 민주 사회
④ 산업 사회 ⑤ 정보 사회

[02~03] 다음 글을 읽고, 물음에 답하시오.

> 현재 전 세계에는 200여 개국이 있으며, 각국은 독립적인 (㉠)을(를) 지니고 있다. 국제 사회는 (㉠)을(를) 가진 국가들로 이루어져 있으며, 국제 사회에서 개별 국가들은 (㉠) 평등의 원칙에 따라 동등한 행위 주체로서 인정받아 왔다. 이러한 ㉡ 국제 사회는 국내 사회와는 다른 특징을 가지고 있다.

02 빈칸 ㉠에 들어갈 개념으로 옳은 것은?

① 영토 ② 법률 ③ 주권
④ 군사력 ⑤ 경제력

03 중요 밑줄 친 ㉡에 해당하는 내용으로 옳지 않은 것은?

① 자국의 이익을 최우선으로 생각한다.
② 각국은 원칙적으로 국제법 앞에서 평등하다.
③ 힘의 논리로 문제를 해결하려는 경향이 강하다.
④ 국가 간 상호 의존과 국제 협력이 증가하고 있다.
⑤ 국제 질서를 유지하는 조직이나 법이 존재하지 않는다.

04 국제 사회의 행위 주체 중 국가에 관한 설명으로 옳지 않은 것은?

① 일정한 영토와 국민, 주권을 가진다.
② 국제 사회에서 가장 기본적인 행위 주체이다.
③ 영토 크기에 비례하여 주권의 크기가 달라진다.
④ 다양한 국제기구의 회원으로 가입하여 활동할 수 있다.
⑤ 국제법상 평등하고 독립적인 주체로서 국제 사회에 참여한다.

05 중요 다국적 기업에 관한 설명으로 옳지 않은 것은?

① 국경의 의미를 강화시킨다.
② 국가 간의 상호 의존성을 증가시킨다.
③ 국제적 규모로 상품을 생산하고 판매한다.
④ 세계인의 생활 모습이 비슷해지는 데 영향을 미친다.
⑤ 때때로 국가의 공공 정책과 시민 생활을 위협하기도 한다.

06  (가), (나)에 관한 설명으로 옳은 것을 〈보기〉에서 고른 것은?

(가)	국제 연합, 세계 무역 기구, 유럽 연합 등
(나)	그린피스, 국제 사면 위원회, 국경 없는 의사회 등

보기
ㄱ. (가)는 국제 비정부 기구이다.
ㄴ. (나)는 정치 분야에만 국한되어 활동한다.
ㄷ. (가), (나) 모두 국경을 넘어 영향력을 행사한다.
ㄹ. (나)의 회원은 (가)의 회원보다 다양하다.

① ㄱ, ㄴ ② ㄱ, ㄷ ③ ㄴ, ㄷ
④ ㄴ, ㄹ ⑤ ㄷ, ㄹ

3 STEP 실력을 완성하는 주관식·서술형 문제

07 신유형 빈칸 ㉠에 들어갈 알맞은 개념을 쓰고, ㉠의 한계를 국제 사회의 특성과 관련하여 서술하시오.

> 국제 사회의 특징 중 하나는 대립과 갈등을 조정하고 해결할 수 있는 강력한 중앙 정부가 없다는 점이다. 물론 국제 사회에도 국가 간의 관계를 부분적으로 조정하는 국제기구와 (㉠)이(가) 존재한다. (㉠)은(는) 국제 사회에서 적용되는 법규로 국가와 국제기구를 규율한다.

(1) ㉠: ______________________
(2) 한계: ______________________

____

08 중요 다음 그림에 나타난 국제 사회의 행위 주체로 인한 '국가 간 경계'와 '국가 간 상호의존성'의 변화 양상을 서술하시오.

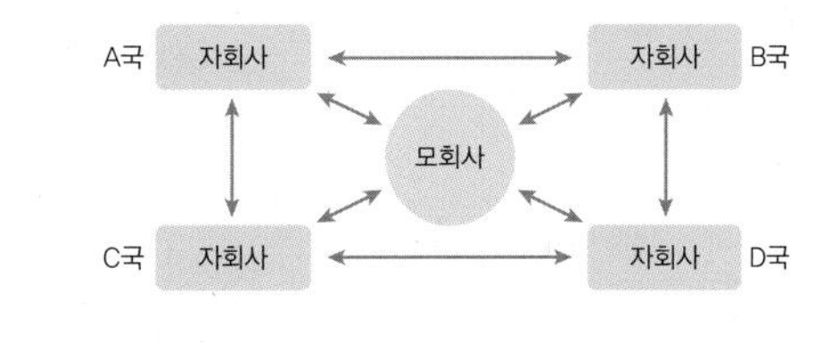

____

____

09 빈칸 ㉠에 들어갈 국제 사회의 행위 주체를 쓰고, 그 행위 주체를 '회원 자격'을 기준으로 구분하여 서술하시오.

> (㉠)은(는) 정부, 민간단체, 개인 등을 회원으로 하여 세계 평화와 질서 유지를 위해 다양한 분야에서 상호 협력한다. 대표적인 예로는 국제 연합(UN), 세계 무역 기구(WTO), 국제 사면 위원회(AI), 국경 없는 의사회(MSF) 등이 있다.

(1) ㉠: ______________________
(2) 유형: ______________________

____

국제 사회의 다양한 모습과 공존 노력

이것이 포인트!
- 국제 사회의 경쟁과 갈등의 양상
- 외교 활동의 변화

꼼꼼! 필기 노트

+ 국제 경쟁과 갈등의 주요 원인 변화

국제 사회 형성
영토 확장과 식민지 쟁탈 경쟁
⬇
냉전 체제 형성
이념 대립 → 미국 중심의 자본주의 진영 VS 소련 중심의 공산주의 진영
⬇
냉전 체제 종식
• 국제 사회의 상호 의존성 심화 • 각국의 이해관계에 따른 대립, 차별, 억압, 테러 등 발생

+ 국제 문제
국제 사회에서 발생하는 정치, 경제, 환경, 영토, 군사 등의 문제를 말한다.

+ 외교
외교는 국가 원수 간에 이루어지는 정상 외교와 국가에서 공식적으로 파견하는 외교 사절로서 외교관의 활동, 비정부 기구나 자원봉사 등에 시민들이 참여하는 민간 외교 등의 방법으로 이루어지고 있다. 외교는 주로 협상의 과정을 통해 이루어지지만 협상을 하는 과정에서 설득, 타협, 정치적 · 군사적 · 경제적 위협이나 제재 활동이 나타나기도 한다.

콕콕! 핵심 개념

1 □□: 국제 문제와 국제 분쟁을 방지하고 해결하기 위해서 필요한 국가 간 행위

2 □□ □□: 국가 간 경쟁이 심화하거나 차별, 억압 등이 지속되면서 발생함

3 □□: 한 국가가 국제 사회에서 자국의 이익을 평화적이고 합리적인 방법으로 실현하려는 활동

1 국제 사회의 다양한 모습

1 국제 사회의 경쟁 → 정치, 경제, 사회, 문화 등 다양한 분야에서 폭넓게 나타나고 있어요.

(1) **원인**: 각국이 ❶ ________을 우선시하는 과정에서 발생

(2) **양상**: 경제 발전, 자원 확보, 과학 기술 개발 등을 둘러싼 경쟁이 나타남

2 국제 사회의 갈등

(1) **원인**: 국가 간의 경쟁 심화, 민족이나 인종, 종교의 차이를 이유로 지속적인 차별, 억압 등으로 인해 발생 → 국가 간 이해관계가 대립하거나 가치관 또는 신념의 차이로 인해 발생하기도 해요.

(2) **양상**

❷ ________의 차이	유대교를 믿는 이스라엘과 이슬람교를 믿는 팔레스타인 간의 갈등, 카슈미르 지역에서 일어난 힌두교도와 이슬람교도 간의 분쟁 등
❸ ________	서남아시아의 석유를 둘러싼 갈등, 남중국해 영유권 분쟁 등
환경 문제	오염 물질 배출 규제와 관련된 개발 도상국과 선진국 간의 갈등, 국제 환경 단체와 경제 개발을 우선시하는 개별 국가 간의 갈등 등
기타	다국적 기업 간 시장 확보를 둘러싼 갈등, 군사력 증강이나 핵무기 개발을 둘러싼 갈등 등

3 국제 사회의 협력 → 국제 문제와 국제 분쟁을 방지하고 해결하기 위해 여러 부문에 걸친 국가 간 협력이 필요해요.

(1) 무역과 다국적 기업의 증가로 한 국가의 경제가 다른 국가들로부터 많은 영향을 받게 되어 국제 경제 협력의 필요성이 증가함

(2) 환경 문제는 한 국가만의 문제가 아니라 다른 국가에도 영향을 미치므로 환경 정책에 대한 국제 협력 요구가 증가함

(3) 방송 · 통신의 발달로 다른 국가에서 발생하는 자연재해, 전쟁 등에 대한 소식을 접하기 쉬움 → 이를 해결하기 위한 국제 협력 요구가 증대함

2 국제 사회의 공존을 위한 노력

1 국제 사회의 공존: 국가는 자국의 이익을 추구하면서 동시에 ❹ ________를 지향해야 함 → 각국이 국제 문제+에 관심을 가지고, 이를 해결하는 데 동참해야 함

2 외교+

(1) **의미**: 한 국가가 자국의 이익을 ❺ ________적으로 달성하기 위한 행위

(2) **필요성**: 오늘날 각국은 국제 사회의 공존을 위해 다양한 ❻ ________을 펴고 있음
↳ 자국의 대외적 위상 · 이미지 제고, 자원 · 자본 및 기술 확보, 해외 시장의 확대, 지구촌 공동의 문제 해결 등에서 외교 활동의 필요성이 증가하고 있어요.

(3) **외교 활동의 변화**

전통 외교		현대 외교
• 국가 원수와 ❼ ________의 공식적 활동 중심 • 이념이나 명분 추구 • 정치 및 국가 안보 문제 중심	➡	• 정부뿐만 아니라 ❽ ________의 역할 강화 • 경제적 실리 추구 • 정치, 군사, 경제, 문화, 환경, 인권 등 다양한 분야로 확대

활동 ① 다음 자료를 보고, 물음에 답해 보자.

〈세계의 주요 분쟁 지역〉

(한국 국방 연구원, 2016.)

▶ 국제 사회에서 일어나는 경쟁과 갈등의 모습은 매우 다양하다. 이러한 경쟁과 갈등이 일어나는 원인은 대체로 다양한 요인들이 복합적으로 작용하여 일어나고 있다.

(가) 1947년 영국령 인도 제국이 인도와 파키스탄으로 분리되면서 주민 대다수가 이슬람교도인 카슈미르 지역이 이슬람 국가인 파키스탄에 포함되지 않고 힌두 국가인 인도에 포함되면서 분쟁이 시작되었다.

(나) 제2차 세계 대전 이후 이스라엘이 건국되면서 유대교를 믿는 유대인들과 그 지역에서 오랫동안 거주해 온 이슬람교를 믿는 팔레스타인 사람들 간의 분쟁이 시작되어 지금까지 계속되고 있다.

(다) 남중국해는 교통 · 군사상의 요지이며 부근에 해저 유전과 천연 가스가 매장되어 있는 것으로 알려져 있어 중국, 베트남, 필리핀 등 주변국 간의 분쟁이 계속되고 있다.

1 (가)~(다)와 관련된 분쟁 지역을 위 지도에서 찾아 써 보자.

(가) – (　　　　　　) (나) – (　　　　　　) (다) – (　　　　　　)

2 (가)~(다)에 나타난 분쟁의 주요 발생 원인을 써 보자.

(가) – (　　　　　　) (나) – (　　　　　　) (다) – (　　　　　　)

활동 ② 다음은 역사적 사건을 재구성한 글이다. 물음에 답해 보자.

고려, 서희의 ❶　　　　 담판 덕분에 강동 6주를 획득하다

소손녕: 그대의 나라가 신라 땅 위에 세워졌고, 고구려 땅은 우리 땅인데 그대들이 조금씩 침식해 들어갔어요.

서희　: 우리는 고구려를 계승한 나라입니다. 그래서 나라 이름을 고려라고 하고, 평양(서경)을 도읍지로 한 것이지요.

소손녕: 그래요? 그래도 우리 거란과 국경을 접하면서도 바다를 건너 우리의 적국인 송나라만을 섬기는 것은 참을 수 없습니다.

서희　: 국경을 접하다니요! 그 지역은 여진족이 차지하고 있기 때문에 거란과 교류하지 못할 뿐입니다. 만약 여진족을 내쫓고 다시 우리 땅으로 만들어 성을 쌓고 도로를 만든다면, 거란과 교류하면서 지내지요.

소손녕: 그럼 싸울 필요 없이 압록강 부근의 땅을 고려에 주면 되겠군요.

1 빈칸 ❶~❸에 들어갈 알맞은 말을 써 보자.

서희는 거란의 소손녕과 담판을 벌여 소손녕의 군사를 돌리고, 고려가 압록강 동쪽 280리 땅을 개척하는 데도 동의하도록 하여 강동 6주를 확보하였다. 서희는 거란과의 전쟁이 아니라 ❷　　　　 인 방법으로 강동 6주라는 이익을 달성하였으므로, 이를 '서희의 ❶　　　　 담판'이라고 한다. 이 때 서희가 주로 이용한 ❶　　　　 의 방법은 ❸　　　　 이었다.

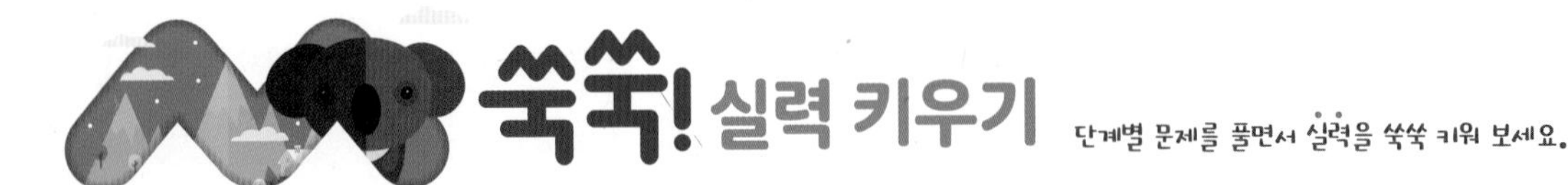

1 STEP 개념을 되짚는 확인 문제

01 다음 빈칸에 들어갈 알맞은 말을 쓰시오.

(1) 국제 사회에서는 각국이 (　　　　　　)을(를) 추구하는 과정에서 경쟁이 더욱 심화하고 있다.

(2) 한 국가가 국제 사회에서 자국의 이익을 평화적인 방법으로 달성하려는 대외적 활동을 (　　　　　　)(이)라고 한다.

(3) 외교 활동은 주로 (　　　　　　)와(과) 국가에서 공식적으로 파견하는 외교관이 한다.

02 빈칸에 들어갈 알맞은 말을 고르시오.

(1) 우리나라는 냉전 체제가 끝나면서 (이념 | 실리)을(를) 추구하는 외교 정책을 추진하고 있다.

(2) 세계 각국은 자국의 이익 추구와 더불어 국제 사회의 (공존 | 갈등)을 위한 외교적 노력을 한다.

03 다음 설명이 옳으면 O, 틀리면 X에 표시하시오.

(1) 국제 사회의 경쟁과 갈등은 국가와 국가 간에만 일어난다. (○ | ×)

(2) 오늘날 국제 사회는 영토나 자원을 둘러싼 갈등, 민족과 종교를 둘러싼 갈등 등 다양한 원인으로 갈등을 겪고 있다. (○ | ×)

04 국제 갈등의 유형과 사례를 모두 바르게 연결하시오.

(1) 영토와 자원 갈등 •

(2) 민족과 종교 갈등 •

• ㉠ 카슈미르 분쟁
• ㉡ 나일 강 상류의 댐 건설을 둘러싼 갈등
• ㉢ 남중국해를 둘러싼 중국, 베트남, 필리핀 등의 갈등
• ㉣ 이스라엘과 팔레스타인의 갈등

2 STEP 기초를 다지는 기본 문제

01 국제 사회에서 나타나고 있는 경쟁과 갈등의 원인으로 옳지 않은 것은?

① 영토 확장
② 환경 문제 해결 노력
③ 종교의 차이로 인한 갈등
④ 자원 확보를 둘러싼 경쟁
⑤ 인종과 민족 차이로 인한 갈등

02 (중요) 냉전 체제가 끝난 후 국제 사회에 나타난 경쟁과 갈등의 흐름으로 옳은 것을 〈보기〉에서 고른 것은?

보기
ㄱ. 과거보다 이념 대립이 치열해지고 있다.
ㄴ. 경제적 이익 추구에 따른 경쟁이 심화되고 있다.
ㄷ. 국제 사회의 경쟁과 갈등은 대체로 한 가지 원인에 의해서만 일어난다.
ㄹ. 국제 사회의 경쟁과 갈등은 국제 문제나 국제 분쟁으로 이어질 수 있다.

① ㄱ, ㄴ　② ㄱ, ㄷ　③ ㄴ, ㄷ
④ ㄴ, ㄹ　⑤ ㄷ, ㄹ

03 다음 사례에 관한 설명으로 옳은 것을 〈보기〉에서 고른 것은?

스마트폰 제조 회사인 A 사와 B 사 간에 특허와 디자인을 둘러싼 갈등이 일어났다. 이로 인해 두 회사는 세계 각국의 법원에서 소송을 진행하고 있다.

보기
ㄱ. 갈등의 주된 원인은 이해관계의 대립 때문이다.
ㄴ. 가치관과 신념의 차이로 인해 발생한 갈등이다.
ㄷ. 갈등을 겪고 있는 국제 사회의 행위 주체는 다국적 기업이다.
ㄹ. 국제 사회에서 이념 대립이 치열해지고 있음을 보여주는 사례이다.

① ㄱ, ㄴ　② ㄱ, ㄷ　③ ㄴ, ㄷ
④ ㄴ, ㄹ　⑤ ㄷ, ㄹ

3 STEP 실력을 완성하는 주관식·서술형 문제

04 지도에 표시된 지역에서 나타나는 국가 간 분쟁의 주된 원인으로 옳은 것은?

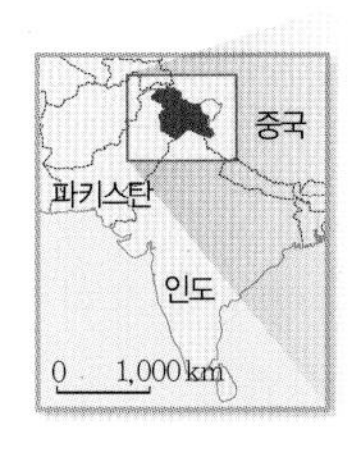

① 인종 차별　② 경제 문제
③ 종교의 차이　④ 식량 확보
⑤ 환경 오염 문제

05 중요 외교에 관한 설명으로 옳지 않은 것은?

① 오늘날의 외교는 모든 분야에서 이루어진다.
② 자국의 정치 · 경제적 이익을 실현하게 한다.
③ 국가 원수 등이 수행하는 공식 활동만 포함된다.
④ 외교를 제대로 하지 않으면 국제적 고립을 초래할 수 있다.
⑤ 국제 사회에서 자국의 이익을 평화적인 방법으로 달성하려는 대외적 활동이다.

06 신유형 외교 정책을 통해 국제 사회의 평화와 공존에 이바지한 사례로 적절한 것을 〈보기〉에서 있는 대로 고른 것은?

보기
ㄱ. 우리나라는 분쟁 지역에 평화 유지군을 파병하였다.
ㄴ. 미국과 중국은 핑퐁 외교를 통해 갈등 관계를 해소하였다.
ㄷ. 공산주의의 확산을 막기 위해 미국과 남베트남이 북베트남과 전쟁을 벌였다.
ㄹ. 유럽 연합(EU) 등은 그리스의 경제 위기를 극복하기 위한 방안을 논의하고 지원하였다.

① ㄱ, ㄴ　② ㄱ, ㄷ　③ ㄴ, ㄷ
④ ㄱ, ㄴ, ㄹ　⑤ ㄴ, ㄷ, ㄹ

07 오늘날 국제 사회에서 국가 간 협력의 필요성이 커지고 있는 이유를 세 가지 서술하시오.

____
____
____

고난도

08 (가)에 들어갈 학습 주제를 쓰고, (나)에 들어갈 내용을 두 가지 서술하시오.

• 학습 주제 : (가)

의미	한 국가가 자국의 이익을 위해 국제 사회에서 평화적 방법으로 펼치는 대외적 활동
종류	국가 원수, 외교관의 활동, 스포츠 · 문화 등 민간 차원의 교류
필요성	(나)

(1) (가): ______________________________
(2) (나): ______________________________
____

09 밑줄 친 ㉠과 ㉡을 주요 활동 주체와 활동 영역의 측면에서 비교하여 서술하시오.

㉠ 과거의 외교는 국가 간 협상과 타협을 통해 이해관계를 조정하거나 국가적 영향력을 이용하여 압력을 가하는 형태로 나타났다면 ㉡ 오늘날의 외교는 그 현상이 달라지고 있다.

(1) 활동 주체: ______________________________
____
(2) 활동 영역: ______________________________
____

우리나라의 국제 관계와 외교 활동

이것이 **포인트!**
- 일본과의 독도 영유권 문제
- 중국과의 동북공정 문제
- 국가 간 갈등 문제 해결 방안

꼼꼼! 필기 노트

1 우리나라가 직면하고 있는 국가 간 갈등 문제

1 우리나라의 국제 관계

(1) **우리나라의 국제 관계**

① 동아시아에서 중국, 일본, 러시아 등과 인접해 있음

② 미 군정 이후 6.25 전쟁을 겪으면서 ❶ ____과 강력한 동맹 관계 유지

③ 남북한 분단 상태에서 주요 당사국들과 다양한 이해관계에 직면함

(2) **우리나라의 지정학적 위치**

① 동아시아에 위치한 반도국 → 주변 국가의 영향을 많이 받음

② 지리적 특성상 국제 교류에 유리하며, 주변 국가와의 갈등을 중재하고 소통에 기여할 수 있음

2 우리나라의 국가 간 갈등 문제

(1) 한반도 핵 확산 위기 → 북한의 ❷ ____ 탈퇴

(2) **일본과의 갈등:** ❸ ____ 영유권 문제, 일본군 '위안부'에 대한 책임 인정 문제, 역사 교과서 왜곡 문제, ❹ ____의 국제 표기 문제 등

→ 우리나라와 일본 간의 갈등이 일어나는 근본적인 원인은 식민 통치라는 역사적 상처에서 비롯되었어요.

(3) **중국과의 갈등:** ❺ ____ 문제, 간도 영유권 문제 등

→ 역사 갈등의 이면에는 영토, 자원을 둘러싼 갈등이 내재되어 있어요.

2 우리나라가 직면한 국가 간 갈등의 해결 방안

1 정부 차원의 방안

(1) ❻ ____**를 통한 해결:** 국가 간의 대화와 타협으로 갈등 해결

→ 가장 바람직한 방법이지만 이를 통해 갈등을 해결하기는 쉽지 않아요.

(2) **국가 간 갈등 해결을 위한 준비**

① 관련 국가의 입장을 면밀히 분석한 후 확실한 근거를 토대로 우리의 주장을 전개함

② 국가적 차원의 연구 기관을 설립하여 운영함 예 동북아 역사 재단

③ 축적한 자료를 대내외에 홍보하고 교육할 수 있는 제도와 여건을 마련함

④ 지속적인 외교 활동을 통해 우리의 주장을 세계 각국에 알려 국제 사회의 공감대를 이끌어 내야 함 예 북방 외교

→ 우호적인 입장을 지닌 국가뿐만 아니라 적대적인 입장을 지닌 국가에 대해서도 적절한 외교 활동이 필요해요.

2 시민 사회 차원의 방안

(1) **시민 단체의** ❻ ____

① 우리나라가 직면한 국가 간 갈등은 정부, 시민 단체, 시민 모두가 동참할 때 해결 가능성이 커짐

② 외교적 마찰 등을 이유로 정부가 공식적으로 제기하기 어렵거나 시민 개개인 차원에서 이루어지기 힘든 국제 활동을 통해 국제 문제 해결에 기여할 수 있음

(2) **국가 간 갈등 문제 해결을 위해 필요한 자세:** 우리나라가 겪고 있는 국가 간 갈등, 역사에 대해 바로 알고 국제적 문제에 대한 관심과 참여 의식을 강화해야 함

+ 핵 확산 금지 조약
이 조약은 핵보유국은 핵무기를 어느 국가에도 양도하지 않으며, 비보유국은 이를 가지지 않을 것을 약속하고, 핵 완전 군축을 위한 교섭에 성실히 임할 것을 요구한다.

+ 영유권
영토에 대한 해당 국가의 관할권을 의미한다.

+ 동북공정
오늘날의 중국 국경 안에서 이루어진 모든 역사를 중국의 역사로 만들기 위해 중국이 추진했던 연구 사업이다. 중국 동북쪽의 변경 지역인 만주 지방의 역사, 지리, 민족 문제를 대상으로 하였다.

+ 북방 외교
1980년대 후반 우리 정부가 중국, 소련 또는 동유럽 사회주의 국가들과 관계 개선을 통해 한반도의 긴장 완화와 평화 정착, 통일 기반 조성 등을 도모했던 외교 정책을 말한다.

콕콕! 핵심 개념

1 □□□□: 「중국 동북 지방의 과거, 현재 그리고 미래에 관련한 문제들에 대한 연구」로, 고조선, 고구려와 발해를 중국 고대 시기의 지방 정권으로 편입하려고 시도하는 연구 사업

2 □□: 독도 영유권, 세계지도에서의 동해 표기문제 등으로 우리나라와 갈등을 겪고 있는 국가

활동 1 다음은 독도 문제를 나타낸 것이다. 물음에 답해 보자.

일본의 입장	우리나라의 입장
독도 문제를 영토 분쟁 지역으로 만들어 국제 사회에 독도가 영유권 분쟁 지역이라는 사실을 알리고, 이를 국제 사법 재판소에서 해결해야 한다.	㉠

〈독도가 한국의 영토임을 말해 주는 역사적 근거〉

- 1454년 『세종실록지리지』의 50쪽 셋째 줄에 독도가 한국 땅임을 설명하고 있다.
- 1737년 프랑스 지리학자 당빌은 「조선 왕국 전도」에서 독도를 한국의 영토로 강조하여 그렸다.
- 1877년 일본의 당시 최고 국가 기관인 태정관에서 독도가 한국의 영토임을 알리는 훈령을 발표하였다.
- 1950년 국제 연합(UN)군은 독도를 한국 영토로 판정하여 독도 상공을 한국 방공 식별 구역 안에 포함하였다.

1 일본이 독도의 영유권을 주장하는 이유를 독도의 가치와 관련지어 써 보자.

2 독도 문제에 대한 우리나라의 입장을 생각해 보고, ㉠에 들어갈 내용을 써 보자.

활동 2 다음은 우리나라와 중국 간의 갈등이다. 물음에 답해 보자.

▲ 중국 동북 지역의 3개성

동북공정은 중국 정부가 2002~2007년까지 추진한 중국의 동북 3성인 랴오닝 성, 지린 성, 헤이룽장 성의 역사, 지리, 민족에 대한 문제를 집중적으로 연구 사업이다. 얼핏 보기에는 이 사업이 종료된 것처럼 보이지만 동북공정은 끝난 것이 아니라 지금도 여러 가지 방법을 통해 계속되고 있다. 중국은 동북공정을 통해 '고조선, 부여, 고구려, 발해도 중국 역사에 포함시켜야 한다'는 주장을 펼치며 우리나라의 고대사를 왜곡하고 있다.

1 중국이 만리장성을 연장하려는 이유를 위 글과 연관 지어 빈칸 ❶ ~ ❹에 들어갈 알맞은 말을 써 보자.

▲ 만리장성 연장 구간

이 지역을 터전으로 세워진 ❶ ______ 와 ❷ ______, ❸ ______ 의 역사를 ❹ ______ 의 역사로 만들려고 하는 것이다.

2 중국이 동북공정이나 만리장성 연장 등을 추진하는 의도를 생각해 보자.

단계별 문제를 풀면서 실력을 쑥쑥 키워 보세요.

1 STEP 개념을 되짚는 확인 문제

01 다음 빈칸에 들어갈 알맞은 말을 쓰시오.

(1) 북한의 핵 실험과 핵무기 개발로 한반도에 핵 확산 위기 문제와 (   )을(를) 불러오고 있다.

(2) 시민 단체는 외교적 마찰 등을 이유로 정부가 공식적으로 제기하기 어렵거나 시민 개개인 차원에서 이루어지기 힘든 (   )을(를) 통해 국제 문제 해결에 기여할 수 있다.

02 빈칸에 들어갈 알맞은 말을 고르시오.

(1) 일본이 우리나라의 영토인 (센카쿠 열도 | 독도)에 대해 영유권을 주장하면서 두 나라 간의 대립과 갈등이 발생하고 있다.

(2) 중국은 (간도 | 동북공정) 사업을 통해 고조선, 고구려, 발해가 중국의 역사라고 주장하고 있다.

03 다음 설명이 옳으면 O, 틀리면 X에 표시하시오.

(1) 우리나라가 겪고 있는 국가 간 갈등의 해소를 위해 다양한 시민 단체의 국제 활동이 이루어지고 있다. (○ | ×)

(2) 우리나라와 주변 국가들 사이의 역사 인식의 차이와 갈등은 학문적인 문제이므로 쉽게 해결될 수 있다. (○ | ×)

(3) 각국의 이해관계가 얽혀 있는 국제 사회에서는 자국의 이익 추구로 인해 많은 분쟁이 발생하고 있다. (○ | ×)

04 우리나라가 직면하고 있는 국가 간 갈등 사례를 모두 바르게 연결하시오.

(1) 일본과의 갈등 •
(2) 중국과의 갈등 •

• ㉠ 간도 문제
• ㉡ 동북공정 문제
• ㉢ 독도 영유권 문제
• ㉣ 동해의 국제 표기 문제

2 STEP 기초를 다지는 기본 문제

01 (중요) 우리나라가 직면한 국가 간 갈등 문제에 관한 설명으로 옳은 것은?

① 미국과의 갈등은 식민 통치가 주요 원인이다.
② 일본과 동북공정 문제로 갈등 관계에 놓여 있다.
③ 동해에 대한 국제 표기 문제로 중국과 대립 중이다.
④ 독도는 사법적 해결이 필요한 영토 분쟁 지역이다.
⑤ 독도의 영유권을 주장하는 일본으로 인해 갈등이 발생하고 있다.

02 다음은 노래 가사의 일부이다. ㉠에 들어갈 지역에 관한 설명으로 옳은 것은?

> 경상북도 울릉군 울릉읍 (㉠   )리
> 동경 132 북위 37
> 평균 기온 13도 강수량은 1800
> (㉠   )은(는) 우리 땅
> … 지증왕 13년 섬나라 우산국
> 세종실록지리지 강원도 울지현
> (중략)

① 중국과 갈등이 유발된 지역이다.
② 국제 사법 재판소에서 분쟁을 해결하고 있다.
③ 동북아시아의 중요한 군사 정보를 얻을 수 있다.
④ 육상 교통이 발달하여 한반도 진출에 수월한 장점이 있다.
⑤ 백두산 일대 두만강과 압록강에 접해 있는 간도 지역이다.

03 (중요) 우리나라와 일본과의 갈등 문제에 해당하는 것을 <보기>에서 있는 대로 고른 것은?

> **보기**
> ㄱ. 독도 문제　　ㄴ. 동북공정 문제
> ㄷ. 핵 확산 위기　　ㄹ. 역사 교과서 왜곡 문제
> ㅁ. 일본군 '위안부'에 대한 책임 인정 문제

① ㄱ, ㄷ　② ㄴ, ㅁ　③ ㄷ, ㄹ
④ ㄱ, ㄹ, ㅁ　⑤ ㄴ, ㄷ, ㄹ

3 STEP 실력을 완성하는 주관식·서술형 문제

04 중요 ㉠에 관한 설명으로 옳은 것을 〈보기〉에서 고른 것은?

> (㉠)은(는) 현재 중국 영토 안에서 전개된 과거 역사를 모두 중국의 역사로 만들기 위한 목적으로 추진된 중국의 역사 연구 사업이다.

보기

ㄱ. 역사 인식의 차이로 인해 발생한 갈등이다.
ㄴ. 중국 동북 변경 지역의 순수한 학술 연구이다.
ㄷ. 우리나라는 이 문제를 국제 사법 재판소에서 해결하기를 원한다.
ㄹ. 중국은 고구려와 발해를 중국 고대 지방 정권의 일부라고 주장한다.

① ㄱ, ㄴ ② ㄱ, ㄹ ③ ㄴ, ㄷ
④ ㄴ, ㄹ ⑤ ㄷ, ㄹ

05 우리나라의 국제 갈등을 해결하기 위한 시민 단체의 활동에 관한 설명으로 옳지 않은 것은?

① 북방 외교는 시민 단체의 국제 활동의 대표적인 사례이다.
② 시민 개개인 차원에서 이루어지기 힘든 국제 활동을 통해 국제 문제 해결에 기여할 수 있다.
③ 외교적 마찰 등을 이유로 정부가 공식적으로 제기하기 어려운 국제 문제 해결에 기여할 수 있다.
④ 실제로 우리나라가 겪고 있는 국가 간 갈등의 해소를 위해 다양한 시민 단체의 국제 활동이 이루어지고 있다.
⑤ 우리나라가 직면한 국가 간 갈등은 정부, 시민 단체, 시민 모두가 동참할 때 해결 가능성이 커진다.

06 빈칸 ㉠에 들어갈 말을 쓰고, 이러한 국가 간 갈등을 해결하기 위한 방안을 두 가지 서술하시오.

> 중국은 (㉠) 사업을 통해 고조선, 고구려, 발해의 역사를 중국의 역사라고 주장하고 있다.

(1) ㉠: ______
(2) 해결 방안: ______

______

고난도

07 다음 우리나라의 국제 갈등 사례를 해결하기 위한 방안을 정부와 시민 사회 차원에서 각각 한 가지 서술하시오.

> 일본은 독도를 1905년 불법적으로 독도를 일본 영토로 편입시킨 조치를 근거로 독도의 영유권을 주장하고 있다. 심지어 일본 교과서에 일본 정부의 일방적인 견해를 담아 '한국이 독도를 불법 점거하고 있다.'고 기술하고 있다.

(1) 정부: ______

______

(2) 시민 사회: ______

______

08 신유형 다음과 같은 노력을 통해 얻을 수 있는 효과를 '국가 간 갈등 문제 해결' 측면에서 두 가지 서술하시오.

> 2016년 네덜란드에서 '동아시아 역사 화해와 지속 가능 평화 구축을 위한 유럽과의 역사 대화'를 주제로 역사 NGO 대회가 열렸다. 이 대회에서 오늘날 동아시아 '신냉전'의 근본 원인을 1951년 샌프란시스코 평화 조약과 미·일 안보 조약에서 찾고 시민 사회 진영의 역할을 강조하였다.

______

______

뚝딱! 단원 마무리하기

이번 단원에서 배운 내용을 문제로 뚝딱! 마무리 점검해 보세요.

01 중요 국제 사회에 관한 설명으로 옳은 것을 〈보기〉에서 있는 대로 고른 것은?

보기
ㄱ. 국제 사회는 제2차 세계 대전 이후에 형성되었다.
ㄴ. 각국은 독립적인 주권을 행사하지 못하고 있다.
ㄷ. 교통과 통신의 발달은 국제 사회의 확대에 기여하였다.
ㄹ. 국가 간 상호 의존성이 증대되면서 국제 사회의 범위가 확대되었다.

① ㄱ, ㄴ ② ㄴ, ㄷ ③ ㄷ, ㄹ
④ ㄱ, ㄴ, ㄹ ⑤ ㄱ, ㄷ, ㄹ

02 중요 다음 신문 기사를 통해 알 수 있는 국제 사회의 특성으로 가장 옳은 것은?

△△일보 ○○○○년 ○월 ○일 ○요일

북한의 미사일 위협에 맞서 우리나라 대통령은 미국, 일본 정상과 전화 협의를 갖고 공조를 다졌다. 러시아와 중국 등 국제 사회의 협력을 이끌어 북한의 미사일 도발 저지에 최선의 노력을 기울이기로 하였다.

① 힘의 논리에 의해 지배되고 있다.
② 국제 협력의 범위가 확대되고 있다.
③ 국가 간 상호 의존성이 약화하고 있다.
④ 이념 대립으로 국가 간 갈등이 발생하고 있다.
⑤ 자국의 이익을 희생하여 다른 나라를 돕고 있다.

03 중요 다음 내용이 설명하는 국제 사회의 행위 주체를 쓰시오.

- 국제 사회에서 가장 기본이 되는 행위 주체
- 국제법상 평등하고 독립적인 주체로서 국제 사회에 참여하며, 다양한 국제기구에 가입하여 활동함

04 고난도 국제 사회를 바라보는 관점에 관한 다음 대화에서 을의 입장에 부합하는 설명을 〈보기〉에서 고른 것은?

보기
ㄱ. 중앙 정부가 국가 간에 발생한 분쟁을 해결해 준다.
ㄴ. 국제법은 국가들의 행위를 제약하는 강력한 강제력을 갖고 있다.
ㄷ. 국제법이나 국제기구 등을 통해 평화적이고 협력적인 국제 사회를 건설할 수 있다.
ㄹ. 국제 사회는 완전한 무질서의 상태가 아니라 보편적인 선과 규범을 토대로 질서가 유지된다.

① ㄱ, ㄴ ② ㄱ, ㄹ ③ ㄴ, ㄷ
④ ㄴ, ㄹ ⑤ ㄷ, ㄹ

05 (가), (나)에 해당하는 국제기구를 바르게 연결한 것은?

(가) 전쟁, 기아, 질병, 자연재해 등으로 고통받는 전 세계의 사람을 구호하기 위해 설립한 국제 민간 의료 구호 단체이다.
(나) 세계의 인권 침해 사례들을 찾아내고 이를 국제 사회에 알리는 등 인류의 인권 실현을 목적으로 활동하고 있다.

	(가)	(나)
①	그린피스	국경 없는 의사회
②	그린피스	국제 사면 위원회
③	국경 없는 의사회	국제 사면 위원회
④	국경 없는 의사회	그린피스
⑤	국제 사면 위원회	국경 없는 의사회

●●●

06 다음 사회 형성 평가에서 학생이 받은 점수는?

신유형

Q. 현대 국제 사회 외교의 특징을 4가지 쓰시오.
(맞으면 1개당 1점, 틀려도 감점은 없음)

답
1. 최근 민간 차원에서의 외교가 활성화되고 있다.
2. 외교 활동은 국가 원수와 외교관만 할 수 있다.
3. 자국의 이익을 희생하면서 국제 평화를 지향해야 하는 외교 정책을 펴고 있다.
4. 과거에는 안보 및 정치적 목적으로 외교가 이루어졌다면 오늘날은 경제, 환경, 인권 등 다양한 분야에서 이루어진다.

① 0점 ② 1점 ③ 2점 ④ 3점 ⑤ 4점

●●●

07 다음 사례를 통해 국제 사회의 공존을 위해 필요한 노력으로 옳은 것을 〈보기〉에서 있는 대로 고른 것은?

○○ 단체는 모술, 라카 등 이라크 북부 지역과 시리아의 주요 도시들을 중심으로 세력을 확장하였다. 이들은 민간인에 대한 테러를 일삼았고 그 수법의 잔혹함에 국제 사회가 충격에 빠졌다. 이에 미국 주도의 국제 동맹군은 이 단체를 상대로 전쟁을 벌이고 있다. ○○ 단체의 지배하에 고통받으며 산 주민이 800만 명에 이르며, 이들 중 다수는 난민 신세가 되었다.

보기
ㄱ. 전쟁은 해당 국가에만 부정적인 영향을 미친다.
ㄴ. 전쟁보다는 분쟁 당사국 간에 외교를 통해 문제를 해결하는 것이 좋다.
ㄷ. 국제법이나 국제기구를 통해 평화적으로 문제를 해결하려는 노력이 요구된다.
ㄹ. 다른 국가에서 발생하는 전쟁 등의 소식을 접하기 쉬워져 국제 협력 요구가 증대하고 있다.

① ㄱ, ㄴ ② ㄴ, ㄷ ③ ㄷ, ㄹ
④ ㄱ, ㄴ, ㄹ ⑤ ㄴ, ㄷ, ㄹ

●●○

08 최근 국제 사회에서 나타나는 경쟁과 갈등의 모습에 관한 설명으로 옳지 않은 것은?

중요

① 민족 및 종교 갈등이 영토 분쟁으로 확대되기 한다.
② 자본주의 진영과 공산주의 진영이 대립하고 있다.
③ 인종, 환경, 자원 확보 등 다양한 원인으로 갈등을 겪고 있다.
④ 다국적 기업 간, 국가와 국제기구 간에도 경쟁과 갈등이 나타난다.
⑤ 경제 협력을 추구하면서도 자국의 경제적 이익을 위해 다른 나라와 경쟁한다.

●●○

09 밑줄 친 ㉠, ㉡의 결과로 옳은 것을 〈보기〉에서 있는 대로 고른 것은?

(가) 미국과 중국은 6 · 25 전쟁 이후 적대국이었지만, 1971년에 중국이 미국 탁구팀을 중국으로 초청하여 친선경기를 열었다. 이 ㉠ '핑퐁 외교'를 계기로 양국의 교류가 시작되었고, 이후 미국과 중국의 정상회담이 이루어졌다.

(나) 1980년대 말 대한민국 정부는 당시까지 적성(敵城) 국가로 분류됐던 중국, 소련 등 사회주의 국가들과 관계 개선을 추진했다. 1989년 헝가리를 시작으로 대(對) 공산권 수교의 봇물이 터져 ㉡ '북방 외교' 기간 동안 새로 수교한 나라는 45개국이었다.

보기
ㄱ. 국제 평화가 추구되었다.
ㄴ. 실리를 중시하는 외교 정책이 중시되었다.
ㄷ. 국제 사회에 화해의 분위기가 조성되었다.
ㄹ. 이념적으로 대립하는 냉전 체제가 강화되었다.

① ㄱ, ㄴ ② ㄱ, ㄷ ③ ㄷ, ㄹ
④ ㄱ, ㄴ, ㄷ ⑤ ㄴ, ㄷ, ㄹ

10 우리나라의 국제 관계에 관한 설명으로 옳은 것을 〈보기〉에서 있는 대로 고른 것은?

보기
ㄱ. 중국, 일본, 러시아 등과 인접해 있다.
ㄴ. 미군정 이후 미국과 적대 관계를 유지하고 있다.
ㄷ. 북한이 핵 확산 금지 조약을 탈퇴한 이후 한반도에 핵 확산 위기를 가져 왔다.
ㄹ. 6.25 전쟁 이후 남북한이 분단된 상태에서 주요 당사국들과 다양한 이해관계에 직면해 있다.

① ㄱ, ㄴ ② ㄱ, ㄷ ③ ㄴ, ㄹ
④ ㄱ, ㄷ, ㄹ ⑤ ㄴ, ㄷ, ㄹ

11 다음 자료에서 공통으로 언급하는 지역에 관한 설명으로 옳은 것을 〈보기〉에서 있는 대로 고른 것은?

• 울릉과 우산은 모두 우산국 땅이다.
〈동국문헌비고〉(1770)
• 우산과 무릉(울릉도) 두 섬은 울진현의 정동쪽 바다에 있다. 두 섬은 서로의 거리가 멀지 않아 날씨가 맑으면 바라볼 수 있다.
〈세종실록지리지〉(1454)

보기
ㄱ. 해양 자원이 풍부한 지역이다.
ㄴ. 동북아시아의 중요한 군사 정보를 얻을 수 있다.
ㄷ. 백두산 일대 두만강과 압록강에 접해 있는 지역이다.
ㄹ. 우리 정부는 국제 사법 재판소를 통해 문제를 해결하고자 한다.

① ㄱ, ㄴ ② ㄱ, ㄷ ③ ㄴ, ㄹ
④ ㄱ, ㄷ, ㄹ ⑤ ㄴ, ㄷ, ㄹ

고난도

12 다음은 중학생인 수현이가 쓴 보고서의 일부이다. 밑줄 친 ㉠~㉤ 중 내용이 옳지 않은 것은?

〈우리나라가 직면한 국가 간 갈등의 해결 방안은?〉

㉠ 국가 간 갈등은 외교를 통해 해결해야 한다. ㉡ 관련 국가의 입장을 분석한 후 확실한 근거를 토대로 이를 반박할 수 있어야 한다. 또한 ㉢ 지속적인 외교 활동을 통해 이러한 갈등에 대한 우리의 입장을 세계 각국에 알려 국제 사회의 공감대를 이끌어 내는 것이 중요하다. 이때 ㉣ 적대적인 입장을 지닌 국가를 제외하고 우호적인 입장을 지닌 국가에 대해 적절한 외교적 대응이 필요하다. ㉤ 우리나라가 직면한 국가 간 갈등은 정부, 시민 단체, 시민 모두가 동참할 때 해결 가능성이 커진다.

① ㉠ ② ㉡ ③ ㉢ ④ ㉣ ⑤ ㉤

13 국가 간 갈등 해결과 관련하여 다음 활동들이 시사하는 바로 가장 적절한 것은?

• 우리나라의 시민 단체들이 모여 중국의 동북 공정 중단을 요구하는 거리 행진을 하였다.
• 사이버 외교 사절단 반크(VANK)가 동해 표기 오류 고치기 활동을 전개하고 있다.

① 국가 간 갈등은 대화와 타협으로 해결할 수 있다.
② 강대국의 입장이 국가 간 갈등 해결에 중요한 기준이 된다.
③ 국가 간 갈등을 해결하기 위해서는 국제기구의 중재가 필요하다.
④ 합리적이고 타당한 근거를 마련하기 위해 연구 기관을 설립해야 한다.
⑤ 시민이나 시민 단체도 국가 간 갈등 문제의 해결을 위해 관심을 가지고 활동한다.

14 (가), (나) 자료를 통해 알 수 있는 국제 사회의 특성을 각각 서술하시오.

(가) 1992년 우리나라는 오랫동안 우호 관계를 맺어 왔던 타이완과 국교를 단절하고 적대적 관계였던 중국과 수교하였다.

(나) 국제 연합(UN) 안전 보장 이사회는 5개의 상임 이사국(미국, 영국, 프랑스, 러시아, 중국)과 10개의 비상임 이사국으로 구성된다. 상임 이사국은 임기 제한이 없고 거부권을 갖는다. 상임이사국 중 한 국가라도 안건에 대해 거부권을 행사할 경우 그 안건은 부결된다.

15 다음과 같은 국제 사회의 변화를 고려할 때 각국에 요구되는 노력을 〈보기〉에 제시된 단어를 활용하여 서술하시오.

- 자국의 이익을 추구하는 과정에서 국제 사회의 분쟁과 갈등 증가
- 환경 문제 등 전 세계 국가들이 공동으로 해결해야 할 문제 증가
- 방송·통신의 발달로 과거보다 다른 국가들에서 발생하는 자연재해, 전쟁 등의 소식을 접하는 기회 증가

보기

자국의 이익, 공존, 외교 정책

16 빈칸 ㉠에 들어갈 국제 사회의 행위 주체가 국제 사회에 미치는 영향을 두 가지 서술하시오.

(㉠)은(는) 세계 여러 나라에 자회사와 공장을 설립하여 상품을 생산하고 판매하는 기업이다. 오늘날 (㉠)들은 경제력을 바탕으로 국제 사회의 주요한 행위 주체로 활동하고 있다.

17 빈칸 ㉠에 들어갈 용어와 그 필요성을 두 가지 서술하시오.

국제 분쟁은 분쟁 당사국의 양보와 타협 없이는 쉽게 해결되지 못한다. 상호 양보와 타협을 위해서는 당사자 간에 논의와 이견 조율이 필요한 데, 국제 사회에서는 이러한 과정이 대체로 (㉠)을(를) 통해 진행된다.

(1) ㉠:

(2) 필요성:

18 다음 사례를 통해 알 수 있는 외교 활동의 변화 추세를 쓰고, 우리나라가 직면한 국제 갈등 문제를 해결하기 위한 올바른 자세를 서술하시오.

외국을 상대로 국가 홍보와 사이버 민간 외교관의 역할을 수행하는 반크(VANK)는 우리나라에 관한 잘못된 정보를 찾아서 이를 바로잡는 활동을 하고 있다.

(1) 변화 추세:

(2) 올바른 자세:

이 단원을 배우면

세계와 우리나라의 인구 분포의 특징과 인구 이동의 유형을 설명할 수 있어요. 그리고 세계의 인구 문제는 지역별로 어떻게 다른지 알 수 있어요.

인구 변화와 인구 문제

:나의 학습 진도표

중단원명	학습 코너	쪽수	학습 예정일	학습 완료일	달성도
01 인구 분포	꼼꼼! 필기 노트	122쪽	◯월 ◯일	◯월 ◯일	☆☆☆☆☆
	탄탄! 활동 노트	123쪽	◯월 ◯일	◯월 ◯일	☆☆☆☆☆
	쑥쑥! 실력 키우기	124~125쪽	◯월 ◯일	◯월 ◯일	☆☆☆☆☆
02 인구 이동	꼼꼼! 필기 노트	126쪽	◯월 ◯일	◯월 ◯일	☆☆☆☆☆
	탄탄! 활동 노트	127쪽	◯월 ◯일	◯월 ◯일	☆☆☆☆☆
	쑥쑥! 실력 키우기	128~129쪽	◯월 ◯일	◯월 ◯일	☆☆☆☆☆
03 인구 문제	꼼꼼! 필기 노트	130쪽	◯월 ◯일	◯월 ◯일	☆☆☆☆☆
	탄탄! 활동 노트	131쪽	◯월 ◯일	◯월 ◯일	☆☆☆☆☆
	쑥쑥! 실력 키우기	132~133쪽	◯월 ◯일	◯월 ◯일	☆☆☆☆☆
뚝딱! 단원 마무리하기		134~137쪽	◯월 ◯일	◯월 ◯일	☆☆☆☆☆

인구 분포

이것이 포인트!
- 인구 분포의 다양한 요인
- 인구 분포의 특징

꼼꼼! 필기 노트

✚ 인구 밀도
국가나 지역의 총인구를 총면적으로 나눈 것으로, 보통 ㎢ 내에 몇 명이 거주하는지를 나타낸다.

✚ 산업화
농업 중심 사회가 공업 중심의 사회로 바뀌면서 나타나는 변화를 말한다.

✚ 수도권
수도권은 서울특별시와 인천광역시, 경기도를 아우르는 지역을 의미한다.

✚ 남동 임해 공업 지역
한반도 동남부의 동해와 남해에 인접해 있는 공업 지역을 말한다. 여수–광양에서부터 울산–포항까지 해안을 따라 연결된 공업 지역이다.

✚ 이촌 향도 현상
이촌(離村)은 촌락을 떠난다는 뜻이고 향도(向都)는 도시로 향한다는 뜻으로, 이촌 향도는 촌락을 떠나 도시로 인구가 집중되는 현상을 의미한다.

1 세계의 인구 분포

1 인구 분포

(1) 지구상의 인구 분포

① 세계의 인구는 특정 지역에 집중하여 분포함

② 인구가 조밀한 지역은 인구 밀도✚가 높고, 인구가 희박한 지역은 인구 밀도가 낮음

(2) 인구 분포에 영향을 미치는 요인: 과거에는 자연적 요인의 영향을 많이 받았지만 산업화 이후 과학 기술 발달로 인문 · 사회적 요인의 영향력이 커지고 있음

구분	❶ ______ 요인	❷ ______ 요인
요인	지형, 기후, 식생 등	산업, 문화, 교통 등
특징	기후가 따뜻하고 물이 풍부하며, 평야 지역에 인구가 밀집함	교통 및 문화 시설이 잘 갖추어진 지역, 산업화로 경제 수준이 높은 지역에 인구가 밀집함

2 세계 인구 분포의 특징

→ 북위 20°~40° 지역에 인구가 밀집해 있어요.

구분	남/북반구	저/중/고위도	내륙/해안
인구 분포	• 남반구보다 ❸ ______ 에 주로 분포함 • 세계 인구의 90%는 북반구, 10%는 남반구에 거주함	• ❹ ______ 지역에 주로 분포함 • 적도 부근 · 극지방은 인구가 희박함	해발 고도가 낮은 하천 주변의 평야나 ❺ ______ 지역에 인구가 주로 분포함
분포 원인	남반구보다 북반구에 육지가 많이 분포하기 때문	중위도 지역의 기후는 냉 · 온대 기후로 인간 거주에 적합하기 때문	내륙 지역에 비해 해안 지역이 쾌적하기 때문

→ 해안 지역은 내륙 지역보다 연교차가 작고 습윤한 편으로 인간 거주에 쾌적한 환경을 제공해요.

2 우리나라의 인구 분포

→ 1960년대는 우리나라가 빠른 속도로 산업화를 시작한 시점이에요.

1 산업화✚ 이전(1960년대 이전): 벼농사 중심의 농업 사회, 농업에 적합한 기후와 지형 등 자연적 요인의 영향을 많이 받음

구분	인구 밀집 지역	인구 희박 지역
지역	남서부 지역	북동부 지역
원인	기후가 온화하고 넓은 ❻ ______ 가 발달하여 농경에 유리함	산지가 많고 기온이 낮아 농경에 불리함

2 산업화 이후(1960년대 이후): 산업화와 도시화가 진행됨에 따라 ❼ ______ 요인의 영향을 많이 받음

구분	인구 밀집 지역	인구 희박 지역
지역	수도권✚, 남동 임해 공업 지역✚, 전국의 대도시	산지 지역과 인구 유출이 심한 농 · 어촌 지역
원인	산업화에 따라 도시에 일자리가 늘고 교통이 발달함(이촌 향도 현상✚)	교통이 불편하고 일자리가 부족함

콕콕! 핵심 개념

1 □□ □□: 단위 면적(1㎢)당 거주하는 평균적인 인구수

2 북반구의 □□□: 지구상의 인구가 주로 밀집하여 거주하는 지역

3 □□ □□ 현상: 산업화 이후 촌락을 떠나 도시로 인구가 밀집하는 현상

활동 1 다음은 세계의 인구 밀집 지역과 인구 희박 지역을 나타낸 지도이다. 물음에 답해 보자.

1 지도의 A~E를 인구 밀집 지역과 희박 지역으로 구분해 보자.

인구 밀집 지역	인구 희박 지역

2 다음 특징이 나타나는 지역을 지도에서 찾아 기호를 써 보자.

강수량이 매우 적어 농경과 목축에 불리함	산업 혁명 이후 일찍부터 경제가 성장함	경제 수준이 높고, 교통 및 문화 시설을 잘 갖추고 있음	고온 다습하여 인간 거주에 불리함	평야가 발달해 있으며 계절풍의 영향으로 벼농사에 유리함

활동 2 다음은 우리나라의 인구 분포를 나타낸 지도이다. 물음에 답해 보자.

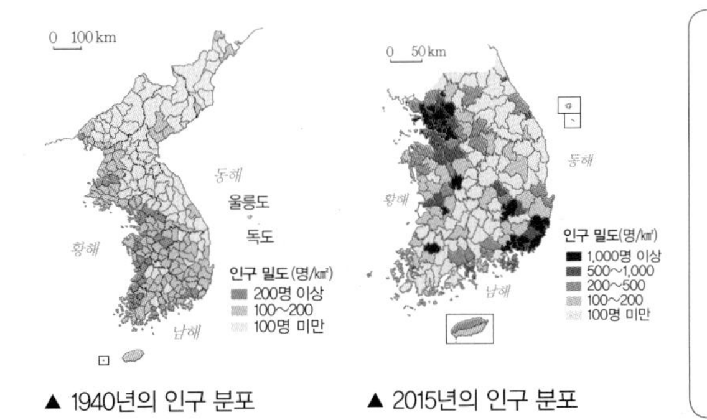

▲ 1940년의 인구 분포 ▲ 2015년의 인구 분포

1940년의 인구 분포를 보면 주로 ❶ (   ) 지역의 ❷ (   ) 지대에 사람들이 집중적으로 분포해 있다. 그러나 2015년의 지도를 보면 인구가 주로 수도권과 대도시, ❸ (   )을 중심으로 분포해 있음을 알 수 있다. 이와 같은 현상은 1960년대 산업화와 더불어 나타났던 촌락을 떠나 도시로 인구가 집중되는 ❹ (   ) 현상 때문이다.

1 위 글의 빈칸 ❶~❹에 들어갈 알맞은 말을 써 보자.

2 1940년과 2015년의 인구 분포가 지도와 같이 나타난 까닭을 각각 적어 보자.

1940년	2015년

단계별 문제를 풀면서 실력을 쑥쑥 키워 보세요.

1 STEP 개념을 되짚는 확인 문제

01 다음 빈칸에 들어갈 알맞은 말을 쓰시오.

(1) 세계 인구의 90%는 육지의 대부분이 분포하는 (　　　　　)에 거주한다.

(2) 인구 분포에 영향을 미치는 요인으로는 지형이나 기후 등의 (　　　　　) 요인과 산업, 문화, 교통 등의 (　　　　　) 요인이 있다.

(3) 벼농사 중심의 농업 사회였던 1960년대 이전 우리나라의 인구 분포는 (　　　　　)이(가) 발달한 남서부 지역에 밀집하였다.

02 다음에서 설명하는 용어를 써 보자.

(1) 국가나 지역의 총인구를 총면적으로 나눈 것으로, 보통 1㎢ 안에 몇 명이 거주하는지 나타낸다. (　　　　　)

(2) 사람들이 일자리를 찾아 촌락을 떠나 도시로 이동하는 현상을 말한다. (　　　　　)

03 다음 설명이 옳으면 O, 틀리면 X에 표시하시오.

(1) 세계의 인구는 공간상에 고르게 분포한다. (○ | ×)

(2) 연중 기온이 낮은 한대 기후 지역은 인간 거주에 불리하여 인구가 희박하다. (○ | ×)

(3) 교통 및 문화 시설이 잘 갖추어진 대도시는 인구가 밀집하기에 유리한 조건을 갖고 있다. (○ | ×)

04 서로 관련 있는 내용끼리 바르게 연결하시오.

(1) 수도권 지역 •　　• ㉠ 남동부의 해안 지역으로 공업 시설이 발달한 우리나라 인구 밀집 지역

(2) 남동 임해 공업 지역 •　　• ㉡ 서울과 경기, 인천을 아우르는 지역으로 우리나라 최대 인구 밀집지

2 STEP 기초를 다지는 기본 문제

01 (중요) 인구 분포에 대한 설명으로 옳은 것은?

① 전 세계 인구의 90%는 적도 이남에 분포한다.
② 내륙 지역이 해안 지역보다 인구 밀도가 높다.
③ 온대 기후와 냉대 기후 지역은 인구 밀도가 낮다.
④ 평야 지역보다 산지 지역의 인구 밀도가 더 높다.
⑤ 최근에는 자연적 요인보다 인문 · 사회적 요인이 인구 분포에 많은 영향을 끼친다.

02 다음 제시된 지역들의 공통점으로 옳은 것은?

> • 기온이 너무 높거나 낮은 지역
> • 물이 부족하여 농업 활동이 불리한 지역
> • 경사가 급해 농경지 조성이 어려운 지역

① 인구가 희박한 지역이다.
② 경제가 발달한 지역이다.
③ 산업화가 일찍 이루어진 지역이다.
④ 세계화로 인구가 밀집된 지역이다.
⑤ 일자리가 풍부하며 생활 환경이 좋은 지역이다.

03 (중요) 다음 지도에서 인구 밀집 지역에 해당하는 곳을 있는 대로 고른 것은?

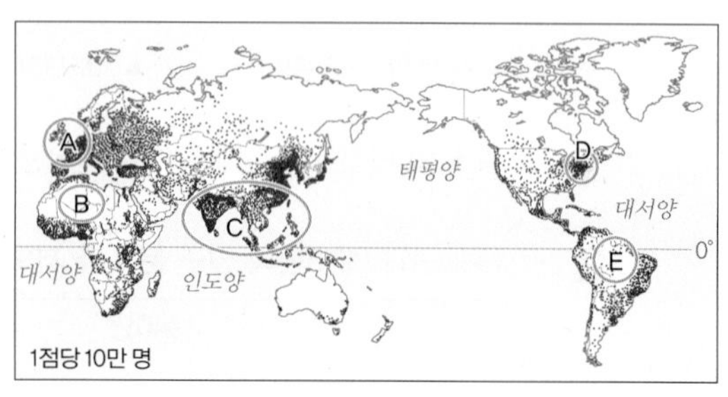

① A, B, C　② A, C, D　③ B, C, D
④ A, B, D, E　⑤ A, C, D, E

3 STEP 실력을 완성하는 주관식·서술형 문제

04 우리나라의 인구 분포에 대한 설명으로 옳지 않은 것은?

① 산업화 이후 자연환경의 영향력이 커졌다.
② 1960년대를 기준으로 인구 분포의 지역 차가 크다.
③ 산업화 이전에는 남서부 지역에 인구가 많이 분포하였다.
④ 산업화 이후 농어촌 지역의 인구는 빠른 속도로 감소하고 있다.
⑤ 산업화 이후 이촌 향도 현상이 나타나 대도시로 인구가 집중하였다.

05 중요 우리나라의 인구 밀도를 나타낸 (가), (나) 지도에 대한 설명으로 옳지 않은 것은?

(가) (나)

0 100 km
동해
울릉도
독도
황해
남해
인구 밀도(명/㎢)
200명 이상
100~200
100명 미만

0 50 km
동해
황해
남해
인구 밀도(명/㎢)
1,000명 이상
500~1,000
200~500
100~200
100명 미만

① (가)는 산업화 이전의 인구 분포를 나타낸다.
② (가) 시기의 인구 분포는 자연적 요인의 영향을 많이 받았다.
③ (가) 시기에는 국토의 남서부보다 북동부 지역에 인구가 밀집하였다.
④ (나) 시기에는 수도권과 남동 임해 공업 지역을 중심으로 인구가 밀집하였다.
⑤ (나) 시기에는 태백산맥, 소백산맥 일대의 산지 지역과 농촌 지역의 인구가 희박하다.

06 신유형 다음 글을 읽고 빈칸에 들어갈 아버지의 대답을 〈보기〉의 용어를 활용하여 서술하시오.

> 산들이는 여름 방학을 맞이하여 처음으로 해외 여행을 떠나게 되었다. 산들이는 여행지를 골라 보라는 아버지의 말씀에 중국 내륙 지방을 선택하였다. 평소 사람이 북적이는 것을 좋아하는 산들이는 중국이 세계에서 인구가 가장 많은 나라라고 하기에 사람 구경을 실컷 하겠다고 생각했지만 정작 중국 내륙에 도착해서는 우리나라보다 인구가 적은 것처럼 느껴졌다. 세계에서 인구가 가장 많은 중국인데 우리나라보다도 인구가 적게 느껴지는 데에 대해 산들이 아버지는 "그 이유는 ________________ 때문이야."라고 말씀하셨다.

보기

인구, 면적, 인구 밀도

____

____

07 다음 사진에 나타난 경관의 특징을 쓰고 이러한 지역의 인구 분포의 특징과 그 까닭을 서술하시오.

(1) 경관의 특징: ______________________________

____

(2) 인구 분포의 특징: ______________________________

____

인구 이동

이것이 포인트!
- 인구 이동의 다양한 요인과 유형
- 인구 이동에 따른 문제점

꼼꼼! 필기 노트

1 인구 이동의 요인과 유형

1 인구 이동의 요인

(1) **흡인 요인**: 사람들을 끌어들이는 요인 예 풍부한 일자리, 쾌적한 환경, 우수한 교육 및 문화 시설 등

(2) **배출 요인**: 사람들을 다른 지역으로 밀어내는 요인 예 열악한 주거 환경, 낮은 임금, 분쟁이나 전쟁 등 → 국내의 인구 이동에서도 촌락 지역의 인구가 지속적으로 감소하는 까닭은 촌락의 배출 요인이 흡인 요인보다 더 크기 때문이에요.

2 인구 이동의 유형

구분	유형
이동 범위	• ❶ [　　] 이동 예 지방에서 수도권으로 이사 등 • 국제 이동 예 한국에서 미국으로 이주 등
이동 동기	• 자발적 이동 예 따뜻한 기후를 찾아 캘리포니아로 이주 등 • ❷ [　　] 이동 예 신대륙 개척 시기의 아프리카인의 아메리카로의 이주 등 → 신대륙의 노동력을 보충하기 위해 아프리카인들을 강제 이주시켰어요.
이동 기간	• 일시적 이동 예 여행, 유학 등 • 영구적 이동 예 이민 신청을 통해 새로운 국적 취득 등
이동 목적	• 정치적 이동 예 소말리아에서 전쟁을 피해 케냐의 난민촌으로 이주 • 종교적 이동 예 영국의 청교도들이 종교의 자유를 찾아 아메리카 대륙으로 이주 • 경제적 이동 예 중국인들이 일자리를 찾아 동남아시아나 미국 등으로 이주

2 세계 인구의 국제 이동

1 오늘날 인구 이동

→ 주로 경제 수준이 낮은 지역에서 높은 지역으로 이동해요.

일자리를 찾아 이동하는 ❸ [　　] 이동의 비중이 크며 여행, 관광, 유학 등 국가 간 ❹ [　　] 인구 이동이 증가함

구분	경제적 이동	정치적 이동
이동 유형	❺ [　　]에서 선진국으로 이동	정치적으로 불안정한 지역에서 안정적인 지역으로 이동
이동 요인	선진국의 높은 임금, 풍부한 일자리, 쾌적한 환경 등	내전, 분쟁 등으로 인한 생활 터전의 상실
사례 지역	• 서부 유럽: 동부 유럽, 서남아시아, 북부 아프리카로부터 이주가 많음 • 미국: 라틴 아메리카로부터의 이주가 많음 • 우리나라: 중국, 베트남, 필리핀 등 아시아 국가로부터의 이주가 많음	• 서남아시아: 아프가니스탄, 이라크 등의 분쟁 지역에서 주변 지역으로의 이주가 많음 • 아프리카: 남수단, 중앙아프리카 공화국, 소말리아 등 내전이 빈번하게 발생하는 국가에서 주변국으로의 이주가 많음

우리나라에는 중국 사람들이 가장 많이 유입되고 있으며 그 다음으로는 베트남, 타이, 미국, 필리핀, 인도네시아의 순으로 많은 외국인이 유입되고 있어요.

2 인구 이동에 따른 변화

구분	인구 유입 지역	인구 유출 지역
변화	• 노동력이 풍부해져 경제 활성화 • 문화적 다양성 증가 • 일자리 경쟁 심화 • 현지민과 이주민의 문화 간 충돌 발생	• 이주민들의 송금 → 경제 활성화 • ❻ [　　] 부족 현상 발생 • 성비 불균형 현상 발생

+ 인구 이동
사람들이 거주를 위해 다른 곳으로 옮겨 가는 현상을 말한다.

+ 라틴 아메리카의 인구 이동
미국에는 라틴 아메리카로부터 경제적인 목적으로 이주해 온 이주민이 많다. 특히 라틴 아메리카와 가까운 남부 지역에 수많은 이주민이 모여 있다. 에스파냐어를 공통적으로 사용하는 이들을 히스패닉이라고 부른다. 미국 내 히스패닉의 비율은 약 15% 정도로 주로 멕시코에서 이주해 온 사람들이 많다.

+ 인구 유입이 많은 지역에서의 문화 간 충돌
인구 유입이 많은 지역에서 원주민과 이주민 사이의 문화 충돌이 종종 발생한다. 대표적인 사례로 이슬람 문화권 사람들이 유입이 많은 유럽 지역이 있다. 특히 이들은 이슬람 여성들이 공공장소에서 히잡이나 차도르 같은 전통 복장 착용에 대한 허용 문제를 두고 갈등이 발생하고 있다.

콕콕! 핵심 개념

1 □□ 요인: 지역으로 인구를 끌어오는 요인

2 □□ 요인: 지역에서 인구를 내보내는 요인

3 □□□ 이동: 높은 임금과 풍부한 일자리를 찾아 개발 도상국에서 선진국으로 이동

4 □□□ 이동: 정치적으로 불안정한 지역에서 안정적인 지역으로 이동

활동 ① 다음 지도를 보고 물음에 답해 보자.

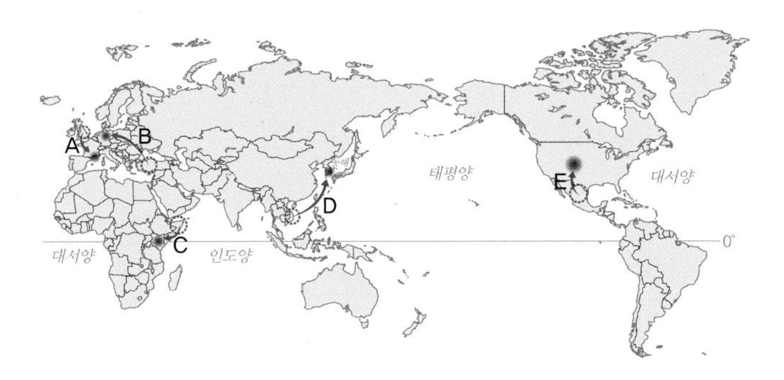

1 다음 내용과 관계있는 인구 이동을 위 지도에서 찾아 기호를 써 보자.

(가)	(나)	(다)	(라)	(마)
우리 가족은 여름마다 맑은 날이 많아 햇볕을 마음껏 쬘 수 있는 프랑스 남부로 여행을 떠나요.	우리 가족은 내전을 피해 소말리아에서 도망쳤는데, 다행히 주변의 안전한 국가에서 우리를 받아 주었어요.	대한민국은 우리나라보다 임금이 높아서 돈을 벌기 위해 왔어요.	미국에는 우리 가족처럼 멕시코에서 일자리를 찾아 이민 온 사람들이 많아요.	우리 집은 할아버지 때 일자리를 찾아 튀르키예를 떠나 독일로 이민을 왔지요.

2 1번 문제를 바탕으로 A~E의 인구 이동 유형을 다음 내용에 따라 분류해 보자.

일자리를 찾아 이동한 경우	내란이나 기근을 피해 이동한 경우	휴양지를 찾아 일시적으로 이동한 경우

활동 ② 다음은 숙련된 근로자의 이주 비율을 나타낸 지도이다. 물음에 답해 보자.

태평양
대서양
대서양
인도양
0°

고도 숙련 근로자의 이주(유출) 비율(%, 2010년 11월 기준)
20 이상 10~20 5~10 5 미만 자료 없음
노동력 이동(만 명, 2001~2006년) 3~5 5~10 10~20 20 이상
(경제 협력 개발 기구, 2013 / 제국 서원 지리 자료, 2012)

1 왼쪽 지도에서 노동력 유출 지역과 유입 지역을 각각 세 곳씩 찾아 써 보자.

(1) 유출 지역: ____________________

(2) 유입 지역: ____________________

2 노동력 유입 지역의 흡인 요인을 써 보자.

단계별 문제를 풀면서 실력을 쑥쑥 키워 보세요.

1 STEP 개념을 되짚는 확인 문제

01 다음 빈칸에 들어갈 알맞은 말을 쓰시오.

(1) 인구 이동의 요인 중 사람들을 끌어들이는 요인을 (   )(이)라고 하며 풍부한 일자리, 쾌적한 환경 등이 이에 해당한다.

(2) 인구 이동의 요인 중 사람들을 떠나게 하는 요인을 (   )(이)라고 하며 열악한 주거 환경, 낮은 임금 등이 이에 해당한다.

(3) 국제 인구 이동의 양상을 보면 경제적 이동은 주로 (   )에서 (   )(으)로 이동하는 사례가 많다.

(4) 인종 · 종교 · 정치적 분쟁과 전쟁을 피해 다른 나라를 이동하는 사람들을 (   )(이)라고 한다.

02 다음 설명이 옳으면 O, 틀리면 X에 표시하시오.

(1) 동부 유럽, 서남아시아, 북부 아프리카에서 서부 유럽으로 인구가 유입되는 것은 경제적 이동인 경우가 많다. (○ | ×)

(2) 정치적 요인에 의한 인구 이동은 아프가니스탄, 이라크, 소말리아 등 내전이 잦은 국가에서 주로 발생하고 있다. (○ | ×)

(3) 박사 학위를 받기 위해 외국의 대학으로 유학을 가는 것은 영구적 이동에 해당한다. (○ | ×)

03 다음 빈칸에 들어갈 알맞은 용어를 고르시오.

(1) 높은 임금이나 풍부한 일자리를 찾아 이동하는 인구 이동 유형을 (경제적 | 정치적) 이동이라고 한다.

(2) 노예 무역에 의한 아프리카인의 아메리카로의 이동은 (경제적 | 강제적) 이동에 해당한다.

2 STEP 기초를 다지는 기본 문제

01 인구 이동의 흡인 요인으로 보기 <u>어려운</u> 것은?

① 편리한 교통
② 풍부한 일자리
③ 우수한 교육 시설
④ 다양한 문화 시설
⑤ 열악한 주거 환경

02 ㉠, ㉡에 들어갈 용어가 바르게 짝지어진 것은?

> 인구 이동의 유형은 이동 범위, 이동 동기, 이동 기간에 따라 여러 가지로 나누어 볼 수 있다. 특히 이동 동기에 따른 인구 이동은 (㉠)과 (㉡)으로 구분할 수 있다.

	㉠	㉡
①	국내 이동	국제 이동
②	자발적 이동	강제적 이동
③	일시적 이동	영구적 이동
④	자발적 이동	일시적 이동
⑤	강제적 이동	정치적 이동

03 중요 세계의 인구 이동에 관해 옳지 <u>않은</u> 설명을 하는 학생은?

① 태석: 여행, 관광, 유학 등 일시적 국제 이동이 증가하는 추세야.
② 석호: 최근 세계의 인구 이동은 강제적 인구 이동의 비중이 상당히 높아졌어.
③ 소윤: 경제적 이동은 주로 개발 도상국에서 선진국으로 이동하는 경우가 많아.
④ 수민: 아프리카와 서남아시아에서는 내전으로 인한 정치적 이동이 많이 발생하고 있어.
⑤ 철진: 서부 유럽은 동부 유럽과 서남아시아, 북부 아프리카로부터 인구가 유입되고 있어.

3 STEP 실력을 완성하는 주관식·서술형 문제

04 다음 지도와 가장 관련 깊은 인구 이동의 유형은?

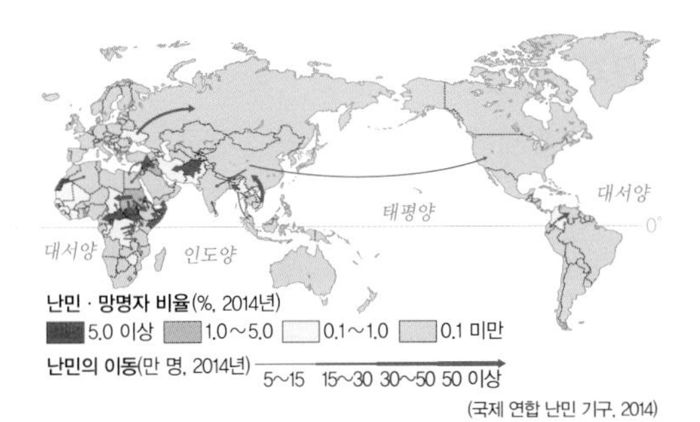

① 국내 이동 ② 경제적 이동
③ 정치적 이동 ④ 종교적 이동
⑤ 일시적 이동

05 다음 빈칸에 들어갈 지역으로 옳은 것은?

> 미국은 다양한 인종으로 구성되어 있는 다인종 국가이다. 특히 해외로부터의 이민자가 매우 많은 국가인데 주로 미국의 풍부한 일자리와 높은 임금을 찾아 이동하는 경제적 이동이 많다. 미국으로의 인구 이동은 (㉠) 지역으로부터의 인구 이동이 가장 많다.

① 서부 유럽 ② 오세아니아
③ 동남아시아 ④ 라틴 아메리카
⑤ 북부 아프리카

06 중요 인구 이동에 따른 인구 유입 지역과 인구 유출 지역의 문제점에 대한 설명으로 옳은 것은?

① 유입 지역에서는 노동력이 부족해진다.
② 유입 지역에서는 일자리 경쟁이 완화된다.
③ 유출 지역에서는 문화 간 충돌이 심화된다.
④ 유출 지역에서는 노동력이 부족해져 경제 성장이 둔화될 수도 있다.
⑤ 유출 지역에서는 다양한 문화의 교류가 가능해져 문화의 다양성이 증가한다.

07 신유형 다음은 산들이가 친구와 주고받은 스마트폰 대화 내용이다. 대화 내용 중 산들이 삼촌의 인구 이동의 유형을 이동 기간을 기준으로 구분하여 쓰고, 이와 유사한 사례를 한 가지 서술하시오.

> 나 너무 슬퍼.
> 왜? 무슨 일이야?
> 우리 막내 삼촌있잖아.
> 아. 어릴 때부터 너하고 친하다는 그 삼촌?
> 응. 막내 삼촌이 이번 달에 미국으로 유학 간대.
> 정말 슬프겠다.

(1) 인구 이동의 유형: ______________________
(2) 유사한 사례: ______________________

____

____

08 다음 설명하는 지역에서 발생할 것으로 예상되는 인구 문제를 두 가지 서술하시오.

> 활기가 사라져 버린 것처럼 느껴지는 이곳은 최근 일자리를 찾아 많은 사람이 유출하고 있는 곳이다. 이곳 사람들은 일본이나 대한민국처럼 경제적으로 풍요로운 국가들의 높은 임금과 풍부한 일자리를 찾아 이주하고 있다. 특히 선진국에서의 한 달 수입이 이곳에서의 1년 생활비가 된다는 소문이 들리면서 인구 이동이 가속화되고 있다.

____

____

____

03 인구 문제

이것이 포인트!
- 지역에 따른 인구 문제
- 인구 문제의 해결 방법

꼼꼼! 필기 노트

1 선진국과 개발 도상국의 인구 문제

1 선진국의 인구 문제: 유럽과 북아메리카, 오세아니아 등의 주요 선진국

주요 인구 문제	주요 원인
저출산 현상	자녀에 관한 가치관 변화, 여성의 지위 향상 및 사회 진출 증가 → 청장년층이 줄어들어 ❶ ______ 부족 문제 발생
고령화✚ 현상	생활 수준 향상과 의학 기술 발달로 ❷ ______ 연장 → 노인 소외 문제, 노인 부양을 위한 사회 보장 비용✚ 증가

2 개발 도상국의 인구 문제: 아프리카와 남아메리카, 동남 및 남부 아시아의 개발 도상국

주요 인구 문제	주요 원인
인구 부양력✚ 부족 문제	높은 출생률에 비해 낮아진 사망률로 인한 폭발적 인구 증가 → 인구 부양력이 함께 성장하지 못하여 식량 부족, 빈곤, 자원 부족 문제 발생
도시 문제	인구의 ❸ ______ 집중 현상 → 주택 부족, 교통 혼잡, 실업자 증가, 환경 오염 등의 문제 발생
성비✚ 불균형 문제	❹ ______ 사상이 있는 중국, 인도 등 아시아 일부 국가의 남초✚ 현상, 전쟁을 겪은 국가의 여초 현상

급속한 근대화 및 산업화로 의료 기술이 발달하면서 개발 도상국에서의 사망률도 급속히 낮아졌어요.

2 선진국과 개발 도상국 인구 문제의 해결책

1 선진국의 인구 문제 해결책 → 적정 수준의 출산율을 유지하기 위한 출산 장려 정책을 실시하고 있어요.

문제	해결책
❺ ______ 현상	출산 장려금 지급, 출산 및 육아 휴직의 확대 및 보장, 사회의 육아 및 탁아 기능 확대
❻ ______ 현상	노인의 다양한 경제 활동 보장 정책, 연금 제도와 복지 제도의 정비

2 개발 도상국의 인구 문제 해결책

문제	해결책
인구 부양력 부족 문제	산업 발전 및 농업 생산력 확대를 통한 인구 부양력 증대, 가족계획 사업✚을 통한 인구 증가 속도 완화
대도시 집중 및 성비 불균형 문제	대도시와 지역의 균형 개발을 통한 대도시 인구 분산, 양성평등 문화 정착을 통한 성비 불균형 해소

3 우리나라의 시기별 인구 문제와 정책

시기	내용
1960년대	6·25 전쟁 이후 사망률이 감소하며 인구 급증
1970~1980년대	가족계획 사업의 적극적인 추진으로 출생률 감소
1990년대	출생률 감소, 출생 성비 불균형 문제 발생
현재	출생 성비 불균형 문제 해소, 저출산 · 고령화 문제 발생

✚ **고령화 현상**
65세 이상 인구가 전체 인구에서 차지하는 비율이 7% 이상이면 고령화 사회, 14% 이상이면 고령 사회, 20% 이상이면 초고령 사회라고 한다.

✚ **사회 보장 비용**
노인 인구를 위한 연금 제도나 저소득층을 위한 복지 기금, 전 국민을 위한 의료 보험 제도 등이 모두 사회 보장 비용에 포함된다. 노인 인구가 지속적으로 늘어나면 의료 보험이나 연금 등 사회 보장 비용은 늘어날 수밖에 없다.

✚ **인구 부양력**
한 나라의 인구가 그 나라의 사용 가능한 자원을 이용하여 생활할 수 있는 능력을 말한다.

✚ **성비**
여성 100명당 남성의 수로 정상적인 출생 성비는 103~107명이다.

✚ **남초 현상과 여초 현상**
남초 현상은 여성 인구보다 남성 인구가 많은 현상을 말하며, 여초 현상은 남성 인구보다 여성 인구가 많은 현상을 말한다.

✚ **가족계획 사업**
각 국가들이 인구의 균형적인 성장을 위해 세우는 인구 증감 계획을 말한다.

콕콕! 핵심 개념

1 □□□: 선진국에서 출산율이 저조하여 노동력이 부족하고 경기가 침체되는 현상

2 □□□: 선진국에서 의학 기술의 발달로 평균 수명이 늘어남에 따라 노인을 위한 사회 보장 비용의 지출이 증가하는 문제

3 □□ □□□: 한 나라의 인구가 그 나라의 사용 가능한 자원으로 생활할 수 있는 능력

활동 1 다음 자료를 바탕으로 물음에 답해 보자.

(가) 말리에 사는 카푸치 가족은 3대가 함께 모여 사는 대가족이다. 할아버지는 작년에 50세의 연세로 돌아가셨지만 할머니가 살아계시고 카푸치의 어머니, 아버지, 동생, 외삼촌, 고모, 사촌 등 모두 16명이 함께 살고 있다.

(나) 스웨덴의 마리아 가족은 부모님과 할아버지, 할머니 그리고 마리아가 전부다. 할아버지는 올해 78세로 여전히 정정하시며 부모님이 바쁘실 때 마리아하고 자주 놀아 주신다.

1 다음 인구 피라미드에 적절한 국가를 (가), (나)에서 찾고, 각각의 인구 피라미드의 특징을 써 보자.

(1)

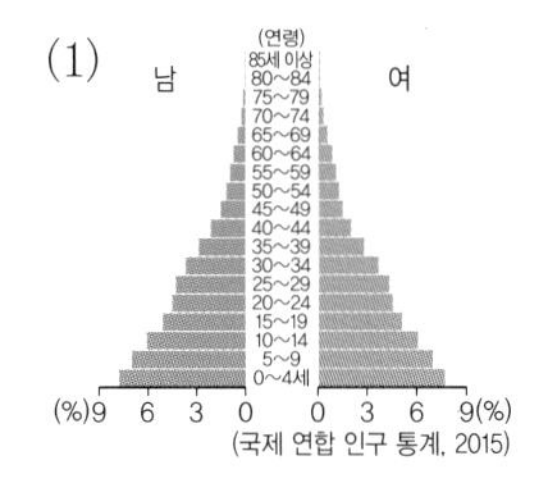

(국제 연합 인구 통계, 2015)

(2)

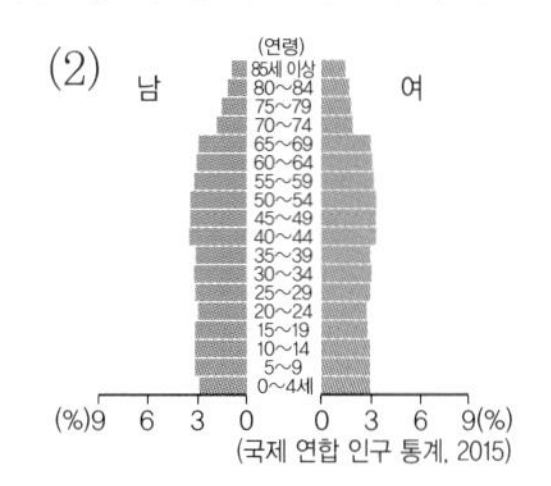

(국제 연합 인구 통계, 2015)

2 (가), (나)와 같은 인구 구조가 나타나는 지역의 인구 문제를 두 가지씩 써 보자.

(1) (가) 지역: ______

(2) (나) 지역: ______

활동 2 다음은 우리나라 시대별 인구 정책 포스터와 우리나라의 인구 피라미드이다. 물음에 답해 보자.

(가) 우리나라 인구 정책 포스터

㉠

㉡

㉢

㉣

(나) 우리나라의 인구 구조

1 (가)의 우리나라 인구 정책 포스터를 시대 순으로 나열해 보자.

______

2 (나)의 우리나라 인구 피라미드를 보고 파악할 수 있는 대표적 인구 문제와 이를 해결하기 위한 방법을 한 가지만 써 보자.

(1) 인구 문제: ______

(2) 해결 방법: ______

단계별 문제를 풀면서 실력을 쑥쑥 키워 보세요.

1 STEP 개념을 되짚는 확인 문제

01 다음 빈칸에 들어갈 알맞은 말을 쓰시오.

(1) 65세 이상 인구가 전체 인구에서 차지하는 비율이 7% 이상인 사회를 (   ) 사회라고 한다.

(2) 중국이나 인도 등의 일부 개발 도상국에서는 (   ) 사상으로 인해 남성 인구가 여성 인구보다 많은 (   ) 현상이 나타난다.

(3) 개발 도상국은 높은 (   )에 비해 낮아진 (   )(으)로 인해 인구가 폭발적으로 증가하고 있다.

02 다음 설명이 옳으면 O, 틀리면 X에 표시하시오.

(1) 선진국에서는 자녀에 관한 가치관의 변화와 여성의 사회 진출이 늘어나면서 출산율이 지속적으로 증가하고 있다. (○ | ×)

(2) 생활 수준 향상과 의학 기술의 발달로 선진국과 개발 도상국 모두 평균 수명이 늘어나고 있다. (○ | ×)

(3) 개발 도상국은 저출산과 고령화에 따른 노동력 부족 및 사회 보장 비용 증가의 문제를 겪고 있다. (○ | ×)

(4) 산업화가 일찍 진행된 선진국은 산업 혁명 이후부터 인구가 성장하였으나 현재는 증가 속도가 완만하다. (○ | ×)

03 다음 인구 문제를 해결하기 위한 대책을 찾아 바르게 연결하시오.

(1) 출산율 감소 • • ㉠ 양성평등 교육

(2) 성비 불균형 • • ㉡ 출산 억제 정책

(3) 인구 고령화 • • ㉢ 출산 장려 정책

(4) 높은 인구 증가 • • ㉣ 노인 일자리 창출

2 STEP 기초를 다지는 기본 문제

01 세계의 인구 문제에 대한 설명으로 옳지 않은 것은?

① 오늘날 세계의 인구는 지속적으로 증가하고 있다.
② 지역과 시대에 따라 나타나는 인구 문제가 다르다.
③ 오늘날 선진국과 개발 도상국 모두 인구가 급증하고 있다.
④ 세계의 인구는 산업 혁명 이후 의학 기술의 발달로 증가하였다.
⑤ 인구 증가와 함께 인구 부양 능력이 성장하지 못하면 빈곤과 기아, 식량 문제 등이 발생한다.

02 중요 다음과 같은 인구 피라미드가 나타나는 국가에 대한 설명으로 옳은 것은?

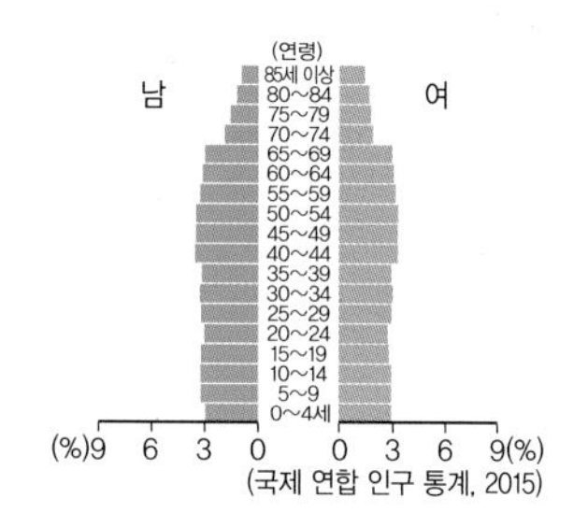

(국제 연합 인구 통계, 2015)

① 개발 도상국의 인구 구조를 나타낸다.
② 풍부한 노동력은 경제 성장의 원동력이 된다.
③ 출산율이 높아 인구가 지속적으로 증가하고 있다.
④ 노년층을 부양해야 하는 청장년층의 부담이 증가한다.
⑤ 대도시로 인구가 집중하면서 주택 부족, 교통 혼잡, 환경 오염 등의 문제가 발생하고 있다.

03 다음 내용과 거리가 먼 국가는?

> 근대화 및 산업화로 출생률은 높지만, 사망률이 낮아지면서 인구가 급격하게 증가하고 있다. 그러나 늘어나는 인구만큼 식량 공급이 원활하지 못하여 식량 부족 문제가 발생하고 있다.

① 말리 ② 니제르 ③ 스웨덴
④ 앙골라 ⑤ 나이지리아

3 STEP 실력을 완성하는 주관식·서술형 문제

04 개발 도상국의 인구 문제를 해결하기 위한 방안으로 옳은 것을 〈보기〉에서 있는 대로 고른 것은?

보기
ㄱ. 농업 생산력의 증대
ㄴ. 가족계획 사업 시행
ㄷ. 양성평등 문화의 정착
ㄹ. 도시의 인구 분산 정책 시행
ㅁ. 인구 부양력 증대 방안 모색

① ㄱ, ㄴ, ㄷ　② ㄱ, ㄴ, ㄹ
③ ㄱ, ㄴ, ㅁ　④ ㄱ, ㄴ, ㄷ, ㄹ
⑤ ㄱ, ㄴ, ㄷ, ㄹ, ㅁ

05 우리나라의 인구 문제로 적절하지 않은 것은?

① 향후 전체 인구가 감소하게 될지도 모른다.
② 사회 보장 비용이 지속적으로 증가하고 있다.
③ 노인을 위한 일자리의 수요가 점차 증가하고 있다.
④ 학교에 입학하는 학생의 수가 지속적으로 감소하고 있다.
⑤ 인구의 폭발적인 증가로 일자리 부족 현상이 심화되고 있다.

06 다음은 우리나라의 시기별 인구 정책 표어이다. (가)에 들어갈 내용으로 가장 알맞은 것은?

1960년대	덮어 놓고 낳다 보면 거지 꼴을 못 면한다.
2000년대	(가)

① 하나씩만 낳아도 삼천리는 초만원
② 한 가정 사랑 가득, 한 아이 건강 가득
③ 딸, 아들 구별 말고 둘만 낳아 잘 기르자.
④ 아들 바람 부모 세대 짝궁 없는 우리 세대
⑤ 한 자녀보다는 둘, 둘보단 셋이 더 행복합니다.

고난도

07 다음 그래프는 우리나라 합계 출산율의 변화를 나타낸 것이다. 그래프와 같이 합계 출산율이 감소하는 까닭을 두 가지 서술하시오.

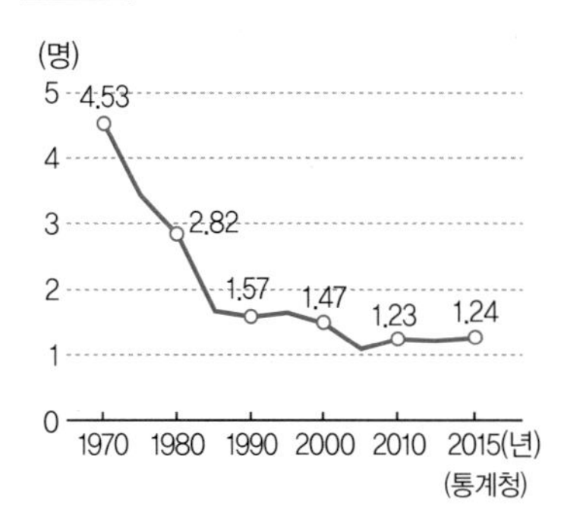

08 다음 그래프는 국가별 65세 이상 인구의 비율을 나타낸 것이다. 일본, 독일 등에서 나타날 인구 문제와 이를 해결하기 위한 방안을 한 가지 서술하시오.

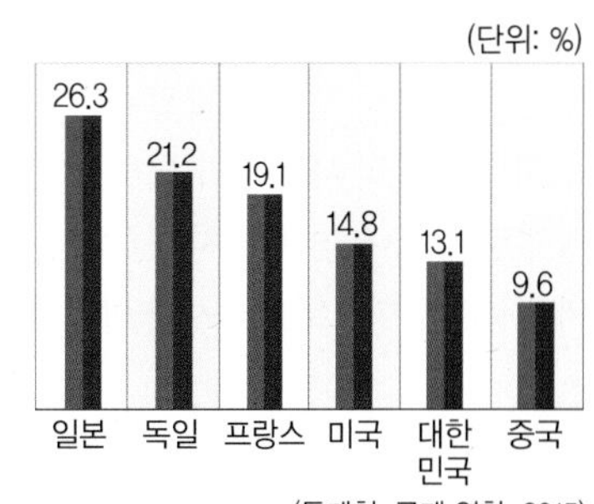

(1) 인구 문제:
(2) 해결 방안:

뚝딱! 단원 마무리하기

이번 단원에서 배운 내용을 문제로 뚝딱! 마무리 점검해 보세요.

01 중요 세계의 주요 인구 밀집 지역에 해당하는 곳을 〈보기〉에서 있는 대로 고른 것은?

보기
ㄱ. 서부 유럽 지역
ㄴ. 동남 및 남부 아시아 지역
ㄷ. 북부 아프리카의 사하라 사막 지역
ㄹ. 남아메리카의 아마존 열대 우림 지역

① ㄱ, ㄴ
② ㄴ, ㄷ
③ ㄱ, ㄴ, ㄷ
④ ㄴ, ㄷ, ㄹ
⑤ ㄱ, ㄴ, ㄷ, ㄹ

02 다음 사진과 같은 경관을 볼 수 있는 지역에 인구가 밀집한 이유로 가장 적절한 것은?

① 일찍부터 산업화가 시작되었기 때문이다.
② 높은 기온으로 밀림이 발달하였기 때문이다.
③ 도시화에 따라 대도시가 발달하였기 때문이다.
④ 강수량이 적어 넓은 초지가 발달하였기 때문이다.
⑤ 계절풍의 영향으로 벼농사가 발달하였기 때문이다.

03 중요 세계 인구 분포에 대한 설명으로 옳은 것은?

① 저위도 지역에 많은 인구가 분포한다.
② 북부 아프리카 지역은 인구 밀집 지역이다.
③ 육지가 많은 남반구에 많은 인구가 분포한다.
④ 국토 면적이 넓은 국가들은 인구 밀도가 높다.
⑤ 아시아 대륙에 가장 많은 인구가 집중되어 있다.

04 신유형 다음 질문에 순서대로 답하였을 때 D 지역에 해당하는 곳을 고르면?

① 프랑스
② 브라질
③ 캐나다
④ 베트남
⑤ 러시아

05 다음 자료는 위도별 인구 분포 비율을 나타낸 것이다. 자료를 분석한 내용 중 옳지 않은 것은?

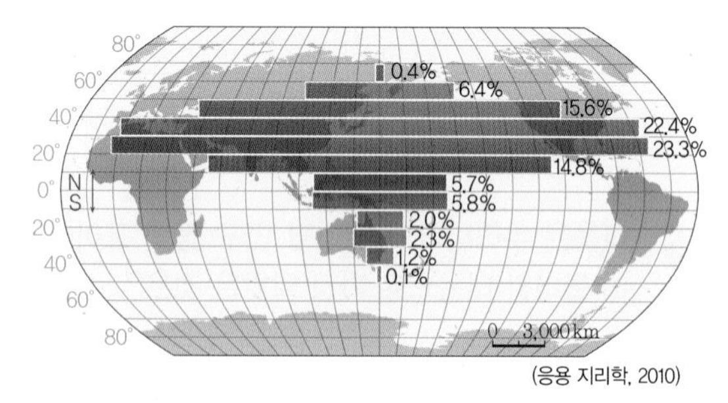

(응용 지리학, 2010)

① 중위도 지역에 인구가 밀집해 있다.
② 북위 20°~40° 사이의 인구 분포 비율이 높다.
③ 북반구보다 남반구에 인구가 더 많이 분포한다.
④ 자료를 통해 경도별 인구 분포 현황은 알 수 없다.
⑤ 북반구의 위도 80° 이상의 지역에는 인구가 거의 분포하지 않는다.

●●○
06 우리나라의 인구 분포에 대한 설명으로 옳지 않은 것은?

① 1960년대를 기준으로 인구 분포는 크게 달라졌다.
② 산업화 이전에는 남서부 지역에 인구가 밀집하였다.
③ 이촌 향도 현상으로 수도권의 인구 밀도는 낮아졌다.
④ 오늘날 산지 지역과 농어촌 지역은 인구 밀도가 낮다.
⑤ 산업화 이후 인문 · 사회적 요인이 인구 분포에 많은 영향을 미치고 있다.

●●○
07 (가)의 인구 분포가 (나)와 같이 변화하는 데 가장 큰 영향을 준 요인은?

(가) (나)

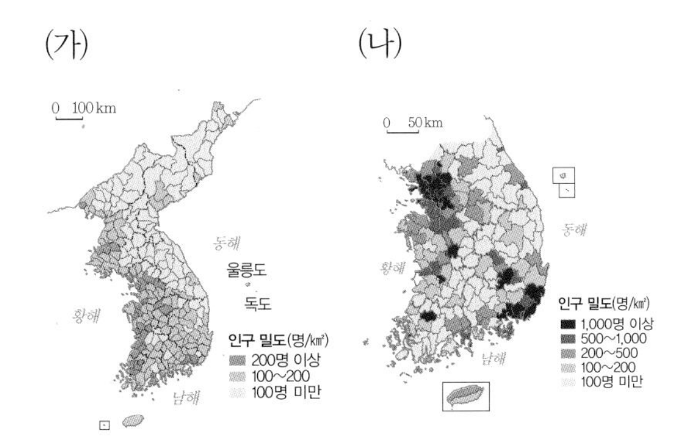

① 기후 ② 지형
③ 용수 ④ 산업화
⑤ 인구 정책

●●●
08 지역과 인구 분포에 관한 설명이 옳지 않은 것은?

① 경기도 성남 – 수도권에 있는 인구 밀집 도시
② 강원도 정선 – 산지가 많아 인구가 희박한 지역
③ 전라남도 강진 – 산업화에 따른 이촌 향도로 인구가 감소한 지역
④ 제주특별자치도 – 중국 관광객의 유입으로 전국에서 인구 밀도가 가장 높은 지역
⑤ 울산광역시 – 정부의 중화학 공업 육성 정책에 따라 공업 발달하고 인구가 밀집한 지역

●●●
09 신유형 다음 우리나라의 인구 분포를 나타낸 지도에 관해 잘못 이해한 학생은?

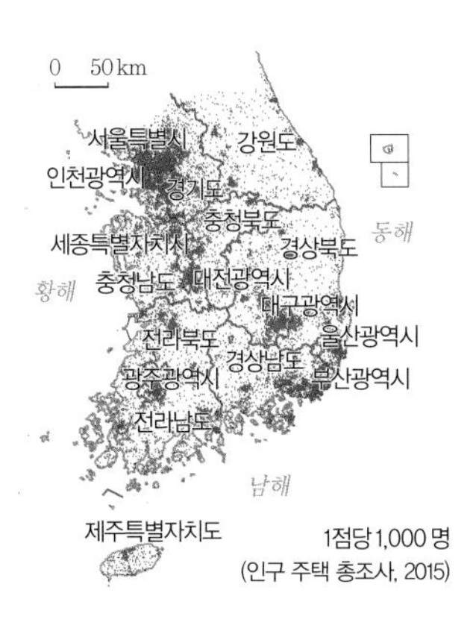

① 희민: 우리나라는 수도권에 인구가 집중되어 있어.
② 지솔: 강원도 지역은 대표적인 인구 희박 지역이야.
③ 소윤: 지방의 대도시에도 인구가 많이 분포해 있어.
④ 서현: 서남부 지역은 과거부터 현재까지 인구가 집중된 지역이야.
⑤ 태현: 남한 기준으로 서북쪽부터 남동쪽 방향을 따라 인구가 많이 분포하고 있어.

●○○
10 인구의 배출 요인으로 옳은 것을 〈보기〉에서 고른 것은?

보기	
ㄱ. 전쟁	ㄴ. 낮은 임금
ㄷ. 쾌적한 환경	ㄹ. 편리한 교통
ㅁ. 부족한 일자리	ㅂ. 다양한 교육 · 문화 시설

① ㄱ, ㄴ, ㄷ ② ㄱ, ㄴ, ㅁ
③ ㄴ, ㄹ, ㅂ ④ ㄴ, ㅁ, ㅂ
⑤ ㄷ, ㅁ, ㅂ

11 다음 글에 나타난 인구 이동의 유형으로 옳은 것은?

> 시리아 난민들이 레바논으로 탈출하고 있다. 민주화를 요구하며 일어난 시위를 무차별 진압하는 과정에서 많은 주민이 생활 터전을 잃고 시리아를 떠날 수밖에 없는 상황이 된 것이다.

① 국내 이동　② 일시적 이동
③ 종교적 이동　④ 경제적 이동
⑤ 정치적 이동

12 인구 이동에 관한 설명으로 옳지 않은 것은?

① 범위에 따라 국제 이동과 국내 이동으로 분류된다.
② 동기에 따라 자발적 이동과 강제적 이동으로 분류된다.
③ 기간에 따라 일시적 이동과 영구적 이동으로 분류된다.
④ 사람들이 거주를 위해 한 곳에서 다른 곳으로 옮겨 가는 현상이다.
⑤ 사람들을 끌어들이는 긍정적 요인은 배출 요인, 사람들을 다른 지역으로 밀어내는 부정적 요인은 흡인 요인이다.

13 세계 인구의 국제 이동에 관한 설명으로 옳은 것은?

① 과거에는 경제적 이동과 자발적 이동의 비중이 높았다.
② 오늘날에는 여행, 유학 등의 일시적 이동이 감소하고 있다.
③ 영국 청교도들의 아메리카로의 이동은 경제적 이동의 사례이다.
④ 오늘날에는 선진국에서 개발 도상국으로의 경제적 이동이 활발하다.
⑤ 신항로 개척 이후 아프리카인들은 노예 무역에 의해 아메리카로 강제 이주되었다.

14 우리나라의 인구 이동에 관한 설명으로 옳지 않은 것은?

① 최근 국제결혼이 증가하면서 다문화 가정이 늘어나고 있다.
② 최근에는 우리나라로 유입되는 외국인이 빠르게 증가하고 있다.
③ 1980년대 이후 유학, 취업 등으로 인한 일시적 이동이 증가하고 있다.
④ 일제 강점기에는 일자리를 찾아 광공업이 발달한 남부 지방으로 이동하였다.
⑤ 1960~1970년대에는 취업을 위해 서남아시아, 독일, 미국 등으로의 이동이 두드러졌다.

15 다음과 같은 인구 피라미드를 보이는 국가의 인구 문제로 옳지 않은 것은?

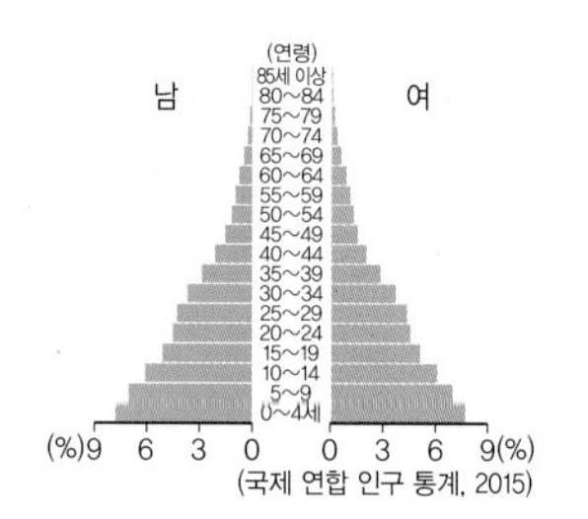

(국제 연합 인구 통계, 2015)

① 저출산 현상이 나타난다.
② 인구 부양력 부족 현상이 나타난다.
③ 기아와 빈곤 문제가 나타나기도 한다.
④ 도시 인구 증가로 주택 부족 현상이 나타난다.
⑤ 일부 국가에서는 성비 불균형이 현상이 나타난다.

16 저출산 현상의 해결책으로 적절하지 않은 것은?

① 산아 제한 정책
② 육아 수당 지급
③ 출산 장려금 지급
④ 직장 내 보육 시설 설치
⑤ 다자녀 가구에 세금 감면 혜택

17 다음 지도는 1940년 우리나라의 인구 분포를 나타낸 것이다. 지도와 같은 인구 분포가 나타나는 데 영향을 준 요인을 자연환경의 측면에서 서술하시오.

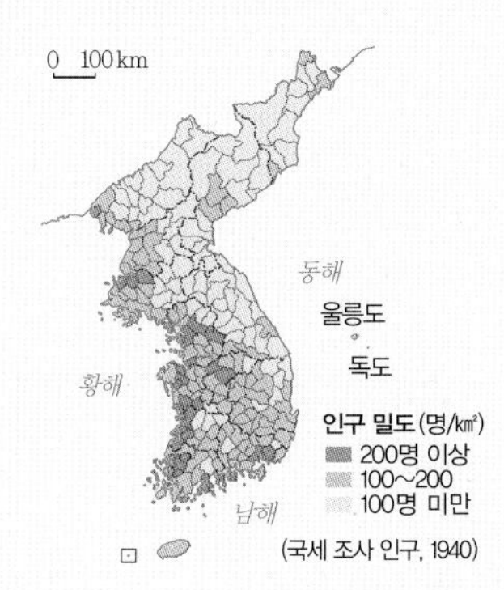

(국세 조사 인구, 1940)

18 다음 밑줄 친 내용이 설명하는 인구 이동 현상의 명칭을 쓰고, 이 인구 이동의 목적을 서술하시오.

> 우리나라는 1960년대 이후 산업의 발달로 <u>농촌의 인구가 도시로 이동</u>하면서 도시의 인구가 급격히 증가하게 되었다.

(1) 명칭:

(2) 인구 이동 목적:

19 다음 지도와 같은 인구 이동이 지속될 때 인구 유입 지역에서 나타날 수 있는 문제를 <u>세 가지</u> 서술하시오.

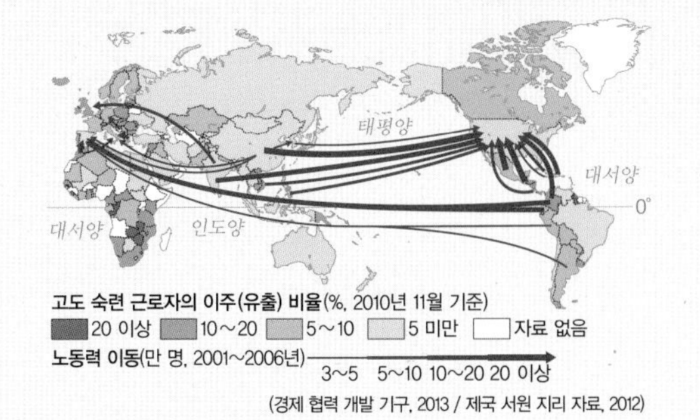

(경제 협력 개발 기구, 2013 / 제국 서원 지리 자료, 2012)

20 다음 지도를 바탕으로 중부 아프리카의 국가에서 나타날 인구 문제를 쓰고 이를 해결하기 위한 해결책을 <u>한 가지</u> 서술하시오.

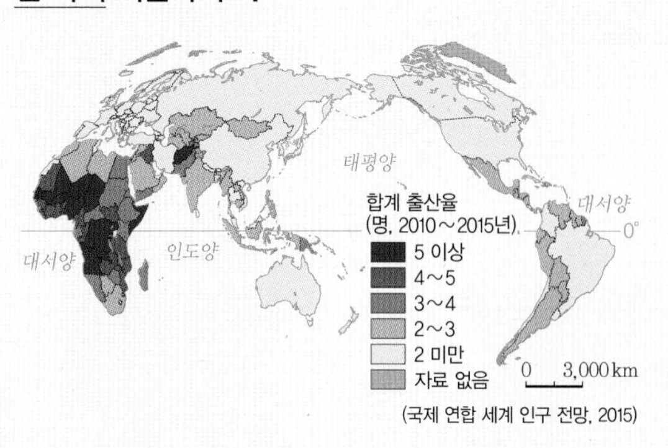

(국제 연합 세계 인구 전망, 2015)

(1) 인구 문제:

(2) 해결책:

21 다음과 같은 인구 피라미드를 보이는 국가의 인구 문제를 <u>두 가지</u> 서술하시오.

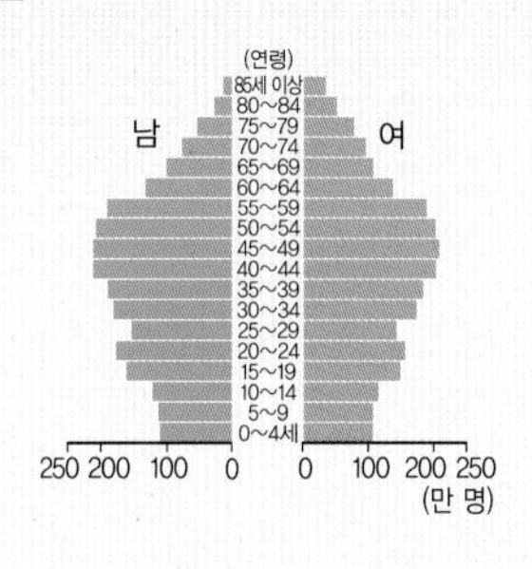

이 단원을 배우면

도시의 특징과 도시 중심부에서 주변 지역으로 가면서 달라지는 도시 경관의 변화 모습을 설명할 수 있어요. 그리고 선진국과 개발 도상국의 도시화 과정과 도시 문제를 파악하고, 살기 좋은 도시가 갖추어야 할 조건을 제시할 수 있어요.

사람이 만든 삶터, 도시

:나의 학습 진도표

중단원명	학습 코너	쪽수	학습 예정일	학습 완료일	달성도
01 세계 여러 도시의 위치와 특징	꼼꼼! 필기 노트	140쪽	◯월 ◯일	◯월 ◯일	☆☆☆☆☆
	탄탄! 활동 노트	141쪽	◯월 ◯일	◯월 ◯일	☆☆☆☆☆
	쑥쑥! 실력 키우기	142~143쪽	◯월 ◯일	◯월 ◯일	☆☆☆☆☆
02 도시 구조와 도시 경관	꼼꼼! 필기 노트	144쪽	◯월 ◯일	◯월 ◯일	☆☆☆☆☆
	탄탄! 활동 노트	145쪽	◯월 ◯일	◯월 ◯일	☆☆☆☆☆
	쑥쑥! 실력 키우기	146~147쪽	◯월 ◯일	◯월 ◯일	☆☆☆☆☆
03 도시화 과정과 도시 문제	꼼꼼! 필기 노트	148쪽	◯월 ◯일	◯월 ◯일	☆☆☆☆☆
	탄탄! 활동 노트	149쪽	◯월 ◯일	◯월 ◯일	☆☆☆☆☆
	쑥쑥! 실력 키우기	150~151쪽	◯월 ◯일	◯월 ◯일	☆☆☆☆☆
04 살기 좋은 도시	꼼꼼! 필기 노트	152쪽	◯월 ◯일	◯월 ◯일	☆☆☆☆☆
	탄탄! 활동 노트	153쪽	◯월 ◯일	◯월 ◯일	☆☆☆☆☆
	쑥쑥! 실력 키우기	154~155쪽	◯월 ◯일	◯월 ◯일	☆☆☆☆☆
뚝딱! 단원 마무리하기		156~159쪽	◯월 ◯일	◯월 ◯일	☆☆☆☆☆

세계 여러 도시의 위치와 특징

이것이 포인트!
- 도시의 의미와 특징
- 세계적으로 유명하거나 매력적인 도시

꼼꼼! 필기 노트

1 세계적으로 유명한 도시

1 도시의 의미와 특징
→ 도시는 촌락과 함께 인간이 살아가는 대표적인 거주 공간으로, 세계 인구의 절반가량이 도시에 거주하고 있어요.

(1) **의미**: 비교적 좁은 공간에 많은 사람이 거주하는 공간

(2) **특징**

① 높은 인구 밀도: ❶ ______ 건물이 많고 토지 이용이 집약적으로 이루어짐 (좁은 지역을 효율적으로 이용하기 위해서예요.)

② 2·3차 산업 발달: 제조업과 ❷ ______ 등의 비농업 활동의 비중이 높음

③ 주변 지역의 중심지 역할: 생활 편의 시설과 각종 기능 집중
→ 도시는 주변 지역에 상품과 서비스를 제공하는 중심지 역할을 수행하고 있어요.

2 세계의 여러 도시

도시	특징
뉴욕	미국 동부에 위치, 국제 연합(UN)의 본부 위치, 정치·경제·문화 등 여러 분야에서 세계적인 영향력이 큰 도시
❸ ______	일본의 수도, 증권 거래소를 비롯한 각종 금융 기관이 밀집한 아시아 금융의 중심지
브뤼셀	벨기에의 수도, 북대서양 조약 기구(NATO) 및 유럽 연합(EU)의 본부 위치
싱가포르	태평양과 인도양을 잇는 관문에 위치, 아시아 국제 교통의 허브
카이로	❹ ______의 수도, 천 년이 넘는 역사를 가진 아프리카 최대 도시
상파울루	커피 재배 및 커피 거래를 통해 성장, 브라질 최대 도시이자 남아메리카 경제의 중심지

2 세계적으로 매력적인 도시

1 매력적인 도시의 특성

① 지리적 위치: 도시의 위치 자체가 매력을 형성(해안 지역, 극지방, 문화의 경계 지역 등)

② 자연 경관: 아름답거나 특이한 자연 경관이 도시의 매력을 형성

③ 인문 경관: 오랜 역사와 문화를 담고 있는 인문 경관이 도시의 매력을 형성

2 매력적인 도시

도시	특징
케이프타운	테이블처럼 낮고 편평한 산과 도시, 바다가 어우러진 ❺ ______의 아름다운 도시
이스탄불	동·서양의 역사, 종교, 문화 등이 자연스럽게 어우러진 튀르키예의 도시
홍콩	중계 무역의 중심지로 초고층 빌딩이 만들어 내는 야경이 아름다운 중국의 도시
옐로나이프	고위도에 위치하여 오로라의 관측 성공률이 높은 캐나다의 도시
쿠스코	❻ ______ 문명의 중심지로 유네스코 세계 유산에 등재된 페루의 도시

▲ 케이프타운

▲ 이스탄불

▲ 쿠스코

+ 도시의 기준
도시를 구분하는 기준은 국가마다 다양하다. 우리나라에서는 일반적으로 인구가 5만 명 이상, 2·3차 산업 종사자의 비중이 50% 이상이 되는 지역을 도시로 규정짓는다.

+ 산업의 분류
- 1차 산업: 농업, 어업, 임업 등
- 2차 산업: 광업, 제조업 등
- 3차 산업: 서비스업(상업, 금융업, 지식·정보 산업 등)

+ 북대서양 조약 기구(NATO)
제2차 세계 대전 후 동유럽에 주둔하고 있던 소련군과 군사적 균형을 맞추기 위해 서유럽과 미국 사이에 체결한 북대서양 조약의 수행 기구이다.

+ 동서양의 경계점 이스탄불
이스탄불은 튀르키예의 가장 큰 도시로 보스포루스 해협을 중심으로 서쪽의 유럽 문화와 동쪽의 아시아 문화가 만나는 동서양의 경계점이다.

콕콕! 핵심 개념

1 □□: 촌락과 함께 인간이 살아가는 대표적인 거주 공간으로 인구 밀도가 높고 토지 이용이 집약적인 장소

2 □□: 국제 연합(UN)의 본부가 위치하며 세계 정치·경제·문화의 중심 도시

3 □□□□: 동·서양 문화의 경계 지역으로 튀르키예의 최대 도시

활동 1 다음은 세계의 여러 도시에 관한 내용이다. 물음에 답해 보자.

(가)

세계의 여러 도시는 저마다 다양한 특징을 갖고 있다. 특히 도시의 수직적인 윤곽을 의미하는 (㉠)과 도시를 상징한다고 볼 수 있는 대표적 지형지물인 (㉡)는 도시를 구분할 수 있는 특징이 된다. 가령 영국의 수도 런던은 런던브리지와 런던아이와 같은 (㉡)가 있고 미국의 대도시 뉴욕은 높은 고층 빌딩들이 만들어 내는 (㉠)이 도시의 특징을 형성한다.

(나)

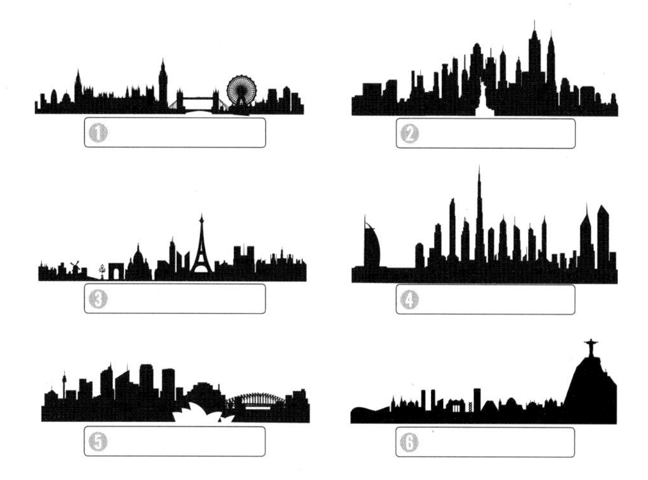

1 (가)의 ㉠, ㉡에 들어갈 적절한 용어를 써 보자.

㉠-(   )   ㉡-(   )

2 (가)의 내용을 참고하여 (나)의 ❶~❻ 도시의 이름을 써 보자.

활동 2 다음 특징이 나타나는 도시를 지도에서 찾아 기호와 도시의 이름을 써 보자.

국제 연합 본부가 있는 미국의 대도시	커피 재배 및 커피 거래로 성장한 브라질 최대의 도시	태평양과 인도양을 잇는 관문이자 교통이 발달한 도시 국가	나일강 하류에 위치한 이집트의 수도	북대서양 조약 기구의 본부가 있는 도시	일본의 수도로 아시아 최대의 금융 중심지
❶	❷	❸	❹	❺	❻

쑥쑥! 실력 키우기

단계별 문제를 풀면서 실력을 쑥쑥 키워 보세요.

1 STEP 개념을 되짚는 확인 문제

01 다음 빈칸에 들어갈 알맞은 말을 쓰시오.

(1) (   )은(는) 촌락과 더불어 세계 인구의 절반가량이 거주하는 대표적인 거주 공간이다.

(2) 도시는 인구 밀도가 매우 높고, 토지 이용이 (   )적이다.

02 다음 설명하는 도시의 이름을 쓰시오.

(1) 영국의 수도로, 다국적 기업의 본사가 많고 금융 시장을 기반으로 국제 자본의 연결망을 가진 도시
(   )

(2) 도시 자체가 국가인 도시로 무역과 상업이 발달한 아시아 국제 교통의 허브 도시
(   )

03 다음 설명이 옳으면 O, 틀리면 X에 표시하시오.

(1) 브뤼셀은 북서부 유럽에 위치한 벨기에의 수도로 국제 연합의 본부가 위치해 있다. (○ | ×)

(2) 이스탄불은 튀르키예의 수도로 동서양의 문화가 만나 독특한 경관이 나타난다. (○ | ×)

(3) 페루의 쿠스코는 잉카 문명의 중심지로 유네스코 세계 문화유산에 등재된 도시이다. (○ | ×)

04 다음 내용에 해당하는 도시를 바르게 연결하시오.

(1) 이집트의 수도로 천 년이 넘는 역사를 간직한 아프리카 최대 도시 •　　• ㉠ 시드니

(2) 아름다운 항구와 오페라 하우스로 유명한 도시 •　　• ㉡ 카이로

(3) 오로라 관측 성공률이 높아 많은 관광객이 찾는 캐나다의 도시 •　　• ㉢ 옐로나이프

2 STEP 기초를 다지는 기본 문제

01 중요 도시에 관한 설명으로 옳지 않은 것은?

① 인구 밀도가 높다.
② 토지 이용이 집약적이다.
③ 촌락과 함께 대표적인 거주 공간이다.
④ 각종 업무와 상업 기능이 발달해 있다.
⑤ 주민들의 생활 모습이 다양하고 생활 범위가 좁다.

02 다음 내용이 설명하는 도시는?

- 남아메리카 동부 해안 부근에 위치
- 커피 재배 및 커피 거래를 통해 성장
- 브라질 최대 도시이자 남아메리카 경제의 중심 도시

① 마나우스　　② 상파울루
③ 쿠리치바　　④ 브라질리아
⑤ 리우데자이루

03  다음과 같은 스카이라인과 랜드마크를 볼 수 있는 도시는?

① 뉴욕　　② 런던
③ 파리　　④ 시드니
⑤ 두바이

04 지도의 A~E의 도시 이름이 바르게 연결된 것은?

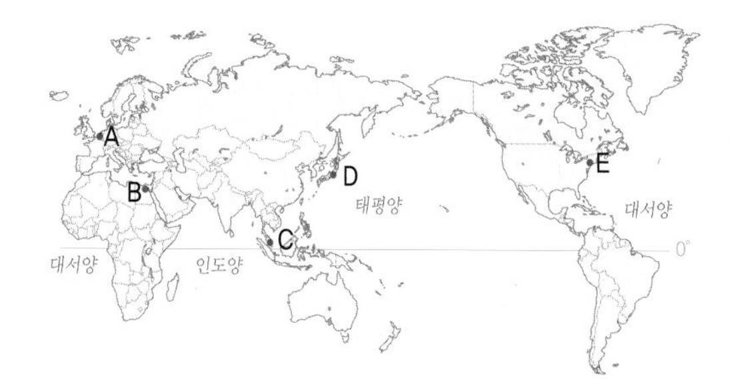

① A – 도쿄　　② B – 브뤼셀
③ C – 카이로　　④ D – 싱가포르
⑤ E – 뉴욕

05 중요 매력적인 도시에 관한 설명으로 옳지 않은 것은?

① 매력적인 도시는 지속적으로 사람들을 끌어들인다.
② 도시의 자연 경관이 도시의 매력을 만들어 내기도 한다.
③ 도시의 역사, 문화 등의 요소는 인문 경관에 포함된다.
④ 홍콩은 아시아의 매력적인 도시로 오로라 관측이 가능하다.
⑤ 도시의 지리적 위치 자체가 도시의 개성을 만들어 내기도 한다.

06 다음과 같은 경관이 나타나는 도시에 관한 설명으로 옳지 않은 것은?

① 튀르키예의 최대 도시이자 수도이다.
② 역사적인 문화 유적이 풍부하다.
③ 이슬람교 사원이 대규모로 밀집해 있다.
④ 동양 문화와 서양 문화의 접경 지대에 있다.
⑤ 동양과 서양의 문화가 자연스럽게 어우러져 있다.

3 STEP 실력을 완성하는 주관식·서술형 문제

07 중요 도시의 특징을 〈보기〉의 용어를 포함하여 서술하시오.

보기
인구 밀도, 토지 이용, 기능

08 다음 사진을 참고하여 도시 경관의 특징을 촌락과 비교하여 서술하시오.

▲ 도시 경관

▲ 촌락 경관

09 고난도 다음 도시의 공통적인 특징을 서술하시오.

뉴욕, 런던, 도쿄

10 유명하거나 매력적인 도시의 특징을 세 가지 서술하시오.

도시 구조와 도시 경관

이것이 포인트!
- 도시 내부 구조
- 도시 내부의 지역 분화

꼼꼼! 필기 노트

1 도시의 내부 구조

1 도시 내부 경관

(1) 도심, 부도심, 주변 지역으로 구분됨
(2) 도시의 중심부에서 주변 지역으로 갈수록 건물의 높이가 낮아짐
(3) 도시 중심부일수록 도로망 발달, 교통량이 많음

도시의 중심으로 갈수록 땅값(지대)이 비싸 도심에서는 공간을 효율적으로 이용하기 위해 고층화 현상이 나타나요.

2 도시 내부 경관의 변화

구분	기능 및 특징
❶	• 도시의 중심에 위치 • 접근성이 좋음: 편리한 교통, 비싼 땅값, 고층 건물 밀집 • 중심 업무 지구(CBD) 형성: 대기업 본사, 백화점, 관공서 밀집 • 인구 공동화 현상: 주거 기능 약화로 도심의 상주인구 감소 → 낮에는 도심의 인구 밀도가 높지만 밤에는 인구 밀도가 낮은 상태
부도심	• 도심과 주변 지역 사이 ❷ 이 편리한 지역에 발달 • ❸ 의 기능 분담
주변 지역	• 대규모 주택 단지나 아파트 단지가 형성됨 • 도시의 주거지로서의 역할 • 규모가 큰 공장이 입지하기도 함
개발 제한 구역	• 일부 대도시의 주변 외곽에 위치 • 대도시의 무분별한 확장을 막기 위해 설정된 지역 • 상업, 공업, 주거 등의 일반적인 개발이 제한됨
위성 도시	대도시 주변에서 대도시의 일부 기능을 분담하는 중소 도시

상주인구: 주소를 두고 한 지역에 거주하는 인구를 말해요.

2 도시 내부의 기능 지역 분화

1 도시 규모에 따른 지역 분화

(1) **초기의 도시**: 상업, 주거, 업무 기능이 도시 중심에 혼재됨
(2) **성장한 도시**: 도시 성장에 따라 도시 내의 상업, 주거, 공업 기능이 같은 종류의 기능끼리 모이면서 나누어짐 → 지역 분화

2 도시 내부의 기능 지역 분화

접근성이란 도시의 각 지역으로부터 빠르게 도달할 수 있는 정도를 의미하며 일반적으로 도시 중심은 도시 각 지역으로부터의 접근성이 매우 높아요.

(1) **원인**: 접근성과 지대의 차이 → 교통이 편리한 지역일수록 ❹ 이 높고, 접근성이 높은 지역일수록 ❺ 가 높음
(2) **과정**: 비슷한 기능끼리 모이는 ❻ 현상과 다른 기능을 밀어내는 ❼ 현상 발생

집심 현상	상업 · 업무 기능은 접근성이 좋은 도심 쪽으로 집중됨
이심 현상	공업 및 주거 기능은 땅값이 저렴한 외곽 지역 쪽으로 분산됨

(3) **형성**
① ❽ : 접근성이 가장 좋음 → 상업 · 업무 기능 입지
② 주변 지역: 싸고 넓은 토지 → 주거 및 공업 기능 입지

+ 접근성
어떤 장소에 쉽게 접근할 수 있는 정도로, 교통이 편리하고 중앙에 위치한 지역은 접근성이 좋다.

+ 중심 업무 지구(CBD)
대도시에서 중추 관리 기능을 비롯하여 상업 기능 및 고급 서비스 기능이 밀집된 지역을 말한다.

+ 인구 공동화 현상
주간에 업무나 쇼핑 때문에 도심에서 활동하던 사람들이 야간에는 외곽의 주거 지역으로 귀가하면서 도심의 인구가 급격히 줄어드는 현상을 말한다.

+ 개발 제한 구역
도시의 무질서한 팽창을 막고 자연환경을 보호하기 위해 개발을 제한하는 지역으로, 그린벨트(greenbelt)라고도 한다.

+ 지대
토지의 이용자가 이용료로 토지의 주인에게 지급하는 비용으로, 접근성이 높은 곳일수록 지대가 비싸다.

콕콕! 핵심 개념

1 □□: 도시 중심에 위치한 지역으로 중심 업무 지구 형성
2 □□□: 도심의 기능을 분담하는 지역으로 교통이 편리한 곳에 발달
3 □□ □□□ 현상: 낮에는 도심의 인구 밀도가 높지만 밤에는 인구 밀도가 낮은 상태
4 □□ □□ □□: 대도시의 무분별한 확장을 막기 위해 일부 대도시 주변에 설정된 지역

활동 1 서울의 내부 경관을 나타낸 자료를 참고하여 (가)~(라) 지역의 기능 및 경관 특징을 표에 정리해 보자.

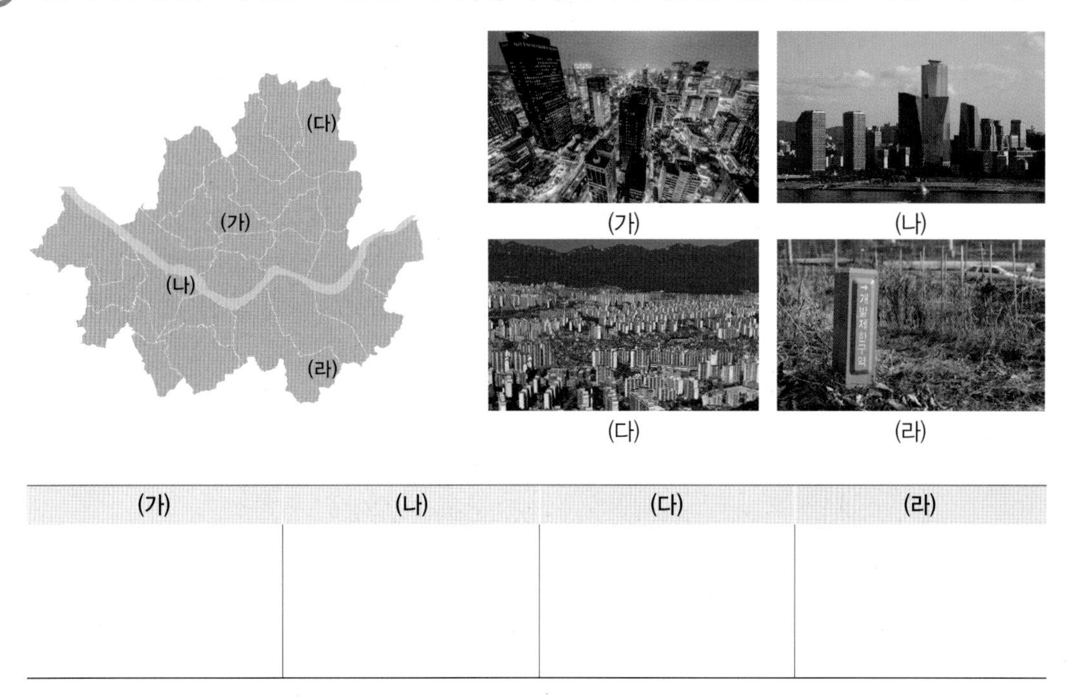

(가) (나) (다) (라)

(가)	(나)	(다)	(라)

활동 2 다음 자료를 읽고 물음에 답해 보자.

도시 내부 구조의 지역 분화는 지역마다 (㉠)과(와) (㉡)이(가) 다르기 때문에 발생한다. (㉠)은(는) 도시의 각 지역에서 얼마나 빠르게 도달할 수 있는가를 나타내는 정도이며 (㉡)은(는) 해당 토지를 사용하는 대가로 지불하는 비용을 의미한다. 일반적으로 도심으로 갈수록 (㉠)와(과) (㉡)이(가) 모두 높아지며 주변 지역으로 갈수록 낮아지는 경향이 있다. 따라서 도심 지역에는 주로 중심 업무 기능이 들어서며 주변 지역에는 주거 기능이 들어선다. 이에 따라 도심 지역에는 야간에 인구가 급격히 줄어드는 현상이 나타난다.

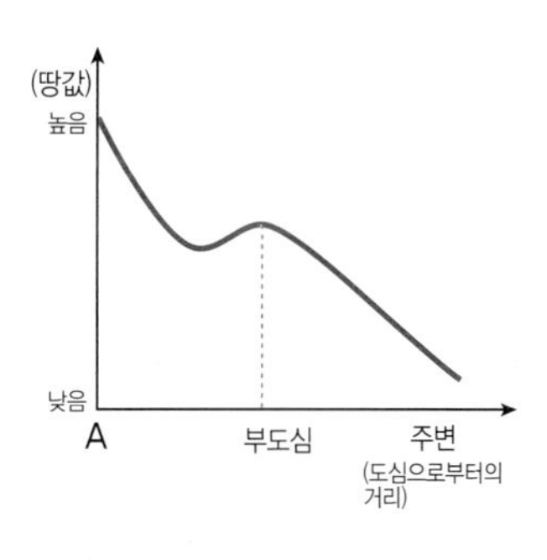

1 위 글의 빈칸 ㉠, ㉡에 들어갈 용어를 써 보자.

㉠-( ) ㉡-( )

2 오른쪽 그래프는 도시 내부의 땅값을 나타낸 것이다. A는 도시 내부의 어느 지역에 해당하는지 써 보자.

3 위 글의 밑줄 친 내용과 관련된 용어를 쓰고, 도심 지역의 인구가 야간에 어디로 사라지는지 써 보자.

쑥쑥! 실력 키우기

단계별 문제를 풀면서 실력을 쑥쑥 키워 보세요.

1 STEP 개념을 되짚는 확인 문제

01 다음 빈칸에 들어갈 알맞은 말을 쓰시오.

(1) 도심은 행정 · 금융 기관, 백화점, 대기업의 본사 등이 밀집한 (　　　　　)을(를) 형성한다.

(2) 도시의 내부 구조가 상업 지역, 공업 지역, 주거 지역 등으로 나뉘는 현상을 (　　　　　)(이)라고 한다.

(3) 도시의 중심 업무 기능, 상업 기능 등이 접근성이 좋은 도시 중심부로 집중되는 현상을 (　　　　　) 현상이라고 한다.

02 다음 설명에 해당하는 용어를 쓰시오.

(1) 도시의 무질서한 팽창을 방지하고, 녹지 공간을 확보하기 위해 설정한 공간을 말한다. (　　　　　)

(2) 어떤 장소에 쉽게 도달할 수 있는 정도를 의미하는 것으로 도시 중심으로 갈수록 높아진다. (　　　　　)

03 다음 설명이 옳으면 ○, 틀리면 ×에 표시하시오.

(1) 일반적으로 도심의 중심부에 위치하는 건물의 높이가 높고 주변 지역으로 갈수록 건물의 높이가 낮아진다. (○ | ×)

(2) 도시의 외곽으로 갈수록 접근성과 땅값이 높아진다. (○ | ×)

04 다음 도시 내부 구조와 특징을 바르게 연결하시오.

(1) 도심 • 　　• ㉠ 도시의 중심부로, 고층 건물 밀집

(2) 부도심 • 　　• ㉡ 대규모 주택 단지나 아파트 단지 형성

(3) 주변 지역 • 　　• ㉢ 교통이 편리한 곳에 위치하며 도심의 기능 분담

2 STEP 기초를 다지는 기본 문제

01 (중요) 도심에 관한 설명으로 옳은 것은?

① 교통이 편리하여 접근성이 좋다.
② 도시와 농촌의 모습이 뒤섞여 나타난다.
③ 녹지 공간을 확보하기 위해 설정한 공간이다.
④ 대규모 아파트 단지와 주택 단지가 나타난다.
⑤ 도시의 무질서한 팽창을 방지하는 역할을 한다.

02 다음과 같은 특징이 나타나는 도시 내부 지역은 어디인가?

- 도심의 기능과 역할을 분담
- 교통이 편리한 지역에 발달
- 서울의 경우 여의도와 강남이 이 지역에 해당함

① 도심　② 부도심　③ 위성 도시
④ 주변 지역　⑤ 개발 제한 구역

03 다음 사진과 같은 경관이 나타나는 지역에 관한 설명으로 옳은 것은?

① 도시의 중심부에 위치한다.
② 도시에서 땅값이 가장 비싼 지역이다.
③ 도시에서 교통이 가장 편리한 곳에 위치한다.
④ 도시의 무분별한 팽창을 막기 위해 설정된 지역이다.
⑤ 도시의 주변 지역으로 주로 대규모 주택 단지나 아파트 단지가 나타난다.

04 중요 도심에서 주변 지역으로 가면서 나타나는 변화 모습으로 옳은 것은?

① 땅값이 높아진다.
② 주간 인구가 증가한다.
③ 건물의 높이가 높아진다.
④ 주택, 학교, 공장 등이 많아진다.
⑤ 은행, 백화점, 대기업의 본사 등이 많아진다.

05 중요 도시 내부 기능 지역 분화에 관한 설명으로 옳은 것을 <보기>에서 고른 것은?

보기
ㄱ. 공업 지역은 도심에 주로 형성된다.
ㄴ. 접근성이 높은 지역일수록 땅값이 낮다.
ㄷ. 도시 내부의 기능 지역 분화는 접근성과 지대의 차로 발생한다.
ㄹ. 도시 형성 초기에는 여러 기능이 혼재되어 있지만 도시가 성장하면서 비슷한 기능끼리 모이는 현상이 나타난다.

① ㄱ, ㄴ ② ㄱ, ㄷ ③ ㄴ, ㄷ
④ ㄴ, ㄹ ⑤ ㄷ, ㄹ

06  다음 그래프에 관한 설명으로 옳지 않은 것은?

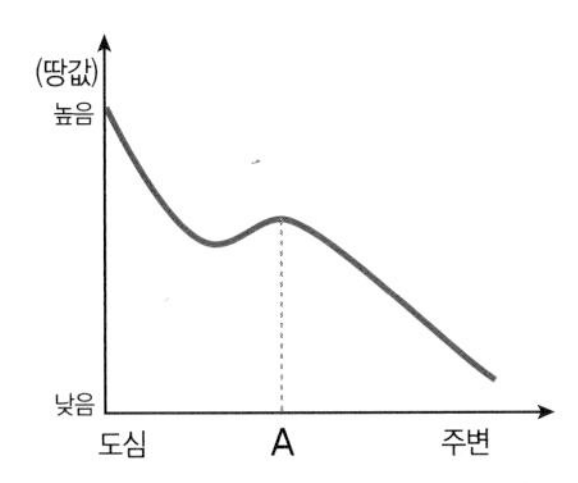

① 도심으로 갈수록 땅값이 높아진다.
② A에 해당하는 곳은 부도심이 된다.
③ 외곽으로 갈수록 접근성이 낮아진다.
④ 도심으로부터 거리에 따른 땅값을 의미한다.
⑤ 도심으로부터 거리가 멀수록 상업 기능이나 중심 업무 기능이 밀집한다.

3 STEP 실력을 완성하는 주관식·서술형 문제

07 고난도 다음 도시 내부 구조를 나타낸 그림을 보고 물음에 답하시오.

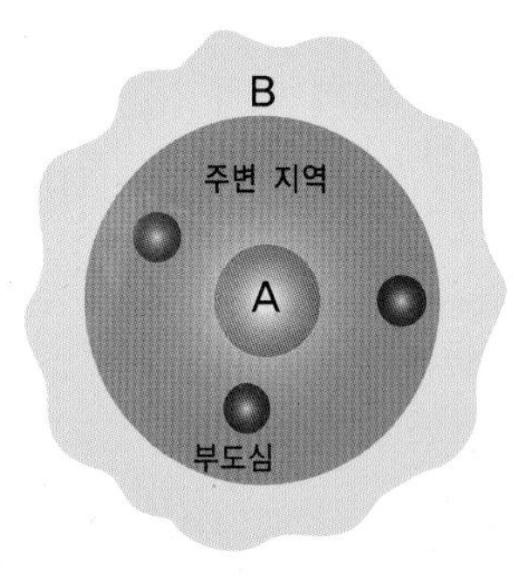

(1) A 지역의 명칭과 특징을 두 가지 서술하시오.

(2) B 지역의 명칭과 역할을 간략히 서술하시오.

08 다음 내용이 설명하는 현상을 쓰고, 이와 같은 현상이 나타나는 까닭을 설명하시오.

낮에는 업무나 쇼핑을 위해 이동해 온 사람들로 도심이 북적이지만, 밤에는 사람이 없고 도심이 한산해지는 현상을 말한다.

(1) 현상:
(2) 까닭:

도시화 과정과 도시 문제

이것이 포인트!
- 선진국과 개발 도상국의 도시화 과정
- 선진국과 개발 도상국의 도시 문제

꼼꼼! 필기 노트

+ 도시화율
한 국가의 전체 인구 중 도시에 거주하는 인구의 비율을 말한다.

+ 역도시화
도시에 인구가 집중하면서 각종 문제가 발생하자 도시에 거주하던 인구가 도시를 벗어나 촌락으로 이동하는 현상을 말한다.

+ 슬럼
대도시 내에서 빈민이 주로 거주하고 주거 환경이 나쁜 지역으로, 도시 내부의 다른 지역과 빈부 격차가 크다.

+ 도심 재개발 사업
도심부는 도시에서 가장 먼저 형성된 곳이라 일반적으로 주거나 상업 시설이 낡은 경우가 많다. 낡은 시설을 허물고 새롭게 재개발하는 사업을 도심 재개발 사업이라고 한다.

+ 도시 기반 시설
도시화된 생활 양식을 누리기 위해 필요한 기초 시설들로, 포장되고 정비된 도로, 거주하기 위한 주택, 생활용수를 공급하고 생활 오수를 처리하는 상하수도 시설, 난방열을 공급하는 시설 등을 총칭한다.

콕콕! 핵심 개념

1 □□□: 도시에 거주하는 인구가 증가하고 도시적 생활 양식이 확대되는 과정
2 □□□□: 총인구 중 도시에 사는 인구가 차지하는 비율
3 □□ □□: 도시에서 발생하는 교통 혼잡, 주택 부족, 환경 오염 등의 문제
4 □□: 대도시 내에서 빈민이 주로 거주하고 있는 거주 환경이 나쁜 지역

1 도시화 과정

1 도시화와 도시화 과정

(1) ❶ [   ]
① 도시의 수가 증가하거나 도시에 거주하는 인구 비율이 높아지고 도시적 생활 양식이 확대되는 과정
② 도시화가 진행되면 1차 산업에 종사하는 비율은 감소하고 2, 3차 산업에 종사하는 인구 비율은 증가함

(2) **도시화 과정**

❷ [ ] 단계	• 도시화율이 낮으며, 도시 인구가 적음 • 1차 산업 중심의 농업 사회 • 인구가 전 국토에 걸쳐 고르게 분포
❸ [ ] 단계	• 이촌 향도 현상으로 급속한 도시 인구 증가 → 도시 과밀화 → 각종 도시 문제 발생 • 도시화가 급속하게 진행됨
종착 단계	• 높은 도시화율 → 도시화율이 80% 이상인 단계예요. • 도시화의 진행 속도가 둔화됨 • 도시에서 도시로의 인구 이동이 활발하며 도시에서 농촌으로 인구가 이동하는 역도시화 현상이 나타나기도 함

2 선진국과 개발 도상국의 도시화 과정

(1) 도시화의 진행 과정은 각 국가의 경제 발달 정도와 밀접한 관련이 있음
(2) **선진국과 개발 도상국의 도시화**

선진국	• 산업 혁명으로 일찍부터 농업 사회에서 산업 사회로 발달함 → 200년에 가까운 오랜 기간 동안 서서히 도시화가 진행됨 • 대부분 선진국의 도시화율은 완만하게 증가하거나 정체되는 도시화의 ❹ [ ] 단계에 도달
개발 도상국	• 농업 사회에서 산업 사회로의 전환이 비교적 늦은편임(제2차 세계 대전 이후 산업화 진행) → 50년 내의 짧은 기간 동안 도시화가 급속하게 진행됨 • 대체로 도시화의 가속화 단계에 해당하는 경우가 많음

2 도시 문제

1 도시 문제의 발생

(1) ❺ [   ]: 인구의 지나친 도시 집중으로 발생하는 교통 · 주택 · 환경 등의 문제
(2) 선진국과 개발 도상국은 도시화에 걸린 시간이 서로 달라 도시 문제도 다르게 나타남

2 선진국과 개발 도상국의 도시 문제

오래되거나 슬럼화된 도심 지역을 새롭게 개발하는 재개발 사업은 기존 거주민과 상인들을 내보내는 과정에서 개발업자와 주민들 간의 갈등이 발생하곤 해요.

선진국	• 각종 시설의 노후화 • ❻ [ ] 현상에 따른 도심의 주거 기능 약화 • 도심의 슬럼화와 도심 재개발 사업에 따른 갈등
개발 도상국	• 과도한 인구 집중으로 주택, 도로 등 도시 기반 시설 부족 • 무허가 주택이나 불량 주거 지역 형성

활동 ① 다음 세계의 시기별 도시 인구 순위와 분포를 보고 물음에 답해 보자.

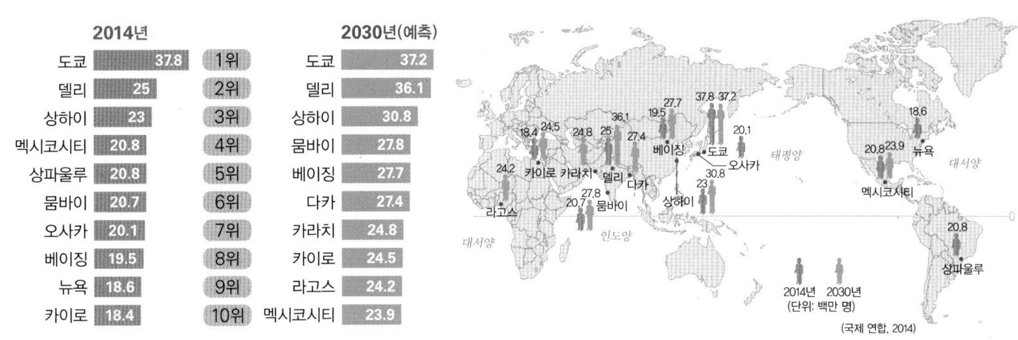

▲ 세계 도시 인구 순위 ▲ 세계 도시 인구 순위 분포

1 위 자료를 바탕으로 2014년의 세계 주요 대도시들의 대륙별 분포와 2030년(예측)의 세계 주요 대도시들의 대륙별 분포를 완성해 보자.

아시아		유럽		아프리카		아메리카	
2014년	2030년	2014년	2030년	2014년	2030년	2014년	2030년
❶	❷	❸	❹	❺	❻	❼	❽

2 1번 문제의 분포를 바탕으로 볼 때 세계의 주요 대도시들은 어느 대륙에 집중적으로 분포하는지 써 보자.

( )

3 2014년과 2030년 자료를 비교할 때 두드러지는 차이점을 써 보자.

____

활동 ② 다음 도시화 곡선을 보고 물음에 답해 보자.

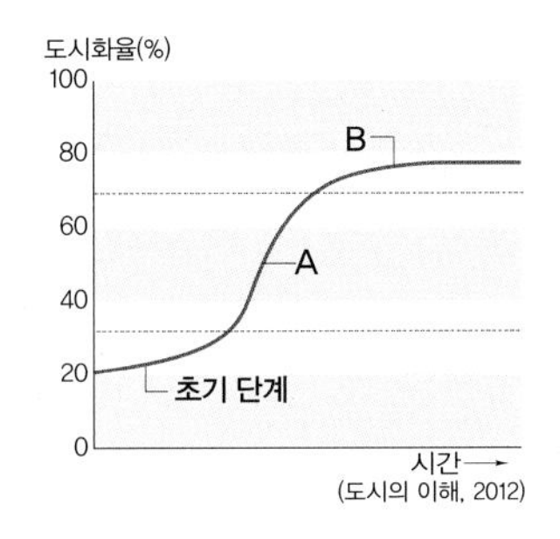

1 그래프의 A와 B에 해당하는 도시화 단계를 써 보자.

A–( ) B–( )

2 도시화 곡선의 각 단계별 특징을 설명해 보자.

초기 단계	A 단계	B 단계

3 위 도시화 곡선을 바탕으로 다음 글의 빈칸을 채워 보자.

> 도시화의 초기 단계를 지나 가속화 단계에 이르면 농촌의 인구가 빠른 속도로 도시로 이동하게 되는 (㉠) 현상이 나타난다. 그러다 종착 단계에 이르게 되면 이 현상과는 반대로 도시의 인구가 농촌으로 유출되는 (㉡) 현상이 나타나기도 한다.

쑥쑥! 실력 키우기

단계별 문제를 풀면서 실력을 쑥쑥 키워 보세요.

1 STEP 개념을 되짚는 확인 문제

01 다음 빈칸에 들어갈 알맞은 말을 쓰시오.

(1) 도시에 거주하는 인구가 증가하고 도시적 생활 양식이 확대되는 과정을 (　　　　　)(이)라고 한다.

(2) 도시화 과정은 초기 단계와 (　　　　　) 단계, (　　　　　) 단계로 구성된다.

(3) 현재 선진국의 도시화율은 증가하거나 정체되는 도시화의 (　　　　　) 단계에 이르렀다.

02 다음 설명에 해당하는 용어를 쓰시오.

(1) 어떤 지역의 전체 인구 중 도시에 거주하는 인구가 차지하는 비율 (　　　　　)

(2) 도시의 인구가 농촌으로 이동하여 도시 인구가 감소하는 현상 (　　　　　)

03 다음 설명이 옳으면 O, 틀리면 X에 표시하시오.

(1) 개발 도상국의 도시화는 제2차 세계 대전 이후 급속한 산업화와 함께 짧은 기간 동안 빠르게 진행되고 있다. (○ | ×)

(2) 도시화의 종착 단계에도 농촌에서 도시로의 인구 유입은 여전히 활발하다. (○ | ×)

(3) 개발 도상국에서는 주택과 각종 시설 및 일자리 부족, 열악한 위생, 환경 오염 등의 도시 문제가 나타나고 있다. (○ | ×)

04 도시화 단계와 특징을 바르게 연결하시오.

(1) 초기 단계 •　　• ㉠ 역도시화 현상 발생

(2) 가속화 단계 •　　• ㉡ 1차 산업이 국가 산업의 중심

(3) 종착 단계 •　　• ㉢ 농촌에서 도시로의 인구 유입이 급속하게 증가

2 STEP 기초를 다지는 기본 문제

01 (중요) 도시화에 관한 설명으로 옳지 않은 것은?

① 도시 규모가 커지는 것을 뜻한다.
② 도시 거주 인구가 증가하는 것을 뜻한다.
③ 도시적 생활 양식이 확대되는 것을 뜻한다.
④ 도시화의 진행 과정은 경제 발달 정도와 관계가 있다.
⑤ 도시화가 본격적으로 진행되면 1차 산업에 종사하는 인구 비율이 증가한다.

02 선진국의 도시화 과정에 관한 설명으로 옳은 것을 〈보기〉에서 있는 대로 고른 것은?

> **보기**
> ㄱ. 역도시화 현상이 나타나는 경우도 있다.
> ㄴ. 대부분의 국가가 종착 단계에 도달해 있다.
> ㄷ. 제2차 세계 대전 이후 도시화가 진행되었다.
> ㄹ. 200년에 가까운 기간 동안 천천히 도시화가 진행되었다.

① ㄱ, ㄴ, ㄷ　② ㄱ, ㄴ, ㄹ　③ ㄱ, ㄷ, ㄹ
④ ㄴ, ㄷ, ㄹ　⑤ ㄱ, ㄴ, ㄷ, ㄹ

03 (중요) 도시화 곡선의 A 단계에 관한 설명으로 옳은 것은?

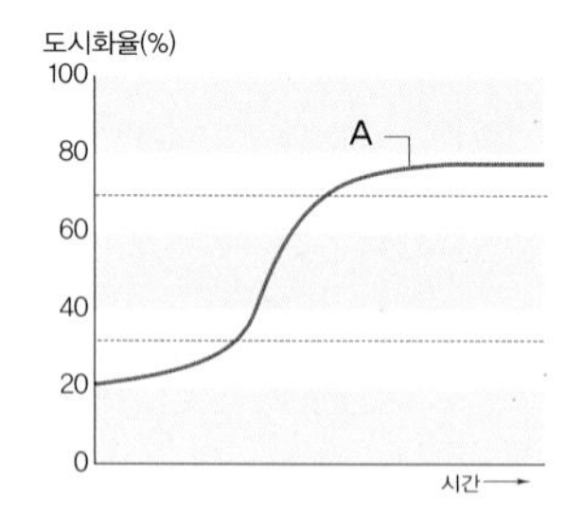

① 도시화율이 20%~40% 사이이다.
② 대부분의 인구가 촌락에 분포한다.
③ 산업화가 빠르게 진행되면서 나타난다.
④ 도시로의 인구 유입이 매우 빠르게 증가한다.
⑤ 도시의 인구가 유출되는 역도시화가 나타나기도 한다.

04 중요 도시화에 관한 설명으로 옳은 것을 〈보기〉에서 고른 것은?

보기
ㄱ. 오늘날 세계의 도시화를 주도하는 대륙은 유럽 대륙이다.
ㄴ. 선진국에서는 농촌에서 도시로의 인구 이동이 활발하다.
ㄷ. 선진국의 도시들은 오늘날 도시화 진행 속도가 느린 편이다.
ㄹ. 개발 도상국의 도시들은 20세기 중반 이후 도시화가 빠르게 진행되고 있다.

① ㄱ, ㄴ ② ㄱ, ㄷ ③ ㄴ, ㄷ,
④ ㄴ, ㄹ ⑤ ㄷ, ㄹ

05 도시 문제가 발생하는 근본적인 원인은?

① 국토의 균형 발전
② 도심의 주거 기능 강화
③ 지방 중소 도시의 육성
④ 산업과 기능의 지방 이전
⑤ 인구와 기능의 지나친 도시 집중

06 선진국의 도시 문제에 관해 옳지 않은 설명을 하는 학생은?

① 지숙: 도심은 땅값이 과도하게 비싸다.
② 지윤: 낡고 오래된 건물을 중심으로 슬럼이 형성된다.
③ 승형: 상하수도 시설 같은 도시 기반 시설이 부족하다.
④ 태민: 인구 공동화 현상으로 도심의 주거 기능이 약하다.
⑤ 형진: 도심 과밀화가 심각하며 도심의 교통 체증이 나타난다.

3 STEP 실력을 완성하는 주관식·서술형 문제

07 신유형 다음 선진국과 개발 도상국의 도시화 과정을 나타낸 그래프를 보고 도시화 과정의 차이점을 서술하시오.

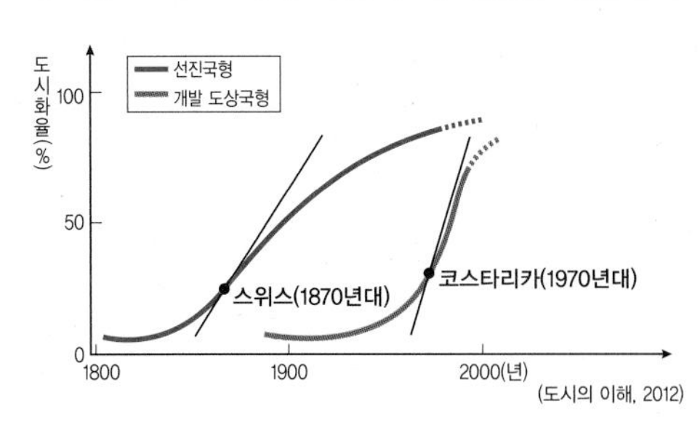

08 고난도 다음 글의 밑줄 친 내용에 해당하는 것을 쓰고 이를 해결하기 위해 최근 시행되고 있는 도시 사업에 관해 서술하시오.

역사가 오래된 선진국의 도시에서 도심부의 각종 건물이 노후화되는 것은 피할 수 없다. 특히 도시화 초기 단계에 지어진 낡고 오래된 건물을 중심으로 저소득층이 밀집하여 거주하는 특정 주거지가 형성된다.

09 개발 도상국에서 발생하고 있는 도시 문제와 그 원인을 서술하시오.

살기 좋은 도시

이것이 **포인트!**
- 살기 좋은 도시의 특징
- 살기 좋은 도시 만들기

꼼꼼! 필기 노트

1 살기 좋은 도시의 특징

1 삶의 질과 살기 좋은 도시 → 도시에 많은 인구가 밀집하면서 무분별한 개발이 이루어져 삶의 질이 떨어지기도 해요.

(1) **삶의 질**: 주변 환경에 대해 느끼는 개인의 행복감과 정치 · 경제 · 사회적 조건에 따라 결정되는 주관적인 개념 → 오늘날 도시민들의 소득 수준이 높아지면서 삶의 질에 대한 관심이 커지고 있어요.

(2) **삶의 질의 평가 기준**

① 질적 지표: 주변 환경에 대해 느끼는 개인의 행복감, 생활의 편리성 등

② 양적 지표: 인구 규모, 경제 발전 수준, 고용 수준과 같은 정치 · 경제 · 사회적 조건, 기후 조건 등

2 살기 좋은 도시

(1) **살기 좋은 도시의 특징**: ❶ (   )이 높은 도시가 살기 좋은 도시

① 쾌적한 자연환경, 높은 경제 수준

② 도시 고유의 매력과 특성 유지

③ 도시민들이 여유롭고 안전한 생활을 할 수 있음

④ 의료와 복지, 교육 시설 등 각종 편의 시설과 기반 시설이 잘 갖추어짐

(2) **세계의 살기 좋은 도시 사례** → 살기 좋은 도시로 주목받는 도시들은 일반적으로 경제 수준이 높은 선진국에 있으며, 적정 규모의 인구가 거주해요.

① 오스트레일리아의 멜버른: 의료 및 도시 기반 시설이 잘 갖추어짐, 공원과 녹지 풍부

② 오스트리아의 빈: 박물관, 오페라 하우스 등 문화 시설이 풍부, 범죄 발생률이 매우 낮음

③ 캐나다의 밴쿠버: 모든 시민의 평등 추구, 바다와 숲, 산이 조화로운 도시

④ 핀란드의 헬싱키: 도시 농업을 장려하는 자연친화적인 도시

→ 헬싱키는 시민 누구라도 토지 사용에 대한 농업 신청서를 내고 승인을 받으면 학교, 주택, 공원의 빈 땅에 농작물을 심을 수가 있어요.

2 살기 좋은 도시 만들기

1 살기 좋은 도시의 과거와 현재

(1) 현재의 살기 좋은 도시도 과거에는 주택 부족, 교통 혼잡, 대기 오염 등 도시 문제에 시달렸음

(2) **살기 좋은 도시 만들기**: 도시 문제를 해결하기 위해 지역 주민, 지방 자치 단체, 정부 등의 적극적인 참여와 실천이 필요함

2 살기 좋은 도시로 변화한 사례

미국의 ❷ ( )	• 1969년까지 미국에서 대기 오염이 가장 심한 도시 → 폐렴 발병률이 미국 평균의 세 배에 달함 • 정부와 시민의 노력으로 시내 차량 출입을 지양하고 전기 셔틀 버스를 운행함 • 1996년 국제 연합(UN)에서 '환경과 경제 발전을 양립시킨 도시'로 선정됨
브라질의 쿠리치바	• 1950년대부터 급속하게 도시화가 진행되어 환경 오염과 교통 체증에 시달림 • 1970년대부터 정부와 시민의 노력으로 버스를 중심으로 한 대중교통 시스템 개선 → 굴절 버스, 버스 전용 차로제 등 도입 • 도시 ❸ ( ) 문제 해결의 모범적인 사례로 인정받음

+ 삶의 질
개인이 삶에서 느끼는 주관적인 만족감 또는 행복감을 뜻하는 말로, 일반적인 삶을 누릴 수 있는 최소한의 물질적 조건이 갖추어진 상태에서 여가와 자아실현을 통해 행복감을 느낄 수 있을 때 삶의 질이 높다고 한다.

+ 살기 좋은 도시
살기 좋은 도시에 대해 절대적인 기준을 세우기는 어렵지만, 세계 여러 도시들은 경제적 성장과 동시에 도시민들의 삶의 질을 쾌적하게 개선하기 위한 노력하고 있다.

+ 도시 기반 시설
도로, 전기, 상하수도 등 도시의 기능을 수행하는 데 바탕이 되는 시설을 말한다.

+ 쿠리치바의 변신
쿠리치바는 인구가 증가하면서 교통 혼잡이 심각해졌다. 이에 많은 시민이 이용할 수 있는 굴절 버스, 원통형 버스 정류장, 버스 전용 차선 등을 도입하여 시민들의 대중교통 이용률을 높여 교통 문제를 해결하였다.

콕콕! 핵심 개념

1 □□ □: 주변 환경에 대해 느끼는 개인의 행복감과 정치 · 경제 · 사회적 조건에 따라 결정되는 주관적인 개념

2 □□□: 핀란드의 수도로 도시 농업을 장려하는 자연친화적인 도시

3 □□□□: 굴절 버스, 원통형 버스 정류장 등을 도입하여 교통 문제를 해결한 브라질의 도시

활동 1 다음 세계의 살기 좋은 도시 순위와 세계의 경제 순위별 도시를 보고, 물음에 답해 보자.

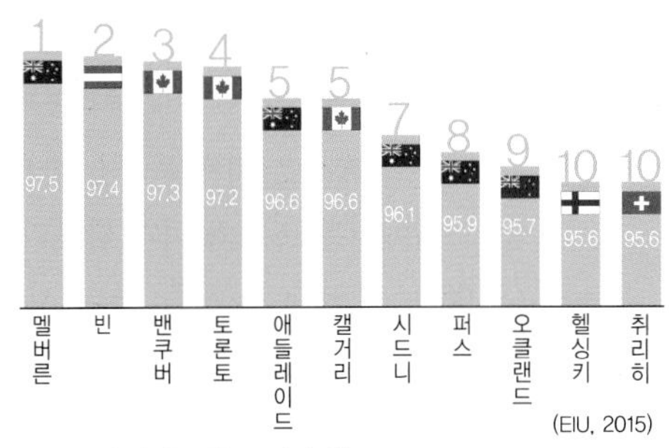

▲ 세계의 살기 좋은 도시 순위

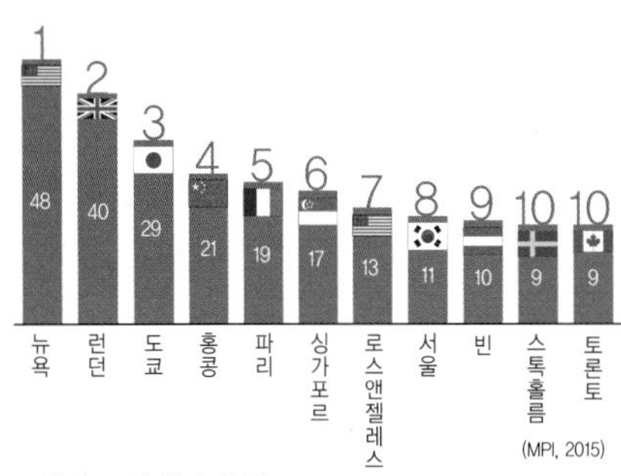

▲ 세계 도시 경제 순위

1 세계의 살기 좋은 10대 도시가 많이 분포하는 국가 두 곳을 찾아보자.

( )

2 세계의 살기 좋은 10대 도시와 경제 순위별 10대 도시가 일치하지 않는 까닭을 서술해 보자.

활동 2 다음 세계의 살기 좋은 도시의 경관을 나타낸 자료를 보고, 물음에 답해 보자.

▲ 멜버른

▲빈

▲밴쿠버

▲헬싱키

1 위 자료를 참고하여 살기 좋은 도시의 특징을 세 가지만 서술해 보자.

2 내가 사는 도시를 살기 좋은 도시로 만들기 위해 어떤 노력이 필요할지 서술해 보자.

쑥쑥! 실력 키우기

단계별 문제를 풀면서 실력을 쑥쑥 키워 보세요.

1 STEP 개념을 되짚는 확인 문제

01 다음 빈칸에 들어갈 알맞은 말을 쓰시오.

(1) (   )은(는) 자연환경이 아름다우며 도시민들이 서로 문화를 존중하고 공유하며 여유롭고 안전한 생활이 가능한 도시를 말한다.

(2) 살기 좋은 도시는 도시민들의 (   )이(가) 높은 도시를 의미한다.

02 다음 설명에 해당하는 도시의 이름을 〈보기〉에서 골라 쓰시오.

> **보기**
> • 빈 • 밴쿠버 • 쿠리치바 • 채터누가

(1) 박물관, 오페라 하우스 등 문화 시설이 풍부하며 범죄 발생률이 매우 낮은 오스트리아의 수도 (   )

(2) 캐나다의 서부 해안에 있는 도시로 바다와 숲, 산이 조화를 이루어 쾌적하며, 모든 시민의 평등을 추구하는 도시 (   )

(3) 대기 오염이 심한 도시에서 환경과 경제 발전을 양립시킨 도시로 인정받은 미국의 도시 (   )

(4) 굴절 버스, 원통형 승강장, 버스 중앙 차로제 도입 등으로 버스 교통 체계가 편리한 브라질의 도시 (   )

03 다음 설명이 옳으면 O, 틀리면 X에 표시하시오.

(1) 삶의 질은 주변 환경에 대해 느끼는 개인의 행복감과 정치 · 경제 · 사회적 조건에 따라 결정되는 객관적인 개념이다. (○ | ×)

(2) 최근 도시민들의 생활 수준과 삶의 질에 대한 기대가 높아지면서 도시 문제는 과거에 비해 더욱 중요하게 인식되고 있다. (○ | ×)

(3) 살기 좋은 도시를 만들기 위해서는 지역 주민, 지방 자치 단체, 정부 등의 참여와 실천이 필요하다. (○ | ×)

2 STEP 기초를 다지는 기본 문제

01 중요 도시 생활과 삶의 질에 관한 설명으로 옳지 않은 것은?

① 여가와 휴식을 위해 촌락을 방문하기도 한다.
② 도시에서는 소비와 여가 활동만 이루어진다.
③ 병원, 공연장 등 생활 편의 시설이 많이 분포해 있다.
④ 높은 인구 밀도와 무분별한 개발로 삶의 질이 저하되기도 한다.
⑤ 도시민들의 소득 수준이 높아지면서 삶의 질을 추구하는 경향이 강해지고 있다.

02 다음 순위표를 분석한 내용으로 옳지 않은 것은?

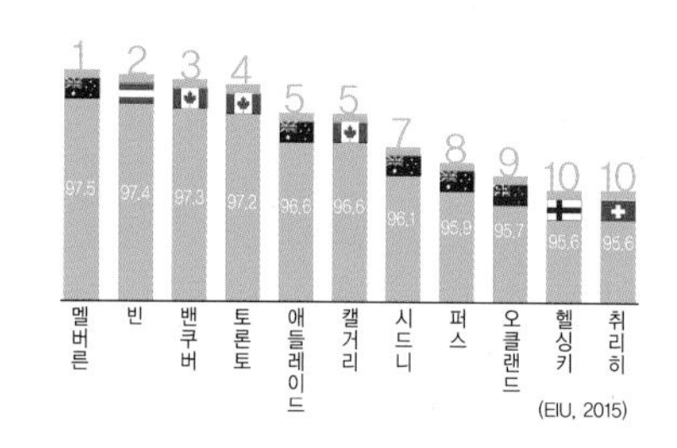

(EIU, 2015)

① 유럽의 도시는 5곳이 있다.
② 세계의 살기 좋은 도시 순위이다.
③ 오스트레일리아의 도시가 4곳이 있다.
④ 도시민들의 삶의 질이 높은 도시들이다.
⑤ 오스트레일리아와 캐나다의 도시가 많다.

03 중요 살기 좋은 도시의 특징으로 옳은 것을 〈보기〉에서 고른 것은?

> **보기**
> ㄱ. 인구 밀도가 높다.
> ㄴ. 교육 환경이 우수하다.
> ㄷ. 도시 기반 시설이 잘 갖추어져 있다.
> ㄹ. 범죄 발생율이 높고, 정치적으로 불안정하다.
> ㅁ. 도시 고유의 매력과 특성을 잘 유지하고 있다.

① ㄱ, ㄴ, ㄷ ② ㄱ, ㄴ, ㄹ ③ ㄱ, ㄴ, ㅁ
④ ㄴ, ㄷ, ㅁ ⑤ ㄷ, ㄹ, ㅁ

04 다음과 같은 특징이 나타나는 도시는?

• 빈 • 멜버른 • 밴쿠버 • 토론토

① 지하자원이 풍부한 광업 도시
② 삶의 질이 높은 살기 좋은 도시
③ 공업이 발달하여 성장한 공업 도시
④ 각종 행정 기관이 집중된 정치 도시
⑤ 경제적 수준이 낮은 개발 도상국에 위치한 도시

05 살기 좋은 도시에 관한 설명으로 옳지 않은 것은?

① 자연환경이 아름다운 도시이다.
② 개성 있는 문화를 공유하는 도시이다.
③ 경제적인 풍요가 우선시되는 도시이다.
④ 여유롭고 안전한 생활이 가능한 도시이다.
⑤ 시민을 위한 의료와 복지가 잘 갖추어진 도시이다.

06 다음 사진과 같은 경관이 나타나는 도시에 관한 설명으로 옳지 않은 것은?

① 브라질의 도시이다.
② 도시 교통 문제 해결의 모범적인 사례이다.
③ 굴절 버스와 버스 중앙차로제로 널리 알려진 도시이다.
④ 교통 체증이 심각한 도시에서 살기 좋은 도시로 변화한 도시이다.
⑤ 정부와 시민들의 노력으로 오염된 테네시강의 수질을 개선하였다.

3 STEP 실력을 완성하는 주관식·서술형 문제

07 고난도 다음 (가), (나) 도시의 이름을 쓰고 두 도시의 공통점을 각 도시의 과거와 현재의 차이를 기준으로 서술하시오.

(가)

1969년까지 미국에서 대기 오염이 가장 심한 도시로 악명 높았던 이 도시는 1996년 국제 연합으로부터 환경과 경제 발전을 양립시킨 도시로 인정받았다.

(나)

1950년대부터 급속한 도시화로 인해 인구가 급증하면서 환경 오염 및 교통 체증의 위기를 맞이했던 브라질의 이 도시는 오늘날 대중교통 체계가 매우 편리한 도시로 인정받고 있다.

(1) (가): ____________ (나): ____________
(2) 공통점: ____________

08 신유형 다음 대화에서 밑줄 친 조건 ㉠에 해당하는 내용을 세 가지 서술하시오.

태석: 과거와 달리 오늘날에는 사람들이 살고 싶어 하는 살기 좋은 도시의 유형이 좀 달라졌어.
소민: 그래? 어떻게 달라졌는데?
태석: 과거에는 일자리가 풍부하고 경제적으로 풍요로운 도시를 살기 좋은 도시로 생각했었다면 오늘날에는 ㉠ 살기 좋은 도시의 조건이 조금 다르더라고.
소민: 그렇구나. 오늘날의 ㉠ 살기 좋은 도시의 조건은 어떤 것인지 가르쳐 줄래?

뚝딱! 단원 마무리하기

이번 단원에서 배운 내용을 문제로 뚝딱! 마무리 점검해 보세요.

01 도시의 특징으로 옳지 않은 것은?

① 고층 건물이 많다.
② 토지 이용이 집약적이다.
③ 주변 지역의 중심지 역할을 한다.
④ 1차 산업에 종사하는 사람이 많다.
⑤ 비교적 좁은 공간에 많은 사람이 거주한다.

02 중요 (가)~(다)의 스카이라인과 랜드마크를 보고 도시의 이름을 바르게 나열한 것은?

(가)

(나)

(다)

	(가)	(나)	(다)
①	런던	베를린	뉴욕
②	파리	뉴욕	상하이
③	서울	런던	파리
④	런던	파리	두바이
⑤	두바이	상하이	베를린

03 다음 내용과 관련 깊은 도시는?

• 도시 국가 • 동남아시아
• 국제 교통의 허브 • 태평양과 인도양의 관문

① 뉴욕 ② 도쿄 ③ 브뤼셀
④ 카이로 ⑤ 싱가포르

04 중요 A~E의 도시와 도시의 특징이 옳지 않은 것은?

① A－푸른 바다와 도심이 아우러진 자연환경
② B－동 · 서양의 문명이 교차하는 역사의 도시
③ C－고층 빌딩이 멋진 야경을 만들어 내는 도시
④ D－커피 재배 및 커피 거래로 유명한 남아메리카의 경제 중심지
⑤ E－세계의 배꼽이라는 뜻을 가진 도시로 잉카 문명의 중심지

05 다음 제시된 특징을 가진 랜드마크는?

• 유네스코 세계 문화유산에 등재
• 20세기 세계 10대 건축물에 선정
• 오스트레일리아의 시드니에 위치

① 빅벤 ② 에펠탑
③ 오페라 하우스 ④ 부르즈할리파
⑤ 에스플러네이드

06 다음 사진의 경관으로 유명한 도시는?

① 쿠스코 ② 이스탄불 ③ 케이프타운
④ 옐로나이프 ⑤ 리우데자네이루

●●○
07 부도심에 관한 설명으로 옳은 것을 〈보기〉에서 고른 것은?

> 보기
> ㄱ. 도심의 기능을 분담한다.
> ㄴ. 교통이 편리한 곳에 위치한다.
> ㄷ. 대도시 주변에서 대도시의 기능을 분담한다.
> ㄹ. 대도시의 인구 분산을 목적으로 조성되었다.

① ㄱ, ㄴ ② ㄱ, ㄷ ③ ㄴ, ㄷ
④ ㄴ, ㄹ ⑤ ㄷ, ㄹ

●●○
08 중요 도시 내부 구조에 관해 옳지 않은 설명을 하는 학생은?

① 성준: 도심에 가까울수록 접근성과 지대는 높아져.
② 정현: 도심에는 본사, 백화점, 관공서 등이 모여 있어.
③ 지은: 대도시의 주변으로는 개발 제한 구역이 설정되기도 해.
④ 영환: 도시의 중심에서 주변 지역으로 갈수록 건물의 높이가 높아져.
⑤ 민수: 도시 내부에서 토지 이용이 달라지는 것은 접근성과 지대의 차이 때문이야.

●●●
09 신유형 다음 통계 지도에 표시된 내용과 반대되는 경향성을 가진 지표로 옳은 것은?(단, 원의 크기와 통계량은 비례함)

① 사업체 수 ② 교통량 ③ 아파트 수
④ 땅값(지가) ⑤ 주간 인구

●●●
10 다음 그래프에 관한 설명으로 옳지 않은 것은?

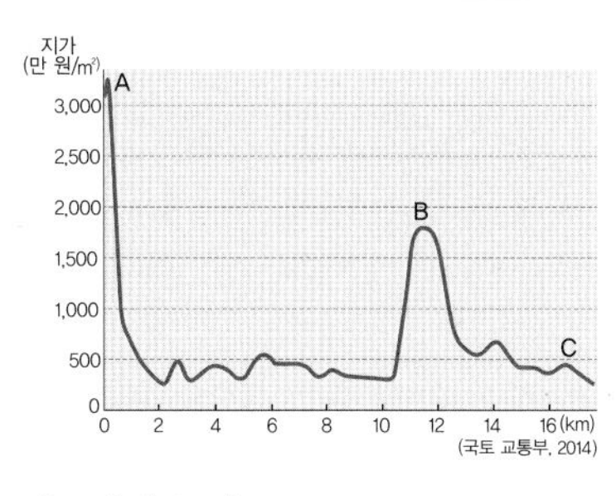

① A는 접근성이 높다.
② B는 부도심을 의미한다.
③ C는 주로 주변 지역이다.
④ 그래프의 세로축은 도시의 땅값을 의미한다.
⑤ A에서 C로 갈수록 토지 이용이 집약적이다.

●●○
11 다음 내용에 관한 설명으로 옳지 않은 것은?

> 서울의 도심부인 종로 일대는 밤 12시가 되면 사람이 눈에 띄게 줄어든다. 거리에만 없는 것이 아니라 건물 안에도 사람이 없다. 낮에 북적대는 그 많은 사람들은 다들 어디로 간 것일까?

① 인구 공동화 현상에 관한 글이다.
② 도심의 많은 유동 인구와 관련이 있다.
③ 대부분의 도심에서 발생하는 현상이다.
④ 도심과 주변 지역의 인구수는 비례 관계에 있다.
⑤ 도심에서 주간에 업무, 쇼핑 등으로 활동하던 사람들이 야간에 귀가하면서 나타나는 현상이다.

●○○
12 도시화 과정에 관한 설명으로 옳지 않은 것은?

① 종착 단계는 도시화율의 증가 속도가 둔화된다.
② 초기 단계에서는 1차 산업 중심의 사회가 나타난다.
③ 가속화 단계에서는 도시 인구가 주변 지역으로 빠져나간다.
④ 종착 단계는 도시화율이 높고 역도시화 현상이 나타나기도 한다.
⑤ 가속화 단계에서는 산업화와 더불어 도시화율이 급속하게 상승한다.

13 도시화에 관한 설명으로 옳은 것을 〈보기〉에서 있는 대로 고른 것은?

> **보기**
> ㄱ. 도시적 생활 양식이 확대되어 가는 과정을 말한다.
> ㄴ. 선진국의 도시화는 대체로 종착 단계에 해당한다.
> ㄷ. 선진국의 도시화는 200년에 가까운 기간 동안 서서히 이루어졌다.
> ㄹ. 개발 도상국의 도시화는 제2차 세계 대전 이후에 시작되었다.

① ㄱ, ㄴ ② ㄴ, ㄷ ③ ㄱ, ㄴ, ㄷ
④ ㄴ, ㄷ, ㄹ ⑤ ㄱ, ㄴ, ㄷ, ㄹ

14 (신유형) 우리나라의 도시화율을 나타낸 다음 자료에 관한 설명으로 옳지 않은 것은?

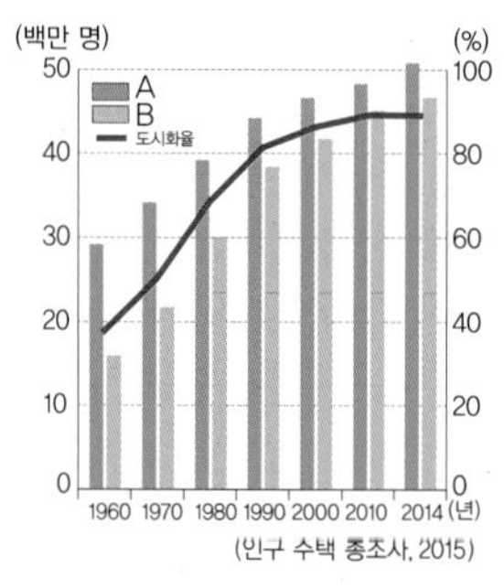

(인구 주택 총조사, 2015)

① 1960년대부터 급격한 도시화가 시작되었다.
② 1980년대에 도시화율이 80%를 넘게 되었다.
③ 1990년대 이후부터는 도시화 속도가 둔화되었다.
④ A는 우리나라 전체 인구를 의미한다.
⑤ B는 우리나라의 도시 인구를 의미한다.

15 다음과 같은 도시 문제를 겪고 있을 것으로 예상되는 국가는?

> 도심은 지나치게 과밀화되어 있고 땅값은 너무 높다. 기반 시설은 낡고 오래되었으며 사회 초기 단계에 지어진 낡고 오래된 건물을 중심으로 슬럼이 형성되기도 한다.

① 미국 ② 타이 ③ 베트남
④ 알제리 ⑤ 나이지리아

16 다음 지도에 표시된 도시들의 공통점으로 가장 적절한 것은?

① 세계의 가난한 도시
② 시민들의 삶의 질이 높은 도시
③ 도시의 면적이 매우 넓은 도시
④ 인구 밀도가 높고 일자리가 풍부한 도시
⑤ 군사 시설이 잘 구축되어 있는 군사 도시

17 밑줄 친 ㉠ 도시로 옳은 것은?

> 유럽에 위치한 ㉠ 이 도시는 자연환경이 깨끗하고 기업하기 좋은 경제 환경을 유지하고 있다. 또한 음악과 예술의 수준이 높고, 공원이 잘 조성되어 있어 여가 활동에 활용된다.

① 빈 ② 밴쿠버 ③ 멜버른
④ 쿠리치바 ⑤ 채터누가

18 살기 좋은 도시를 만들기 위한 노력으로 옳지 않은 것은?

① 도심의 생태 하천을 복원한다.
② 도시 주민의 삶의 질을 개선한다.
③ 녹지 공간을 최소화하고 오염 시설을 유치한다.
④ 다양한 문화 행사를 개최하여 공동체 의식을 형성한다.
⑤ 도시 안의 시설물을 주민 모두가 공평하게 이용할 수 있도록 배려한다.

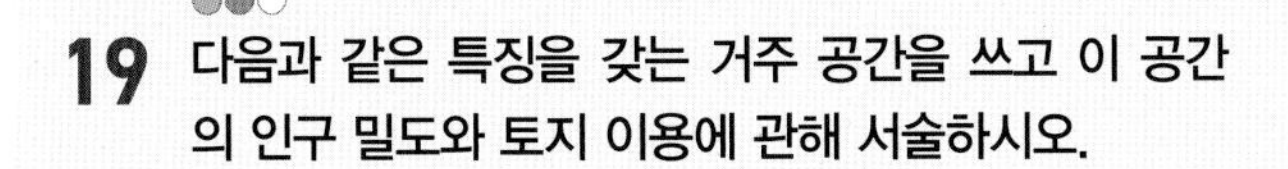

정답과 해설 • 32~33쪽

19 다음과 같은 특징을 갖는 거주 공간을 쓰고 이 공간의 인구 밀도와 토지 이용에 관해 서술하시오.

> 촌락과 함께 인간이 살아가는 대표적인 거주 공간으로, 오늘날 세계 인구의 절반가량이 거주한다.

(1) 거주 공간: ____________________

(2) 인구 밀도와 토지 이용: ____________________

20  도시 내부 구조를 나타낸 다음 자료의 A 지역의 명칭을 쓰고 이곳에 상업 · 업무 기능이 주로 입지하는 까닭을 서술하시오.

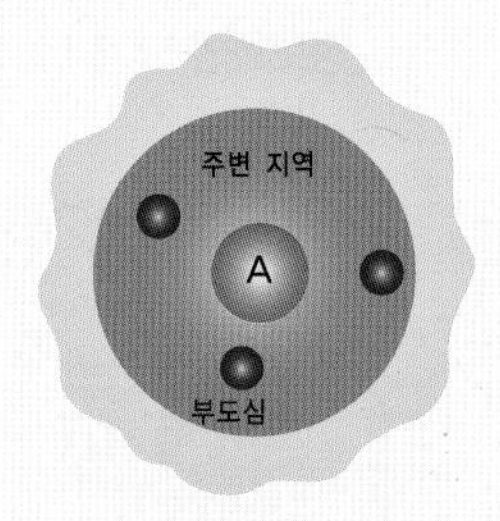

(1) 지역 명칭: ____________________

(2) 까닭: ____________________

21   다음 빈칸에 들어갈 ㉠ 구역의 명칭을 쓰고 이러한 구역이 존재하는 까닭을 서술하시오.

> **△△일보** ○○○○년 ○월 ○일 ○요일
>
> 화성시 매송면 어천리와 숙곡리 일대 80만 m²가 인근 어천 역세권 개발 사업이 완료되는 오는 2024년까지 한시적으로 (　㉠　)(으)로 지정되었다. 이 일대는 수인선 개통이 예정되어 있고 2021년 KTX 환승역인 어천역이 들어서며 인근에 오는 2024년까지 5천여 세대의 미니 신도시가 조성되는 등 기대를 모으고 있다.

(1) 명칭: ____________________

(2) 까닭: ____________________

22 도시화의 의미를 간략히 서술하시오.

____

23 다음 내용의 ㉠에 들어갈 알맞은 용어를 쓰고, 이와 같은 현상이 발생하는 요인을 두 가지 서술하시오.

> 도시가 작을 때는 상업, 주거, 업무 기능이 도시 중심에 섞여 있다. 그러나 인구가 증가하고 산업이 발달하면서 도시가 성장하면 도시 내에 상업 시설, 주택, 공장 등 같은 종류의 기능끼리 모이는 현상이 나타난다. 이에 따라 도시 내부가 상업 지역, 공업 지역, 주거 지역으로 나뉘는데 이를 (　㉠　)(이)라고 한다.

(1) ㉠: ____________________

(2) 발생 요인: ____________________

24 고난도 (가), (나)는 개발 도상국과 선진국의 불량 주거 지역을 나타낸 것이다. (가)와 (나)의 형성 원인을 각각 서술하시오.

(가)

▲ 인도 뭄바이의 슬럼

(나)

▲ 미국 뉴욕의 슬럼

____

이 단원을 배우면

농업 생산의 기업화와 세계화에 따른 변화와 다국적 기업의 공간적 분업 체계의 특색을 알 수 있습니다. 그리고 정보화와 세계화에 따른 서비스업의 입지 변화에 관해 설명할 수 있습니다.

글로벌 경제 활동과 지역 변화

01 농업 생산의 기업화와 세계화

02 다국적 기업의 공간적 분업 체계

03 서비스업의 세계화

:나의 학습 진도표

중단원명	학습 코너	쪽수	학습 예정일	학습 완료일	달성도
01 농업 생산의 기업화와 세계화	꼼꼼! 필기 노트	162쪽	◯월 ◯일	◯월 ◯일	☆☆☆☆☆
	탄탄! 활동 노트	163쪽	◯월 ◯일	◯월 ◯일	☆☆☆☆☆
	쑥쑥! 실력 키우기	164~165쪽	◯월 ◯일	◯월 ◯일	☆☆☆☆☆
02 다국적 기업의 공간적 분업 체계	꼼꼼! 필기 노트	166쪽	◯월 ◯일	◯월 ◯일	☆☆☆☆☆
	탄탄! 활동 노트	167쪽	◯월 ◯일	◯월 ◯일	☆☆☆☆☆
	쑥쑥! 실력 키우기	168~169쪽	◯월 ◯일	◯월 ◯일	☆☆☆☆☆
03 서비스업의 세계화	꼼꼼! 필기 노트	170쪽	◯월 ◯일	◯월 ◯일	☆☆☆☆☆
	탄탄! 활동 노트	171쪽	◯월 ◯일	◯월 ◯일	☆☆☆☆☆
	쑥쑥! 실력 키우기	172~173쪽	◯월 ◯일	◯월 ◯일	☆☆☆☆☆
뚝딱! 단원 마무리하기		174~177쪽	◯월 ◯일	◯월 ◯일	☆☆☆☆☆

농업 생산의 기업화와 세계화

이것이 **포인트!**

- 농업 생산의 기업화와 세계화
- 농업 생산의 기업화와 세계화의 영향

꼼꼼! **필기 노트**

1 농업생산의 기업화와 세계화

1 농업 생산의 기업화

(1) **의미**: 기업이 많은 ❶ [ ]과 기술을 투자하여 농장을 운영하는 농업 방식

(2) **특징**

① 넓은 토지 이용: 넓은 토지에서 대량으로 농작물을 생산함 → 생산량의 극대화 추구

② 대형 농기계 활용: 대형 스프링클러나 항공기 농약 살포, 대규모 수확 기계로 농업의 자동화 추구 → 농기계를 사용하면 적은 노동력으로 넓은 경지를 경작할 수 있어 생산성이 높은 편이에요.

③ ❷ [ ]: 병충해에 강하며 더욱 크고 더욱 맛있으며 더욱 많이 생산할 수 있는 품종으로 개량

④ 대규모 기업농 발달: 미국, 캐나다, 오스트레일리아 등 넓은 농업 지역에서 주로 이루어짐, 아시아와 아프리카의 개발 도상국에 진출한 다국적 기업 → 대규모 플랜테이션+을 통해 커피, 카카오, 바나나 등의 열대 작물 재배

⑤ 세계적인 판매망 구축: 대량으로 생산한 농산물을 판매하기 위한 국제적 운송과 판매망 구축

2 농업 생산의 세계화

(1) **의미**: 전 세계를 대상으로 농작물의 생산과 소비가 이루어지는 현상

(2) **배경**: 교통과 통신의 발달, 세계 무역 기구(WTO)+ 체제 출범과 자유 무역 협정(FTA)+ 체결 → 지역 간 교류 증가(농산물의 거래도 증가함)

(3) **특징**

① 상업적 농업: 과거의 자급적 농업과 달리 대규모 곡물 재배 및 목축업, 낙농업+, 원예 농업+ 등 시장 판매를 목적으로 하는 ❸ [ ] 농업 발달 (과거에는 벼, 밀, 옥수수 등을 소규모로 재배하여 직접 소비하는 자급적 농업이 발달했어요.)

② 농업 생산의 다각화: 곡물 농업과 함께 기호 작물과 원예 작물 등 다양한 작물 재배

2 농업 생산의 기업화에 따른 변화

1 농업 생산 지역의 변화

→ 전통적인 식량 작물 대신 수출용 상품 작물 재배를 위한 플랜테이션이 확대되고 있어요.

긍정적 영향	• 지역의 일자리 증가 • 재배된 작물의 판매 증가로 지역 경제가 활성화됨
부정적 영향	• 단일 작물 재배로 생태계 교란 • 막대한 농약 사용으로 인한 환경 파괴 • 작물의 ❹ [ ] 하락 시 지역 경제의 위기 초래

2 농업 소비 지역의 변화

긍정적 영향	• 식생활의 다양화(육류와 커피, 차, 카카오 등의 ❺ [ ] 작물 소비 증가) • 소비자의 경제적 이득(다양한 농산물을 저렴한 가격에 소비 가능)
부정적 영향	• 수입국의 전통 농업 쇠퇴 및 농가 소득 감소 • 패스트푸드의 소비 증가 • 식량 자급률+의 감소

+ 플랜테이션
열대 기후 지역에서 선진국의 자본과 개발 도상국의 값싼 노동력을 결합하여 하나의 상품 작물을 대규모로 재배하는 농업 방식이다.

+ 세계 무역 기구(WTO)
1995년 세계 무역의 관리 및 자유화를 목표로 설립된 국제기구이다. 세계 무역 기구는 세계 무역 분쟁 조정, 관세 인하 요구 등 법적인 권한과 구속력을 행사한다.

+ 자유 무역 협정(FTA)
특정 국가 간의 상호 무역 증진을 위해 물자나 서비스 이동을 자유화시키는 협정이다.

+ 낙농업
젖소를 사육하여 우유를 생산하고 이 우유를 바탕으로 치즈나 요거트 같은 각종 유제품을 생산하는 농업을 말한다.

+ 원예 농업
채소, 과일, 꽃 재배를 통칭하는 농업이다. 원예 작물은 시장에 팔기 위한 목적으로 재배하는 대표적인 상업적 작물이다.

+ 쌀과 식량 자급률
2015년 쌀 시장이 개방되면서 우리나라에도 본격적으로 수입 쌀이 들어오기 시작하였다. 우리나라는 식량 자급률(식량의 국내 소비량에서 국내 생산량이 차지하는 비율)이 매우 낮은 가운데 쌀은 비교적 높은 자급률을 나타냈는데 쌀 시장 개방으로 자급률이 낮아지고 있다.

콕콕! 핵심 개념

1 농업의 □□□: 기업이 많은 자본과 기술을 투자하여 대규모로 농업을 진행하는 방식

2 농업의 □□□: 전 세계를 대상으로 농작물의 생산과 소비가 이루어지는 현상

활동 1 다음 세계적인 농업 회사의 생산과 판매에 관한 자료를 보고 물음에 답해 보자.

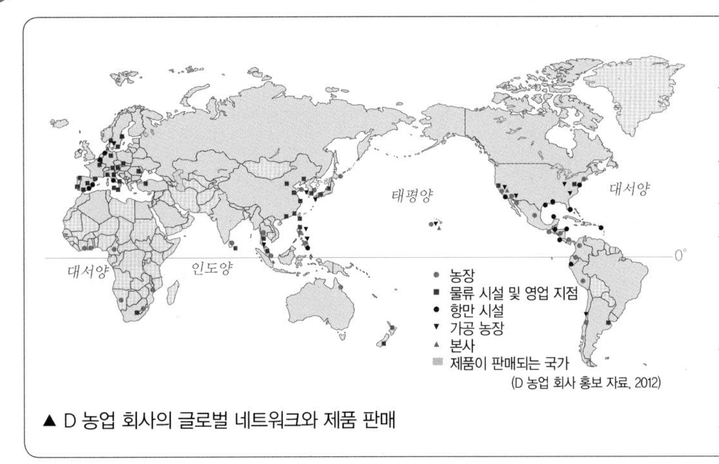

▲ D 농업 회사의 글로벌 네트워크와 제품 판매

D 농업 회사는 온두라스, 콜롬비아, 에콰도르, 필리핀 등지에 바나나 농장과 파인애플 농장을 가지고 있다. 이 농장에서의 과일 생산은 고도의 재배 기법을 통해 이루어지고, 생산된 과일은 회사 소유의 공장에서 포장 및 가공 처리된다. 또 특유의 냉장 운반 시스템을 이용하여 세계 각지의 소비자들에게 신선한 열대 과일을 제공하고 있다.

1 D 농업 회사의 농장이 주로 위치한 국가들의 특징(기후, 경제 수준 등)을 서술해 보자.

2 D 농업 회사가 위 1번과 같은 지역에 농장을 설립한 까닭을 서술해 보자.

3 D 농업 회사의 농장 설립이 해당 국가에 미치는 영향을 정리해 보자.

긍정적 영향	부정적 영향

활동 2 다음 자료를 보고 물음에 답해 보자.

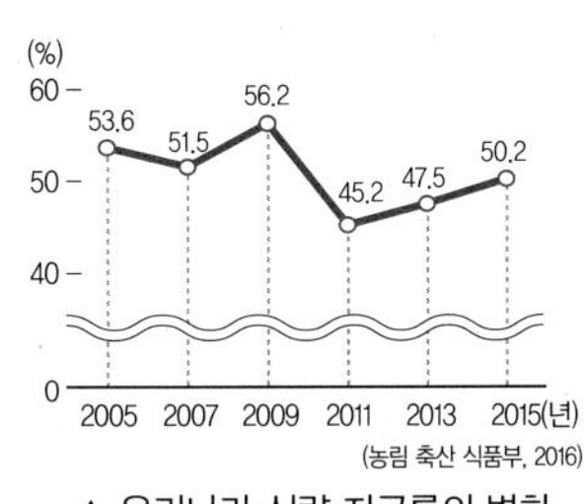

▲ 우리나라 식량 자급률의 변화

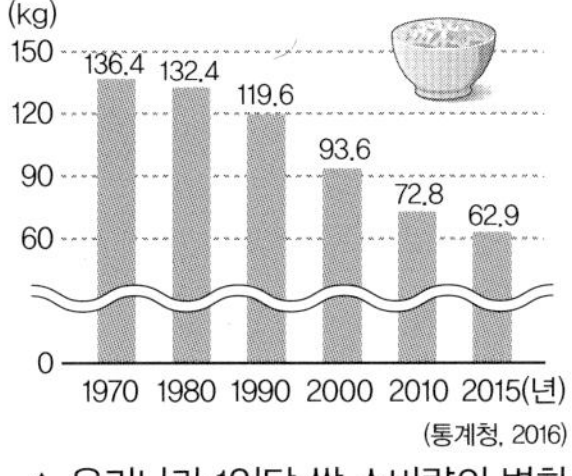

▲ 우리나라 1인당 쌀 소비량의 변화

1 우리나라의 1인당 쌀 소비량이 자료와 같이 변화하는 까닭을 농업의 세계화와 연관 지어 설명해 보자.

2 자료와 같은 상황이 지속될 때 우리나라의 농가와 국가가 입게 될 피해를 정리해 보자.

영농 가구가 받을 피해	국가가 받을 피해

단계별 문제를 풀면서 실력을 쑥쑥 키워 보세요.

1 STEP 개념을 되짚는 확인 문제

01 다음 빈칸에 들어갈 알맞은 말을 쓰시오.

(1) 기업들은 많은 (　　　　　　)과(와) 기술을 농업에 투자하여 농업 생산의 (　　　　　　)을(를) 주도하고 있다.

(2) 최근에는 교통 및 통신의 발달로 지역 간 교류가 증가하면서 전 세계를 대상으로 농업 생산이 이루어지는 농업 생산의 (　　　　　　)이(가) 이루어지고 있다.

(3) 열대 기후 지역에서 선진국의 자본과 개발 도상국의 값싼 노동력이 결합한 상업적 농업 방식을 (　　　　　　)(이)라고 한다.

02 다음 설명에 해당하는 용어를 쓰시오.

(1) 젖소나 염소 등을 길러 우유, 치즈, 버터 등 각종 유제품을 생산하는 산업 (　　　　　　)

(2) 온실이나 비닐하우스 등에서 채소, 과일, 꽃, 과수 등을 재배하는 농업 (　　　　　　)

03 다음 설명이 옳으면 O, 틀리면 X에 표시하시오.

(1) 농업 생산의 기업화는 농작물의 상업적 이익 추구보다는 유기농 작물의 재배를 통한 소비자의 건강과 권익을 보장하고자 한다. (○ | ×)

(2) 농업 생산의 기업화로 단일 작물 재배가 늘어나 생태계 교란 문제가 발생하기도 한다. (○ | ×)

(3) 농업 생산의 세계화에 따라 식생활이 단일화되고 곡물의 소비가 지속적으로 증가하고 있다. (○ | ×)

04 다음 빈칸에 들어갈 알맞은 말을 고르시오.

(1) 농산물의 국제 이동이 활발해짐에 따라 (자급적 | 상업적) 농업이 발달하였다.

(2) 열대 기후 지역에서는 플랜테이션이 확대되면서 열대림이 파괴되고, (식량 | 기호) 작물의 재배지가 축소되고 있다.

2 STEP 기초를 다지는 기본 문제

01 중요 다음 그림과 같은 현상이 나타나는 이유로 적절하지 않은 것은?

① 교통과 통신이 발달하였다.
② 농산물의 국제 이동이 활발해졌다.
③ 국가 간 자유 무역 협정이 체결되었다.
④ 쌀과 밀 등 식량 작물의 소비가 증대되고 있다.
⑤ 다양한 농산물에 대한 소비자의 요구가 증가하고 있다.

02 다음 내용이 설명하는 국제기구는?

> 제2차 세계 대전 이후 국가 간 자유 무역을 추구할 수 있는 동일한 무역 질서가 필요하다는 요구가 높아져 1995년 이 기구가 설립되었다.

① 유럽 연합(EU)
② 국제 연합(UN)
③ 세계 보건 기구(WHO)
④ 세계 무역 기구(WTO)
⑤ 경제 협력 개발 기구(OECD)

03 다음 사진의 경관과 가장 관련 깊은 용어는?

① 낙농업　② 기호 작물
③ 원예 농업　④ 자급적 농업
⑤ 농업의 기계화

04 (중요) 농업 생산의 세계화에 관한 설명으로 옳은 것을 〈보기〉에서 있는 대로 고른 것은?

보기

ㄱ. 국가 간 교류가 늘어나면서 확대되었다.
ㄴ. 농업 생산의 다각화가 이루어지고 있다.
ㄷ. 이촌 향도 현상으로 인해 더욱 심화되었다.
ㄹ. 세계 무역 기구의 출범과도 밀접한 관련이 있다.
ㅁ. 농업 생산의 세계화로 소비자들의 구매 부담은 더욱 커졌다.

① ㄱ, ㄴ, ㄷ ② ㄱ, ㄴ, ㄹ
③ ㄱ, ㄴ, ㅁ ④ ㄱ, ㄴ, ㄷ, ㄹ
⑤ ㄱ, ㄴ, ㄷ, ㄹ, ㅁ

05 다음 내용과 관련된 옳지 않은 설명을 하는 학생은?

D 농업 회사는 온두라스, 콜롬비아, 에콰도르, 필리핀 등지에 바나나 농장과 파인애플 농장을 가지고 있다. 이 농장에서의 과일 생산은 고도의 재배 기법을 통해 이루어지고 생산된 과일은 회사 소유의 공장에서 포장 및 가공 처리된다. 또 특유의 냉장 운반 시스템을 이용하여 세계 각지의 소비자들에게 신선한 열대 과일을 제공하고 있다.

① 정민: 농업의 세계화에 따른 현상이야.
② 소윤: 농업이 기업적으로 운영되고 있어.
③ 제동: 상업적 농업의 한 사례라고 볼 수 있어.
④ 태현: 과일의 생산지와 소비지가 일치할 거야.
⑤ 지수: 농장들이 주로 열대 기후 지역에 위치하고 있어.

06 (중요) 농업 생산의 기업화로 나타나는 변화로 옳지 않은 것은?

① 대규모 기업농이 등장하였다.
② 농기계의 보급과 사용이 확대되었다.
③ 자급적 곡물 농업이 활성화되고 있다.
④ 원예 작물, 기호 작물의 생산량이 증가하였다.
⑤ 상품 작물 재배를 위한 플랜테이션이 확대되었다.

3 STEP 실력을 완성하는 주관식·서술형 문제

07 (고난도) 다음 내용을 읽고 팜유 생산이 인도네시아에 미치는 이점과 문제점을 서술하시오.

인도네시아는 팜유 생산량 세계 1위 국가이다. 과자, 세제, 화장품 등에 사용되는 팜유는 최근 바이오 에너지로서의 가치까지 주목받고 있다. 이러한 까닭으로 세계적 농업 기업들이 인도네시아에 투자를 시작하고 있다.

(1) 이점: ____________________

(2) 문제점: ____________________

08 (신유형) 다음 자료는 농업의 세계화에 따라 세계 여러 농산물이 수입되는 운송 시간을 나타낸 것이다. 이와 같은 현상으로 소비자가 겪게 될 장점과 단점을 각각 한 가지씩 서술하시오.

대한민국
쌀, 옥수수, 포도 등 10일 미국 시애틀
바나나 등 5일 필리핀 마닐라
오렌지, 옥수수 등 40일 남아프리카 공화국 더반
옥수수, 밀 등 20일 오스트레일리아 시드니
포도, 레몬 등 24~26일 칠레 발파라이소
(H 해운, 2012)

(1) 장점: ____________________

(2) 단점: ____________________

다국적 기업의 공간적 분업 체계

이것이 **포인트!**
- 다국적 기업의 성장과 공간적 분업
- 다국적 기업이 생산 공간에 미치는 영향

꼼꼼! 필기 노트

+ 다국적 기업의 공간적 분업
기업은 성장하면서 규모가 커지고 기능이 점차 세분화된다. 또한 기업은 시장 확대를 위해 판매 지점을 세계로 넓혀가면서 연구소와 공장을 가장 적합한 지역에 위치시켜 이윤의 극대화를 추구한다.

+ 관세
국경을 통과하여 들어오는 외국의 상품에 대하여 부과하는 세금으로 국내 상품을 보호하기 위해 적용된다.

+ 무역 장벽
국내 산업을 보호하기 위해 수입품에 관세를 부과하는 등의 무역 제한 조치를 말한다.

+ 산업 공동화 현상
다국적 기업은 기업의 이윤 추구가 최대 목표이기에 인건비가 더욱 저렴하고 생산에 유리한 환경을 갖춘 지역이 있다면 언제든지 생산 공장을 이전할 준비가 되어 있다. 그 과정에서 이전의 생산 공장이 위치했던 지역(공장이 빠져나간 지역)의 산업이 마치 텅 빈 것처럼 쇠퇴하게 되는데 이를 산업 공동화 현상이라고 한다.

콕콕! 핵심 개념

1 □□□ □□: 두 개 이상의 국가에서 제품의 연구, 개발, 생산, 판매 활동을 하는 기업

2 □□□ □□: 다국적 기업이 기능에 따라 서로 다른 국가, 지역에서 기업 활동을 진행하는 것

3 □□ □□□: 다국적 기업의 공장이 다른 지역으로 이전하여 기존 지역의 산업이 쇠퇴하는 현상

1 다국적 기업과 공간적 분업

1 다국적 기업의 의미와 특징

→ 본사가 있는 국가를 포함하여 두 개 이상의 국가에 생산 공장, 연구소, 판매 지점 등을 운영해요.

(1) **의미**: 여러 나라에 진출하여 제품을 생산하고, 전 세계를 대상으로 제품을 판매하는 기업

(2) **등장 배경**: 교통과 통신의 발달, 세계 무역 기구의 출범, 자유 무역 협정 체결의 확대 등 → 기업의 활동 범위 확대

(3) **특징**

① 원료 확보, 생산비 절감, 현지 시장 확보 등을 위해 전 세계를 무대로 활동함

② 오늘날 다국적 기업의 수는 증가하고 있으며, 영향력도 커지고 있음

2 다국적 기업의 공간적 분업+

(1) ❶ [ ]: 기업의 연구, 생산, 판매 등의 각 기능이 세계 여러 지역에 분산되어 입지하는 현상

(2) **다국적 기업의 기능별 입지 조건**

❷ [ ]	다양한 정보를 수집하고 자본을 확보하는 데 유리한 지역 → 주로 선진국의 대도시에 위치
연구소	❸ [ ]이 풍부한 지역, 교육 및 연구 시설이 잘 갖추어진 지역 → 주로 선진국에 위치
판매 대리점	인구가 많거나 소득이 높아 제품에 대한 ❹ [ ]이 높을 것으로 예상되는 지역
❺ [ ]	• 노동력이 풍부하고 상대적으로 인건비가 저렴하여 생산 비용을 줄일 수 있는 지역 → 주로 개발 도상국에 위치 • 관세+나 수입량의 제한이 높은 지역 → 무역 장벽+을 극복하기 위해 판매를 하는 국가에 직접 진출

▲ 다국적 기업의 공간적 분업

2 다국적 기업의 활동이 생산 공간에 미치는 변화

1 생산 공장이 입지하는 지역

(1) **긍정적 변화**: 일자리 증가, 지역 경제 활성화, 관련 산업과 기술 이전 가능 등

(2) **부정적 변화**: 이윤의 상당 부분이 해외로 유출, 환경 오염 발생, 단순 노동에 한정됨 등

2 생산 공장이 빠져나간 지역

(1) ❻ [ ] 감소에 따른 실업률 증가

(2) 인구 감소로 인한 지역 경제 침체 → 산업 공동화+ 현상 발생

활동 1 다음 자료를 보고 물음에 답해 보자.

아침 일찍 일어나 학교로 향하는 왼쪽 학생의 모습을 살펴보자. 학생이 등굣길에 듣는 음악을 재생해 주는 스마트폰은 국내 S사의 제품이다. (가) S사의 본사와 연구소는 한국에 위치해 있지만 제품을 자세히 들여다 보면 (나) 제조국은 중국이다. 학생이 신고 있는 신발과 메고 있는 가방은 모두 독일 A사의 제품이다. (가) A사의 본사와 디자인 연구소는 독일에 위치해 있지만 (나) 제조국은 베트남이다.

1 S사와 A사와 같은 기업을 무엇이라고 하는지 써 보자. (　　　　　　　　　　)

2 (가), (나)와 같이 제품을 기획 · 디자인한 곳과 제품을 생산한 지역이 다른 까닭을 각각 서술해 보자.

한국, 독일에서 기획 · 디자인된 까닭	중국, 베트남에서 제조된 까닭

활동 2 다음 다국적 기업과 관련된 자료를 보고 물음에 답해 보자.

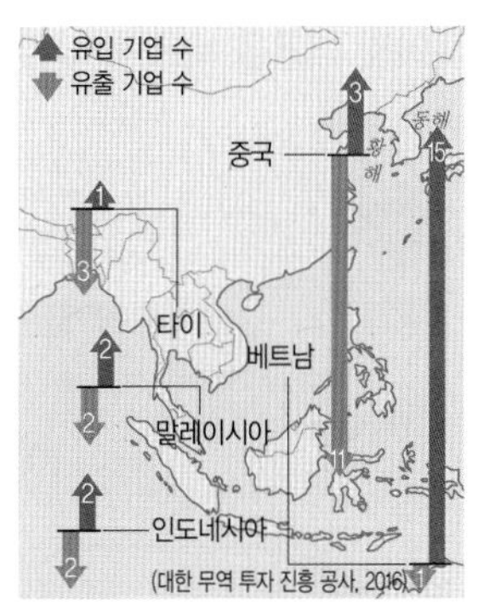

▲ 글로벌 생산 기지의 이동

△△일보 0000년 0월 0일 0요일

한때 '세계의 공장'으로 불리던 중국이 위기를 맞고 있다. 최근 들어 중국에 입지한 다국적 기업의 공장들이 지속적으로 베트남으로 유출되고 있다. 대한 무역 투자 진흥 공사가 27개의 다국적 기업의 공장 이전 및 이전 추진 31건을 분석한 결과, 베트남으로 생산 기지를 이전하는 기업이 가장 많고, 유출 기업이 가장 많은 국가는 중국이었다고 밝혔다.

1 위 자료의 밑줄 친 내용과 같은 현상이 발생하는 까닭을 서술해 보자.

2 위 자료와 같은 현상이 중국과 베트남에 미칠 영향을 예측해 보자.

중국에 미칠 영향	베트남에 미칠 영향

단계별 문제를 풀면서 실력을 쑥쑥 키워 보세요.

1 STEP 개념을 되짚는 확인 문제

01 다음 빈칸에 들어갈 알맞은 말을 쓰시오.

(1) 다국적 기업이 기업의 여러 기능을 서로 다른 지역에 배치하는 것을 (　　　　　)(이)라고 한다.

(2) 세계 무역 기구의 출범으로 세계적 경제 질서의 규범이 마련되었고, (　　　　　) 체결이 확대되면서 경제 활동의 세계화가 촉진되었다.

02 다음 설명에 해당하는 용어를 쓰시오.

(1) 국경을 넘어 제품 기획과 생산, 판매 활동을 하는 기업 (　　　　　)

(2) 지역의 기반을 이루던 산업이 다른 지역으로 이전하면서 해당 산업이 텅 비는 현상 (　　　　　)

03 다음 설명이 옳으면 O, 틀리면 X에 표시해 보자.

(1) 다국적 기업의 본사는 주로 인건비가 저렴한 개발 도상국에 위치한다. (○ | ×)

(2) 다국적 기업의 생산 공장이 입지하는 지역은 일자리가 증가하고 지역 경제가 활성화된다. (○ | ×)

(3) 다국적 기업의 생산 공장이 입지한 지역에서 창출되는 일자리는 숙련된 고급 기술 인력을 필요로 하는 일자리인 경우가 많다. (○ | ×)

04 다국적 기업의 여러 기능과 기능이 입지하기에 적절한 지역을 바르게 연결하시오.

(1) 연구소 • 　　　　• ㉠ 인구가 많거나 소득이 높아 제품 수요가 많을 것으로 예상되는 지역

(2) 판매 지점 • 　　　　• ㉡ 노동력이 풍부하고 인건비가 저렴한 지역

(3) 생산 공장 • 　　　　• ㉢ 전문 기술을 갖춘 고급 인력이 풍부한 지역

2 STEP 기초를 다지는 기본 문제

01 다음 지도와 같은 해외 진출 현황을 나타내는 기업에 대한 설명으로 옳지 않은 것은?

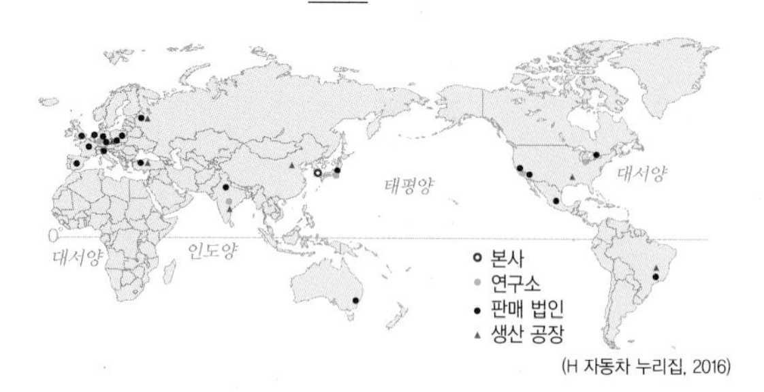

(H 자동차 누리집, 2016)

① 두 개 이상의 국가에서 기업 활동을 한다.
② 생산 공장과 연구소가 함께 모여 입지한다.
③ 세계에서 차지하는 비중이 점점 커지고 있다.
④ 전 세계를 대상으로 생산, 판매 등의 활동을 한다.
⑤ 교통과 통신의 발달로 지역 간 교류가 늘어나면서 성장하게 되었다.

02 중요 다음은 다국적 기업의 공간 분업에 관한 그림이다. ㉠, ㉡에 들어갈 내용을 바르게 나열한 것은?

	㉠	㉡
①	연구소	생산 공장
②	생산 공장	연구소
③	연구소	판매 지점
④	본사	연구소
⑤	생산 공장	연구소

03 다음 지역에 다국적 기업의 생산 공장이 들어서는 이유로 가장 적절한 것은?

> 파퀴아오네 마을은 필리핀 민다나오섬에 위치한 작은 어촌이다. 최근 파퀴아오네 마을에 세계적인 스포츠 브랜드인 N사의 생산 공장이 들어올 것이라는 계획이 발표되었다.

① 기술 수준이 높기 때문이다.
② 인건비가 저렴하기 때문이다.
③ 자본 확보가 용이하기 때문이다.
④ 고급 인력을 쉽게 구할 수 있기 때문이다.
⑤ 기업에 필요한 정보를 얻기 편리하기 때문이다.

04 중요 다국적 기업의 생산 공장이 들어선 지역에 나타날 변화로 옳은 것을 〈보기〉에서 있는 대로 고른 것은?

> **보기**
> ㄱ. 일자리가 증가한다.
> ㄴ. 지역의 경제가 활성화된다.
> ㄷ. 해당 산업과 관련된 기술을 배울 수 있다.
> ㄹ. 유해 물질이 발생하여 환경이 오염될 수 있다.
> ㅁ. 생산 공장에서 발생한 이익 대부분이 현지에 재투자된다.

① ㄱ, ㄴ, ㄷ　　② ㄱ, ㄴ, ㄹ
③ ㄱ, ㄴ, ㅁ　　④ ㄱ, ㄴ, ㄷ, ㄹ
⑤ ㄱ, ㄴ, ㄷ, ㄹ, ㅁ

05 다음 내용과 관련 있는 용어로 옳은 것은?

> 러시아에 진출해 있던 미국의 자동차 기업이 경영 악화를 이유로 러시아 상트페테르부르크의 생산 공장을 폐쇄하고 사업을 철수하였다. 이에 따라 이 자동차 공장에서 일하던 수많은 러시아 노동자들이 일자리를 잃게 되었다.

① 세계화　　② 인구 공동화
③ 농업의 세계화　　④ 산업 공동화
⑤ 세계 무역 기구

3 STEP 실력을 완성하는 주관식·서술형 문제

06 다국적 기업의 성장 배경을 두 가지만 서술하시오.

____
____
____

[07~08] 다국적 기업의 생산 공장의 이동을 나타낸 다음 자료를 보고 물음에 답하시오.

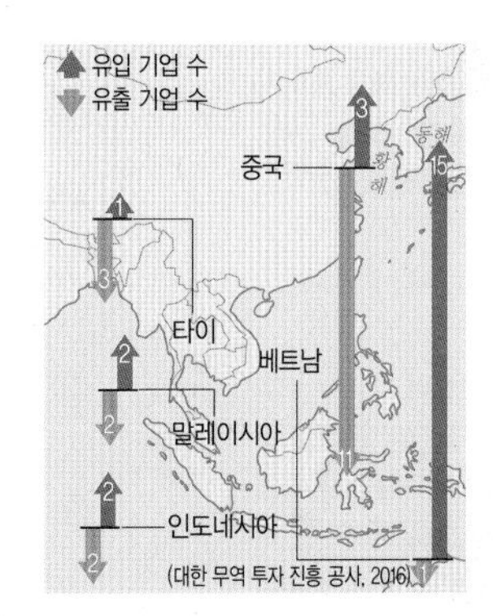

(대한 무역 투자 진흥 공사, 2016)

07 위 자료를 보고 중국과 베트남의 상황을 유출 기업 수와 유입 기업 수를 기준으로 비교하여 서술하시오.

____
____

08 위 자료와 같은 상황이 발생하는 까닭을 중국과 베트남의 인건비와 연관 지어 서술하시오.

____
____

03 서비스업의 세계화

이것이 포인트!
- 정보화가 서비스업에 미치는 영향
- 서비스업의 세계화가 지역에 미친 영향

꼼꼼! 필기 노트

1 정보화에 따른 서비스업의 변화

1 정보화와 서비스업

(1) **정보화**: 정보 통신 기술의 발달로 시 · 공간의 제약이 지속적으로 줄어들고 정보가 가치를 창출하는 현상

(2) ❶ ______: 교통, 숙박, 유통, 교육, 의료, 법률 등 인간이 필요로 하는 재화나 용역을 제공하는 산업

(3) **정보화에 따른 서비스업의 변화**: 정보화는 시 · 공간의 제약을 넘어 서비스업의 세계화를 가져옴

① 통신 기술 발달로 인터넷을 통해 물건을 사고파는 ❷ ______가 빠르게 발달 → 제품을 배송하는 물류 산업도 함께 성장 → 주로 온라인으로 구매한 제품을 소비자에게 배송해 주는 택배 업체들을 의미해요.

② 서비스 제공자와 소비자가 직접 만나지 않아도 됨 → 온라인 교육, 온라인 의료 진단, 다양한 온라인 서비스 산업의 성장

③ 소비자는 언제 어디서나 원하는 물건을 구매할 수 있음

2 서비스업의 세계화

① 온라인 관광: 인터넷으로 세계 어디를 가든, 어디에 있든 여행에 필요한 교통편, 숙박 시설 등을 쉽게 예약할 수 있음

② 전자 상거래와 ❸ ______: 국내는 물론 해외에서도 온라인상으로 제품을 자유롭게 구매하고 해외 배송까지 받을 수 있음

③ 원격 강의: 세계 유명 대학의 온라인 강의는 물론 유명 학자의 강의를 자유롭게 수강할 수 있음

2 서비스업의 세계화와 주민 생활

1 서비스업의 입지 변화

(1) **자유로운 입지**: 물류 배송이 편리하거나 통신 설비가 갖추어진 곳이라면 어디든 입지가 가능함

(2) **대표적 사례**: 콜센터 등 → 콜센터는 고객 응대뿐만 아니라 마케팅, 정보 제공, 고객 서비스, 모금 등 전화 응대를 종합적으로 하므로 보편적인 언어(영어) 사용이 매우 중요해요.

① 기업: 임금이 저렴한 지역에 입지 가능 → 생산비 절감

② 지역: 저렴한 인건비와 영어 회화 능력을 갖춘 필리핀이나 인도 등에 다국적 기업의 콜센터 입지 → 지역 경제 성장, ❹ ______ 창출

2 관광 산업의 세계화가 주민 생활에 미친 영향

긍정적 영향	• 여행객들의 자유로운 여행이 가능해짐(인터넷을 통해 숙박업소와 여행 상품 등 직접 예약 가능) • 관광 지역 주민들의 소득 증대, 일자리 증가 → 다양한 경제 효과
부정적 영향	• 인터넷상에서 여행의 허위 및 과장광고, 지나친 가격 경쟁 등으로 관광객과 관광지 주민 모두 피해를 입는 경우도 있음 • 무리한 관광지 개발로 지역의 자연환경과 고유문화가 훼손되기도 함

+ 서비스업의 구분
- 소비자 서비스업: 소비자에게 직접 서비스 제공 예 음식업, 숙박업, 소매업 등
- 생산자 서비스업: 기업 활동에 도움을 주는 서비스 예 금융, 법률, 광고, 시장 조사 등

+ 용역
미용사나 금융 종사자 등과 같이 물건의 형태가 아닌 노동력을 제공하는 서비스를 말한다.

+ 물류 산업
공장에서 생산된 완제품이 최종 소비자에게 공급될 때까지 수송, 하역, 포장, 보관 등의 서비스를 제공하는 산업이다.

+ 필리핀과 인도의 콜센터
필리핀과 인도는 개발 도상국 중에는 드물게 대부분의 국민이 영어를 사용하는 국가이다. 이는 역사적으로 필리핀은 미국, 인도는 영국의 식민지를 경험하여 식민지의 유산으로 영어가 널리 사용되고 있기 때문이다. 따라서 필리핀과 인도에서는 저렴한 임금과 영어 사용이 가능하다는 장점에 힘입어 다국적 기업들의 콜센터가 대규모로 들어서고 있다.

콕콕! 핵심 개념

1 □□□□: 인간이 필요로 하는 재화나 용역을 제공하는 산업

2 서비스업의 □□□: 정보 통신의 발달로 세계 어디서나 서비스업이 가능한 현상

3 □□ □□□: 인터넷 통신망을 이용하여 물건을 사고파는 행위

활동 1 다음은 우리나라의 해외 직접 구매액과 인터넷 발달에 관한 자료이다. 자료를 보고 물음에 답해 보자.

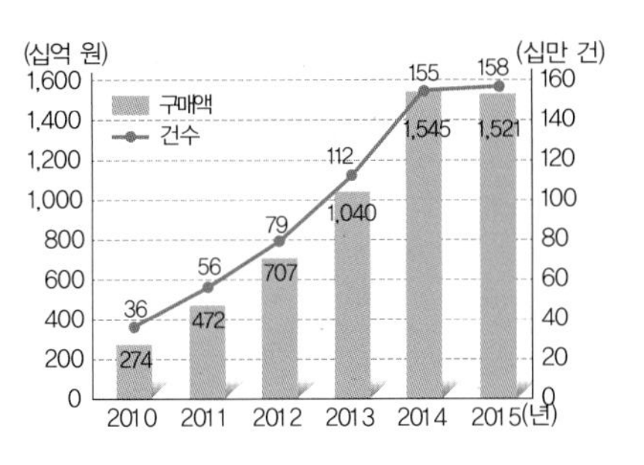

▲ 우리나라의 해외 직접 구매액

1960년대 미국의 국방성 주도하에 군사적인 목적으로 개발되었던 아르파넷(ARPANET)은 50년도 넘게 지난 지금 전 세계를 아우르는 생활 기술인 인터넷으로 발전하였다. 70억 명이 넘는 전 세계 인구 중 25억 명이 넘는 사람이 매일 인터넷을 사용하고 있으며, 인터넷 보급과 사용이 확대됨에 따라 인터넷을 활용한 각종 생활의 편의가 증대되고 있다. 인터넷을 통한 국내 쇼핑 및 해외 직접 구매는 물론 (　　　㉠　　　) 등 다양한 생활의 변화가 나타나고 있다.

1 그래프와 같은 현상이 발생하는 배경을 써 보자.

2 ㉠에 들어갈 사례를 두 가지 이상 써 보자.

활동 2 다음 필리핀의 해외 위탁 업무 서비스(BPO) 관련 자료를 보고 물음에 답해 보자.

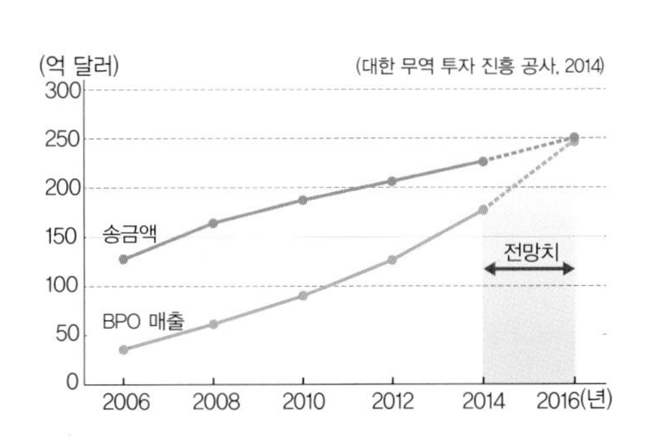

▲ 필리핀으로의 해외 송금액과 해외 위탁 업무 서비스(BPO)의 매출액 비교

▲ 필리핀의 콜센터

1 위 자료와 같은 현상이 나타나는 까닭을 다국적 기업의 활동과 연관 지어 서술해 보자.

2 필리핀 외에도 인건비가 저렴한 국가는 전 세계에 많다. 그럼에도 필리핀이 콜센터와 같은 다국적 기업의 서비스 활동의 주요 입지로 등장하게 되었다. 그 까닭을 서술해 보자.

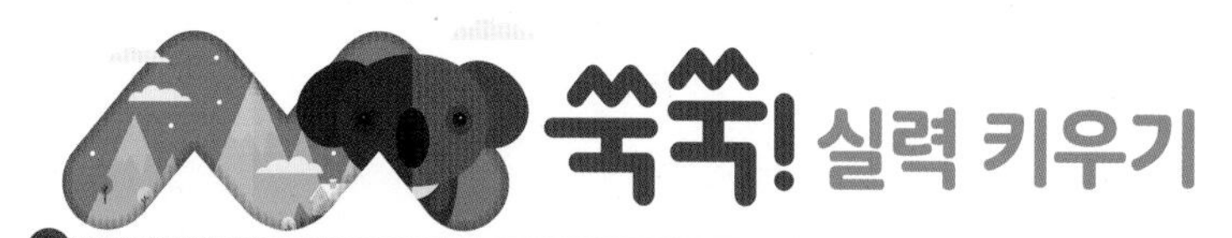

단계별 문제를 풀면서 실력을 쑥쑥 키워 보세요.

1 STEP 개념을 되짚는 확인 문제

01 다음 빈칸에 들어갈 알맞은 말을 쓰시오.

(1) 정보 통신 기술의 발달로 시간과 공간의 제약이 줄어들고 정보가 가치를 창출하는 현상을 (　　　　　)(이)라고 한다.

(2) 인간이 필요로 하는 재화나 용역을 제공하는 상업, 금융업, 운수업 등의 산업을 (　　　　　)(이)라고 한다.

(3) 인터넷의 전자 매체를 이용하여 상품을 거래하는 것을 (　　　　　)(이)라고 한다.

02 다음 설명에 해당하는 용어를 쓰시오.

(1) 상품을 분류하여 배송해 주는 산업으로, 인터넷 쇼핑몰의 증가와 함께 발달 (　　　　　)

(2) 마케팅, 정보 제공, 고객 서비스, 모금 등 전화 응대를 통해 부가 가치를 창출해 내는 장소 (　　　　　)

03 다음 설명이 옳으면 O, 틀리면 X에 표시하시오.

(1) 교통과 통신의 발달은 다양한 서비스업의 세계화를 촉진하고 있다. (○ | ×)

(2) 인터넷을 이용한 서비스업이 활성화되면서 관광 산업이 더욱 활성화되고 있다. (○ | ×)

(3) 인터넷의 발달로 상품 구매의 시간과 공간적 제약이 줄어들어 소비자는 원하는 물건을 편리하게 구매할 수 있게 되었다. (○ | ×)

04 다음 빈칸에 들어갈 알맞은 말을 고르시오.

(1) 선진국은 개발 도상국보다 대체로 국내 총생산에서 서비스업이 차지하는 비중이 (높다 | 낮다).

(2) 관광의 세계화는 교통 및 숙박 산업의 (성장 | 쇠퇴)에 영향을 미친다.

2 STEP 기초를 다지는 기본 문제

01 중요 다음 내용에 따른 변화로 적절하지 않은 것은?

> 태평양과 대서양을 가로지르는 심해에는 거대한 길이와 크기의 광케이블이 매설되어 있다. 이 광케이블을 통해 오늘도 아시아와 아메리카, 유럽과 아프리카, 서로 다른 인종, 서로 다른 국가, 서로 다른 대륙은 연결되고 소통한다. 인터넷을 통해 연결된 '온라인(On-line)' 세상은 우리 앞에 펼쳐진 새로운 세계이다.

① 물류 산업이 지속적으로 성장한다.
② 정보가 새로운 가치를 창출해 낸다.
③ 시간과 공간의 제약이 점차 줄어든다.
④ 온라인을 통한 전자 상거래가 활성화된다.
⑤ 의료 활동의 경우 의사와의 대면 진료가 확대된다.

02 서비스업과 관련 있는 사례를 〈보기〉에서 있는 대로 고른 것은?

> 보기
> ㄱ. 선생님으로부터 수업을 듣는다.
> ㄴ. 택배 기사님으로부터 주문한 제품을 받았다.
> ㄷ. 여행지에 가기 위해 비행기표를 미리 예약했다.
> ㄹ. 몸이 아파 병원에 가서 의사 선생님께 진료를 받았다.

① ㄱ, ㄴ　② ㄱ, ㄷ　③ ㄱ, ㄴ, ㄷ
④ ㄱ, ㄷ, ㄹ　⑤ ㄱ, ㄴ, ㄷ, ㄹ

03 다음 내용이 설명하는 용어로 옳은 것은?

> 인터넷을 통해 상품을 거래하는 행위를 말하며, 오프라인에서 이루어지던 기존의 거래와 달리 온라인을 통해 이루어지는 것이 특징이다.

① 정보화　② 세계화　③ 탈공업화
④ 전자 상거래　⑤ 의료 서비스

3 STEP 실력을 완성하는 주관식·서술형 문제

04 다음 빈칸에 들어갈 내용으로 가장 적절한 것은?

> 관광, 교육, 의료 등의 서비스업도 정보화를 통해 서비스의 제공자와 소비자가 직접 만나지 않아도 이루어질 수 있게 되었으며, 이러한 변화는 (   )을(를) 가능하게 하였다.

① 농업의 기업화 ② 농업의 세계화
③ 서비스업의 기업화 ④ 서비스업의 상업화
⑤ 서비스업의 세계화

05 다음 사진에 관한 옳은 설명을 한 학생은?

① 종수: 인터넷을 통한 관광 상품 예약이 활성화되고 있어.
② 병현: 인터넷 주문을 통한 공장의 대량 생산이 이루어지고 있어.
③ 송이: 온라인상의 의료 서비스가 지속적으로 증가하고 있어.
④ 지영: 전자 상거래 활성화에 따라 물류 산업이 발달하고 있어.
⑤ 지수: 원격 강의를 보기 위해서는 많은 비용을 지불해야 해.

06 다국적 기업의 서비스업이 유입되는 지역에서 기대할 수 있는 긍정적인 영향으로 옳은 것은?

① 일자리가 증가한다.
② 지역 경제가 침체된다.
③ 지역의 총소득이 감소한다.
④ 관련 서비스업이 쇠퇴한다.
⑤ 다국적 기업의 본사가 입지한다.

07 다음과 같은 현상이 가능하게 된 배경을 서술하시오.

> **△△일보** ○○○○년 ○월 ○일 ○요일
>
> 온라인의 정복자 A사가 오프라인의 절대 강자 W 마트를 제치고 미국 유통업계 시가 총액 1위에 등극하였다. 온라인에서 주로 영업하는 A사의 작년 매출은 890억 달러로 오프라인에서 주로 영업하는 W 마트의 19% 수준에 불과하다. 하지만 W 마트의 매출은 세계 금융 위기 이후 6년간 20% 늘어나는 데 그쳤지만 A사는 같은 기간 거의 4배 성장하였다.

____

____

08 미국 대기업의 콜센터가 필리핀에 입지하기에 유리한 조건을 두 가지 서술하시오.

____

____

고난도

09 다음 내용을 바탕으로 미국 다국적 기업의 콜센터 이전이 인도에 미치는 긍정적 영향과 부정적 영향을 한 가지씩 서술하시오.

> 미국의 다국적 컴퓨터 제조업체인 D사가 인도 북부의 A 지역에 대규모의 콜센터를 설치하기로 하였다. 이곳의 콜센터는 동시에 3천 건의 고객 문의에 응대할 수 있고 전 세계로부터 걸려 오는 하루 평균 100만 건 정도의 전화를 응대할 수 있을 것으로 기대된다.

(1) 긍정적 영향: ______________________________

(2) 부정적 영향: ______________________________

뚝딱! 단원 마무리하기

이번 단원에서 배운 내용을 문제로 뚝딱! 마무리 점검해 보세요.

01 농업의 세계화가 나타나게 된 배경을 〈보기〉에서 있는 대로 고른 것은?

보기

ㄱ. WTO 체제 출범　　ㄴ. 세계 도시의 출현
ㄷ. 교통 · 통신의 발달　　ㄹ. 자유 무역 협정 체결

① ㄱ, ㄴ　② ㄱ, ㄷ
③ ㄱ, ㄴ, ㄷ　④ ㄱ, ㄷ, ㄹ
⑤ ㄴ, ㄷ, ㄹ

02 중요 농업의 기업화와 세계화에 대한 설명으로 옳지 않은 것은?

① 과거에는 벼, 밀과 같은 곡물을 소규모로 재배하였다.
② 세계화의 영향으로 농업 생산의 단일화가 이루어지고 있다.
③ 세계화가 진행되면서 상업적 농업이 더욱 발달하게 되었다.
④ 과거에는 직접 재배하여 직접 소비하는 자급적 농업이 대부분이었다.
⑤ 이익을 극대화하기 위해 많은 자본과 기술을 투자하는 농업의 기업화 현상이 나타난다.

03 농업의 세계화에 따라 세계적 농업 기업들이 진출한 지역에서 나타나는 변화로 옳지 않은 것은?

① 지역 경제가 활성화된다.
② 농약 사용으로 환경이 파괴된다.
③ 지역의 산업이 첨단 산업으로 변화된다.
④ 지역 주민들에게 새로운 일자리가 생겨난다.
⑤ 바나나, 커피, 카카오 등 상품 작물의 재배가 늘어난다.

04 중요 다음은 바나나의 주요 수출국별 수출량을 나타낸 지도이다. 이와 관련된 설명으로 옳은 것을 〈보기〉에서 있는 대로 고른 것은?

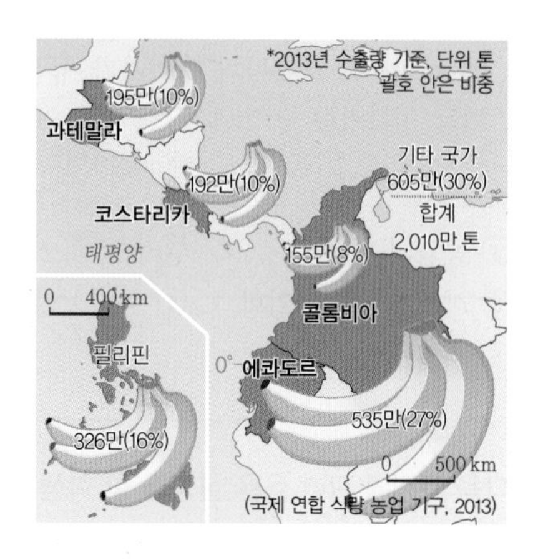

(국제 연합 식량 농업 기구, 2013)

보기

ㄱ. 자급적 농업의 비율이 높아지고 있다.
ㄴ. 콜롬비아와 에콰도르의 기후를 이용한다.
ㄷ. 세계 무역 기구 출범에 따라 국가 간 교역량이 늘어나고 있다.
ㄹ. 주요 바나나 수출국들은 노동력이 풍부하고 인건비가 저렴한 편이다.

① ㄱ, ㄴ　② ㄴ, ㄷ　③ ㄱ, ㄴ, ㄷ
④ ㄴ, ㄷ, ㄹ　⑤ ㄱ, ㄴ, ㄷ, ㄹ

05  다음 질문의 D에 해당하는 나라는?

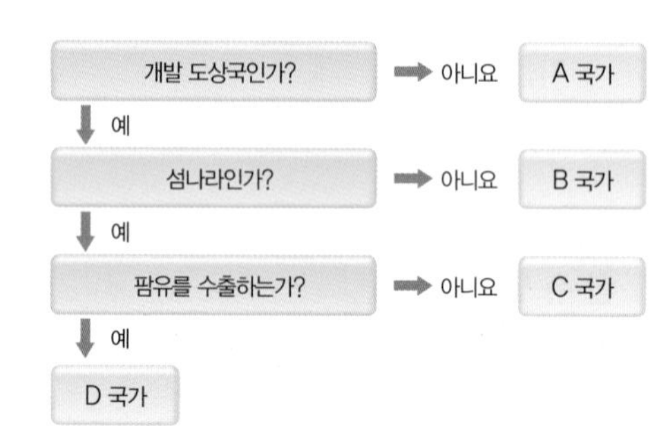

① 라오스　② 몰디브
③ 이집트　④ 인도네시아
⑤ 오스트레일리아

●○○

06 다음은 국내산 농산물과 수입산 농산물의 가격을 비교한 자료이다. 이와 같은 현상이 소비자에게 미치는 영향으로 가장 적절한 것은?

제주산 / 수입

애플망고(100g, 2015년)
- 제주산: 4천 원~1만 원
- 수입: 2천 원~3천 원

유기농 바나나(1kg, 2015년)
- 제주산: 6천 원~1만 원
- 수입: 2천 원~3천 원

(농협 유통, 백화점 종합, 2015)

① 식량 자급률을 높인다.
② 저렴한 농산물을 구입할 수 있다.
③ 인스턴트 음식의 섭취가 확대된다.
④ 국내산 농산물의 소비가 증대된다.
⑤ 국내산보다 안전한 농산물을 먹을 수 있다.

●●○

07 오늘날 세계의 경제 활동에 관한 설명으로 옳지 않은 것은?

① 국가 간의 교류가 활발해지고 있다.
② 세계가 거대한 하나의 시장으로 통합되고 있다.
③ 세계적 차원에서 경제적 상호 의존도가 높아지고 있다.
④ 국가 간의 무역 장벽이 높아 다국적 기업의 활동이 위축되고 있다.
⑤ 자유 무역 협정 체결로 경제 활동의 세계화가 빠르게 진행되고 있다.

●●○

08 다국적 기업에 관한 설명으로 옳지 않은 것은?

① 생산 기능의 규모가 크다.
② 전 세계를 무대로 제품을 기획한다.
③ 기획, 연구, 생산 기능이 나뉘어져 있다.
④ 선진국에서 모든 기업 활동이 이루어진다.
⑤ 전 세계의 다양한 생산 요소를 활용할 수 있다는 장점이 있다.

[09~10] 다음은 우리나라 다국적 기업의 해외 진출 현황을 나타낸 지도이다. 지도를 보고 물음에 답하시오.

(H 자동차 누리집, 2016)

●●●

09 다국적 기업의 생산 공간이 지도와 같이 나타나는 이유로 가장 적절한 것은?

① 생산 공장을 단일화하기 위해서
② 안정적으로 원료를 공급받기 위해서
③ 제품의 수출 경로를 확보하기 위해서
④ 생산 비용을 절감하고 시장을 개척하기 위해서
⑤ 연구소를 많이 설립하여 신기술을 개발하기 위해서

●●○

10 지도의 다국적 기업에 관한 설명으로 옳지 않은 것은?

① 기업의 규모가 크고 조직이 복잡한 편이다.
② 판매 지점은 제품에 대한 구매력이 높은 지역에 주로 위치한다.
③ 무역 장벽을 극복하기 위해 본사를 개발 도상국으로 이전하였다.
④ 연구소는 연구 시설이나 전문 인력이 풍부한 곳에 주로 입지한다.
⑤ 생산 공장은 임금이 저렴하여 생산 비용을 줄일 수 있는 곳에 주로 입지한다.

[11~12] 다음 지도는 다국적 기업의 생산 공장의 이동을 나타낸 것이다. 이를 보고 물음에 답하시오.

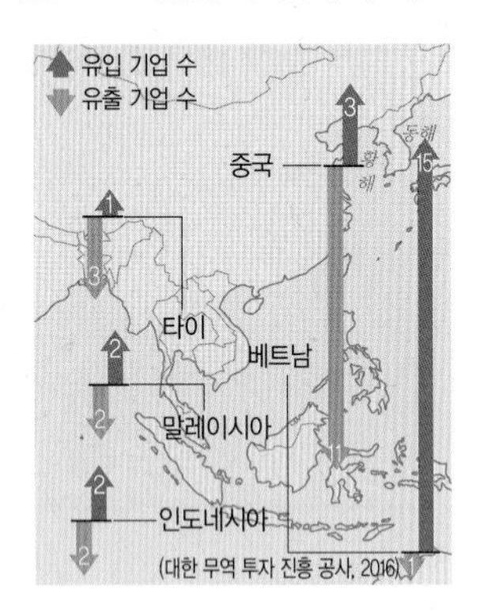

11 지도와 같이 다국적 기업의 생산 공장이 베트남으로 집중되는 가장 중요한 요인은?

① 베트남의 열대 기후
② 베트남의 식민지 역사
③ 베트남의 저렴한 인건비
④ 베트남의 높은 기술 수준
⑤ 베트남의 다양한 음식 문화

12 지도와 같은 현상으로 베트남에서 나타날 수 있는 변화로 옳은 것을 〈보기〉에서 있는 대로 고른 것은?

보기
ㄱ. 일자리가 늘어난다. ㄴ. 지역 경제가 활성화된다. ㄷ. 과거보다 실업률이 높아진다. ㄹ. 생산 공장에서 오염 물질이 발생하여 환경이 오염될 수 있다.

① ㄱ, ㄴ　② ㄱ, ㄴ, ㄷ
③ ㄱ, ㄴ, ㄹ　④ ㄴ, ㄷ, ㄹ
⑤ ㄱ, ㄴ, ㄷ, ㄹ

13 세계화에 따른 서비스업의 변화 모습의 사례로 적절하지 않은 것은?

① 의료 관광 산업 발달
② 미국 기업의 24시간 운영 콜센터
③ 세계 여러 지역에 국제 학교 증가
④ 인터넷을 통한 해외 숙박 시설 예약
⑤ 재래 시장에서 전통시장 상품권을 이용한 물건 구매

14 서비스업의 세계화에 관한 설명으로 옳지 않은 것은?

① 정보화를 바탕으로 급격히 진전되었다.
② 전자 상거래의 증가가 대표적인 사례이다.
③ 상대적으로 물류 산업은 위축되는 모습을 보인다.
④ 교육, 의료 등 다양한 영역으로 발전해 가고 있다.
⑤ 국내의 소비자가 온라인 상점 등을 통해 외국에서 판매되는 상품을 직접 구매할 수 있게 되었다.

15 관광 산업의 세계화에 따른 영향으로 옳지 않은 것은?

① 교통 및 숙박 산업이 쇠퇴하였다.
② 인터넷을 통한 숙박업소, 여행 상품 예약이 증가하고 있다.
③ 관광객이 과거보다 더욱 편리하게 여행할 수 있게 되었다.
④ 관광 지역의 주민들은 다양한 방법을 통해 많은 소득을 얻을 수 있다.
⑤ 무리한 개발로 지역의 자연환경과 고유의 전통문화가 훼손될 수 있다.

16 다음 내용의 ㉠에 들어갈 국제기구의 명칭을 쓰고 이 기구의 역할을 서술하시오.

> 교통 및 통신의 발달, (㉠) 체제 출범, 자유 무역 협정의 체결 등으로 지역 간 교류가 증가하면서 전 세계를 대상으로 농작물의 생산과 소비가 이루어지는 농업의 세계화가 진행되고 있다.

(1) 국제기구: ____________

(2) 역할: ____________

17 농업의 세계화로 인한 장단점을 한 가지씩 서술하시오.

(1) 장점: ____________

(2) 단점: ____________

18 다음 그래프는 우리나라의 1인당 쌀 소비량을 나타낸 것이다. 이러한 현상이 발생하게 된 이유를 농업의 세계화와 연관 지어 서술하시오.

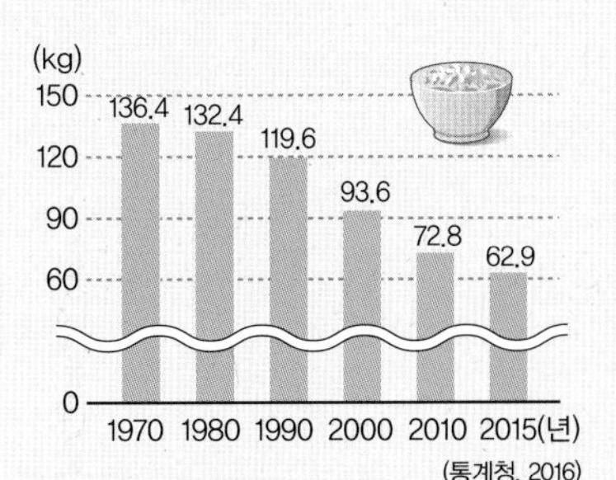

19 (고난도) 다음 그래프는 우리나라 식량 자급률의 변화를 나타낸 것이다. 이와 같은 현상이 발생하는 까닭과 이와 같은 현상이 지속될 경우 나타날 수 있는 문제점을 서술하시오.

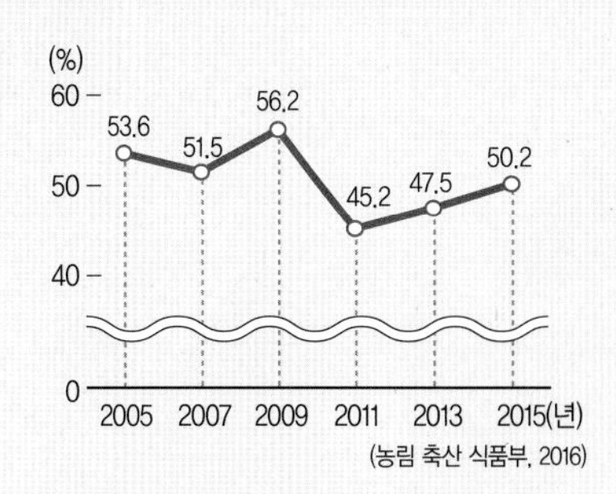

(1) 까닭: ____________

(2) 문제점: ____________

20 산업 공동화 현상의 의미와 발생 원인을 서술하시오.

(1) 의미: ____________

(2) 발생 원인: ____________

21 전자 상거래의 특징을 기존 상거래와 비교하여 설명하시오.

이 단원을 배우면

기후 변화의 심각성 인식하고, 기후 변화를 해결하기 위한 지역적 · 국제적 노력을 평가할 수 있어요. 그리고 환경 문제 유발 산업의 이동이 해당 지역 환경에 미친 영향을 알 수 있으며, 일상생활 속 다양한 환경 이슈에 관한 자신의 의견을 제시할 수 있어요.

환경 문제와 지속 가능한 환경

:나의 학습 진도표

중단원명	학습 코너	쪽수	학습 예정일	학습 완료일	달성도
01 기후 변화의 원인과 해결 노력	꼼꼼! 필기 노트	180쪽	◯월 ◯일	◯월 ◯일	☆☆☆☆☆
	탄탄! 활동 노트	181쪽	◯월 ◯일	◯월 ◯일	☆☆☆☆☆
	쑥쑥! 실력 키우기	182~183쪽	◯월 ◯일	◯월 ◯일	☆☆☆☆☆
02 환경 문제 유발 산업의 이동	꼼꼼! 필기 노트	184쪽	◯월 ◯일	◯월 ◯일	☆☆☆☆☆
	탄탄! 활동 노트	185쪽	◯월 ◯일	◯월 ◯일	☆☆☆☆☆
	쑥쑥! 실력 키우기	186~187쪽	◯월 ◯일	◯월 ◯일	☆☆☆☆☆
03 생활 속의 환경 이슈	꼼꼼! 필기 노트	188쪽	◯월 ◯일	◯월 ◯일	☆☆☆☆☆
	탄탄! 활동 노트	189쪽	◯월 ◯일	◯월 ◯일	☆☆☆☆☆
	쑥쑥! 실력 키우기	190~191쪽	◯월 ◯일	◯월 ◯일	☆☆☆☆☆
뚝딱! 단원 마무리하기		192~195쪽	◯월 ◯일	◯월 ◯일	☆☆☆☆☆

기후 변화의 원인과 해결 노력

이것이 **포인트!**
- 기후 변화의 원인과 영향
- 기후 변화 해결을 위한 노력

꼼꼼! 필기 노트

1 기후 변화의 원인과 영향

1 기후 변화의 원인

→ 화산 활동에 따른 화산재 분출, 태양 활동의 변화, 태양과 지구의 상대적 위치 변화 등을 말해요.

(1) **의미**: 자연적 요인과 인위적 요인에 의해 일정한 지역에 장기간에 걸쳐 기후가 변화하는 현상

(2) **발생 원인**: 과거에는 자연적 요인 때문에 주로 발생하였으나 최근에는 ❶ ______이 주요 요인이 되고 있음

→ 오늘날에는 급격한 인구 증가와 이에 따른 산업화와 도시화로 다양한 환경 문제가 발생하고 있어요.

2 지구 온난화

(1) **의미**: 대기 중에 온실가스의 양이 많아지면서 온실 효과가 과도하게 나타나 지구의 평균 기온이 점점 높아지는 현상

(2) **원인**: 석유, 석탄 등 ❷ ______의 사용 증가, 농경지 개발, 도시화에 따른 삼림 파괴 등으로 대기 중의 온실가스가 증가하는 것이 가장 큰 원인으로 작용

(3) **영향**

① 기상 이변 증가: 태풍, 홍수, 가뭄, 폭설 등의 자연재해의 발생 빈도와 강도가 증가함

② 빙하 감소와 해수면 상승: 빙하나 해발 고도가 높은 산의 만년설이 녹아 지구의 평균 ❸ ______이 상승 → 해발 고도가 낮은 일부 섬나라와 해안 저지대가 침수될 위기에 처함

③ 생태계 변화: 바닷물의 온도 상승으로 해양 생태계가 변화, 식생 분포의 범위 변화, 질병 확산 등이 발생함

→ 투발루, 몰디브 등의 섬나라와 방글라데시, 네덜란드 등의 해안 저지대가 침수될 위기에 처해 있어요.

2 기후 변화 해결을 위한 노력

1 지속 가능한 발전

(1) **의미**: 미래 세대가 그들의 필요를 충족할 능력을 저해하지 않으면서 현재 세대의 필요를 충족하는 발전

(2) 전 지구적 환경 문제의 해결을 위해 개인적 노력뿐만 아니라 국가적 · 국제적 차원의 노력과 협력이 필요하며 이를 통해 ❹ ______을 모색해야 함

2 전 지구적 환경 문제 해결을 위한 노력

(1) **국가적 차원의 노력**

① 녹색 성장 추진: 청정 에너지를 사용하여 환경 보전과 경제 발전을 동시에 추구함

→ 예 정부는 환경친화적 제품에 대해 세금 혜택을 주고, 기업은 공업용 폐수 등을 함부로 배출하지 않고, 국민은 대중교통 또는 자전거 같은 녹색 교통을 이용하도록 장려하는 제도를 말해요.

② 온실가스 배출권 거래 제도의 시행: 기업들의 자발적인 탄소 배출량 감소를 유도함

(2) **국제 사회의 노력**

① 기후 변화 협약: 지구 온난화를 방지하기 위한 온실가스 감축 노력

② ❺ ______: 선진국의 온실가스 감축을 목표로 함

③ ❻ ______: 선진국에만 온실가스 감축 의무를 지우지 않고 선진국과 개발 도상국 모두 온실가스를 감축해야 함

(3) **기후 변화 해결을 위한 노력의 한계**: 각국의 이해관계와 산업 구조, 기술 수준 등이 달라 전 지구적 합의를 이끌어 내는 데에 어려움이 많음

+ 온실가스
이산화 탄소, 메탄 등 온실 효과를 일으키는 기체로, 특히 이산화 탄소는 전체 온실가스의 절반 이상을 차지하는 지구 온난화의 주범으로 알려져 있다.

+ 온실 효과
지구에서 복사되는 열이 온실가스에 막혀 지구 밖으로 나가지 못하고 지구로 다시 흡수되어 대기와 지표면의 온도를 높이는 현상을 의미한다.

+ 온실가스 배출권 거래 제도(탄소 배출권 거래제)
온실가스의 배출에 관한 권리를 설정하여 기업들은 정해진 할당량만큼만 온실가스를 배출할 수 있다. 여분 또는 부족분에 대해 배출권을 타 기업과 거래할 수 있도록 함으로써 결국 정해진 총량만큼만 배출할 수 있도록 허용량을 준수하게 만드는 제도이다.

+ 선진국과 개발 도상국의 입장 차이
선진국에서는 전 지구적 차원의 환경 문제를 해결하기 위해 세계 각국이 적극적으로 온실가스 배출량을 줄일 것을 원하고 있다. 하지만 개발 도상국에서는 산업화를 통한 경제 성장이 시급하기 때문에 온실가스 배출량을 의무적으로 감축하는 데 어려움이 있다고 주장하고 있다.

콕콕! 핵심 개념

1 □□□□: 이산화 탄소, 메탄, 아산화 질소 등 온실 효과를 일으키는 기체

2 □□ □□□: 기후 변화에 따라 지구의 평균 기온이 점점 높아지는 현상

3 □□ □□□ □□: 미래 세대가 그들의 필요를 충족할 능력을 저해하지 않으면서 현재 세대의 필요를 충족하는 발전

활동 ① 다음 지구 온난화에 따른 해수면 상승과 관련한 글을 읽고 물음에 답해 보자.

△△일보 0000년 0월 0일 0요일

지구 온난화에 따른 [❶] 상승으로 바닷물에 잠길 위기에 처한 남태평양 연안의 섬나라들이 지구 온난화의 주된 원인인 [❷] 배출 책임이 있는 선진국들에 절박한 호소를 하고 나섰다.

피지, 키리바시, 투발루 등의 섬나라 정상들은 키리바시에서 모여 합동 성명을 내고 선진국들의 경제적 지원과 해수면 상승으로 터전을 잃은 자국민들이 이민해서 일자리를 구할 수 있게 지원해 줄 것을 촉구하였다.

유엔 정부 간 기후 변화 협의회(IPCC)가 2013년 발표한 보고서에서는 [❸]로 인한 해수면 상승은 남태평양의 섬나라나 저지대 국가들에 심각한 홍수와 침식 피해를 초래할 것이며, 2050년이면 해수면 상승으로 삶의 터전을 잃는 사람들이 늘어날 것으로 전망하고 있다.

1 위 글의 ❶~❸에 들어갈 알맞을 말을 써 보자.

2 해수면 상승 외에도 지구 온난화로 나타날 수 있는 또 다른 현상을 써 보자.

활동 ② 다음 기후 변화에 따른 지구 온난화에 관한 자료를 보고 물음에 답해 보자.

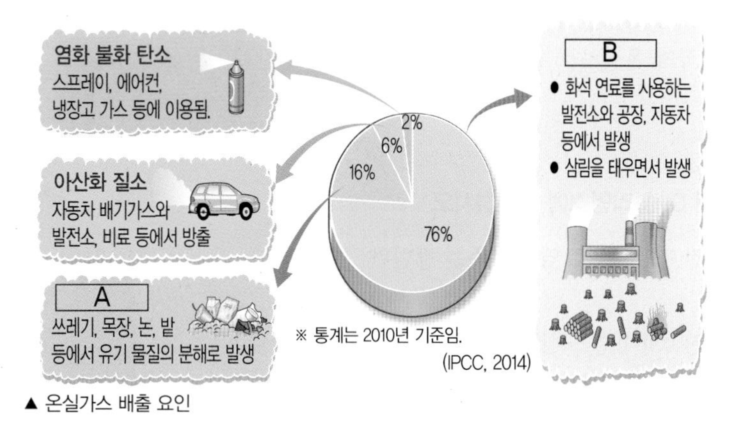

▲ 온실가스 배출 요인

지구 온난화는 대기 중에 [❶]가 지나치게 많아지면서 지구의 기온이 상승하는 현상이다. 지구에서 복사되는 열이 온실가스에 막혀 지구 밖으로 나가지 못하고 지구로 다시 흡수되어 대기와 지표면 온도를 높이는 것을 [❷]라고 한다. 이는 자연적 현상보다는 산업화, 농경지 확장과 같은 인간의 [❸]에 의해 배출되는 이산화 탄소, 메탄, 아산화 질소 같은 온실가스의 배출량 증가가 가장 큰 원인으로 작용하고 있다.

1 위 글의 ❶~❸에 들어갈 알맞은 말을 써 보자.

2 위 자료의 A와 B에 들어갈 용어를 써 보자.

A – (   )   B – (   )

단계별 문제를 풀면서 실력을 쑥쑥 키워 보세요.

1 STEP 개념을 되짚는 확인 문제

01 다음 빈칸에 들어갈 알맞은 말을 쓰시오.

(1) 기후 변화는 과거에는 자연적 요인의 영향을 많이 받았으나 최근에는 (　　　　　)이(가) 주요 요인이 되고 있다.

(2) 대기 중에 온실가스의 양이 늘면서 (　　　　　)이(가) 과도하게 나타나 지구의 평균 기온이 높아지는 현상을 지구 온난화라고 한다.

(3) 온실가스 가운데 지구 온난화에 가장 큰 영향을 미치는 것은 (　　　　　)(이)다.

02 다음 설명에 해당하는 용어를 쓰시오.

(1) 미래 세대가 그들의 필요를 충족할 능력을 저해하지 않으면서 현재 세대의 필요를 충족하는 발전을 말한다. (　　　　　)

(2) 지구 온난화 규제와 방지를 위한 구체적인 이행 방안으로, 선진국의 온실가스 감축을 목표로 한다. (　　　　　)

03 다음 설명이 옳으면 O, 틀리면 X에 표시하시오.

(1) 지구 온난화는 전 지구적으로 영향을 주는 광범위한 문제이다. (○ | ×)

(2) 파리 협정은 선진국과 개발 도상국 모두에게 온실가스 감축 의무를 지우고 있다. (○ | ×)

(3) 지구 온난화의 영향으로 세계 어느 지역이나 똑같이 기온이 상승한다. (○ | ×)

04 다음 온실가스와 배출 요인을 바르게 연결하시오.

(1) 메탄 • 　 • ㉠ 화석 연료를 사용하는 발전소와 공장, 자동차 등에서 발생

(2) 이산화탄소 • 　 • ㉡ 쓰레기, 목장, 논, 밭 등에서 유기 물질의 분해로 발생

2 STEP 기초를 다지는 기본 문제

01 온실가스 증가의 원인으로 옳지 않은 것은?

① 농경지 개발
② 무분별한 자원 개발
③ 화석 연료의 사용 증가
④ 염화 불화 탄소의 사용 증가
⑤ 지속 가능한 에너지 사용 증가

02 중요 지구 온난화에 관한 설명으로 보기 어려운 것은?

① 지구의 평균 기온이 상승하는 현상을 말한다.
② 전 지구적으로 다양한 환경 문제에 영향을 미친다.
③ 극지방의 빙하가 줄어들어 평균 해수면이 낮아진다.
④ 해발 고도가 낮은 섬나라는 침수의 위험에 처해 있다.
⑤ 태풍, 홍수 등의 자연재해의 발생 빈도와 강도가 증가한다.

03 다음 자료가 의미하는 것으로 가장 적절한 것은?

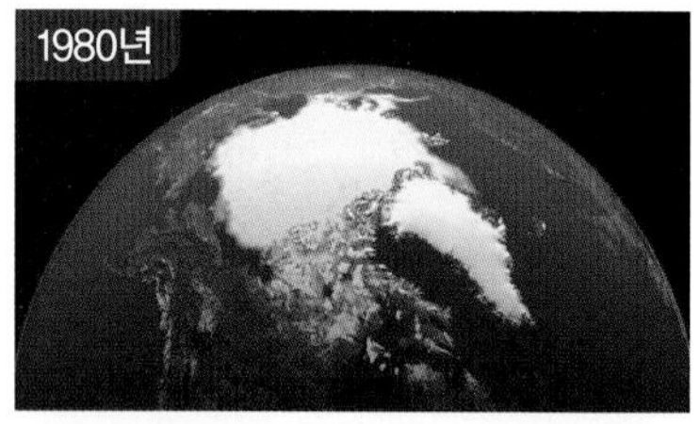

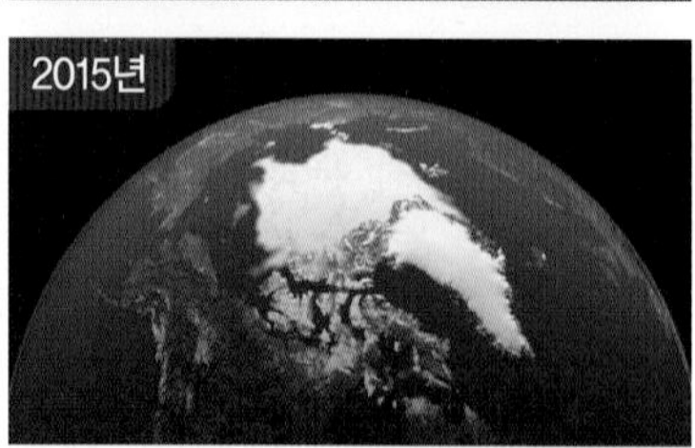

① 북극곰의 개체 수 증가
② 백야 현상의 발생 빈도 증가
③ 화산 활동에 따른 육지 면적의 증가
④ 지구 온난화에 따른 빙하 면적의 변화
⑤ 열대 저기압의 발생에 따른 태풍의 이동 경로

[04~05] 지도를 보고 물음에 답하시오.

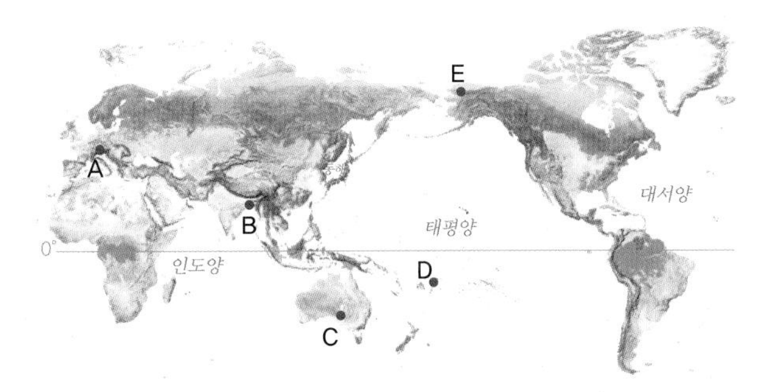

04 다음 제시된 모습을 볼 수 있는 지역을 지도에서 찾은 것은?

최근 방글라데시 주변의 해수면 상승과 빈번한 강수, 하천 유량의 증가로 홍수 피해가 심해지고 있다.

① A ② B ③ C
④ D ⑤ E

05 다음 설명에 해당하는 지역을 지도에서 찾은 것은?

해수면이 빠르게 상승하여 해발 고도가 낮은 섬 국가인 투발루는 국토 대부분이 물에 잠기고 있다.

① A ② B ③ C
④ D ⑤ E

06 중요 다음 내용과 관련된 국제 협약은?

2015년 제21차 국제 연합 기후 변화 협약 당사국 총회에서는 2020년부터 선진국과 개발 도상국 구분 없이 모든 국가가 자국이 스스로 정한 방식에 따라 의무적으로 온실가스 배출 감축에 나서기로 하였다.

① 파리 협정 ② 바젤 협약 ③ 교토 의정서
④ 람사르 협약 ⑤ 사막화 방지 협약

3 STEP 실력을 완성하는 주관식·서술형 문제

07 고난도 신유형 다음은 기후 변화 해결 방안에 관한 선진국과 개발 도상국의 입장을 나타낸 것이다. (가)와 (나)가 개발 도상국과 선진국 중 어느 나라의 입장을 나타낸 것인지 쓰고 ㉠, ㉡에 들어갈 각국의 입장을 서술하시오.

우리는 산업화를 통한 경제 성장이 시급하여 온실가스 배출량을 의무적으로 감축하는 데에는 여러 가지 어려움이 있습니다. 따라서 (　　㉠　　)

우리는 온실가스를 오랫동안 배출해 왔고, 현재도 배출량이 많은 것에 책임을 느낍니다. 그러나 (　　㉡　　)

(가) (나)

(1) (가): ______________ (나): ______________

(2) ㉠: ______________

㉡: ______________

08 다음 글을 읽고 밑줄 친 ㉠과 같은 문제를 해결하기 위해 필요한 발전 방식을 쓰고, 그 뜻을 서술하시오.

여름에 해가 지지 않고, 겨울에 해가 뜨지 않는 곳, 북극.

신비로운 미지의 동물이 있고, 황홀한 오로라가 펼쳐지는 곳이 북극이죠. 그런데 수억 년 동안 녹지 않고 늘 그 자리에 있을 것 같던 북극의 빙하가 녹아내리고 있어 ㉠ <u>우리 다음 세대의 아이들은 이런 절경을 보지 못할 지도 몰라요.</u>

(1) ㉠: ______________

(2) 뜻: ______________

환경 문제 유발 산업의 이동

이것이 포인트!
- 환경 문제 유발 산업의 이동
- 환경 문제 유발 산업의 영향

꼼꼼! 필기 노트

1 환경 문제 유발 산업의 이동

1 환경 문제 유발 산업의 의미와 이동

(1) **의미**: 제품의 생산 과정에서 많은 양의 오염 물질을 배출하거나 폐기물의 처리 과정에서 ❶ ______를 유발하는 산업

(2) **사례**: 공해 유발 공장, 전자 쓰레기 처리 산업, 화훼 산업 등 → 예 폐휴대 전화, 폐노트북 등

(3) **환경 문제 유발 산업의 국제적 이동**

① 선진국에서 ❷ ______으로 이동 → 예 선진국에서 발생한 많은 양의 전자 쓰레기들이 개발 도상국으로 버려지는 예가 많아요.

② 환경 오염에 대한 사회적 인식이 높은 나라에서 사회적 인식이 낮은 나라로 이동

▲ 전자 쓰레기의 이동

2 환경 문제 유발 산업의 이동 원인

(1) **저렴한 ❸ ______**: 개발 도상국의 노동비가 선진국보다 저렴한 것이 한 원인이 됨

(2) **각종 세제 혜택 및 환경에 관한 느슨한 규제**: 환경 문제 유발 산업들은 환경 규제가 강하고 ❹ ______을 앞세우는 선진국들은 피하는 경우가 많음 → 환경 규제가 느슨한 개발 도상국으로 이동하게 됨

2 환경 문제 유발 산업의 이동이 지역 환경에 미치는 영향

1 환경 문제 유발 산업에 관한 서로 다른 관점

(1) **선진국**: 산업화와 도시화가 일찍 진행됨 → 일찍부터 환경 문제의 심각성을 깨닫게 되어 환경 문제 유발 산업의 폐해를 잘 알고 있음

(2) **개발 도상국**: 환경 문제에 관한 인식이 부족함, 대부분의 개발 도상국에서는 환경 보존보다는 경제 ❺ ______과 개발을 더 중요시함

2 환경 문제 유발 산업의 이동이 지역에 끼친 영향

(1) **환경 문제 유발 산업의 유출 지역**: 환경 문제 개선, 탄소 배출 비용 절감 등

(2) **환경 문제 유발 산업의 유입 지역**

① 긍정적 효과: 전자 쓰레기의 부품을 분리하여 금속 자원 채취 → 경제적인 이익 발생, 화훼 산업 유치 → 외화 수입원, 일자리 창출 등

② 부정적 영향: 환경 오염, 주민들의 ❻ ______과 생활에 큰 위협 초래

(3) **환경 문제의 지역적 불평등**: 개발 도상국의 환경 문제는 경제 성장 우선 정책과 선진국과의 관계 속에서 불가피하게 발생함

+ 전자 쓰레기(e-waste)
더는 가치가 없게 된 낡고 수명이 다한 여러 가지 형태의 전기·전자 제품을 뜻하며, 폐반도체, 폐노트북, 폐휴대 전화 등이 여기에 해당한다.

+ 화훼 산업(花卉産業)
꽃이 피는 풀과 나무, 관상용이 되는 식물을 재배하여 수출하고 이익을 거두어들이는 산업을 의미한다.

+ 세제
세금을 매기고 거두어들이는 것에 대한 제도를 말한다. 개발 도상국은 세금 제도 혜택을 제공하여 외국의 자본이나 산업을 유치하여 자국의 산업 발전에 이바지하려는 경향이 있다.

콕콕! 핵심 개념

1 □□ □□ □□ □□: 제품의 생산 과정에서 많은 양의 오염 물질을 배출시키는 산업

2 □□ □□□: 가치가 없게 된 낡고 수명이 다 된 여러 가지 형태의 전기·전자 제품

3 □□ □□: 꽃이 피는 풀과 나무, 관상용이 되는 식물을 재배하고 수출하여 이익을 거두어들이는 산업

활동 1 다음 자료를 보고 물음에 답해 보자.

세계적으로 ❶ [　　　　]가 빠르게 늘어나고 있다. 전자 쓰레기란 사용자가 팔거나, 기부하거나, 버린, 더는 가치가 없게 된 낡고 수명이 다한 여러 가지 형태의 전기 · 전자 제품을 뜻한다. 이러한 전자 쓰레기는 주로 ❷ [　　　　]에서 ❸ [　　　　]으로, 환경 오염에 대한 사회적 인식이 높은 나라에서 그렇지 못한 나라로 이동하고 있는 경향을 보인다. 이러한 분위기 속에서 중국 광둥성 구이유 지역에서는 전 세계 전자 폐기물의 상당수를 가져와 금 · 은 · 코발트 등 광물을 추출해서 큰 수익을 올리고 있다. 중국이 전자 폐기물에서 ❹ [　　　　]을 뽑아 내 얻는 부가 가치는 연간 160억 달러(약 18조 원)에 달한다고 한다. 그러나 한편으로 전자 쓰레기는 동전의 양면과 같아서 (　　　　　㉠　　　　　)

▲ 전자 쓰레기 마을로 알려진 중국 광둥성 구이유 마을

1 위 글의 ❶~❹에 들어갈 알맞을 말을 써 보자.

2 ㉠에 들어갈 전자 쓰레기의 부정적 영향을 써 보자.

활동 2 다음 바이오 에탄올과 관련한 자료를 읽고 물음에 답해 보자.

△△일보 　　　　○○○○년 ○월 ○일 ○요일

브라질은 '녹색 사우디아라비아'라는 별명을 가지고 있을 만큼 바이오 에탄올을 많이 생산하고 있는 실제로 세계 바이오 에탄올 생산량 1위의 국가이다. 세계의 다국적 기업들은 미국이 추진하는 옥수수 곡물 에탄올보다 8~10배의 경제적 이익이 있는 사탕수수 에탄올에 훨씬 큰 관심을 보이고 있다. 이러한 상황에 맞춰 브라질 국영 에너지 기업이 총 174억 헤알을 대체 에너지 개발에 투입하겠다고 밝혔다. 브라질 정부가 석유 자원 고갈 시대에 발맞춰 사탕수수 바이오 에탄올로 경제 성장을 이루겠다는 포부를 밝힌 것이다. 그러나 실제 사탕수수 바이오 에탄올이 생산 과정에서 배출하는 이산화 탄소의 양 때문에 사실상 사탕수수 바이오 에탄올이 가솔린에 비해 훨씬 환경적이라고 할 수는 없다. 특히 사탕수수 수확철이 되면 어마어마하게 많은 사탕수수밭을 좀 더 간편하게 수확하기 위해 불로 태우는 모습을 볼 수 있다. 이에 한 환경 운동가는 "선진국에 공급하기 위해 개발 도상국의 자원을 개발하는 과정에서 환경을 파괴하는 것이 과연 환경적인가?" 라고 비판을 아끼지 않았다. 이처럼 개발 도상국의 환경 파괴는 해당 국가의 경제 성장 위주의 정책과 선진국에 의존하는 관계 속에서 불가피하게 발생하기도 한다.

1 브라질 정부가 석유 자원 고갈 시대를 대비하기 위해 집중 개발하고 있는 에너지원을 적어 보자.

(　　　　　　　　　　)

2 위 글을 바탕으로 개발 도상국에서 발생하는 환경 문제의 원인을 서술해 보자.

1 STEP 개념을 되짚는 확인 문제

01 다음 빈칸에 들어갈 알맞은 말을 쓰시오.

(1) 제품 생산 과정에서 많은 양의 오염 물질을 배출하거나 폐기물을 처리하는 과정에서 환경 문제를 일으키는 산업을 (   )(이)라고 한다.

(2) 환경 문제 유발 산업의 국제적 이동은 환경 문제의 지역적 (   )을(를) 심화시킨다.

02 다음 설명이 옳으면 O, 틀리면 X에 표시하시오.

(1) 개발 도상국의 환경 문제는 경제 성장 위주의 정책과 선진국과의 관계 속에서 불가피하게 발생하고 있다. (○ | ×)

(2) 선진국은 개발 도상국보다 유해 물질을 배출하는 공장에 대한 규제가 엄격하다. (○ | ×)

(3) 네덜란드는 유럽 화훼 생산의 중심지였지만, 최근 유럽 시장에 공급되는 장미꽃의 상당 부분은 케냐에서 생산된다. (○ | ×)

(4) 일찍이 산업이 발달해 경제 성장을 이룬 개발 도상국은 최근 개발보다는 환경에 더 많은 관심이 있다. (○ | ×)

03 다음 빈칸에 들어갈 알맞은 말을 고르시오.

(1) 최근 환경 문제 유발 산업은 (선진국 | 개발 도상국)에서 (선진국 | 개발 도상국)으로 이동하고 있다.

(2) 섬유, 의류 등의 (자본 집약적 | 노동 집약적)인 산업 등은 선진국에서 개발 도상국으로 이전하는 추세를 보이고 있다.

04 서로 관계 있는 것끼리 바르게 연결하시오.

(1) 선진국 •　　• ㉠ 친환경을 앞세우며, 환경에 대한 규제가 강하다.

(2) 개발 도상국 •　　• ㉡ 노동비가 상대적으로 저렴하며, 각종 세제 혜택을 제공한다.

2 STEP 기초를 다지는 기본 문제

01 제품의 생산 과정에서 오염 물질을 배출하여 심각한 환경 문제를 일으키는 산업을 <보기>에서 고른 것은?

보기
ㄱ. 화훼 산업
ㄴ. 태양광 발전 산업
ㄷ. 바이오 에너지 산업
ㄹ. 전자 쓰레기 처리 산업

① ㄱ, ㄴ　② ㄱ, ㄹ　③ ㄴ, ㄷ
④ ㄴ, ㄹ　⑤ ㄷ, ㄹ

02 다음 설명에 해당하는 산업은?

사용자가 팔거나 기부하거나 버린, 더는 가치가 없게 된 낡고 수명이 다한 여러 가지 형태의 전기·전자 제품을 처리하는 산업

① 화훼 산업　② 관광 산업
③ 섬유 산업　④ 철강 산업
⑤ 전자 쓰레기 처리 산업

03 전자 쓰레기 유출 지역에 해당하는 곳을 지도에서 고른 것은?

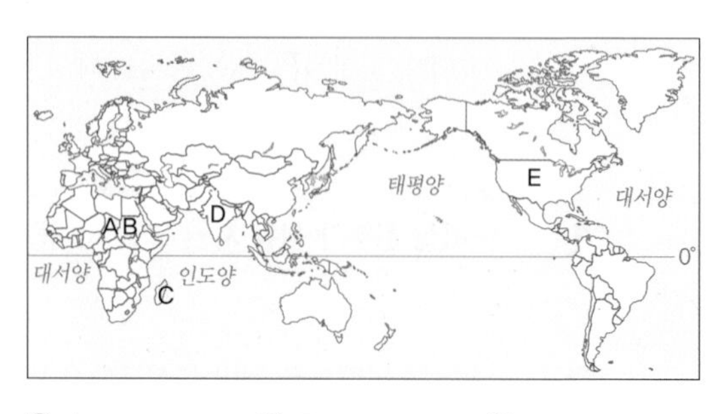

① A　② B　③ C
④ D　⑤ E

04 중요 다음 지도의 A~D 중 전자 쓰레기 유입 지역이 바르게 짝지어진 것은?

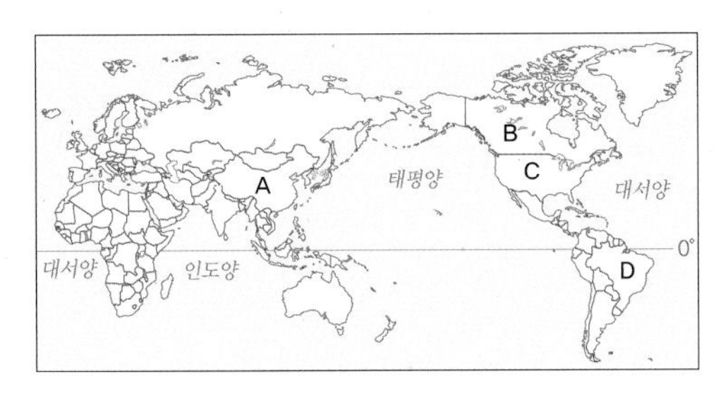

① A, B ② A, C ③ A, D
④ B, C ⑤ C, D

05 신유형 다음 그림의 ㉠에 들어갈 내용과 관련된 산업으로 옳은 것은?

① 화훼 산업 ② 관광 산업
③ 섬유 산업 ④ 의료 산업
⑤ 전자 쓰레기 처리 산업

06 중요 환경 문제 유발 산업에 관한 설명으로 옳지 않은 것은?

① 전자 쓰레기는 주로 선진국에서 발생하고 있다.
② 전자 쓰레기의 분리 과정에서 납과 수은 등의 오염 물질이 유출된다.
③ 화훼 산업은 개발 도상국에서 선진국으로 이동하는 경향을 보이고 있다.
④ 기술이 발달하면서 휴대 전화 및 컴퓨터 등의 교체 주기가 짧아지고 있다.
⑤ 환경 문제 유발 산업이 이동해 오는 경우 긍정적인 효과가 나타나기도 한다.

3 STEP 실력을 완성하는 주관식·서술형 문제

07 전자 쓰레기를 수입하는 지역에서 전자 쓰레기를 수입하는 까닭과 이로 인해 발생하는 문제점을 각각 두 가지 서술하시오.

(1) 까닭: ______________________

(2) 문제점: ______________________

08 다음 제시된 자료를 보고, 네덜란드에서 화훼 농가가 줄어드는 까닭과 화훼 농가가 동아프리카 지역으로 이전하는 까닭을 〈보기〉의 용어를 포함하여 서술하시오.

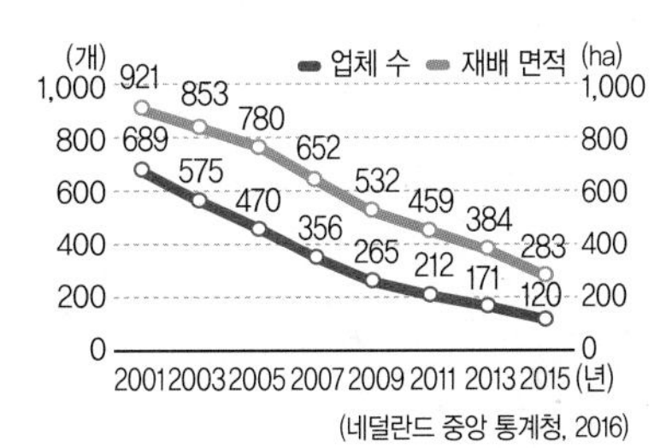

▲ 네덜란드 화훼 기업의 수와 재배 면적 변화

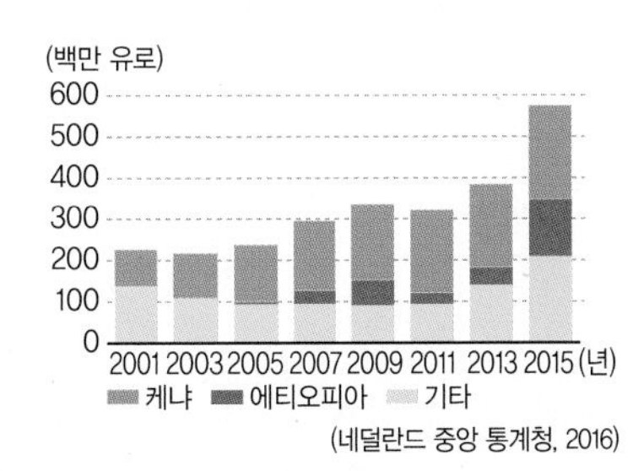

▲ 네덜란드의 화훼 수입액 변화

보기
• 비용 • 기후

____

생활 속의 환경 이슈

이것이 **포인트!**
- 일상생활 속의 다양한 환경 이슈
- 환경 이슈에 대한 다양한 의견

꼼꼼! 필기 노트

+ 아마존강 유역
아마존강 유역의 전체 면적은 약 600만 ㎢로 남아메리카의 9개 국가에 걸쳐 있다. 브라질에 속하는 아마존강 유역은 약 414만 ㎢로 브라질 전체 영토의 약 48%를 차지하는 생태계의 보고이자, 지구 전체 산소량의 1/4을 공급하는 지구의 허파이다. 하지만 브라질이 경제 개발을 시작한 1960년대 이후부터 매년 약 2만 ㎢, 우리나라의 전라남북도를 합친 면적만큼의 숲이 사라지고 있다.

+ 유전자 재조합 농산물(GMO)
생물체의 유용한 유전자를 다른 생물체의 유전자와 결합하여 특정한 목적에 맞도록 유전자 일부를 변형시켜 만든 농산물을 의미한다.

+ 로컬 푸드 운동의 등장 배경
먹을거리의 안전성, 생산자와 생산 과정에 대한 불만, 농민들의 어려움 등의 고민에 대한 해법으로 등장하였다. 먹을거리가 장거리 이동할 경우 이동 과정에서 많은 이산화 탄소가 배출되며 신선도 유지와 오랜 보관을 위해 화학 물질을 사용하게 된다. 또 소비자의 지불 가격은 상승하지만, 생산자가 얻는 이익은 감소한다.

1 생활 속의 환경 이슈

1 환경 이슈의 의미와 특징

(1) **의미**: 각자의 이해관계, 가치관 등이 달라 해결 방향을 쉽게 정하지 못하는 ❶ ______ 문제

(2) **특징**: 시대별로 다르며, 다양한 규모에서 나타남

2 생활 속 환경 이슈

(1) **아마존강 유역+ 개발의 쟁점**: 아마존강 유역의 ❷ ______ → 세계 산소의 60% 이상을 공급하는 주요 삼림 자원, 전 세계 동 · 식물종의 30%가 서식, 생태계의 보고

개발 찬성 입장	수출용 지하자원, 농작물, 목재 등의 개발을 통한 경제적 수익 확보
개발 반대 입장	아마존 삼림 파괴, ❸ ______ 들의 삶터 파괴, 지구 온난화 초래, 생물 종 감소 등의 부정적 기능이 나타남

(2) **이외의 다양한 환경 이슈들**: 원자력 발전소 건설, 신공항 건설, 쓰레기 소각장 건설, 하천 개발, 갯벌 간척 등을 둘러싼 가치 대립과 갈등 등

2 최근 부상하고 있는 환경 이슈들

1 식품과 관련한 새로운 환경 이슈

(1) 웰빙의 강조에 따라 식품을 생산 · 운송 · 소비하는 과정에서 식품의 안전성을 확보하고, 환경 부담을 줄이려는 움직임이 나타남

(2) 대표적인 식품 관련 환경 이슈: 유전자 재조합 농산물(GMO)+, 푸드 마일리지, 로컬 푸드 등

2 식품 관련 환경 이슈

(1) **유전자 재조합 농산물(GMO)**
① 의미: 본래의 유전자 일부를 변형시켜 새로운 성질의 유전자를 지니도록 개발한 농산물
② 유전자 재조합 농산물에 대한 찬성 입장: 해충, 질병에 대한 저항성 강화, 생산 비용 감소 등 → 세계 식량 문제 해결에 기여할 것으로 기대
③ 유전자 재조합 농산물에 대한 반대 입장: 생물 다양성 훼손, 인간에게 어떠한 영향을 미칠지 알 수 없는 위험한 존재

(2) **푸드 마일리지(food mileage)**
① 의미: 먹을거리가 생산지에서 소비지까지 이동한 총 거리, 수송 거리(km)에 식품 수송량(t)을 곱한 값으로 나타냄
② 특징: 푸드 마일리지가 높을수록 배출되는 ❹ ______ 의 양이 많아짐, 식품의 신선도 유지를 위해 많은 양의 방부제와 살충제 사용

(3) **로컬 푸드(local food)+**
① 의미: 그 지역에서 생산된 먹을거리는 그 지역에서 소비하자는 운동
② 효과: 먹을거리의 안전성 확보, 농민들의 실질적 소득 증가, 환경적 부담 경감 등

콕콕! 핵심 개념

1 □□ □□: 각자의 이해관계, 가치관 등이 달라 해결 방향을 쉽게 정하지 못하는 환경 문제

2 □□□ □□□ □□□: 특정한 목적에 맞도록 유전자 일부를 변형시켜 만든 농산물

3 □□ □□□□: 먹을거리가 생산지에서 소비지까지 이동한 총 거리

4 □□ □□ 운동: 그 지역에서 생산된 먹을거리를 그 지역에서 소비하자는 운동

활동 1 다음은 세계 4대 유전자 재조합 농산물(GMO)의 재배 면적을 나타낸 자료이다. 물음에 답해 보자.

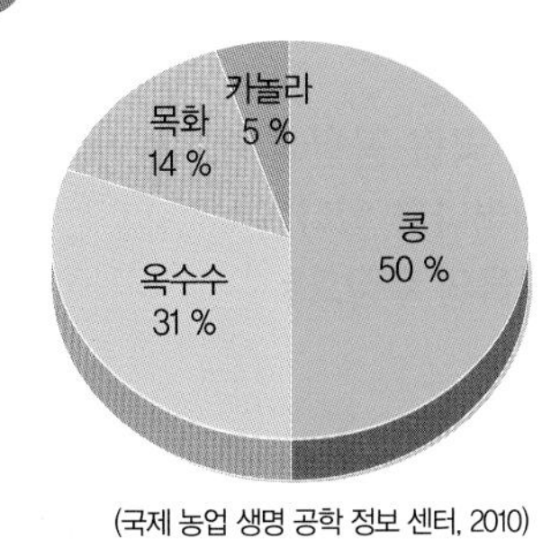

(국제 농업 생명 공학 정보 센터, 2010)

1 유전자 재조합 농산물의 재배 면적이 가장 많은 농산물을 써 보자.

( )

2 유전자 재조합 농산물(GMO)의 의미를 써 보자.

____

____

3 유전자 재조합 농산물에 관한 찬성과 반대의 입장을 각각 하나씩 적어 보자.

찬성	
반대	

활동 2 다음 푸드 마일리지에 관한 자료를 읽고 물음에 답해 보자.

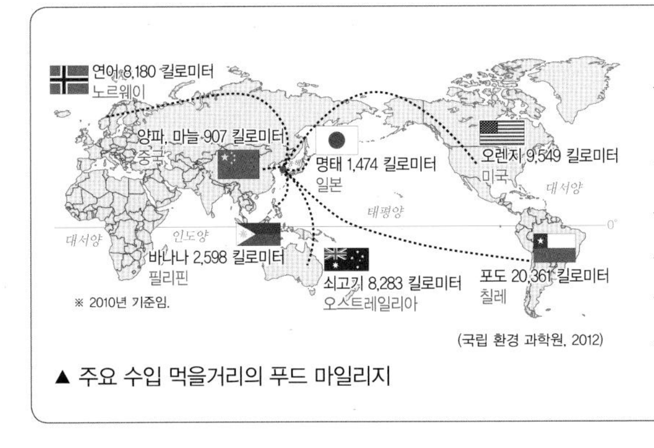

▲ 주요 수입 먹을거리의 푸드 마일리지

푸드 마일리지는 먹을거리가 ❶ ☐ 의 손을 떠나 ❷ ☐ 의 식탁에 오르기까지의 이동 거리(km)에 식품 중량(t)을 곱한 값으로 나타낸다. 이동 거리가 멀수록 푸드 마일리지가 높아진다. 푸드 마일리지가 높은 먹을거리는 원산지에서 수입국으로 운반되는 과정에서 신선도를 유지하기 위해 많은 양의 방부제와 살충제가 사용된다. 이는 배출되는 ❸ ☐ 의 양이 많아져 환경에 부정적인 영향을 끼친다는 뜻이다.

1 위 글의 ❶~❸에 들어갈 알맞을 말을 써 보자.

2 푸드 마일리지를 줄이기 위한 방안을 제시해 보자.

____

____

____

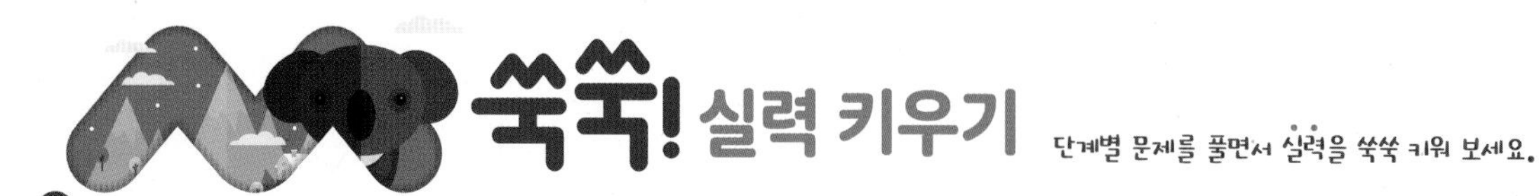

단계별 문제를 풀면서 실력을 쑥쑥 키워 보세요.

1 STEP 개념을 되짚는 확인 문제

01 다음 빈칸에 들어갈 알맞은 말을 쓰시오.

(1) 환경 문제 중에서 원인과 해결 방안이 입장에 따라 다른 것을 (　　　　　)(이)라고 한다.

(2) 병충해에 강하지만 인체 유해성과 생태계 교란 여부가 논란이 되는 환경 이슈는 (　　　　　)(이)다.

(3) 최근 식품을 생산 · 운송 · 소비하는 과정에서 식품의 (　　　　　)을(를) 확보하려는 움직임이 나타나고 있다.

02 다음 설명이 옳으면 O, 틀리면 X에 표시하시오.

(1) 푸드 마일리지가 높을수록 배출되는 온실가스의 양 또한 많아지게 되어 환경에 부정적 영향을 끼치게 된다. (○ | ×)

(2) 로컬 푸드를 이용하게 되면 지역 농민들은 안정적인 소득을 얻을 수 있다. (○ | ×)

03 다음 빈칸에 들어갈 알맞은 말을 고르시오.

(1) 푸드 마일리지는 이동 거리가 (멀수록 | 가까울수록) 높아진다.

(2) 환경 이슈에는 (세계 | 국가 및 지역적) 수준에서 제기되는 쓰레기 소각장 건설 등의 문제가 있다.

(3) 로컬 푸드 운동은 지역에서 생산된 (먹을거리 | 볼거리)를 그 지역에서 소비하자는 운동이다.

04 서로 관계 있는 것끼리 바르게 연결하시오.

(1) 로컬 푸드 •　　• ㉠ 우리말로 '지역 먹을거리', '근거리 먹을거리'라는 뜻

(2) 유전자 재조합 농산물 •　　• ㉡ 특정한 목적에 맞도록 유전자 일부를 변형시켜 만든 농산물

2 STEP 기초를 다지는 기본 문제

01 최근 ○○ 국립 공원에 케이블카 설치에 관해 찬반 논란이 일어나고 있다. 다음 그림과 같은 입장을 취하는 사람들의 주장으로 옳지 않은 것은?

① 생태계와 자연 경관이 파괴된다.
② 무분별한 개발을 유발할 수 있다.
③ 신체적 약자도 관광을 즐길 수 있다.
④ 케이블카 설치 주변 지역에만 이익이 돌아간다.
⑤ 관광객이 늘면 자연 훼손이 더 심각해질 수 있다.

02 다음 제시된 내용과 가장 연관 깊은 것은?

• 크고 무르지 않는 토마토
• 잡초와 병충해에 강한 옥수수

① 로컬 푸드　② 농업의 상업화
③ 푸드 마일리지　④ 농업의 유통 구조
⑤ 유전자 재조합 농산물

03 중요 유전자 재조합 농산물에 대한 찬성 입장에 해당하는 내용을 〈보기〉에서 고른 것은?

보기
ㄱ. 노동력과 비용을 줄일 수 있다.
ㄴ. 안전성 여부가 아직 밝혀지지 않았다.
ㄷ. 병충해에 강하고 열매를 많이 맺을 수 있다.
ㄹ. 생물 다양성을 파괴하고 생태계를 교란할 위험이 있다.

① ㄱ, ㄴ　② ㄱ, ㄷ　③ ㄱ, ㄹ
④ ㄴ, ㄷ　⑤ ㄷ, ㄹ

04 중요 **유전자 재조합 농산물에 관한 설명으로 옳은 것은?**

① 최근 세계적으로 재배 면적이 감소하고 있다.
② 생물의 다양성을 보존할 수 있어 각광받고 있다.
③ 주로 쌀, 밀 등이 자급적 목적으로 재배되고 있다.
④ 유전자를 안전하게 변형시켜 생태계 및 인체에 무해하다.
⑤ 생산성이 높아 세계의 식량 부족 문제를 해결할 수 있을 것으로 기대한다.

05 중요 **로컬 푸드 운동에 관한 설명으로 옳지 않은 것은?**

① 총 이동 거리 곱하기 식품 중량으로 나타낸다.
② 지역에서 생산된 먹을거리를 그 지역에서 소비하는 운동이다.
③ 식품의 이동 과정에서 발생하는 온실가스를 줄이는 데 의미가 있다.
④ 지역 유통업체와 농민들에게 더 많은 수익을 가져다 줄 수 있다.
⑤ 생산지에서 소비지까지의 거리가 줄어들수록 먹을거리의 신선도를 확보하게 된다.

06 **다음 내용의 ㉠에 들어갈 용어에 관한 설명이 옳은 것을 〈보기〉에서 고른 것은?**

먹거리가 생산지에서 소비지까지 이동한 총 거리를 나타낸 것을 (㉠)(이)라고 한다.

보기

ㄱ. 식품 수송량과 수송 거리를 더해서 구한다.
ㄴ. ㉠이 낮을수록 배출되는 온실가스의 양은 많아진다.
ㄷ. 일반적으로 로컬 푸드는 수입 농산물에 비해 ㉠이 낮다.
ㄹ. 식품의 신선도, 방부제 사용 정도 등을 파악하는 데 도움을 준다.

① ㄱ, ㄴ ② ㄱ, ㄷ ③ ㄱ, ㄹ
④ ㄴ, ㄷ ⑤ ㄷ, ㄹ

3 STEP 실력을 완성하는 주관식·서술형 문제

07 고난도 **다음은 국립 공원의 케이블카 설치와 관련한 자료이다. 자료를 참고하여 국립 공원 케이블카 설치를 찬성하는 입장과 반대하는 입장에서 그 근거를 각각 두 가지씩 제시하시오.**

(1) 찬성: ______________________

(2) 반대: ______________________

08 신유형 **다음은 TV 프로그램에 나오는 내용의 일부이다. 밑줄 친 ㉠과 같은 음식을 무엇이라고 하는지 쓰고, 이와 같은 음식을 먹자는 운동의 효과를 소비자와 농민의 입장에서 각각 한 가지씩 서술하시오.**

㉠ 반경 3km 내에서 생산되는 음식만으로 일주일 살기

(1) ㉠: ______________________

(2) 운동의 효과: ______________________

뚝딱! 단원 마무리하기

이번 단원에서 배운 내용을 문제로 뚝딱! 마무리 점검해 보세요.

[01~02] 그래프는 지구 평균 기온과 이산화 탄소의 평균 농도 변화를 나타낸 것이다. 그래프를 보고 물음에 답하시오.

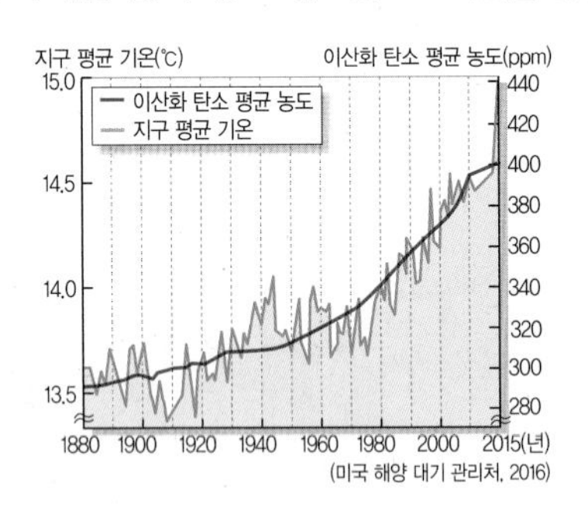

(미국 해양 대기 관리처, 2016)

01 그래프와 같이 지구의 평균 기온과 이산화 탄소의 평균 농도가 상승하게 된 원인으로 가장 적절한 것은?

① 화석 연료의 사용 증가
② 풍력 에너지의 사용 증가
③ 바이오 에너지의 사용 증가
④ 농약 및 화학 비료 사용 증가
⑤ 생활 하수와 공장 폐수의 배출량 증가

02 중요 그래프와 같은 현상이 지속될 경우 나타나는 현상으로 옳지 않은 것은?

① 사막화 현상이 가속화된다.
② 농작물의 생산량이 감소한다.
③ 극지방과 고산 지역의 빙하가 늘어난다.
④ 자연재해의 발생 빈도와 강도가 증가한다.
⑤ 바닷물의 온도가 상승하여 해양 생태계가 변화한다.

03 전 지구적 환경 문제의 발생 원인으로 옳지 않은 것은?

① 인구가 급격히 증가하였기 때문
② 자원의 소비가 증가하였기 때문
③ 지속 가능한 발전을 실천하였기 때문
④ 대량 생산과 대량 소비 체제가 확대되었기 때문
⑤ 자정 능력의 한계를 벗어나는 자원 개발이 이루어졌기 때문

04 중요 기후 변화와 관련된 설명으로 옳지 않은 것은?

① 대기 중의 온실가스가 증가하면서 발생한다.
② 과거에는 자연적 요인으로 주로 발생하였다.
③ 과도한 농경지 개발도 원인으로 작용하고 있다.
④ 최근에는 인간 활동이 기후 변화의 주요 원인이 되고 있다.
⑤ 해수면의 평균 수온이 점점 낮아지면서 발생하는 현상을 의미한다.

05 지구 온난화를 해결하기 위한 노력으로 적절하지 않은 것은?

① 태양열 전지 사용하기
② 고효율 가전제품 쓰기
③ 건조기 대신 빨랫줄 쓰기
④ 대중교통 대신 승용차 타기
⑤ 전기 콘센트 끄고 코드 뽑아 두기

06 다음 내용의 밑줄 친 ㉠ 지역으로 보기 어려운 곳은?

> 많은 양의 전자 쓰레기가 발생하면서 이를 처리하는 산업이 필요해졌다. 그러나 선진국들은 자국의 환경 기준을 강화하며 이런 산업들을 ㉠ 다른 곳으로 옮기려고 한다.

① 인도 델리 ② 중국 구이유
③ 파키스탄 카라치 ④ 네덜란드 헤이그
⑤ 나이지리아 라고스

[07~08] 지도를 보고 물음에 답하시오.

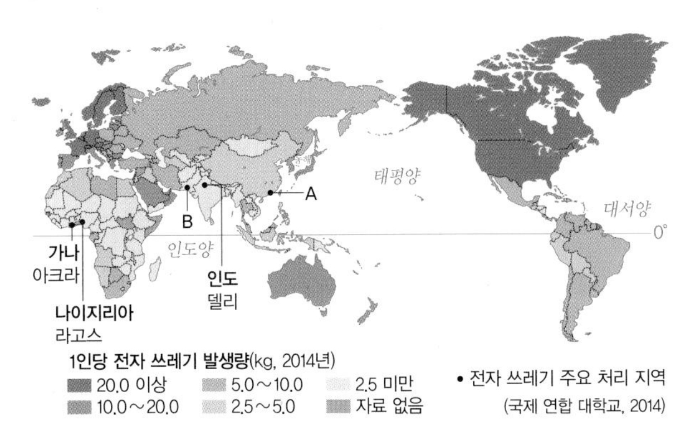

●●●

07 A, B 나라의 공통적인 특징으로 옳은 것을 〈보기〉에서 고른 것은?

보기
ㄱ. 친환경을 앞세우는 규제가 많다.
ㄴ. 노동비가 선진국보다 상대적으로 저렴하다.
ㄷ. 환경 오염에 관한 사회적 인식이 매우 높은 나라들이다.
ㄹ. 섬유, 의류 등의 노동 집약적 산업이 이전되어 들어오고 있다.

① ㄱ, ㄴ ② ㄱ, ㄷ ③ ㄴ, ㄷ
④ ㄴ, ㄹ ⑤ ㄷ, ㄹ

●●○

08 A, B 나라가 환경 문제 유발 산업을 받아들이는 이유로 옳은 것을 〈보기〉에서 고른 것은?

보기
ㄱ. 지역 경제가 활성화되기 때문이다.
ㄴ. 새로운 일자리가 생기기 때문이다.
ㄷ. 주민들의 삶터가 위협받기 때문이다.
ㄹ. 경제 성장보다는 배분이 더 중요시되기 때문이다.

① ㄱ, ㄴ ② ㄱ, ㄷ ③ ㄴ, ㄷ
④ ㄴ, ㄹ ⑤ ㄷ, ㄹ

●●○

09 유해 폐기물의 국가 간 교역을 금지하는 국제 환경 협약은?

① 파리 협정 ② 바젤 협약
③ 교토 의정서 ④ 람사르 협약
⑤ 몬트리올 의정서

●○○

10 지도의 A에 공통으로 들어갈 용어로 옳은 것은?

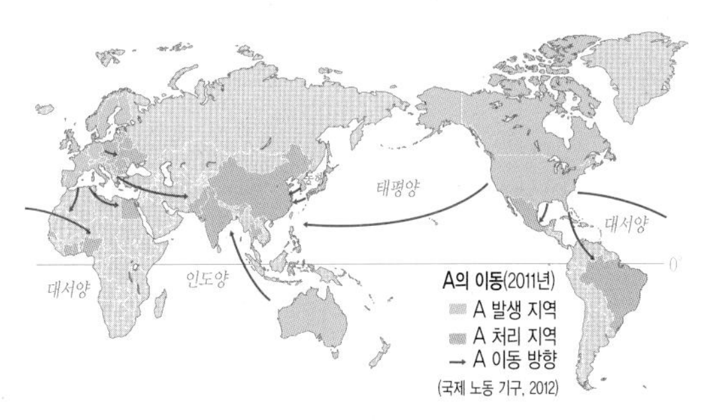

① 섬유 산업 ② 의류 산업
③ 철강 산업 ④ 화훼 산업
⑤ 전자 쓰레기

●○○

11 중요 네덜란드의 화훼 농장이 케냐로 이전하면서 생긴 케냐의 부정적 변화에 해당하는 것을 〈보기〉에서 고른 것은?

보기
ㄱ. 물고기 어획량이 줄어들었다.
ㄴ. 관광 산업 다음으로 큰 외화 수입원이 되었다.
ㄷ. 주민들이 물을 마음대로 사용하기 어려워졌다.
ㄹ. 화훼 산업이 경제 성장을 이끄는 동력 산업이 되었다.

① ㄱ, ㄴ ② ㄱ, ㄷ ③ ㄴ, ㄷ
④ ㄴ, ㄹ ⑤ ㄷ, ㄹ

●○○
12 다음 설명에 해당하는 용어로 옳은 것은?

> • 각자의 이해관계, 가치관 등이 달라 해결 방향을 쉽게 정하지 못하는 문제들
> • 신공항 건설, 아마존강 유역 개발과 같은 쟁점을 가지는 문제들

① 환경 이슈 ② 로컬 푸드
③ 전자 쓰레기 ④ 패스트 푸드
⑤ 푸드 마일리지

●●○
13 유전자 재조합 농산물에 관한 설명으로 옳지 <u>않은</u> 것은?

① 인체에 관한 안전성이 충분히 확보되었다.
② 농작물의 부족한 영양분을 증대시킬 수 있다.
③ 대량 생산이 가능하여 식량 가격을 낮출 수 있다.
④ 노동력과 비용을 절감시키고 많은 양을 수확할 수 있다.
⑤ 변형된 유전자가 환경 질서를 파괴하고, 생태계를 교란시킬 수 있다.

●●○
14 푸드 마일리지에 관한 설명으로 옳지 <u>않은</u> 것은?

① 이동 거리(km)에 식품 중량(t)을 곱한 값으로 나타낸다.
② 식품 수송으로 발생하는 환경 부담의 정도를 나타낸다.
③ 푸드 마일리지가 높을수록 먹을거리의 안전성이 확보된다.
④ 먹을거리가 생산자의 손을 떠나서 소비자의 식탁에 오르기까지의 이동 거리를 의미한다.
⑤ 신선도 유지를 위해 많은 양의 방부제와 살충제가 사용되므로 푸드 마일리지가 낮은 먹을거리일수록 안전도가 높다.

●●●
15 다음 제시된 자료를 통해 짐작해 볼 수 있는 내용으로 가장 적절한 것은?

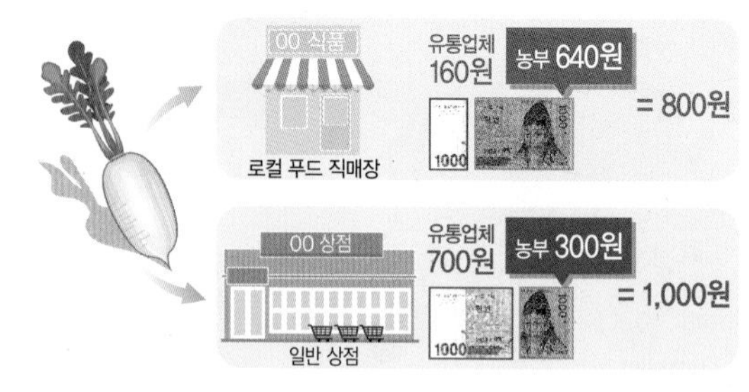

① 로컬 푸드 직매장의 유통 경로가 일반 상점보다 복잡하다.
② 일반 상점보다 로컬 푸드 직매장의 푸드 마일리지가 더 높을 것이다.
③ 로컬 푸드 직매장이 일반 상점에 비해 폭리를 취하고 있음을 알 수 있다.
④ 새롭게 채소 가게를 창업하려면 생산지에서 멀수록 수익이 많이 날 것이다.
⑤ 그 지역에서 생산된 먹을거리는 그 지역에서 소비하는 것이 생산자와 소비자 모두에게 이익이다.

●●○
16 다음 제시된 환경 이슈에서 밑줄 친 사람들의 입장에 해당하는 것을 〈보기〉에서 고른 것은?

> 갯벌, 개발과 보존 사이
> 우리나라 서 · 남해안의 갯벌은 세계적으로 유명하다. 최근 생태 자원의 보고인 <u>갯벌을 두고 개발하여 활용하자는 입장</u>과 있는 그대로의 갯벌을 보존하자는 입장이 대립하고 있다.

보기

ㄱ. 생태계가 파괴될 것이다.
ㄴ. 갯벌은 생태적 가치가 매우 크다.
ㄷ. 토지 이용의 가치를 높일 수 있다.
ㄹ. 간척 사업을 통해 농업 · 공업 용지를 확보할 수 있다.

① ㄱ, ㄴ ② ㄱ, ㄷ ③ ㄱ, ㄹ
④ ㄴ, ㄷ ⑤ ㄷ, ㄹ

서술형 문제

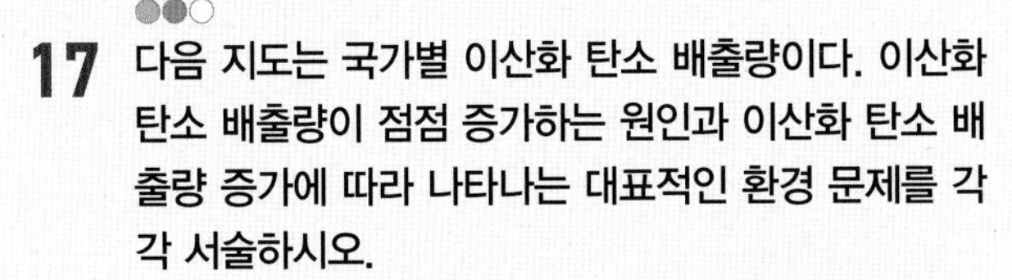

17 다음 지도는 국가별 이산화 탄소 배출량이다. 이산화 탄소 배출량이 점점 증가하는 원인과 이산화 탄소 배출량 증가에 따라 나타나는 대표적인 환경 문제를 각각 서술하시오.

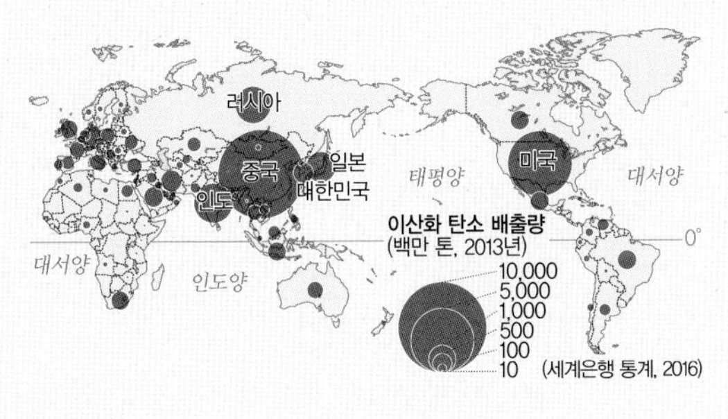

(1) 원인: ______________________

(2) 환경 문제: ______________________

18 다음은 기후 변화 해결을 위한 노력을 제시한 것이다. ㉠에 들어갈 국제 협약의 명칭을 쓰고, ㉡에 들어갈 협약의 주요 내용을 서술하시오.

국제 협약 명칭	협약의 주요 내용
(㉠)	지구 온난화 규제와 방지를 위한 국제 협약으로, 선진국의 온실가스 감축을 목표로 한다.
파리 협정	(㉡)

(1) ㉠: ______________________

(2) ㉡: ______________________

19 케냐의 장미 농장 주변에서 발생하고 있는 환경 문제를 서술하시오.

____

20 중요 다음 내용의 ㉠에 들어갈 용어를 쓰고, 이와 같은 환경 문제 유발 산업의 이동 경향과 이동 원인을 각각 서술하시오.

> 유엔 대학의 보고서에 따르면 2014년 전 세계 4,100만 톤의 (㉠)이(가) 버려졌다고 한다. 수명을 다한 텔레비전과 컴퓨터는 가나의 아그보그블로시와 같은 매립지에 버려지는데, 이는 주로 선진국에서 발생한 것들이다. 버려진 전자 쓰레기를 처리하고 해체하는 과정에서 납과 수은, 비소 등의 수많은 오염 물질이 유출된다.

(1) ㉠: ______________________

(2) 이동 경향: ______________________

(3) 이동 원인: ______________________

21 다음 지도는 주요 수입 먹을거리의 푸드 마일리지를 나타낸 것이다. 푸드 마일리지의 의미를 쓰고 푸드 마일리지의 특징을 온실가스와 연관 지어 서술하시오.

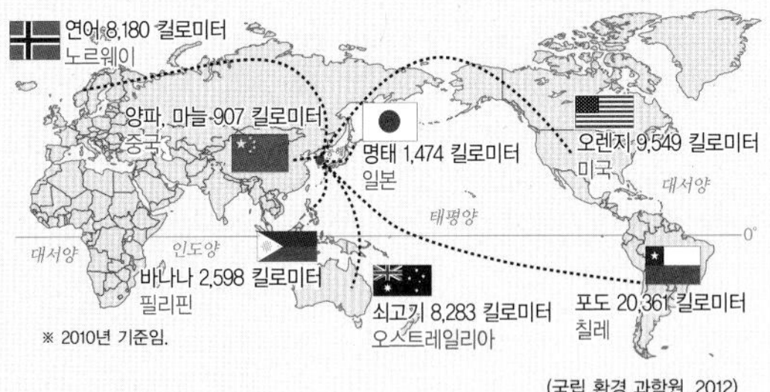

(국립 환경 과학원, 2012)

(1) 의미: ______________________

(2) 특징: ______________________

이 단원을 배우면

우리나라의 영역과 독도의 중요성을 알 수 있어요. 그리고 우리나라 여러 지역의 경쟁력을 높일 수 있는 방법, 세계 속에서 우리 국토의 위치가 갖는 중요성과 통일의 필요성을 설명할 수 있어요.

세계 속의 우리나라

:나의 학습 진도표

중단원명	학습 코너	쪽수	학습 예정일	학습 완료일	달성도
01 우리나라의 영역과 독도	꼼꼼! 필기 노트	198쪽	◯월 ◯일	◯월 ◯일	☆☆☆☆☆
	탄탄! 활동 노트	199쪽	◯월 ◯일	◯월 ◯일	☆☆☆☆☆
	쑥쑥! 실력 키우기	200~201쪽	◯월 ◯일	◯월 ◯일	☆☆☆☆☆
02 세계화 속의 지역화 전략	꼼꼼! 필기 노트	202쪽	◯월 ◯일	◯월 ◯일	☆☆☆☆☆
	탄탄! 활동 노트	203쪽	◯월 ◯일	◯월 ◯일	☆☆☆☆☆
	쑥쑥! 실력 키우기	204~205쪽	◯월 ◯일	◯월 ◯일	☆☆☆☆☆
03 세계화 시대 통일 한국의 미래	꼼꼼! 필기 노트	206쪽	◯월 ◯일	◯월 ◯일	☆☆☆☆☆
	탄탄! 활동 노트	207쪽	◯월 ◯일	◯월 ◯일	☆☆☆☆☆
	쑥쑥! 실력 키우기	208~209쪽	◯월 ◯일	◯월 ◯일	☆☆☆☆☆
뚝딱! 단원 마무리하기		210~213쪽	◯월 ◯일	◯월 ◯일	☆☆☆☆☆

우리나라의 영역과 독도

이것이 포인트!
- 영역의 중요성과 우리나라의 영역
- 독도의 영역적 가치

꼼꼼! 필기 노트

1 우리나라의 영역

1 영역 → 외부의 침입으로부터 보호해야 하는 공간이에요.

(1) **의미**: 한 국가의 주권이 미치는 지리적 범위

(2) **구성**: 영토, 영해, 영공으로 이루어짐

① ❶ _____: 한 국가에 속한 토지의 범위로 국토 면적과 일치

② ❷ _____: 영토 주변의 바다로 보통 최저 조위선으로부터 ❸ _____해리까지임

③ ❹ _____: 영토와 영해의 수직 상공, 일반적으로 대기권까지를 영공으로 인정

2 우리나라의 영역 → 우리나라의 총면적은 약 22.3만 ㎢로, 그중 남한의 면적은 약 10만 ㎢예요.

(1) **영토**: ❺ _____와 부속 도서

(2) **영해**: 영해를 설정하는 기준선에 직선 기선과 통상 기선이 있음

① 서해안, 남해안: 해안선이 복잡하고 섬이 많음 → ❻ _____ 기선 사용

② 동해안, 울릉도, 독도, 제주도: 해안선이 단조롭고 섬이 적음 → ❼ _____ 기선 사용

③ 대한 해협: 일본의 쓰시마섬과 가까움 → 직선 기선으로부터 3해리

(3) **영공**: 항공 교통 및 우주 산업의 발달, 군사적 중요성의 증대로 관심이 높아지고 있음

(4) **배타적 경제 수역**

① 의미: 영해를 설정한 기준선으로부터 200해리까지의 바다에서 영해를 제외한 바다

② 특징: 연안국은 어업 활동과 해양 자원의 탐사, 개발에 관한 권리가 보장됨

③ 우리나라의 배타적 경제 수역: 어업 협정 체결 → 한국과 일본 간에는 한·일 중간 수역, 한국과 중국 간에는 한·중 잠정 조치 수역 설정 → 어족 자원 공동 관리

우리나라는 일본, 중국과 거리가 가까워 배타적 경제 수역을 200해리로 설정하면 많은 해역에서 겹치는 문제가 발생하기 때문에 국가 간 협정을 맺어 공동으로 관리하고 있어요.

2 독도의 중요성

1 독도의 가치

(1) **독도의 위치와 구성**: 우리나라 가장 동쪽에 위치, 동도와 서도, 89개의 부속 도서로 이루어짐

(2) **독도의 영역적 가치**

① 영해와 배타적 경제 수역을 설정하는 데 중요한 기점이 됨

② 동아시아의 해상 주도권 경쟁에서 전진 기지 역할을 함

③ 항공 교통과 방어 기지로서 중요한 요충지가 됨

(3) **독도의 환경·생태적 가치**

① ❽ _____ 활동으로 형성된 화산섬으로 지질학적 가치가 높음

② 다양한 동식물이 서식하는 생태계의 보고로 섬 전체가 천연 보호 구역임

③ 각종 어족 자원이 풍부하며 주변 바다에 메탄하이드레이트가 매장되어 있음

→ 독도 주변 바다는 난류와 한류가 만나는 조경 수역을 형성하는 곳으로, 어족 자원이 풍부해요.

2 독도를 지키기 위한 노력

(1) **정부**: 외교부 독도 누리집 운영, 독도 관련 법령 추진, 독도 관련 홍보 자료 배포 등

(2) **다양한 민간단체와 기관**: 독도 관련 누리집 운영, 다양한 단체와의 교류 및 협력을 통한 홍보 활동

+ 최저 조위선
썰물로 바닷물이 가장 많이 쓸려 나갔을 때 육지와 바다가 만나는 선이다.

+ 해리
바다에서의 거리를 나타내는 단위로, 1해리는 약 1,852m이다.

+ 직선 기선
가장 바깥쪽에 위치한 섬들을 직선으로 연결한 선을 기준으로 12해리까지가 해당한다.

+ 통상 기선
바닷물이 가장 많이 빠졌을 때의 해안선을 기준으로 12해리까지가 해당한다.

+ 어업 협정
두 나라 또는 여러 나라가 협의에 의해 나라별·어종별로 어획량을 결정하는 협정이다.

+ 메탄하이드레이트
천연가스와 물이 결합하여 형성된 고체 에너지이다. 불을 붙이면 타는 성질이 있어 일명 '불타는 얼음'이라고 부른다.

콕콕! 핵심 개념

1 □□: 한 국가에 속한 토지의 범위로, 국가의 영역 중 가장 중요한 부분

2 □□: 영토 주변의 바다로, 최저 조위선으로부터 12해리까지의 범위

3 □□: 영토와 영해의 수직 상공

4 □□: 우리나라 가장 동쪽에 위치한 영토로, 동도와 서도 두 개의 큰 섬과 89개의 부속 도서로 구성

활동 1 다음 영역과 관련된 자료를 보고 물음에 답해 보자.

국가의 ❶(   )은 한 국가의 주권이 미치는 범위이며 국가가 존재하기 위한 기본 조건이다. 영역에는 그 나라의 주권이 미치는 땅에 해당하는 ❷(   ), 주권이 미치는 바다에 해당하는 ❸(   ), 주권이 미치는 하늘에 해당하는 ❹(   )이 있다.
이에 기초하여 우리나라의 영토를 살펴보면 우리나라는 ❺(   ) 및 그 부속 도서로 구성되어 있음을 알 수 있다. 영해는 ❻(   ) 해리를 사용하며, ㉠ 위치에 따라 영해 설정 기준이 조금씩 다르다.

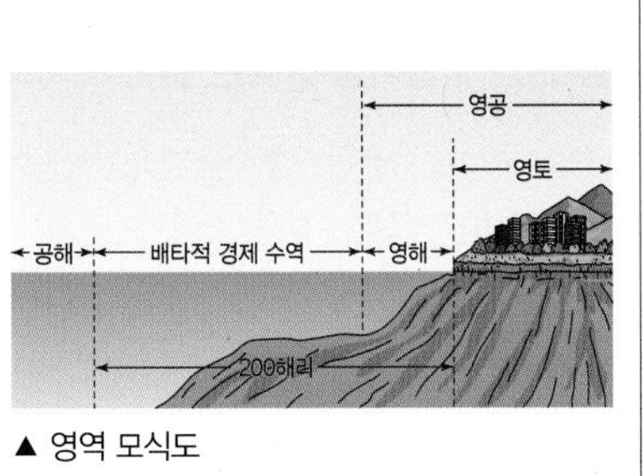

▲ 영역 모식도

1 위 글의 ❶~❻에 들어갈 알맞은 말을 써 보자.

2 위 글의 ㉠처럼 우리나라의 영해 설정 방법은 위치마다 조금씩 다르다. 다음 해안의 영해는 어떻게 설정하였는지 써 보자.

(1)

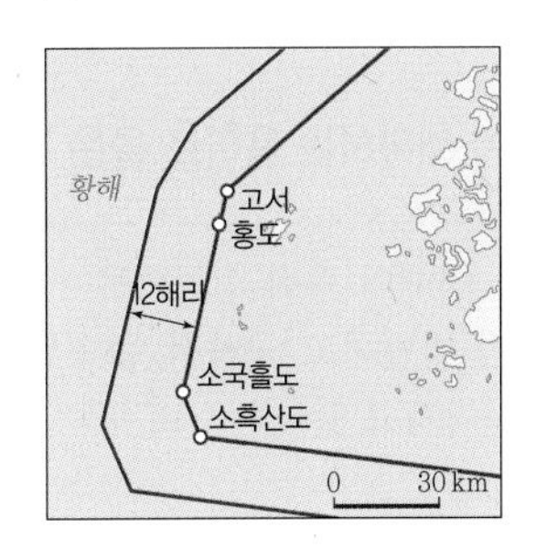

____

(2)

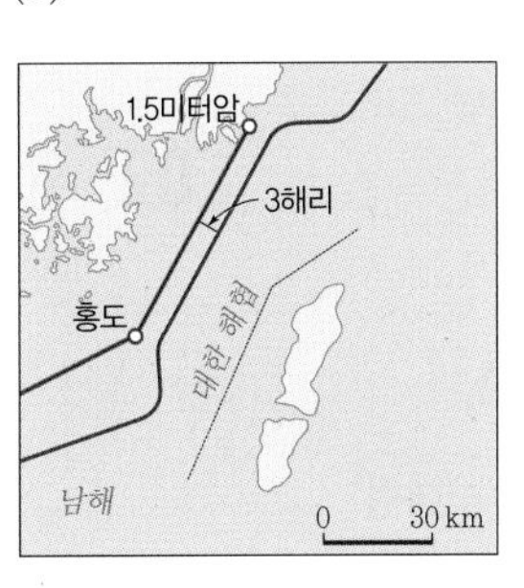

____

(3)

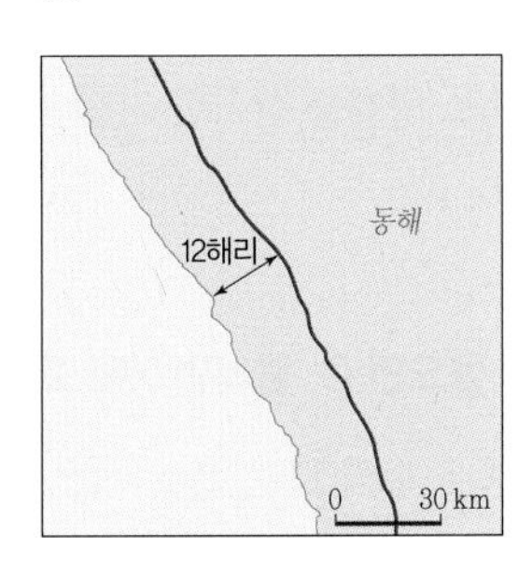

____

활동 2 다음은 독도 주변 바다에 매장된 자원과 관련된 자료이다. 물음에 답해 보자.

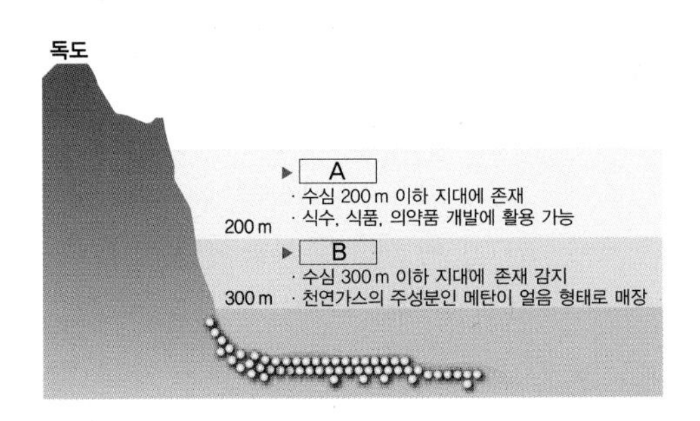

1 왼쪽 자료의 A, B에 알맞은 자원의 명칭을 써 보자.

A – (   )

B – (   )

2 왼쪽 자료를 참고로 독도의 경제적 가치를 써 보자.

____

단계별 문제를 풀면서 실력을 쑥쑥 키워 보세요.

1 STEP 개념을 되짚는 확인 문제

01 다음 빈칸에 들어갈 알맞은 말을 쓰시오.

(1) (   )은(는) 한 국가의 주권이 미치는 지리적 범위로 영토, 영해, 영공으로 이루어져 있다.

(2) 우리나라의 (   )은(는) 한반도와 그 부속 도서로 이루어져 있다.

(3) 영해는 보통 최저 조위선으로부터 (   )해리까지이다.

02 다음 설명에 해당하는 용어를 쓰시오.

(1) 바닷물이 가장 많이 빠졌을 때의 해안선을 기준으로 영해를 설정한 기선 (   )

(2) 가장 바깥쪽에 위치한 섬들을 직선으로 연결한 선을 기준으로 영해를 설정한 기선 (   )

03 다음 설명이 옳으면 O, 틀리면 X에 표시하시오.

(1) 배타적 경제 수역(EEZ)은 기선으로부터 100해리에 이르는 수역 중에서 영해를 제외한 수역이다. (○ | ×)

(2) 대한 해협은 우리나라와 러시아의 거리가 가까워 기선으로부터 3해리까지를 영해로 설정하였다. (○ | ×)

(3) 독도는 경상북도 울릉군에 속하는 섬으로 동도와 서도, 그리고 89개의 부속 도서로 이루어져 있다. (○ | ×)

04 다음 빈칸에 들어갈 알맞은 말을 고르시오.

(1) 동해안과 울릉도, 독도, 제주도의 영해는 (통상 기선 | 직선 기선)을 적용한다.

(2) 섬이 많은 서해안과 남해안의 영해는 (통상 기선 | 직선 기선)을 적용한다.

(3) 독도 주변 해저에는 미래의 에너지로 주목받는 (화석 연료 | 메탄하이드레이트)가 매장되어 있어 경제적 가치가 높다.

2 STEP 기초를 다지는 기본 문제

01 중요 우리나라의 영해 설정에 관한 설명으로 옳지 않은 것은?

① 해안에 따라 영해의 설정 기준이 다르다.
② 동해안, 울릉도, 독도, 제주도는 통상 기선을 적용한다.
③ 통상 기선은 바닷물이 가장 높을 때의 해안선을 기준으로 한다.
④ 보통 영해를 설정하는 기준선에서 12해리까지가 우리나라의 영해이다.
⑤ 대한 해협은 직선 기선에서부터 3해리까지를 우리나라의 영해로 설정하였다.

02 다음 설명에 해당하는 용어로 옳은 것은?

> 영토와 영해의 수직 상공으로, 항공 교통 및 우주 산업이 발달하고 군사적 중요성이 증대되면서 관심이 높아지고 있다.

① 영역 ② 영공 ③ 영해
④ 영토 ⑤ 배타적 경제 수역

03 배타적 경제 수역(EEZ)에 관한 설명으로 옳은 것을 <보기>에서 고른 것은?

보기
ㄱ. 기선으로부터 200해리에 이르는 수역이다.
ㄴ. 우리나라의 동해는 중국, 황해는 일본과 배타적 경제 수역이 겹친다.
ㄷ. 경제적 목적이 없다면 연안국 외의 다른 국가의 선박이나 항공기 등이 자유롭게 통행할 수 있다.
ㄹ. 연안국은 배타적 경제 수역 내에서 자원의 탐사와 개발 및 보존 등 경제적 개발에 관한 권리를 보장받는다.

① ㄱ, ㄴ ② ㄱ, ㄷ ③ ㄴ, ㄷ
④ ㄴ, ㄹ ⑤ ㄷ, ㄹ

3 STEP 실력을 완성하는 주관식·서술형 문제

04 다음 내용이 설명하는 섬은?

> 우리나라에서 가장 동쪽에 있는 영토로, 울릉도에서 동남쪽으로 87.4km 떨어져 있다.

① 독도 ② 마라도 ③ 강화도
④ 이어도 ⑤ 제주도

05 다음 독도 주변 바다에 매장된 A 자원에 관한 설명으로 옳지 않은 것은?

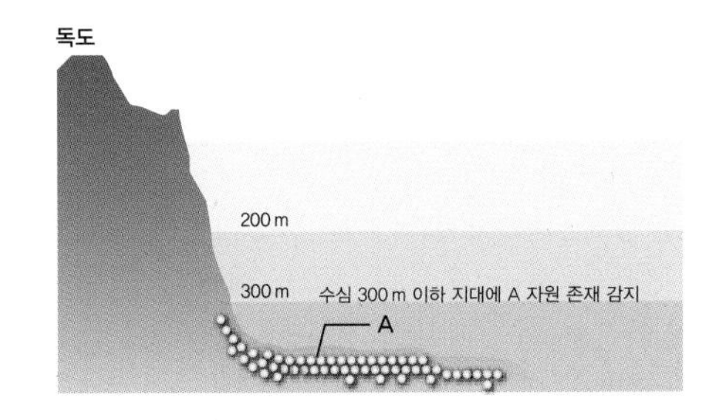

① 불타는 얼음이라고도 부른다.
② 차세대 에너지원으로 주목받고 있다.
③ 천연가스의 주성분인 메탄이 얼음 형태로 매장되어 있다.
④ 세균이 잘 번식하지 않아 식수와 의약품 등으로 활용할 수 있다.
⑤ 메탄과 물이 깊은 바닷속에서 낮은 온도와 높은 압력을 받아 형성된 고체 에너지이다.

06 독도에 관한 설명으로 옳지 않은 것은?

① 군사적 요충지로 방어 기지 역할을 한다.
② 조경 수역이 형성되어 각종 어족 자원이 풍부하다.
③ 다양한 화산 지형과 지질 경관이 나타나 지질학적 가치가 높다.
④ 배타적 경제 수역 설정의 기점으로 주변 바다에 대한 영유권을 주장할 수 있는 근거가 된다.
⑤ 독도를 지키는 독도 경비대를 군인으로 구성하여 명백한 국토 수호의 의지를 보이고 있다.

[07~08] 다음 우리나라의 영해 기준도를 보고 물음에 답하시오.

고난도

07 우리나라 동해안과 서해안 · 남해안의 영해 설정 방법이 다른 까닭을 서술하시오.

08 지도의 A에 해당하는 해협의 명칭을 쓰고, 이 지역의 영해를 직선 기선에서 3해리까지로 설정한 까닭을 서술하시오.

(1) 명칭:
(2) 까닭:

09 신유형 다음 제시된 글자들을 조합하여 독도를 지키는 부대의 명칭을 쓰고, 독도의 경비 임무를 군인이 아닌 경찰로 구성한 까닭을 서술하시오.

> 대 도 경 비 독

세계화 속의 지역화 전략

이것이 포인트!
- 지역화 전략의 의미와 필요성
- 지역화 전략의 종류

꼼꼼! 필기 노트

1 지역화 전략

1 지역화 전략의 등장

(1) **지역화**: 각각의 지역이 세계의 정치, 경제, 사회의 주체가 되는 현상

(2) **지역화의 등장 배경**: ❶ [　　　]로 지역 간 교류가 활발해지면서 지역 고유의 특성을 살리는 것이 경쟁력으로 작용

(3) **지역화 전략의 의미와 효과**

① 의미: 지역의 경쟁력을 높이기 위해 다른 지역과 차별화할 수 있는 계획을 마련하는 것 → 지역 브랜드, 장소 마케팅, 지리적 표시제 등이 대표적

② 효과: 주민들의 정체성을 다지고 자긍심을 높일 수 있음, 기업을 유치하여 일자리를 늘리고 관광 산업으로 소득을 높일 수 있음

2 다양한 지역화 전략

(1) **지역 브랜드**

① 의미: 지역의 특성을 담고 있는 상품이나 서비스에 그 지역의 이미지를 결합하여 지역 그 자체를 ❷ [　　　]처럼 만드는 것 → 슬로건, 로고, 캐릭터 등 활용

② 지역 브랜드의 사례: 미국 뉴욕의 'I♥NY', 평창의 'Happy 700' 등

(2) **장소 마케팅** → 특정 장소가 가지는 자연환경이나 역사 · 문화적 특성을 드러내어 장소를 매력적인 상품으로 만들어 이를 판매하려는 활동이에요.

① 의미: 특정한 ❸ [　　　]를 상품으로 인식하고, 그 장소의 이미지를 개발하는 전략

② 장소 마케팅의 사례: '❹ [　　　]' → 프랑스 파리가 자동으로 연상됨, '콜로세움' → 이탈리아 로마가 자동으로 연상됨

(3) **지리적 표시제** → 지리적 표시제에 등록되면 다른 곳에서 임의로 상표권을 이용하지 못하도록 하는 권리가 생겨요.

① 의미: 특정 상품의 품질, 명성, 특성 등이 근본적으로 해당 지역에서 비롯한 경우 지역 생산품임을 증명하고 표시하는 제도

② 지리적 표시제의 사례: 보성 녹차, 횡성 한우, 이천 쌀, 순창 고추장 등

→ 우리나라는 2002년에 보성 녹차가 최초로 지리적 표시제 상품으로 등록되었어요.

2 지역화 전략 개발

1 지역화 전략 개발 과정

(1) **지역의 다양한 특성 파악하기**: 지역의 자연환경 및 인문 환경의 특성 파악

(2) **지역의 정체성과 목표를 고려한 지역의 대표적인 특색 압축**: 다른 지역과 차별화된 지역의 특징 선별, 다른 지역에 알려지지 않은 숨은 가치 발견

(3) **지역화 전략 개발 및 수정**: 지방 자치 단체가 추진하되 지역 주민의 의견을 적극적으로 반영

2 지역화 전략 개발의 유의점

(1) **지역화 전략 개발을 위한 고려 사항**: 지역의 정체성 확인 → 그 지역만의 고유한 특징 반영, 지역이 추구하는 모습에 어울리는 이미지 구축

(2) **지역화 전략의 효과를 높이기 위한 전제 조건**: 지역 주민의 참여와 협조가 있어야 효과를 극대화할 수 있음

+ 지역화 전략
세계화로 문화가 획일화되는 가운데 지역의 고유한 특성을 강조하여 경쟁력을 갖추고자 하는 방안을 말한다.

+ 지역 브랜드의 종류

슬로건	지역 브랜드에 관한 정보를 전달하는 짧은 문구
로고	슬로건을 시각적으로 표현한 것
캐릭터	지역의 특색을 나타내는 시각적 상징물

+ I♥NY
제1차 석유 파동 직후 전 세계가 극심한 경제 불황을 겪고 있던 1975년에 미국 뉴욕주 상무국이 시민들에게 희망을 주고자 기획한 광고 캠페인에서 탄생하였다.

+ Happy 700
평창의 평균 고도인 해발 고도 700m 지점이 인간이 살기 가장 행복한 고도라는 의미이다.

콕콕! 핵심 개념

1 □□□ □□: 세계화로 문화가 획일화되는 가운데 지역의 고유한 특성을 강조하여 경쟁력을 갖추고자 하는 방안

2 □□ □□□: 지역의 특성을 담고 있는 상품이나 서비스에 지역의 이미지를 결합하여 지역 그 자체를 브랜드처럼 만드는 것

3 □□ □□□: 특정한 장소를 상품으로 인식하고, 그 장소의 이미지를 개발하는 전략

활동 1 다음 우리나라의 지역화 전략과 관련된 자료를 보고 물음에 답해 보자.

지역 브랜드는 지역의 특성을 담고 있는 ❶ ( ) 이나 서비스에 그 지역의 ❷ ( ) 를 결합하여 지역 그 자체를 브랜드처럼 만드는 것을 말한다.

❸ ( ) 은 특정한 장소를 매력적인 상품으로 만들어 판매하려는 전략을 말한다. '에펠탑'만 들어도 프랑스의 '파리'라는 도시 이름이 떠오르는 예가 대표적이다. 이러한 지역 브랜드나 장소 마케팅을 잘 활용하면 그 지역의 가치가 올라가고 지역의 상품과 서비스 판매량이 늘어나 지역 ❹ ( ) 가 활성화된다.

▲ 지역의 특성을 반영한 버스 정류장(전주시)

1 위 글의 ❶~❹에 들어갈 알맞은 말을 써 보자.

2 다음 지역 브랜드와 해당 지역을 바르게 연결해 보자.

(1) HAPPY700 •　　　• ㉠ 영덕

(2) 사랑海요 영덕 •　　　• ㉡ 통영

(3) •　　　• ㉢ 평창

활동 2 다음 지리적 표시제에 관한 자료를 보고, 물음에 답해 보자.

지리적 표시제는 어떤 상품의 품질과 특성, 명성 등이 그 ❶ ( ) 의 지리적 근원에서 비롯될 때 이러한 지리적 명칭을 등록시켜 해당 농특산물을 보호하고 명품으로 육성시킬 수 있도록 원산지의 이름을 상표권으로 인정해 주는 제도이다. 이와 같은 ❷ ( ) 는 상품의 브랜드가 지역을 홍보하고 지역의 이미지를 개선해 주기 때문에 지역 경제 발전에 이바지할 수 있다.

1 위 글의 ❶, ❷에 들어갈 알맞은 말을 써 보자.

2 다음은 우리나라의 지리적 표시제 등록 상품이다. 상품에 알맞은 지역명을 써 보자.

(1) 녹차 – ( )　　(2) 전통 고추장 – ( )

(3) 참외 – ( )　　(4) 얼음골 사과 – ( )

쑥쑥! 실력 키우기

단계별 문제를 풀면서 실력을 쑥쑥 키워 보세요.

1 STEP 개념을 되짚는 확인 문제

01 다음 빈칸에 들어갈 알맞은 말을 쓰시오.

(1) 대표적인 지역화 전략으로는 ( ), 장소 마케팅, 지리적 표시제 등이 있다.

(2) 원산지의 지명을 상표권으로 인정해 주는 제도는 ( )(이)다.

(3) ( )을(를) 구현하는 가장 대표적인 전략으로는 지역의 상징성을 이용한 축제가 있다.

02 다음 설명이 옳으면 O, 틀리면 X에 표시하시오.

(1) 지역이 세계 정치, 경제, 사회의 주체가 되는 현상을 세계화라고 한다. (○ | ×)

(2) '에펠탑'을 들으면 프랑스의 '파리'가 연상되도록 하는 것이 장소 마케팅이다. (○ | ×)

(3) 지역화 전략이 성공하면 지역 이미지가 개선되는 효과가 나타날 수 있다. (○ | ×)

03 다음 빈칸에 들어갈 알맞은 말을 고르시오.

(1) 세계화로 문화가 획일화되는 가운데 지역의 고유한 특성을 강조하여 경쟁력을 갖추고자 하는 방안을 (지역화 전략 | 획일화 전략)이라고 한다.

(2) 경상북도 영덕군은 청정 바다와 풍부한 해산물이 대표적인 지역이며, 특산물로는 (새우 | 대게)가 유명하다.

04 서로 관계 있는 것끼리 바르게 연결하시오.

(1) 경기도 광명시 •

(2) 강원도 평창군 •

• ㉠ 광산으로 이용하던 동굴을 테마파크로 개장하여 활용

• ㉡ 해발 고도 700m에 위치한 지리적 특색을 내세워 지역 홍보에 적극 활용

2 STEP 기초를 다지는 기본 문제

01 다음 제시된 사례와 같은 지역화 전략을 〈보기〉에서 고른 것은?

'I♥NY', 'Be Berlin'

〈보기〉
ㄱ. 김제의 지평선 축제
ㄴ. 평창의 'HAPPY 700'
ㄷ. 영덕의 '사랑海요 영덕'
ㄹ. 안동의 하회마을

① ㄱ, ㄴ ② ㄱ, ㄷ ③ ㄴ, ㄷ
④ ㄴ, ㄹ ⑤ ㄷ, ㄹ

02 장소와 장소 마케팅 사례가 바르게 짝지어지지 않은 것은?

① 함평 – 나비 축제
② 문경 – 석탄 박물관
③ 부산 – 부산국제영화제
④ 영국 런던 – 빅벤
⑤ 에스파냐 빌바오 – 콜로세움

03 지역화 전략을 개발하기 위해 고려해야 할 사항으로 옳지 않은 것은?

① 지역의 정체성을 확인해야 한다.
② 지역만이 가지고 있는 지역 고유의 특징을 반영해야 한다.
③ 지역이 추구하는 모습에 어울리는 이미지를 구축해야 한다.
④ 지역 특유의 자연환경이나 인문 환경을 바탕으로 지역 브랜드를 개발하도록 한다.
⑤ 지역화 전략의 효과를 높이기 위해서는 반드시 중앙 정부의 재정적인 지원을 받아야만 한다.

[04~05] 다음 지도를 보고 물음에 답하시오.

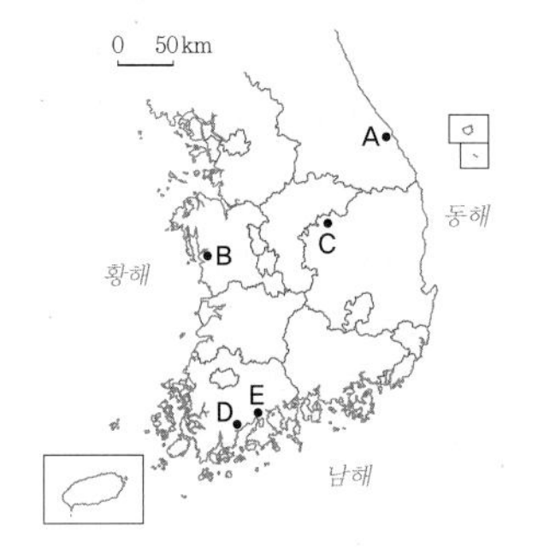

04 중요 다음 축제가 열리는 곳을 지도에서 고른 것은?

> 해안의 천연 바다 진흙을 활용하여 화장품을 개발하고 상품 홍보를 위해 머드 축제를 개최하였다.

① A ② B ③ C
④ D ⑤ E

05 다음과 같은 축제가 열리는 곳을 지도에서 고른 것은?

① A
② B
③ C
④ D
⑤ E

06 지역 브랜드의 개발 효과로 옳은 것을 <보기>에서 고른 것은?

> **보기**
> ㄱ. 지역 경제 활성화
> ㄴ. 지역의 획일성 증대
> ㄷ. 지역의 경쟁력 강화
> ㄹ. 지역의 상품 및 서비스 판매량 감소

① ㄱ, ㄴ ② ㄱ, ㄷ ③ ㄴ, ㄷ
④ ㄷ, ㄹ ⑤ ㄱ, ㄹ

3 STEP 실력을 완성하는 주관식·서술형 문제

07 세계화 시대에 지역화가 등장하게 된 배경을 서술하시오.

____

____

고난도

08 다음 밑줄 친 지역화 전략의 의미와 지역화 전략 개발에 따른 효과를 두 가지 서술하시오.

> 지역화 전략을 세울 때는 우선 지역의 정체성을 확인하고, 그 정체성을 바탕으로 지역만이 가지고 있는 지역 고유의 특징을 반영해야 한다.

(1) 의미: __________________________

____

(2) 효과: __________________________

____

09 신유형 다음 사진과 관계 깊은 지역화 전략을 쓰고, 그 의미를 서술하시오.

▲ 파리의 에펠탑

▲ 뉴욕의 자유의 여신상

(1) 지역화 전략: ______________________

(2) 의미: __________________________

____

세계화 시대 통일 한국의 미래

이것이 **포인트!**
- 국토의 위치적 중요성과 통일의 필요성
- 통일 후 우리 생활의 변화

꼼꼼! 필기 노트

1 우리나라의 위치와 통일의 필요성

1 우리 국토의 위치적 중요성

(1) 동아시아의 범위와 특징

① [❶] 의 범위: 우리나라와 일본, 중국 등을 포함한 지역

② 특징: 천연자원과 우수한 인적 자원 풍부 → 발전 잠재력이 높음, 역사 · 문화 · 지리적으로 밀접한 연관

(2) 우리나라 위치의 중요성

① 유라시아 대륙 동쪽에 있는 반도국+: 북쪽으로는 중국과 러시아를 통해 [❷] 까지 갈 수 있고, 남쪽으로는 태평양에 진출할 수 있는 위치

② 동아시아 교통의 요지: 여러 지역과의 교류 측면에서 유리함

③ 동아시아의 경제적 위상이 높아짐에 따라 우리나라는 교통의 중심지이자 지리적 요충지로서 그 중요성이 커지고 있음

2 국토 통일의 필요성

(1) 분단으로 인한 문제

① 한반도의 위치적 장점을 활용하지 못함 → 분단으로 인해 남한은 대륙으로 진출할 수 있는 육로가 차단되어 국토 공간의 불균형이 심화됨

② [❸] 과 실향민 발생, 민족 정체성 훼손, 문화적 이질성+ 심화

③ 과도한 군사비 지출 → 균형 있는 국토 발전이 어려워짐

④ 전쟁에 대한 불안감으로 한반도의 위상 약화, 세계 평화 위협

(2) 통일이 필요한 이유

① 분단 비용 절감 → 국토에 효율적인 투자 가능

② 이산가족 고통 해소, 민족의 동질성 회복

③ 동북아시아의 긴장감 해소 → [❹] 에 이바지

④ 국제 경쟁력 강화 → 국제 사회에서 우리나라의 위상이 높아짐

+ 반도(半島)
바다나 호수 쪽으로 길게 뻗은 육지를 의미하며 삼면이 바다로 둘러싸여 있다. 이탈리아 반도나 한반도가 대표적이며 통상적으로 대륙과 해양 모두 진출이 가능한 지리적 장점이 있다.

+ 문화적 이질성(異質性)
서로 다른 정치 · 경제 체제에서 오랜 시간 지내면서 생활 모습, 언어, 정체성 등 문화적 차이가 발생하는 것을 말한다.

+ 시베리아 횡단 철도(TSR)
러시아의 모스크바에서 시작하여 시베리아를 가로질러 극동의 블라디보스토크를 연결하는 총길이 9,288km의 철도이다.

+ 아시안 하이웨이
아시아 32개국을 그물망처럼 연결하는 약 14만 km의 도로망으로 우리나라에는 경부 고속 국도를 연장하는 AH1 도로와 동해안 7번 국도를 연장하는 AH6 도로가 생길 예정이다.

2 통일 한국의 미래

1 통일 이후의 한반도

(1) 경제적 도약

① 남한의 [❺] 과 기술, 북한의 자원과 노동력 결합 → 국토의 효율적 이용

② 분단 비용을 경제 · 복지 분야에 투자 → 삶의 질 향상

③ 저출산과 고령화로 인한 [❻] 부족 문제 해결

(2) 교역의 중심지로 성장: 시베리아 횡단 철도(TSR)+, 아시안 하이웨이+의 연결 → 대륙과 해양을 연결하는 물류 중심지로 성장

2 통일을 위한 우리의 준비

(1) 분단 이후 정치, 경제, 사회 · 문화 등 모든 측면의 이질성을 극복하려는 노력

(2) 통일에 대한 국민의 의지와 단결이 가장 중요

콕콕! 핵심 개념

1 우리나라는 유라시아 대륙 동쪽에 있는 □□□으로, 유라시아 대륙과 태평양으로 진출하기에 유리하다.

2 □□□ □□□: 서로 다른 정치 · 경제 체제에서 오랜 시간 지내면서 생활 모습, 언어, 정체성 등 문화적 차이가 발생하는 것

3 □□이 되면 한반도의 위치적 장점을 살려 동아시아의 중심 국가로 발돋움할 수 있을 것이다.

활동 1 다음 지도를 보고 물음에 답해 보자.

1 위 지도에 표현된 아시아 대륙을 동서로 이어 주는 횡단 도로의 이름을 써 보자.

( )

2 위 지도의 도로가 완공되기 위한 조건과 완공되면 우리나라가 얻을 수 있는 효과를 적어 보자.

완공 조건	
완공에 따른 효과	

활동 2 다음은 남한과 북한의 언어를 비교한 자료이다. 물음에 답해 보자.

남한의 언어	북한의 언어
❶	튀긴고기떡
아이스크림	❷
휴대 전화	손전화
❸	과일단물
❹	가락지빵

1 위 표의 ❶~❹에 알맞은 말을 써 보자.

2 제시된 사례에 초점을 맞추어 통일의 필요성을 서술해 보자.

단계별 문제를 풀면서 실력을 쑥쑥 키워 보세요.

1 STEP 개념을 되짚는 확인 문제

01 다음 설명이 옳으면 O, 틀리면 X에 표시하시오.

(1) 동아시아의 경제적 위상이 높아지면서 우리나라는 지리적 요충지로서 그 역할의 중요성이 커지고 있다. (○ | ×)

(2) 통일이 되면 국토의 균형 있는 발전이 어려워진다. (○ | ×)

(3) 남북 분단은 남북의 군사적 긴장 증가와 과도한 군사비 부담 등 남과 북 모두에게 경제 발전의 걸림돌이 되고 있다. (○ | ×)

02 다음 빈칸에 들어갈 알맞은 말을 고르시오.

(1) 한반도는 (서남아시아 | 동아시아) 중심에 자리하고 있어 여러 지역과의 교류 측면에서 유리하다.

(2) 분단 이후 남한은 (해양으로 | 대륙으로) 진출할 수 있는 경로가 차단되었다.

(3) 오랜 시간 분단이 지속되면 (문화적 이질성 | 문화적 동질성)이 더욱 심화된다.

(4) 우리나라는 유라시아 대륙 끝에 있는 (섬나라 | 반도국)(으)로 북쪽으로는 중국, 러시아를 통해 유럽까지 갈 수 있다.

03 다음 빈칸에 들어갈 알맞은 말을 쓰시오.

(1) 우리나라는 유라시아 대륙과 (　　　　　　)을(를) 연결하는 지리적 요충지에 위치하고 있다.

(2) (　　　　　　)이(가) 되면 우리나라는 위치적 장점을 살려 동아시아의 중심 국가로 발돋움할 수 있을 것이다.

(3) 통일이 되어 아시아 대륙을 동서로 이어 주는 횡단 도로인 (　　　　　　)이(가) 연결되면 우리나라에서 자동차를 타고 유럽까지도 갈 수 있게 될 것이다.

2 STEP 기초를 다지는 기본 문제

01 중요 한반도의 위치적 장점으로 옳은 것을 〈보기〉에서 고른 것은?

> **보기**
> ㄱ. 동남아시아의 중심에 자리 잡고 있다.
> ㄴ. 중국과 러시아 사이에 위치한 교통의 중심지이다.
> ㄷ. 대륙과 해양으로의 진출이 모두 가능한 반도국에 해당한다.
> ㄹ. 경제적 위상이 높아지고 있는 동아시아의 지리적 요충지에 해당한다.

① ㄱ, ㄴ　② ㄱ, ㄷ　③ ㄴ, ㄷ
④ ㄴ, ㄹ　⑤ ㄷ, ㄹ

02 남북 분단으로 발생하는 문제점으로 보기 어려운 것은?

① 민족 정체성 훼손
② 언어적 이질성 심화
③ 한반도의 위상 약화
④ 이산가족 및 실향민 발생
⑤ 남북한의 군사비 지출 감소

03 다음 내용의 ㉠과 ㉡에 들어갈 용어가 바르게 짝지어진 것은?

> 통일이 되면 북한의 풍부한 (㉠)과 남한의 (㉡)이 결합되어 국가 경쟁력은 더욱 강화될 것이다.

	㉠	㉡
①	자원	기술력
②	자본	기술력
③	기술력	자원
④	기술력	자본
⑤	자본	노동력

3 STEP 실력을 완성하는 주관식·서술형 문제

04 통일의 필요성으로 옳지 않은 것은?

① 세계 평화에 기여
② 반도국의 위치적 장점 회복
③ 민족적 · 문화적 동질성 회복
④ 비무장 지대의 군사적 기능 강화
⑤ 인구 증가와 경제 활동의 면적 확대

05 중요 다음 지도의 교통로에 관한 설명으로 옳은 것은?

① 대륙 횡단 철도를 나타낸 것이다.
② 교통로가 완성되면 아시아 내에서의 교류는 감소할 것이다.
③ 이 교통로는 통일이 되면 우리나라에 전혀 도움이 되지 않는다.
④ 교통로가 완성되면 우리나라에서는 육로를 통해 유럽에 갈 수 없게 된다.
⑤ 통일이 되면 우리나라가 동아시아 물류 중심지로 성장할 수 있다는 가능성을 보여 준다.

06 중요 통일을 위한 노력으로 적절하지 않은 것은?

① 남북 간 경제 협력을 확대한다.
② 남북 간 문화 교류를 확대한다.
③ 남북을 연결하는 교통로를 복원한다.
④ 군사적 경쟁을 통해 군사 강국으로 성장한다.
⑤ 남북 공동으로 역사 · 문화 유적에 대한 연구를 진행한다.

07 남북 분단으로 인한 문제점을 세 가지 서술하시오.

____
____
____

고난도

08 다음 글을 읽고 볼리비아를 내륙국이라고 부른다면 삼면이 바다로 둘러싸인 우리나라는 어떤 형태의 나라로 불리는지 3음절로 쓰고, 이와 같은 나라 형태가 가질 수 있는 이점을 서술하시오.

> 화약의 원료가 되는 초석광산 소유권을 놓고 볼리비아와 칠레는 19세기말 태평양 전쟁(1879~1883)을 벌였다. 그 결과 칠레에 진 볼리비아는 태평양으로 가는 길목과 항구 도시 '아리카'를 빼앗겼다. 이로 인해 영토의 일부가 태평양에 접해 있던 볼리비아는 칠레, 페루 등에 둘러싸인 내륙국이 되었다. 이때부터 볼리비아는 바다는 없지만 해군은 존재하는 아픔을 겪게 되었다.

(1) 국가 형태: ______________________________
(2) 이점: ______________________________
____
____

09 다음 제시된 용어를 이용하여 통일이 되면 나타날 경제적 변화를 세 가지 서술하시오.

• 자원 • 일자리
• 노동력 부족 • 저출산과 고령화

____
____
____

뚝딱! 단원 마무리하기

이번 단원에서 배운 내용을 문제로 뚝딱! 마무리 점검해 보세요.

01 중요 다음은 영역의 구성을 나타낸 것이다. A~E에 관한 설명으로 옳지 않은 것은?

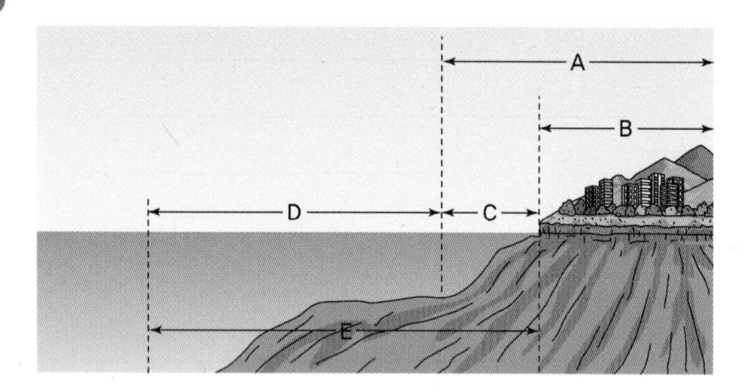

① A는 우주 산업의 발달로 중요성이 커지고 있다.
② B는 영토에 해당한다.
③ 우리나라의 C의 적용 범위는 해역마다 조금씩 다르다.
④ 배타적 경제 수역은 E에 해당한다.
⑤ 한 국가의 주권이 미치는 영역은 A, B, C 범위에 해당한다.

02 중요 우리나라 영해의 특징에 관한 설명으로 옳지 않은 것은?

① 제주도는 통상 기선을 사용한다.
② 동해안은 통상 기선을 사용한다.
③ 서해안은 직선 기선을 사용한다.
④ 모든 지역은 동일한 기선을 사용한다.
⑤ 울릉도와 독도는 통상 기선을 사용한다.

03 대한 해협에 관한 설명으로 옳은 것을 〈보기〉에서 고른 것은?

보기
ㄱ. 통상 기선을 적용하여 영해를 설정한다.
ㄴ. 직선 기선을 적용하여 영해를 설정한다.
ㄷ. 기선으로부터 3해리를 영해로 규정하고 있다.
ㄹ. 기선으로부터 12해리를 영해로 규정하고 있다.

① ㄱ, ㄴ ② ㄱ, ㄷ ③ ㄴ, ㄷ
④ ㄴ, ㄹ ⑤ ㄷ, ㄹ

04 지도의 A 지역에 관한 설명으로 옳지 않은 것은?

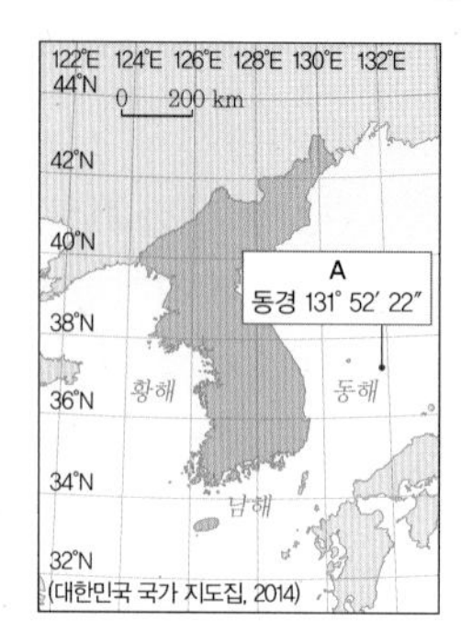

① A는 독도이다.
② 화산 활동으로 형성된 화산섬이다.
③ 동도와 서도라는 2개의 큰 섬으로만 이루어져 있다.
④ 배타적 경제 수역을 설정하는 데 중요한 기점이 된다.
⑤ 희귀한 동식물이 서식하여 섬 전체가 천연 보호 구역으로 지정되어 보호받고 있다.

05 다음 설명에 해당하는 자원은?

메탄과 물이 깊은 바닷속에서 낮은 온도와 높은 압력을 받아 형성된 고체 에너지이다. 얼음 형태이지만 불을 붙이면 활활 타오른다.

① 석탄 ② 석유 ③ 철광석
④ 천연가스 ⑤ 메탄하이드레이트

06 다음 지역 브랜드의 개발 절차를 순서대로 바르게 나열한 것은?

보기
ㄱ. 지역 경쟁력 강화
ㄴ. 차별화된 브랜드 개발
ㄷ. 지역의 다양한 특성 파악

① ㄱ→ㄴ→ㄷ ② ㄱ→ㄷ→ㄴ ③ ㄴ→ㄷ→ㄱ
④ ㄴ→ㄱ→ㄷ ⑤ ㄷ→ㄴ→ㄱ

●●○

07 (가)와 (나)에 해당하는 지역화 전략이 바르게 나열된 것은?

> (가) 지역의 특성을 담고 있는 상품이나 서비스에 그 지역의 이미지를 결합하여 지역 그 자체를 브랜드처럼 만드는 전략
> (나) 특정한 장소를 상품으로 인식하고, 그 장소의 이미지를 개발하는 전략

	(가)	(나)
①	지역 브랜드	장소 마케팅
②	장소 마케팅	지역 브랜드
③	지역 브랜드	지리적 표시제
④	지리적 표시제	장소 마케팅
⑤	지리적 표시제	지역 브랜드

●●○

08 다음 내용의 ㉠에 해당하는 지역 브랜드로 옳은 것은?

> ○○군은 해발 고도 700m에 위치한 지리적 특색을 내세워 지역을 홍보하고 있다. (㉠)은 사람과 동식물이 가장 건강하고 행복하게 지낼 수 있는 고지대의 특성을 담은 것이다. 캐릭터 '눈동이'는 눈이 많이 내리는 이 지역의 기후를 잘 반영하고 있다.

① 

② 

③ 

④ 

⑤ 

●●○

09 다음 내용이 설명하는 축제는?

> 충청남도 보령시는 천연 바다 진흙을 활용하여 화장품을 개발하고 상품의 홍보와 판매를 촉진하기 위해 축제를 개최하였다. 이로 인해 보령시는 많은 관광객을 유치하고 지역 경제를 발전시킬 수 있었다.

① 나비 축제　② 머드 축제
③ 유등 축제　④ 산천어 축제
⑤ 지평선 축제

●○○

10 다음 지역 브랜드를 통해 짐작할 수 있는 내용으로 옳은 것을 〈보기〉에서 고른 것은?

> **보기**
> ㄱ. 바다와 접해 있는 지역이다.
> ㄴ. 이 지역의 특산물인 대게를 브랜드화하였다.
> ㄷ. 산과 호수가 유명한 지역이라는 것을 짐작할 수 있다.
> ㄹ. 과거에 광산으로 이용되던 곳을 문화 체험과 휴식 공간으로 바꿨음을 짐작할 수 있다.

① ㄱ, ㄴ　② ㄱ, ㄷ　③ ㄴ, ㄷ
④ ㄴ, ㄹ　⑤ ㄷ, ㄹ

●●○

11 지역과 지리적 표시제 등록 상품이 바르게 연결되지 않은 것은?

중요

① 경기도 이천 – 쌀
② 강원도 횡성 – 마늘
③ 경상북도 성주 – 참외
④ 전라남도 보성 – 녹차
⑤ 전라북도 순창 – 고추장

12 국토 분단으로 발생한 문제점으로 옳지 않은 것은? (중요)

① 민족의 정체성이 훼손되고 있다.
② 문화적 이질성이 심화되고 있다.
③ 남한의 해양으로의 진출이 어려워지고 있다.
④ 군사비 부담 증가에 따른 문제가 발생하고 있다.
⑤ 이산가족이 고령화되고 생존자가 감소하고 있다.

13 통일의 필요성으로 보기 어려운 것은?

① 반도국의 이점을 회복할 수 있다.
② 이산가족의 고통을 해소할 수 있다.
③ 문화적 이질감을 증가시킬 수 있다.
④ 국토 공간을 상호 보완적으로 이용할 수 있다.
⑤ 군사비 경쟁에서 벗어나 그 비용을 다른 용도로 활용할 수 있다.

14 통일 이후 예상되는 변화로 적절하지 않은 것은?

① 북한의 자원을 이용할 수 있게 될 것이다.
② 노동력 부족 문제가 더욱 심각해질 것이다.
③ 육로가 열리면서 동아시아의 무역이 더욱 활발해질 것이다.
④ 비무장 지대(DMZ)가 평화 공원이나 역사 연구의 장소로 거듭날 것이다.
⑤ 남과 북 단일팀이 결성되어 국제 경기에서 분야별로 더 좋은 성적을 낼 수 있을 것이다.

15 다음은 남북한의 경제력을 비교한 그래프이다. 이에 관한 해석으로 옳은 것은? (신유형)

	합계	남한(%)	북한(%)
인구(천 명)	75,086	67.2	32.8
1인당 국민 총소득(만 원)	3,107	95.5	4.5
식량 작물 생산량(천 M/T)	9,630	50.1	49.9
석탄 생산량(천 M/T)	28,838	6.1	93.9
광석 생산량(천 M/T)	6,164	11.2	88.8
조강 생산량(천 M/T)	72,763	98.3	1.7
철도 총연장(km)	8,892	40.4	59.6
도로 총연장(km)	131,837	80.2	19.8
무역액(억 달러)	11,058	99.3	0.7

(북한의 주요 통계 지표, 2015)

① 조강 생산량은 북한이 남한보다 많다.
② 북한보다 남한의 석탄 생산량이 더 많다.
③ 북한은 해양 진출을 통한 교역이 점점 증대되고 있다.
④ 전반적으로 북한보다 남한이 지하자원을 더 많이 보유하고 있음을 알 수 있다.
⑤ 전반적으로 남북한의 격차가 심하고 이를 해소하기 위해서라도 통일이 필요함을 알 수 있다.

16 다음 지도의 도로가 모두 완성된 후 예상되는 변화로 옳지 않은 것은?

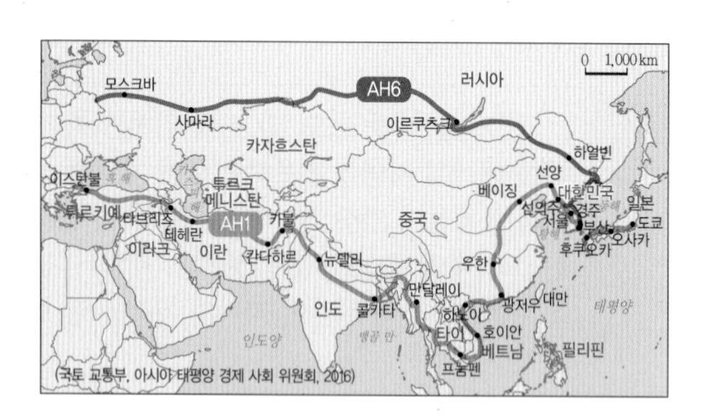

① 전반적인 물류비가 절감될 수 있을 것이다.
② 우리나라의 위치적 중요성이 더욱 커질 것이다.
③ 우리나라 경제 발전에도 긍정적 영향을 줄 것이다.
④ 육로 진출이 확대되면서 해양으로의 진출은 어려워질 것이다.
⑤ 육로를 통해 유럽까지 이동이 가능해져 관광 산업에 대한 수요가 늘어날 것이다.

17 다음 영역 모식도의 A에 해당하는 명칭을 쓰고, 최근 A의 중요성이 증대되는 이유를 두 가지 서술하시오.

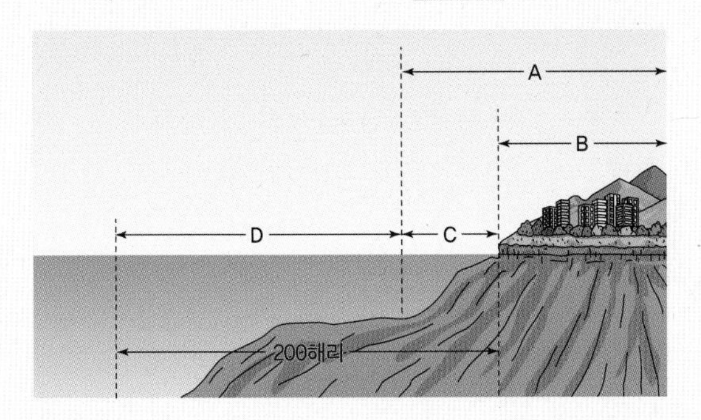

(1) 명칭: ______

(2) 중요성: ______

18 배타적 경제 수역의 의미와 특징을 두 가지 서술하시오.

(1) 의미: ______

(2) 특징: ______

19 독도의 가치를 영역적 측면에서 두 가지 서술하시오.

20 지역화 전략의 효과를 두 가지 서술하고, 지역화 전략의 효과를 높이기 위해 무엇보다 중요한 조건에 관해 서술하시오.

21 지도는 유라시아 횡단 철도를 나타낸 것이다. 유라시아 철도가 우리나라까지 연결되기 위해 반드시 필요한 과정이 무엇인지 2음절로 쓰고, 연결되면 나타날 효과를 보기의 단어를 포함하여 서술하시오.

보기

물류 교통망　　전진 기지　　관문 역할

(1) 필요한 과정: ______

(2) 효과: ______

22 통일 이후 달라질 수 있는 우리 생활의 변화를 예측하여 두 가지만 서술하시오.

이 단원을 배우면

지구상에서 발생하는 다양한 지리적 문제, 지역별 발전 수준이 다른 까닭, 저개발 지역의 빈곤 문제 해결을 위한 노력을 알 수 있어요. 그리고 지역 간 불평등을 해결하기 위한 국제 사회의 노력에 참여하려는 태도를 기를 수 있어요.

12 더불어 사는 세계

01 지구상의 다양한 지리적 문제

02 발전 수준의 지역 차

03 지역 간 불평등 완화 노력

:나의 학습 진도표

중단원명	학습 코너	쪽수	학습 예정일	학습 완료일	달성도
01 지구상의 다양한 지리적 문제	꼼꼼! 필기 노트	216쪽	◯월 ◯일	◯월 ◯일	☆☆☆☆☆
	탄탄! 활동 노트	217쪽	◯월 ◯일	◯월 ◯일	☆☆☆☆☆
	쑥쑥! 실력 키우기	218~219쪽	◯월 ◯일	◯월 ◯일	☆☆☆☆☆
02 발전 수준의 지역 차	꼼꼼! 필기 노트	220쪽	◯월 ◯일	◯월 ◯일	☆☆☆☆☆
	탄탄! 활동 노트	221쪽	◯월 ◯일	◯월 ◯일	☆☆☆☆☆
	쑥쑥! 실력 키우기	222~223쪽	◯월 ◯일	◯월 ◯일	☆☆☆☆☆
03 지역 간 불평등 완화 노력	꼼꼼! 필기 노트	224쪽	◯월 ◯일	◯월 ◯일	☆☆☆☆☆
	탄탄! 활동 노트	225쪽	◯월 ◯일	◯월 ◯일	☆☆☆☆☆
	쑥쑥! 실력 키우기	226~227쪽	◯월 ◯일	◯월 ◯일	☆☆☆☆☆
뚝딱! 단원 마무리하기		228~231쪽	◯월 ◯일	◯월 ◯일	☆☆☆☆☆

지구상의 다양한 지리적 문제

이것이 포인트!
- 지구상의 다양한 지리적 문제
- 다양한 지리적 문제의 원인

꼼꼼! 필기 노트

+ 생물 종 다양성
지구상의 모든 생물들이 얼마나 다양한지를 나타내는 개념이다.

+ 난민
인종, 종교, 정치적 차이에 따른 박해를 피해 거주하던 지역을 떠나 외국이나 다른 지역으로 탈출하는 사람들을 말한다.

+ 쿠릴 열도
일본의 동북쪽에 있는 구나시리, 하보마이, 시코탄, 에토로후섬을 일컫는다.

+ 센카쿠 열도 분쟁
동중국해상에 위치한 8개의 무인도로 구성되어 있는 지역으로 일본에서는 센카쿠 열도, 중국에서는 댜오위다오, 타이완에서는 댜오위타이로 부르고 있다. 인근 해역의 석유 매장 가능성, 배타적 경제 수역, 서남아시아와 동북아시아를 잇는 전략적 요충지 등의 이유로 영역 분쟁이 발생하고 있다.

1 지구상의 지리적 문제

1 지리적 문제의 의미와 원인

(1) **의미:** 인간이 거주하고 있는 공간에서 발생하는 문제들

(2) **원인:** 국가 및 지역 간 경제 격차의 심화, 서로 다른 종교 · 민족 간의 대립, 영토 및 자원을 둘러싼 국가 간 이해관계 대립, 대규모 자연재해 및 환경 오염원 배출 등

2 지리적 문제의 종류

1 기아
→ 기아는 특히 성장하는 어린이들에게 피해를 줘요.

(1) **의미:** 인간이 생존하는 데 필요한 ❶ ______과 영양소가 결핍된 상태

(2) **원인:** 자연적 요인과 인위적 요인으로 구분

자연적 요인	가뭄, 홍수, 태풍 등의 ❷ ______와 농작물 병충해 발생에 따른 식량 부족 등
인위적 요인	❸ ______가 급증하여 식량이 부족하거나 전쟁 또는 잦은 분쟁 등으로 식량을 원활하게 공급받을 수 없는 문제 등

2 생물 종 다양성+ 감소
→ 국제 연합은 1992년 생물 다양성 협약을 채택하여 생물 종을 보호하고 생물 다양성을 유지하기 위해 노력하고 있어요.

(1) **의미:** 지구상의 생물 종이 감소하는 현상 → 현재와 같은 속도로 감소할 경우 2050년경에는 지구상 생물 종의 4분의 1 이상이 사라질 것으로 예측됨

(2) **원인:** ❹ ______의 확대, 동식물 서식지 파괴, 무분별한 남획, 환경 오염 등, 전체 생물 종의 절반 이상이 분포하는 ❺ ______의 파괴가 가장 큰 원인임

(3) **전망:** 생물 종의 감소 → 인간이 이용 가능한 생물 자원의 수가 감소함→ 먹이 사슬 및 ❻ ______의 파괴

3 영역 분쟁

(1) **의미:** 영토, 영해 등의 영역의 ❼ ______을 두고 벌어지는 국가 사이의 분쟁

(2) **원인:** 역사적 배경, 민족과 종교, 영토, 자원 등으로 인해 발생

(3) **특징:** 기아, 난민+ 등 다른 여러 지리적 문제와 연관을 맺고 있음 → 분쟁 과정에서 발생하는 인권 문제, 난민들의 생명 문제 등은 한 국가의 노력만으로는 해결하기 어려움

(4) **영역 분쟁 사례** → 국경선 설정이 모호한 지역, 자원 확보 경쟁을 벌이는 지역 등에서 발생해요.

카슈미르 지역	주민 대부분이 이슬람교도이지만 힌두교를 믿는 인도의 지배를 받는 것에 반발하여 독립이나 파키스탄으로의 영입 주장
쿠릴 열도+의 북방 4도	과거 구소련이 북방 4도를 불법 점유했기 때문에 ❽ ______으로 반환되어야 한다고 주장
난사 군도 (쯔엉사 군도)	교통 · 군사상 요지이며, 석유와 천연가스가 매장되어 있어 중국, 베트남, 필리핀, 말레이시아, 브루나이 등이 영유권 주장 → 일정한 영토에 대한 해당 국가의 관할권을 말해요.
센카쿠 열도+ (댜오위다오)	동중국해 서남부에 있는 무인도로, 섬 주변의 풍부한 지하 · 수산 자원과 해상 교통로를 확보하기 위해 일본과 중국이 영유권 주장

→ 현재 청 · 일 전쟁에서 이긴 일본이 점유하고 있어요.

콕콕! 핵심 개념

1 □□□ □□: 기아, 영역 분쟁, 난민 등 우리가 사는 공간에서 발생하는 문제

2 □□: 인간이 생존하는 데 필요한 물과 영양소가 결핍된 상태

3 □□ □□: 영역의 주권을 두고 벌어지는 국가 사이의 분쟁

활동 ① 다음 난민과 관련된 자료를 읽고, 물음에 답해 보자.

지중해에서는 지금도 난민선이 침몰해 수백 명이 실종되거나 사망하는 사고가 발생하고 있다. 난민이란 (㉠)을 의미한다. 유엔 난민 기구(UNHCR)에 따르면 2014년에만 21만 명 이상의 난민이 아프리카나 서남아시아에서 유럽으로 탈출을 시도했다고 한다. 이러한 난민은 역사적 배경, 민족, 종교와 영토, 자원 문제 등과 관련된 영역 분쟁으로 발생한다.

난민을 수용하기 위해 만든 난민 캠프는 그 시설이 매우 열악하다. 공공 의료나 교육은 기대하기 힘들고, 비바람을 겨우 피할 수 있는 천막 시설이 전부이다. 식량도 소량으로 지급되는 배급에 의존하고 있어 그 어려움은 말로 다 표현할 수 없다.

1 위 글의 ㉠에 들어갈 난민의 뜻을 써 보자.

2 위 글의 내용을 참고하여 난민 발생의 원인과 난민 생활의 어려움을 찾아 써 보자.

난민 발생의 원인	
난민 생활의 문제점	

활동 ② (가), (나)에 제시된 영역 갈등 지역과 관련된 국가와 갈등 원인을 아래의 표에 정리해 보자.

(가)

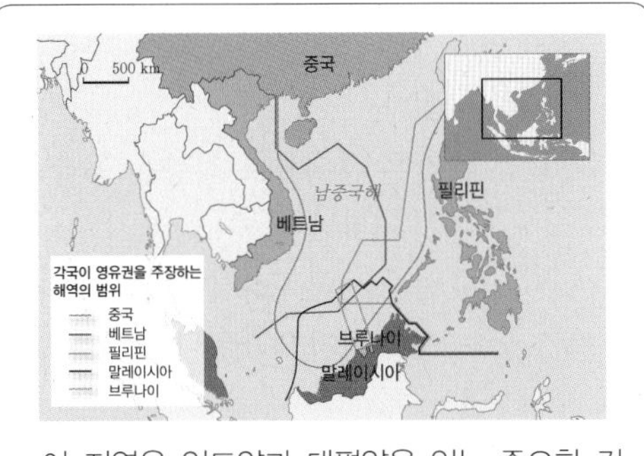

이 지역은 인도양과 태평양을 잇는 중요한 길목으로 전략적 가치가 높아 주변 국가 사이에 분쟁이 발생하고 있다. 주변에 수산 자원이 풍부하고 해저에 많은 양의 석유와 천연가스가 매장되어 있다.

(나)

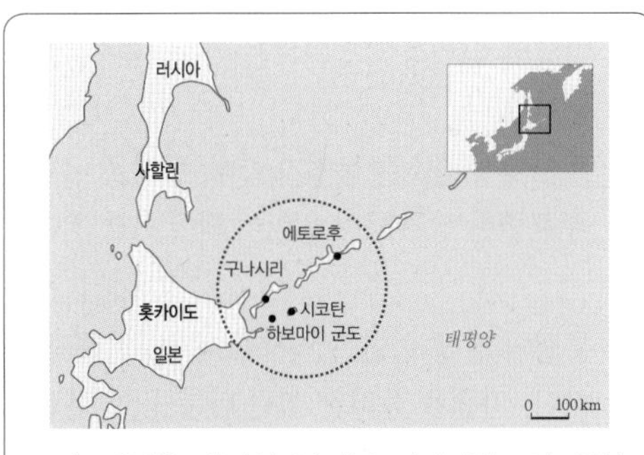

이 지역은 태평양 북서부 캄차카반도와 일본 홋카이도 사이에 걸쳐 있는 쿠릴 열도 남부에 위치한 4개의 섬에 관련된 분쟁 지역이다. 주변에 풍부한 어족 자원이 있고 해저에는 석유와 천연가스가 매장되어 있다.

영역 갈등 지역	갈등 관련 국가	갈등 원인
(가)		
(나)		

쑥쑥! 실력 키우기

단계별 문제를 풀면서 실력을 쑥쑥 키워 보세요.

1 STEP 개념을 되짚는 확인 문제

01 다음 빈칸에 들어갈 알맞은 말을 쓰시오.

(1) ( )은(는) 인간이 생존하는 데 필요한 물과 영양소를 충분히 섭취하지 못하여 굶주림에 시달리는 현상을 말한다.

(2) ( )(이)란 인종, 종교 또는 정치적 차이에 따른 박해를 피해 출신국 밖에 거주하고 있는 사람을 의미한다.

(3) 영토, 영해, 영공의 주권을 두고 벌어지는 국가 사이의 분쟁을 ( )(이)라고 한다.

(4) 전 세계 생물 종의 절반 이상이 분포하고 있는 ( )의 파괴는 생물 종 감소의 주요 원인이 된다.

02 다음 설명이 옳으면 O, 틀리면 X에 표시하시오.

(1) 우리가 사는 지구에서는 기아, 영역 분쟁, 난민, 생물 종 다양성 감소 등 다양한 지리적 문제들이 발생하고 있다. (○ | ×)

(2) 기아 발생의 인위적 요인으로는 가뭄, 홍수, 이상 한파 등이 있다. (○ | ×)

(3) 생물 종 다양성 감소는 농경지 확대, 동식물 서식지 파괴, 무분별한 남획 등이 원인이 되어 나타난다. (○ | ×)

(4) 영역 분쟁의 발생 원인은 역사적 배경, 민족과 종교의 차이, 자원을 둘러싼 이권 다툼 등이 복잡하게 얽혀 있어 하나의 요인으로 설명하기 어렵다. (○ | ×)

03 다음 빈칸에 들어갈 알맞은 말을 고르시오.

(1) 생물 종이 (증가하면 | 감소하면) 인간이 이용 가능한 생물 자원의 수가 감소하고, 생태계가 빠르게 파괴된다.

(2) 과도한 영양 섭취에 따른 비만 문제는 주로 (선진국 | 저개발국)에서 나타나고 있다.

(3) 센카쿠 열도 분쟁은 일본과 (중국 | 러시아) 간에 발생하고 있는 영역 분쟁이다.

2 STEP 기초를 다지는 기본 문제

01 기아를 발생시키는 인위적인 요인에 해당하는 것은?

① 가뭄 ② 홍수 ③ 태풍
④ 전쟁 ⑤ 이상 한파

02 (중요) 세계의 기아 현황을 나타낸 다음 지도에 관한 설명으로 옳지 않은 것은?

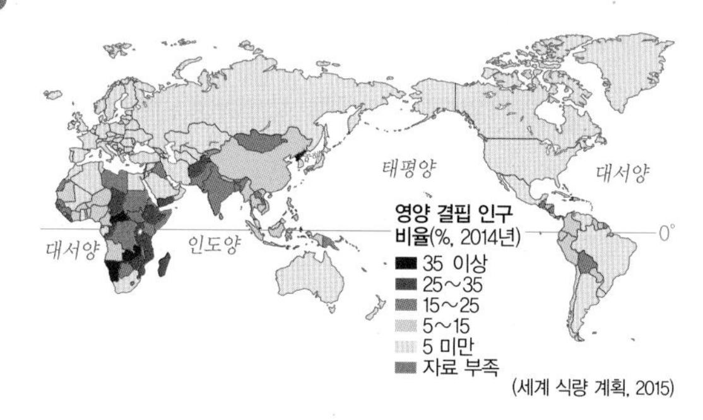

(세계 식량 계획, 2015)

① 식량 부족에 따른 영양 결핍을 나타낸 자료이다.
② 주로 선진국에서 기아 문제가 심각하게 나타난다.
③ 가뭄, 홍수, 이상 한파 등이 원인으로 작용하고 있다.
④ 잦은 분쟁으로 식량을 공급받기 어려운 지역에서 나타난다.
⑤ 식량은 부족하지만 인구 증가율이 높은 지역에서 상황이 악화된다.

03 영토 · 영해 분쟁의 발생 원인으로 옳은 것을 <보기>에서 있는 대로 고른 것은?

> **보기**
> ㄱ. 이상 한파 ㄴ. 자원 확보
> ㄷ. 홍수와 가뭄 ㄹ. 민족과 종교의 차이
> ㅁ. 영역을 둘러싼 역사적 배경

① ㄱ, ㄷ ② ㄴ, ㅁ ③ ㄷ, ㄹ
④ ㄱ, ㄹ, ㅁ ⑤ ㄴ, ㄹ, ㅁ

04 지구상에서 발생하는 지리적 문제에 관한 설명으로 옳지 않은 것은?

① 기아, 영역 분쟁, 생물 종 다양성 보존 문제 등이 있다.
② 기아 문제는 특히 성장기의 어린이에게 피해를 준다.
③ 기아와 난민 문제는 서로 연관이 없는 별도의 지리적 문제이다.
④ 분쟁과 자연재해 등으로 거주지를 떠난 사람들과 관련된 문제는 난민 문제이다.
⑤ 최근 해양 자원의 중요성이 커지면서 영해와 배타적 경제 수역을 둘러싼 갈등도 증가하고 있다.

[05~06] 다음 지도를 보고 물음에 답하시오.

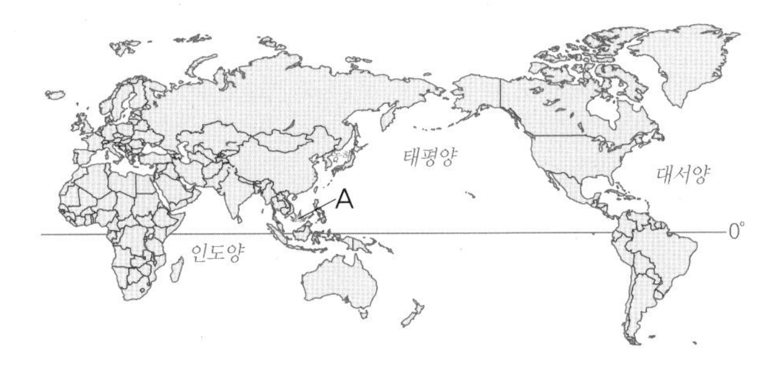

05 A 지역에서 분쟁이 발생하는 원인으로 가장 적절한 것은?

① 여러 민족 간의 정치 갈등이 원인이다.
② 서로 다른 종교 간의 갈등이 원인이다.
③ 석유 등 자원을 둘러싼 갈등이 원인이다.
④ 난민 발생 및 수용을 둘러싼 갈등이 원인이다.
⑤ 대륙으로의 교통로 확보를 위한 갈등이 원인이다.

06 A 지역의 영유권을 주장하는 국가에 해당하지 않는 나라는?

① 중국 ② 필리핀 ③ 브루나이
④ 인도네시아 ⑤ 말레이시아

3 STEP 실력을 완성하는 주관식·서술형 문제

고난도

07 다음 내용에 해당하는 지리적 문제를 쓰고, 이 문제의 발생 원인을 세 가지 서술하시오.

> 아프리카의 동북부에 있는 소말리아, 에티오피아, 케냐, 지부티 등에서 가장 심각하게 발생하고 있는 지리적 문제이다. 소말리아의 경우 어린이 3명 중 1명이 영양 실조 상태이며, 1만 명 기준 하루에 죽는 소말리아 난민의 수는 7.4명 정도가 된다고 한다.

(1) 지리적 문제: ______________________
(2) 발생 원인: ______________________

08 다음 내용이 설명하는 지리적 문제를 쓰고, 이와 같은 지리적 문제가 계속될 때 나타날 수 있는 문제점을 서술하시오.

> • 농경지의 확대, 무분별한 남획, 환경 오염, 외래종의 침입 등으로 발생한다.
> • 현재와 같은 속도로 진행될 경우 2050년경에는 지구상 생물 종의 4분의 1이 사라질 것으로 예측된다.

(1) 지리적 문제: ______________________
(2) 문제점: ______________________

09 영토, 영해 분쟁의 발생 원인을 두 가지 서술하시오.

____

꼼꼼! 필기 노트

발전 수준의 지역 차

이것이 포인트!
- 지역별 발전 수준의 차이 비교
- 빈곤 문제 해결을 위한 저개발 지역의 노력

+ 빈곤
인간으로서 기본적인 욕구를 해소할 수 없을 정도로 물질적인 부족함이 장기간 지속되는 상태를 말한다.

+ 인간 개발 지수(HDI)
국제 연합 개발 계획이 매년 문자 해독률, 평균 수명, 1인당 국민 총생산의 세 가지 지표를 가지고 인간의 개발 성취 정도를 평가하는 지수를 말한다.

+ 적정 기술
어느 특정한 지역의 사정에 알맞은 기술로 문제 해결에 적절하게 사용될 수 있는 기술이다. 버려지는 재활용품을 활용한 페트병 전구, 쉽고 재미있게 물을 나를 수 있는 큐(Q) 드럼 등이 있다.

1 지역별 발전 수준의 차이

1 지역별로 나타나는 발전 수준의 차이

(1) **지역별 발전 수준이 다른 까닭:** 자연환경, 기술 및 교육 수준, 자원의 보유량이 다르고, 사회적 · 경제적 제도와 불공정한 국제 무역 구조가 다르기 때문

(2) **발전 수준의 차이 양상**

① 경제적으로 풍요롭고 삶의 질이 높은 국가 VS 빈곤+과 기아에 시달리는 국가

② 경제가 빠르게 성장하여 발전하는 국가 VS 발전 속도가 느린 국가

2 발전 수준을 측정할 수 있는 다양한 지표

발전 수준 측정 지표	의미
국내 총생산	한 나라 안에서 일정 기간 동안 만들어진 재화와 서비스의 가치를 합한 것 (→ 보통은 1년을 기준으로 하며, 그해에 새롭게 생산한 것만 포함해요.)
❶ ______	국내 총생산을 그 나라의 인구수로 나눈 것
인간 개발 지수+	❷ ______(UNDP)이 매년 각국의 실질 국민 소득, 교육 수준, 평균 수명 등을 기준으로 인간 발전 정도와 선진화 정도를 평가한 지표
❸ ______	국제 연합 개발 계획(UNDP)에서 국가별 모성 사망률과 청소년 출산율, 여성 의원 비율, 중등학교 이상 교육받은 여성 인구, 남녀 경제 활동 참가율 격차 정도를 측정한 지표

→ 인간 개발 지수 수치가 높을수록 발전 수준이 높아요.

2 저개발 지역의 빈곤 해결 노력

1 저개발 지역의 분포와 특징

(1) **분포:** 아프리카, 동남아시아, 라틴 아메리카 등에 많이 분포

(2) **특징:** 국내 자본과 기술력 부족, 내전, 부정부패 등으로 경제적 어려움을 겪고 있음

2 저개발 지역의 최근 경향

(1) **풍부한 자원:** 금, 은, 다이아몬드 등의 ❹ ______과 석유, 천연가스 등의 ❺ ______이 발굴되면서 성장 잠재력을 보여 주고 있음

(2) **저개발 지역의 노력**

① 식량 생산성 증대

② 위생 및 보건 환경 개선 → 질병 문제 해결

③ 사회 기반 시설과 산업에 대한 투자 확대

④ 교육 강화 → 인적 자원 개발

⑤ 적정 기술+제품 도입

⑥ 국외 자본과 기술 투자 유치 → 국내 산업 발전 유도

(3) **과제:** 낮은 인구 부양력과 정치적 불안정 등의 문제를 해결해야 앞으로 발전 가능성이 높아질 수 있음

콕콕! 핵심 개념

1 □□: 인간으로서 기본적인 욕구를 해소할 수 없을 정도로 물질적인 부족함이 오랜 기간 지속되는 상태

2 □□ □□□: 한 나라 안에서 일정한 기간 동안 생산된 생산물의 가치를 합한 것

3 □□ □□ □□: 국제 연합 개발 계획에서 발표하는 인간 발전 정도와 선진화 정도를 평가한 지표

활동 1 다음 인간 개발 지수를 나타낸 자료를 보고 물음에 답해 보자.

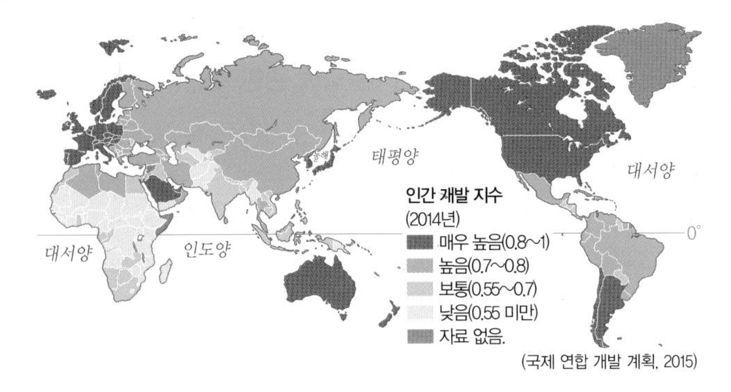

(국제 연합 개발 계획, 2015)

인간 개발 지수(HDI)는 국제 연합 개발 계획(UNDP)이 매년 각국의 ❶ [ ] 과 실질 국민 소득, 평균 수명 등을 조사해 인간 발전 정도와 ❷ [ ] 정도를 평가한 지표이다. '0~1' 의 값을 가지며 수치가 ❸ [ ] 인간 개발 성취도는 높다.

1 위 글의 ❶~❸에 들어갈 알맞은 말을 써 보자.

2 위 지도에서 인간 개발 지수가 제일 높은 대륙과 제일 낮은 대륙을 하나씩 써 보자.

(1) 제일 높은 대륙 – ( ) (2) 제일 낮은 대륙 – ( )

활동 2 다음 저개발 지역에 관한 자료를 보고 물음에 답해 보자.

(가) 장기간에 걸친 내전과 기상 악화 등으로 아프리카에서도 가장 가난한 국가로 인식되고 있었다. 하지만 개혁 및 개방 확대, 외자 유치 등을 통해 지난 10년간 약 6~11%의 연평균 경제 성장률을 기록하는 등 새로운 가능성을 보여 주고 있다.	(나) 아시아의 최대 빈곤국 중 하나로 1986년 시장 개방 이후 꾸준히 성장하고 있다. 정부가 2003년에 국가 성장 및 빈곤 퇴치 전략을 수립하여 최근 10년간 평균 7% 이상의 경제 성장률을 기록하였고, 빈곤층 비율도 감소하고 있다.	(다) 아프리카 사하라 이남에 위치하며, 서아프리카 제2의 산유국이다. 정부는 경제 개발을 위한 정부 지출을 확대하고, 내전으로 파괴된 병원, 학교 등의 시설을 확충하는 등 빈곤 문제를 해결하기 위해 노력하고 있다.	(라) 남아메리카에서 가장 빈곤한 나라 중 하나이다. 정부가 2006년 이후 강력한 세금 확보 정책을 통해 공공 투자를 확대하고 빈곤 퇴치 운동을 실행한 결과 최근 몇 년간 연평균 경제 성장률이 5%대로 나타나고 있다.

1 (가)~(라)에 해당하는 지역을 ㉠~㉣ 지도에서 찾아 기호와 국가 이름을 써 보자.

㉠
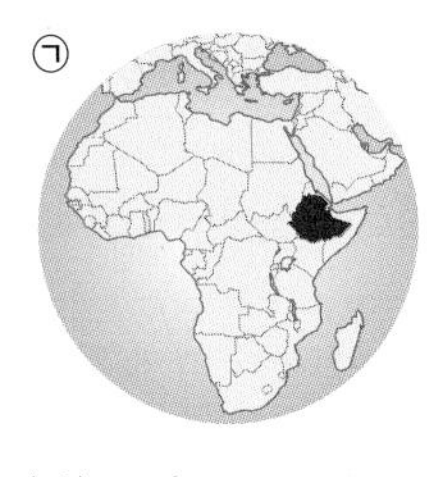
㉡
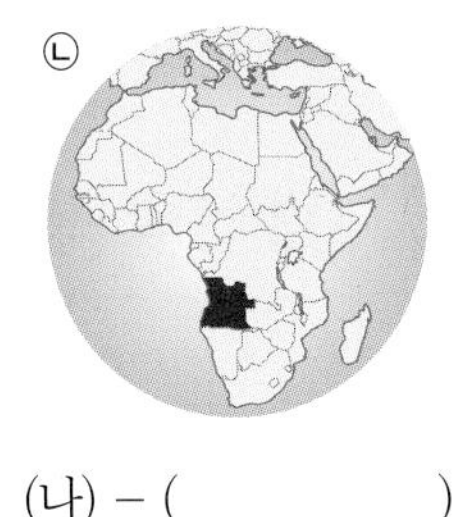
㉢
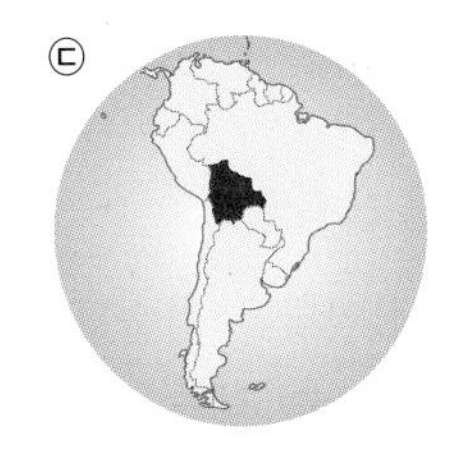
㉣
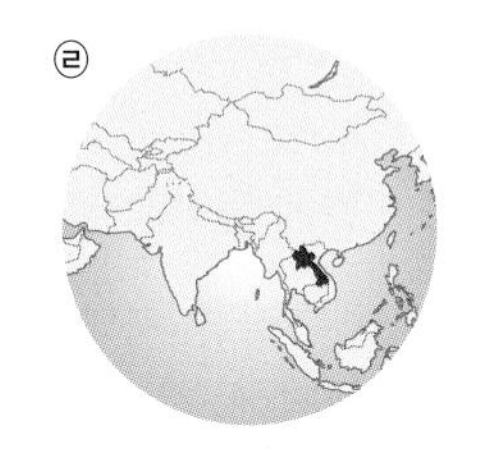

(가) – ( ) (나) – ( ) (다) – ( ) (라) – ( )

2 저개발 지역이 경제 성장과 빈곤 문제 해결을 위해 어떤 노력을 하고 있는지 적어 보자.

쑥쑥! 실력 키우기

단계별 문제를 풀면서 실력을 쑥쑥 키워 보세요.

1 STEP 개념을 되짚는 확인 문제

01 다음 설명이 옳으면 O, 틀리면 X에 표시하시오.

(1) 성인 문자 해독률, 기대 수명 등은 경제 발전 수준이 높은 유럽과 앵글로아메리카 등 선진국에서 높게 나타난다. (○ | ×)

(2) 발전 수준은 국가별로 다양하게 나타나기 때문에 한 가지 지표를 활용하여 발전의 정도를 측정해야 한다. (○ | ×)

(3) 세계 경제의 변화와 발전에 따라 지역 간의 격차는 줄어들고 있다. (○ | ×)

(4) 20세기부터 현재까지 산업화가 진행되고 있는 동남아시아, 라틴 아메리카, 아프리카 저개발국의 1인당 국내 총생산과 소득 수준은 매우 낮다. (○ | ×)

02 다음 설명에 해당하는 발전 지표를 쓰시오.

(1) 한 나라 안에서 일정 기간 동안 만들어진 재화와 서비스의 가치를 합한 것 (　　　　)

(2) 국제 연합 개발 계획이 인간 발전 정도와 선진화 정도를 조사하여 평가하는 지표 (　　　　)

(3) 국내 총생산을 그 나라의 인구수로 나눈것 (　　　　)

03 다음 빈칸에 들어갈 알맞은 말을 쓰시오.

(1) 어느 특정한 지역의 사정에 알맞은 기술로 문제 해결에 적절하게 사용될 수 있는 기술을 (　　　　)(이)라고 한다.

(2) 일반적으로 경제가 발전하여 소득과 생활 수준이 높은 국가들은 (　　　　)(으)로, 경제 발전 수준이 낮고 소득이 적은 국가들은 저개발국으로 분류한다.

2 STEP 기초를 다지는 기본 문제

01 저개발국에 관한 설명으로 옳은 것을 〈보기〉에서 고른 것은?

> **보기**
> ㄱ. 국내 총생산이 매우 높다.
> ㄴ. 정치적 불안정 등은 해결해야 할 과제이다.
> ㄷ. 중등학교 이상의 교육을 받은 인구의 비율이 매우 높다.
> ㄹ. 외자 유치, 개방 확대 등의 정책을 통해 빈곤을 해결하려고 노력하고 있다.

① ㄱ, ㄴ　② ㄱ, ㄷ　③ ㄴ, ㄷ　④ ㄴ, ㄹ　⑤ ㄷ, ㄹ

02 중요 저개발 국가가 많이 분포하는 지역을 지도에서 고른 것은?

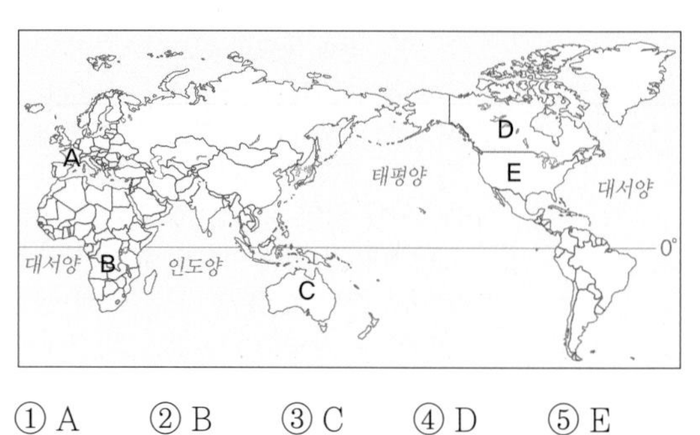

① A　② B　③ C　④ D　⑤ E

03 다음 내용이 설명하는 발전 지표에 해당하는 것은?

> 각국의 교육 수준과 국민 소득, 평균 수명 등 인간의 삶과 관련된 지표를 조사해 각국의 발전 수준과 선진화 정도를 평가하는 것이다.

① 국내 총생산　② 국민 총소득　③ 성 불평등 지수　④ 인간 개발 지수　⑤ 1인당 국내 총생산

3 STEP 실력을 완성하는 주관식·서술형 문제

04 발전 지표에 대한 설명으로 옳지 않은 것은?

① GDP는 국내 총생산을 의미한다.
② 인간 발전 정도와 선진화 정도를 평가한 지표는 HDI이다.
③ 인간 개발 지수의 수치가 높을수록 발전 수준이 높다.
④ 성 불평등 지수는 1에 가까워질수록 완전 평등을 의미한다.
⑤ 발전 지표는 선진국과 저개발국 간 발전 격차를 줄이고 저개발국의 빈곤 문제를 해결하는 데 활용된다.

05 중요 지역별 발전 수준에 대한 설명으로 옳지 않은 것은?

① 세계에는 빈곤과 기아에 시달리는 국가들도 많다.
② 저개발국은 선진국에 비해 의료 및 교육 수준이 낮다.
③ 오늘날 세계가 해결해야 할 시급한 과제 중 하나는 지역 간 발전 격차를 극복하는 것이다.
④ 일찍부터 산업화를 이룬 서부 유럽과 앵글로아메리카의 선진국은 소득 수준이 높게 나타난다.
⑤ 발전 수준이 다양하기 때문에 획일화된 하나의 지표만 적용해야 발전 정도의 측정이 가능하다.

06 저개발 지역 국가들에 대한 설명으로 옳지 않은 것은?

① 저출산, 고령화 현상으로 어려움을 겪고 있다.
② 국내 자본과 기술력 부족 문제 등으로 어려움을 겪고 있다.
③ 풍부한 광물 자원과 에너지 자원을 바탕으로 성장 잠재력을 키우고 있다.
④ 해외 투자 유치, 기술 개발 등을 통해 빈곤 문제를 해결하기 위해 노력하고 있다.
⑤ 낮은 인구 부양력과 정치적 불안정은 이 지역이 빈곤에서 벗어나기 위해 해결해야 할 과제이다.

07 다음 지도를 참고하여 인간 개발 지수가 가장 낮은 대륙이 어디인지 쓰고, 이 지역이 경제적으로 어려운 까닭을 세 가지 서술하시오.

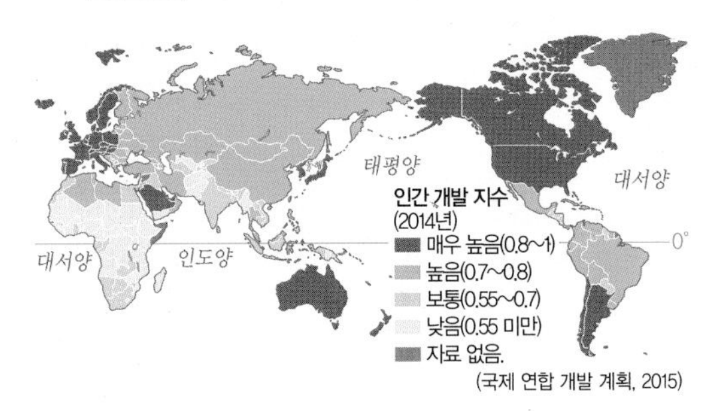

(국제 연합 개발 계획, 2015)

(1) 가장 낮은 대륙: ______________________

(2) 경제적으로 어려운 까닭: ______________________

____

____

08 신유형 다음 내용이 설명하는 발전 지표의 명칭을 쓰고, 이 지표의 의미와 활용도를 서술하시오.

> 국제 연합 개발 계획에서 국가별 모성 사망률과 청소년 출산율, 여성 의원 비율, 중등학교 이상 교육받은 여성 인구, 남녀 경제 활동 참가율 격차 정도를 측정한 지표이다.

(1) 발전 지표: ______________________

(2) 의미와 활용도: ______________________

____

____

____

지역 간 불평등 완화 노력

이것이 **포인트!**

- 지역 간 불평등 완화를 위한 노력
- 지역 간 불평등 완화를 위한 노력의 성과와 한계

꼼꼼! 필기 노트

+ 국제기구
어떤 국제적인 목적이나 활동을 위해 두 국가 이상으로 구성된 조직체로, 정부를 구성 단위로 한다.

+ 국제 비정부 기구(NGO)
비정부 기구 또는 비정부 단체를 말한다. 국제 비정부 기구는 민간단체가 중심이 되어 만들어진 조직으로 인도주의적 차원에서 구호 활동을 하는 단체이다.

+ 개발 원조 위원회(DAC)
경제 협력 개발 기구(OECD)의 하부 기관으로, 저개발국에 대한 공적 개발 원조를 논의하는 기구이다. 우리나라는 2009년에 개발 원조 위원회에 가입하면서 원조를 받던 나라에서 원조를 제공하는 나라로 위상이 변하였다.

+ 한국 국제 협력단(KOICA)
저개발국의 경제 발전을 지원하고 최빈국 주민의 복지를 향상시키는 등 국제 협력을 목적으로 설립된 정부 재정 지원 기관을 말한다.

1 지역 간 불평등 완화를 위한 노력

1 세계의 불평등 문제

(1) **지역 간 불평등 문제의 특징**: 전 세계적인 문제 → 전 지구적 차원의 협력 필요

(2) **지역 간 불평등 문제 해결을 위한 노력**: 세계의 빈부 격차 해소, 인권 및 여성 지위 향상, 환경 보존을 위해 국제기구+와 국제 비정부 기구(NGO)+ 등이 함께 노력함

2 국제기구의 노력

(1) **국제 연합(UN)**: 세계 평화 유지, 군비 축소, 국제 협력을 위한 활동을 주로 함

① 전문 기구의 활동

유엔 난민 기구(UNHCR)	❶ [ ] 긴급 구조 활동 및 피난처 제공, 난민 정책에 대한 각국 정부의 협조 유도 등
유엔 평화 유지군(PKW)	분쟁 지역에 파견되어 질서 유지 및 주민 안전 보장 활동, 분쟁 재발 방지를 위한 노력 등
유엔 세계 식량 계획(WFP)	기아와 빈곤으로 고통받는 지역에 ❷ [ ] 지원
유엔 아동 기금(UNICEF)	빈곤 국가의 ❸ [ ] 구호와 아동 복지를 위해 노력

② 지속 가능 발전 목표(SDGs): 2015년 유엔 총회가 채택한 전 세계의 공동 목표로 ❹ [ ] 퇴치를 최우선으로 함

(2) **개발 원조 위원회(DAC)+**: 저개발국에 도움을 주는 공적 개발 원조(ODA) 제공을 위한 기구

저개발국의 경제 발전과 복지 증진을 목표로 선진국에서 저개발국에 도움을 주는 것을 말해요.

(3) ❺ [ ]: 인도주의적 차원에서 구호 활동 예 국경 없는 의사회, 그린피스 등

분쟁, 질병, 영양실조 등으로 고통받는 사람들과 의료 혜택을 받지 못하는 사람들을 돕는 단체로 1999년에 노벨 평화상을 받았어요.

(4) **우리나라의 노력**: 한국 국제 협력단(KOICA)+을 통해 개발 도상국에 많은 지원 활동

콕콕! 핵심 개념

1 □□ □□: 세계 평화 유지, 군비 축소, 국제 협력을 위한 활동을 주로 하는 대표적인 국제기구

2 □□ □□ □□: 정부를 포함한 공공 기관이 저개발국이나 국제기구에 제공하는 원조

3 □□ □□ □□□: 우리나라 정부에서 운영하는 해외 봉사 단체

4 □□ □□: 소비자가 생산자에게 정당한 가격을 지급하는 무역 방식

2 지역 간 불평등을 완화하기 위한 노력의 성과와 한계

1 지역 간 불평등 완화를 위한 노력의 성과

(1) 저개발국의 경제 개발, 복지 증진, 자립에 도움을 줌

(2) 저개발국의 빈곤 완화에 도움을 줌

2 지역 간 불평등 완화를 위한 노력의 한계

(1) 선진국의 원조로 저개발국의 전통이 훼손되거나 환경이 파괴되기도 함

(2) **무역 분야**: 기존의 국제 무역 체계로는 세계의 빈곤 문제를 해결하는 데 한계가 있음 → ❻ [ ] 확대

생산자가 경제적으로 자립할 수 있도록 도와주는 효과적인 빈곤 퇴치 운동으로 인식되고 있어요.

공정 무역의 의미	저개발 국가의 가난한 생산자가 만든 상품을 직거래를 통해 공정한 가격으로 사고파는 방식의 무역
공정 무역의 한계	• 다국적 기업의 상품에 밀려 시장 확보에 어려움을 겪음 • 생산 비용과 판매 가격이 높아 생산자와 소비자가 많지 않음

활동 1 다음 공적 개발 원조와 관련된 자료를 보고 물음에 답해 보자.

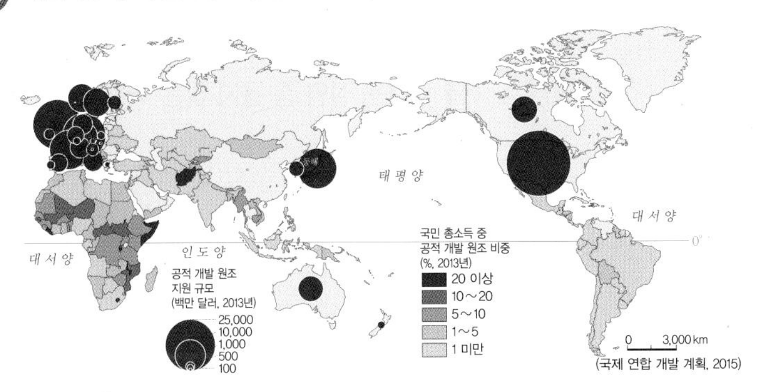

1 다음 빈칸에 알맞은 말을 써 보자.

공적 개발 원조(ODA)란 ______________________________ 를 뜻한다.

2 공적 개발 원조를 주로 지원하는 나라와 공적 개발 원조를 지원받는 나라를 세 곳만 적어 보자.

지원하는 나라	
지원받는 나라	

활동 2 다음 공정 무역에 대한 자료를 보고, 물음에 답해 보자.

공정 무역이란 ❶ ______ 와 기업 간 경제적 불균형을 없애 저개발 국가의 생산자가 경제적으로 자립할 수 있도록 도와주고, ❷ ______ 의 개입을 줄여 ❸ ______ 비용을 낮추는 무역 방식을 말한다. 대부분의 커피는 저개발국의 가난한 소작농이 재배하는 경우가 많다. 이를 대기업이나 중간 상인이 헐값에 사들인 후 완제품을 비싼 가격에 팔면서 정작 커피 생산에 따른 이익은 생산자가 아니라 유통업자들에게 돌아가는 경우가 많다. 따라서 ❹ ______ 커피는 이러한 중간 ❺ ______ 과정을 생략하고 커피 농가에 합리적인 가격을 지불함으로써 생산자의 이익을 보호하려고 하는 것이다.

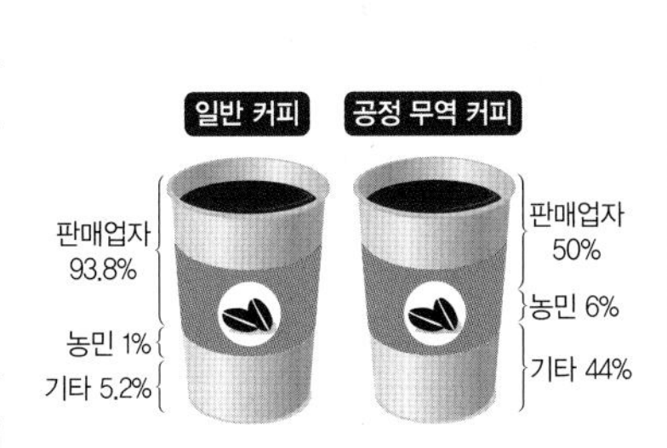

▲ 일반 커피와 공정 무역 커피의 무역 구조

1 위 글의 ❶~❺에 들어갈 알맞은 말을 써 보자.

2 위 글을 참고하여 생산자와 소비자의 입장에서 공정 무역의 효과를 적어 보자.

생산자	
소비자	

단계별 문제를 풀면서 실력을 쑥쑥 키워 보세요.

1 STEP 개념을 되짚는 확인 문제

01 다음 빈칸에 들어갈 알맞은 말을 쓰시오.

(1) (　　　　　　)은(는) 국제적인 목적이나 활동을 위해 두 국가 이상으로 구성된 조직체이다.

(2) (　　　　　　)은(는) 선진국의 정부나 공공 기관이 저개발국이나 국제기구에 재정 및 기술, 물자를 지원하는 것을 말한다.

(3) 우리나라도 (　　　　　　)을(를) 통해 개발 도상국에 많은 지원 활동을 하고 있다.

02 다음 설명에 해당하는 국제 협력 기구를 쓰시오.

(1) 인도주의적 차원에서 구호 활동을 하는 민간단체가 중심이 된 비정부 조직 (　　　　　　)

(2) 소외된 지역에서 독립적이고 중립적인 의료 지원 활동을 하는 국제 인도주의 의료 구호 단체 (　　　　　　)

03 다음 설명이 옳으면 O, 틀리면 X에 표시하시오.

(1) 우리나라는 지금도 개발 원조 위원회에 가입하여 원조를 제공하고 있다. (○ | ×)

(2) 공정 무역은 선진국의 생산자에게 무역의 혜택이 돌아가도록 하자는 운동이다. (○ | ×)

(3) 지구촌 곳곳에서 발생하는 지리적 문제를 해결하기 위해서는 국제 협력이 필요하다. (○ | ×)

04 다음 국제기구와 주요 활동을 바르게 연결하시오.

(1) 유엔 난민 기구 • 　　• ㉠ 난민 긴급 구조 활동 및 피난처 제공

(2) 유엔 아동 기금 • 　　• ㉡ 기아 및 빈곤으로 고통받는 지역의 식량 지원

(3) 세계 식량 계획 • 　　• ㉢ 빈곤 국가의 아동 구호와 아동 복지를 위해 노력

2 STEP 기초를 다지는 기본 문제

01 다음 설명 중 옳지 않은 내용은?

> ㉠ 국제 연합(UN) 같은 국제기구와 ㉡ 세계은행과 같은 국제 비정부 기구(NGO)는 ㉢ 세계의 빈부 격차 해소, ㉣ 위생과 교육 시설 보급, ㉤ 환경 보존 및 생태적 지속 가능성을 위해 함께 노력하고 있다.

① ㉠　② ㉡　③ ㉢　④ ㉣　⑤ ㉤

02 중요 다음 내용이 설명하는 단체는?

> 우리나라에서 세계의 불평등을 해소하기 위해 설립한 단체로 저개발국에 교육, 보건, 의료, 농업 기술 전수 등 다양한 지원 활동을 하고 있다.

① 유엔 아동 기금　② 유엔 난민 기구
③ 세계 식량 기구　④ 한국 국제 협력단
⑤ 유엔 평화 유지군

03 정부 간 국제기구에 해당하는 것을 <보기>에서 고른 것은?

> **보기**
> ㄱ. 그린피스　ㄴ. 세계 보건 기구
> ㄷ. 국경 없는 의사회　ㄹ. 유엔 아동 기금

① ㄱ, ㄴ　② ㄱ, ㄷ　③ ㄱ, ㄹ
④ ㄴ, ㄷ　⑤ ㄴ, ㄹ

04 중요 다음 내용이 설명하는 단체는?

> 경제 협력 개발 기구(OECD)의 하부 기관이며, 저개발국에 대한 공적 개발 원조를 논의하는 기구로, 우리나라는 2009년에 가입하였다.

① 국제 연합 ② 유엔 난민 기구
③ 유엔 아동 기금 ④ 공적 개발 원조
⑤ 개발 원조 위원회

05 다음 지도에 제시된 문제를 해결하기 위해 주로 활동하는 국제기구는?

(국제 연합 난민 기구, 2015)

① 세계은행 ② 유엔 난민 기구
③ 세계 보건 기구 ④ 세계 기상 기구
⑤ 유엔 아동 기금

06 세계 경제의 불평등 문제를 해결할 수 있는 방안으로 적절하지 않은 것은?

① 국제 협력 기구를 통해 경제 협력을 늘린다.
② 저개발국 스스로 경제 발전을 위해 노력한다.
③ 공정 무역을 통해 무역 과정을 투명하게 한다.
④ 저개발 국가의 제품에 대해 정당한 가격을 지불한다.
⑤ 선진국의 도움보다는 저개발국 간의 지원이 최우선으로 이루어져야 한다.

3 STEP 실력을 완성하는 주관식·서술형 문제

07 국제 연합에서 추진하고 있는 지속 가능 발전 목표(SDGs)의 궁극적인 목적을 서술하시오.

____

____

08 다음 설명에 해당하는 국제기구를 쓰고, 이 기구의 역할을 서술하시오.

> 국제 연합 산하에 있으며, 분쟁 지역에 파견된다.

(1) 국제기구의 명칭: ______________
(2) 역할: ______________

____

____

고난도

09 다음 ㉠에 들어갈 용어를 쓰고, 이 무역 방식의 효과와 한계를 각각 서술하시오.

> 생산자와 기업 간 경제적 불균형을 없애 저개발국 생산자가 경제적으로 자립할 수 있도록 도와주고, 중간 상인의 개입을 줄여 유통 비용을 낮추는 무역 방식을 (㉠)(이)라고 한다.

(1) ㉠: ______________
(2) 효과: ______________

____

(3) 한계: ______________

____

뚝딱! 단원 마무리하기

이번 단원에서 배운 내용을 문제로 뚝딱! 마무리 점검해 보세요.

01 중요 지구상에서 발생하는 다양한 지리적 문제에 관한 설명으로 옳지 않은 것은?

① 열대 우림의 파괴는 생물 종 다양성 감소의 주요 원인이 된다.
② 기아, 난민과 같은 지구상의 지리적 문제는 각각 고유한 영역의 문제이다.
③ 영토, 자원, 민족 등의 문제가 원인이 되어 영역을 둘러싼 분쟁이 발생한다.
④ 이상 한파, 가뭄, 태풍 등의 자연재해도 기아 문제의 발생 원인이 되고 있다.
⑤ 생물 종이 감소하면 인간이 이용 가능한 생물 자원의 수가 감소하고 생태계가 빠르게 파괴된다.

02 지도의 A 지역의 분쟁과 관련된 설명으로 옳은 것을 〈보기〉에서 고른 것은?

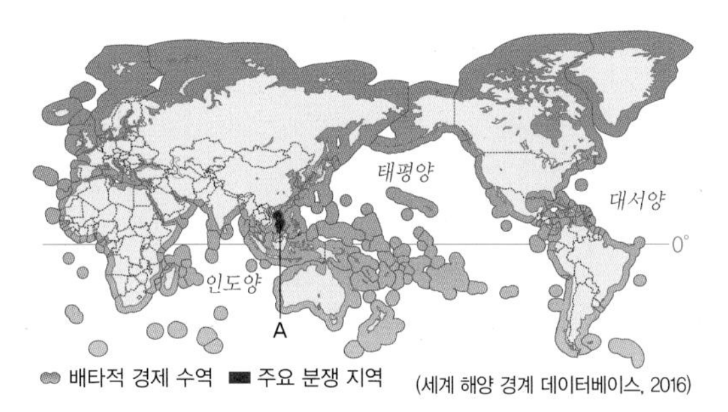

보기
ㄱ. 러시아와 일본의 영토 분쟁 지역이다.
ㄴ. 중국, 필리핀, 베트남, 말레이시아, 브루나이 등이 영유권을 주장하고 있다.
ㄷ. 남중국해의 남부 해상에 있으며, 100여 개의 작은 섬과 암초로 구성되어 있는 지역이다.
ㄹ. 태평양 북서부 캄차카반도와 일본 홋카이도 사이에 걸쳐 있는 쿠릴 열도 남쪽에 위치한 4개의 섬과 관련된 문제이다.

① ㄱ, ㄴ ② ㄱ, ㄷ ③ ㄱ, ㄹ
④ ㄴ, ㄷ ⑤ ㄴ, ㄹ

03 지도의 A 지역에서 나타나는 지리적 문제로 옳지 않은 것은?

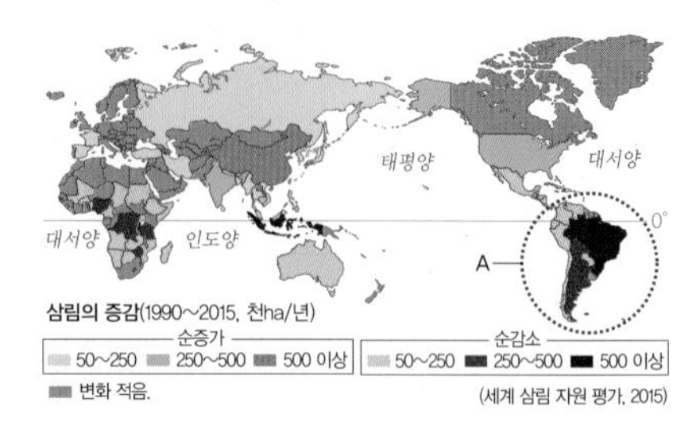

① 동식물의 서식지 파괴가 나타나고 있다.
② 영양 결핍 인구의 비율이 가장 높게 나타나고 있다.
③ 먹이 사슬이 끊겨 생태계가 빠르게 파괴되고 있다.
④ 인간이 이용 가능한 생물 자원의 수가 감소하고 있다.
⑤ 열대 우림의 파괴는 생물 종 다양성 감소의 주요 원인이 되고 있다.

04 영역 분쟁의 발생 원인으로 옳은 것을 〈보기〉에서 고른 것은?

보기
ㄱ. 가뭄, 홍수, 이상 한파
ㄴ. 종교와 영토, 자원 문제
ㄷ. 역사적 배경, 민족 갈등 문제
ㄹ. 동식물 서식지 파괴, 무분별한 남획

① ㄱ, ㄴ ② ㄱ, ㄷ ③ ㄱ, ㄹ
④ ㄴ, ㄷ ⑤ ㄴ, ㄹ

05 다음 설명에 해당하는 지리적 문제로 옳은 것은?

인종, 종교, 국적 또는 특정 사회 집단의 구성원 신분 또는 정치적 의견을 이유로 박해를 받아 출신국 밖에 거주하고 있는 사람들의 문제

① 기아 ② 난민 ③ 영역 분쟁
④ 가뭄 ⑤ 생물 종 다양성 감소 문제

●●○

06 기아에 대한 설명으로 옳지 않은 것은?

① 주로 선진국에서 발생하는 문제이다.
② 아프리카의 여러 국가에서 심각한 상태이다.
③ 가뭄, 홍수 등의 자연적 요인으로 발생하기도 한다.
④ 식량 부족으로 주민들이 충분한 영양을 섭취하지 못하는 것이다.
⑤ 인구 급증, 전쟁으로 인한 식량 생산 감소 등 인위적 요인으로 발생하기도 한다.

●○○

07 다음 지도를 통해 짐작할 수 있는 내용으로 옳은 것은?

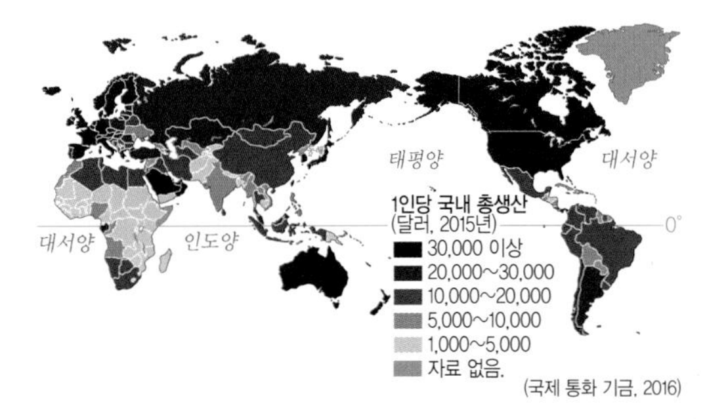

(국제 통화 기금, 2016)

① 정보 격차
② 문화 갈등 지역
③ 환경 오염 발생 국가
④ 국가별 성 불평등 정도
⑤ 지역별 발전 수준 차이

●●○

08 다음 내용에 해당하는 발전 지표는?

> 국제 연합 개발 계획(UNDP)에서 국가별 모성 사망률과 청소년 출산율, 여성 의원 비율, 중등학교 이상 교육받은 인구, 노동 참여 인구 비율의 정도를 측정한 지표

① 국내 총생산
② 국민 총생산
③ 국민 총소득
④ 성 불평등 지수
⑤ 인간 개발 지수

●●●

09 인간 개발 지수에 관한 설명 중 옳지 않은 것은?

① 세계 각국의 발전 수준을 측정할 수 있다.
② 국제 연합 개발 계획(UNDP)에서 매년 발표한다.
③ '0~1'의 값을 가지며, 수치가 낮을수록 발전 수준이 높다는 것을 의미한다.
④ 매년 1인당 국민 총소득, 평균 수명, 교육 수준 등을 기준으로 국가별 국민의 삶의 질을 평가한 지표이다.
⑤ 선진국과 저개발국 간 발전 격차를 줄이고 저개발국의 빈곤 문제를 해결하는 데 활용한다.

●○○

10 다음 내용에 해당하는 나라는?

> • 아시아의 최대 빈곤국 중 하나이다.
> • 2003년에 국가 성장 및 빈곤 퇴치 전략을 수립하여 최근 10년간 평균 7% 이상의 경제 성장률을 기록하고 있다.

① 인도
② 중국
③ 일본
④ 라오스
⑤ 싱가포르

●○○

11 다음 설명에 해당하는 나라는?

> 국내 자본과 기술력 부족, 내전, 부정부패 등으로 경제적 어려움을 겪었다. 하지만 최근 금, 은, 다이아몬드, 보크사이트 등의 광물 자원과 석유, 천연가스 등의 에너지 자원을 비롯한 성장 잠재력을 바탕으로 '기회의 땅'으로 주목받고 있다.

① 미국
② 일본
③ 프랑스
④ 에티오피아
⑤ 오스트레일리아

12 다음과 같은 콘서트가 G8 국가들의 도시에서 열린 목적으로 옳은 것은?

① 아프리카에 락 음악을 소개하기 위해서
② 아프리카의 음식 문화를 소개하기 위해서
③ 아프리카의 환경 오염 문제를 도와주기 위해서
④ 아프리카의 난민과 기아 문제를 도와주기 위해서
⑤ 아프리카와 선진국의 디지털 격차를 완화하기 위해서

13 신유형 다음은 공적 개발 원조에 관한 보고서 자료이다. 공적 개발 원조에 관한 긍정적 입장으로만 보고서를 작성할 때 옳은 내용을 〈보기〉에서 고른 것은?

〈보고서 – 공적 개발 원조의 긍정적 필요성〉
공적 개발 원조에 대한 긍정적 입장은 다음과 같다.
첫째, (   )

보기
ㄱ. 우리는 우리 자신의 문제도 많다.
ㄴ. 우리가 원조를 많이 할수록 그들의 자립은 어려워진다.
ㄷ. 우리는 우리 자신보다 어려운 사람을 도와주어야 한다.
ㄹ. 우리는 모두 같은 세상에 살고 있어서 서로 도와야 한다.
ㅁ. 우리의 도움이 없다면 가난한 사람들은 더 나은 삶의 기회를 얻지 못한다.

① ㄱ, ㄴ, ㄷ ② ㄱ, ㄴ, ㅁ
③ ㄴ, ㄷ, ㄹ ④ ㄴ, ㄹ, ㅁ
⑤ ㄷ, ㄹ, ㅁ

14 다음 글의 밑줄 친 내용에 해당하지 않는 것은?

새천년 개발 목표(MDGs)는 국제 연합 본부에서 개최된 새천년 정상 회담에서 채택된 빈곤 퇴치를 위한 전 세계적인 운동이다.

① 초등 교육 확대하기
② 아동 사망률 감소시키기
③ 임산부의 건강 증진시키기
④ 습지와 습지의 자원 보전하기
⑤ 극심한 빈곤과 기아 탈출을 위해 노력하기

15 중요 공정 무역에 관한 설명으로 옳지 않은 것은?

① 효과적인 빈곤 퇴치 운동으로 인식되고 있다.
② 소비자는 친환경적인 제품을 구매할 수 있다.
③ 정당한 이익을 통해 생산 지역의 개발을 도울 수 있다.
④ 저개발국의 생산자가 경제적으로 자립할 수 있도록 하고 있다.
⑤ 중간 상인의 개입이 늘어나 유통 비용을 높이는 데 도움이 되고 있다.

16 지역 간 불평등 완화를 위한 노력으로 옳지 않은 것은?

① 최근 지역 간 불평등을 해결하려는 방안 중 하나로 공정 무역이 활발해지고 있다.
② 공적 개발 원조는 시민 단체나 민간인이 중심이 되어 저개발국에 도움을 주는 것을 말한다.
③ 우리나라는 한국 국제 협력단(KOICA)을 통해 개발 도상국에 무상으로 많은 지원을 하고 있다.
④ 국제 연합은 지속 가능 발전 목표를 설정하여 지역 간 불평등 완화를 위해 많은 노력을 하고 있다.
⑤ 지구촌 곳곳에서 발생하고 있는 다양한 지리적 문제를 해결하기 위해 전 세계가 함께 노력해야 한다.

17 지도를 보고 영양 결핍 인구 비율이 높게 나타나는 지역의 특징을 서술하시오.

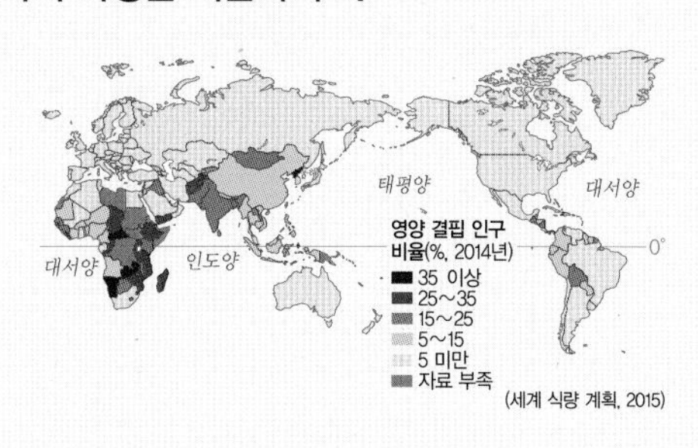

18 다음 내용에 해당하는 지리적 문제와 이 지리적 문제의 발생 원인을 두 가지 서술하시오.

> 세계 자연 보전 연맹(IUCN)은 2~5년마다 지구상에서 멸종 위기에 처한 각종 희귀 동식물들의 실태를 보고서 형식으로 발표하고 있다. 이 보고서에 따르면 고릴라와 해초를 비롯한 1만 6,306여 종의 동식물이 멸종 위기에 처한 것으로 조사되었다.

(1) 지리적 문제:

(2) 발생 원인:

19 다음 내용의 ㉠에 들어갈 저개발의 원인과 ㉡에 들어갈 저개발 지역의 노력을 두 가지 서술하시오.

> 저개발국이 많이 분포하는 아프리카는 그동안 (㉠) 등으로 경제적 어려움을 겪었다. 하지만 최근 풍부한 자원을 바탕으로 '기회의 땅'으로 주목받고 있다. 이 지역의 국가들은 자원 개발뿐만 아니라 (㉡) 등의 노력을 하고 있어 앞으로의 성장이 기대된다.

(1) ㉠:

(2) ㉡:

20 다음 지도는 지역별 발전 수준을 측정할 수 있는 지표를 나타낸 것이다. 1인당 국내 총생산과 인간 개발 지수가 높게 나타나는 지역의 공통점을 서술하시오.

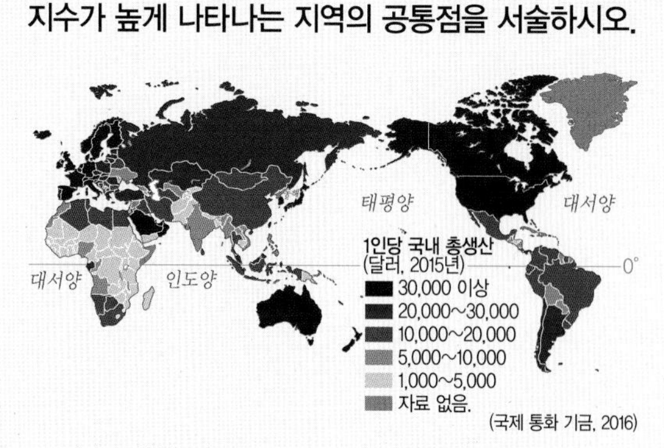

▲ 1인당 국내 총생산

▲ 인간 개발 지수

21 다음은 지역 간 불평등을 완화하기 위한 노력에 관한 설명이다. ㉠에 들어갈 원조의 한계를 세 가지 서술하시오.

> 선진국은 정부, 기업, 민간 차원에서 저개발국의 경제 개발과 복지 증진을 위해 자금, 개발 경험, 기술 등을 제공하여 자립할 수 있도록 도와준다. 그러나 때로는 이러한 원조가 (㉠)

MEMO

이 책의 정답은 QR 코드로 확인할 수 있어요~!

중학 **사회 ②**
평가문제집

정답과 해설

금성출판사

학교시험대비 평가 시리즈

금평아 놀자!

중학 사회 ② 평가문제집

정답과 해설

금성출판사

1. 인권과 헌법

01 인권 보장과 헌법

8~9쪽

꼼꼼! 필기 노트
❶ 인권 ❷ 헌법 ❸ 평등권 ❹ 사회권 ❺ 공공복리 ❻ 법률 ❼ 본질적 내용

콕콕! 핵심 개념
1 인권 2 기본권 3 청구권

탄탄! 활동 노트
활동 ① (1) (마) – ㉢ (2) (다) – ㉣ (3) (라) – ㉡ (4) (가) – ㉤ (5) (나) – ㉠
활동 ② ❶ 국가 안전 보장 ❷ 질서 유지 ❸ 공공복리 ❹ 기본권

쑥쑥! 실력 키우기 10~11쪽

1 STEP 개념을 되짚는 확인 문제

01 (1) 인권 (2) 천부 인권 (3) 인간의 존엄과 가치, 행복 추구권
02 (1) 참정권 (2) 사회권 (3) 평등권 03 (1) O (2) X (3) O
04 (1) ㉢ (2) ㉡ (3) ㉠

2 STEP 기초를 다지는 기본 문제

01 ③ 02 ② 03 ② 04 ④ 05 ④ 06 ③

3 STEP 실력을 완성하는 주관식·서술형 문제

07 해설 참조 08 해설 참조 09 해설 참조

01 인권은 태어나면서부터 갖는 천부 인권의 성격을 가지고 있어 남이 빼앗을 수 없고 남에게 양도할 수 없는 권리이다.

02 헌법 제10조에는 기본권의 이념이라고 할 수 있는 인간으로서의 존엄과 가치와 행복을 추구할 권리를 명시하고 있다.
오답 확인 ⑤ 국민의 기본권은 헌법으로 보장되는 시민의 권리이며, 필요한 경우에 한하여 제한할 수 있다.

03 순서대로 헌법 12조 1항, 제12조 2항, 제14조, 제21조로, 모두 자유권에 해당한다.

04 오답 확인 ㄱ, ㄷ은 국가 배상 청구권과 함께 청구권에 속한다.

05 기본권을 제한할 때는 국민의 대표 기관인 국회에서 제정한 법률을 통해서만 제한이 가능하며, 이 경우에도 기본권의 본질적 내용은 침해할 수 없다.

06 환경 보호와 쾌적한 환경을 유지함으로써 국민 전체의 이익을 위해 개인의 재산권을 법률로써 제한한 경우이다.

07 예시 답안 국민의 기본권을 보장하는 것이 국가의 핵심적 의무로 인식되고, 국민이 인권을 침해당하였을 때 헌법을 통해 구제받을 수 있기 때문이다.

채점 기준

상	'국가의 의무'와 '인권 침해 시 구제 가능성'을 모두 포함하여 서술한 경우
중	'국가의 의무'와 '인권 침해 시 구제 가능성' 중 하나만 포함하여 서술한 경우
하	'국가의 의무'와 '인권 침해 시 구제 가능성'을 포함하지 않고 서술한 경우

08 예시 답안 (1) (가)는 참정권으로, 국민이 국가 기관의 형성과 국가의 정치적 의사 형성 과정에 참여할 수 있는 권리이다.
(2) (나)는 청구권으로, 기본권 보장을 위해 국가에 대해 일정한 행위를 요구할 수 있는 권리이다.

채점 기준

상	(가), (나)의 기본권과 그 의미를 모두 옳게 서술한 경우
중	(가), (나)의 기본권을 쓰고, 그 의미를 하나만 옳게 서술한 경우
하	(가), (나)의 기본권만 쓴 경우

09 예시 답안 (1) 국가 안전 보장, 질서 유지, 공공복리 (2) 기본권은 제한 사유 이외에는 제한할 수 없으며, 제한하는 경우에도 필요한 최소한에 그쳐야 하며, 국회에서 제정한 법률을 통해서만 가능하고, 기본권의 본질적 내용은 침해할 수 없다.

채점 기준

상	기본권 제한의 사유를 모두 쓰고, 제한의 한계를 옳게 서술한 경우
중	기본권 제한의 사유만 모두 쓴 경우
하	기본권 제한의 사유 한 가지 또는 두 가지만 쓴 경우

02 인권 침해와 구제

12~13쪽

꼼꼼! 필기 노트
❶ 인권 침해 ❷ 고소 ❸ 법원 ❹ 헌법 재판소 ❺ 상소 ❻ 국가 인권 위원회

콕콕! 핵심 개념
1 법원 2 입법 청원 3 국가 인권 위원회

탄탄! 활동 노트
활동 ① 1 (1) (나) 헌법 재판소 (2) (다) 국회 (3) (가) 법원 (4) (라) 국가 인권 위원회
활동 ② 1 (가) 법원 (나) 국가 인권 위원회 2 국민 권익 위원회에 진정하거나 대한 법률 구조 공단에 법률 구조를 요청할 수 있다.

쑥쑥! 실력 키우기 14~15쪽

1 STEP 개념을 되짚는 확인 문제

01 (1) 인권 침해 (2) 진정 (3) 입법 청원
02 (1) 헌법 재판소 (2) 법원(또는 행정 법원) 03 (1) O (2) X (3) O

04 (1) ㉢ (2) ㉠ (3) ㉡

2 STEP 기초를 다지는 기본 문제

01 ⑤ 02 ② 03 ① 04 ⑤ 05 ② 06 ⑤

3 STEP 실력을 완성하는 주관식·서술형 문제

07 해설 참조 08 해설 참조

01 정당한 이유 없이 다른 사람 또는 국가 기관에 의해 인권을 침해당하거나 보장받지 못하는 상황을 인권 침해라고 한다. ⑤ 성범죄자의 경우 범죄 재발 방지와 공익 보장을 목적으로 신상 정보를 공개하는 것을 법적으로 허용하고 있다.

02 은주는 환경권과 학습권을 보장받기 위해 법원에 손해 배상 소송을 제기할 수 있다.

03 개인에 의해 인권을 침해당한 경우 수사 기관에 고소하거나 법원에 소송을 제기함으로써 침해된 인권을 구제받을 수 있다.
오답 확인 ②, ③, ④, ⑤는 국가 기관에 의해 인권이 침해당할 경우 할 수 있는 방법이다.

04 국민 권익 위원회는 국민의 고충 민원 처리, 부패 방지 정책 및 제도 개선, 불합리한 행정 제도를 개선하기 위한 국무총리 소속 기관이다.

05 사법 기관이 법을 잘못 적용하여 판결할 경우 상급 법원에 상소할 수 있다. 우리나라는 일반적으로 한 사건에 대해 세 번까지 재판을 받을 수 있는 삼심제를 채택하고 있다.
오답 확인 ⑤ 헌법 재판소에 위헌 법률 심판을 제청하는 것은 법원의 역할이다.

06 대한 법률 구조 공단은 경제적으로 어렵거나 법을 잘 알지 못해 법적 보호를 제대로 받지 못하는 국민을 위한 기관으로, 무료 법률 상담, 민사·가사 사건 소송 대리 등을 수행한다.

07 예시 답안 (1) 국가 인권 위원회 (2) 인권 침해 사례를 조사하여 구제하는 역할과 인권 침해의 소지가 있는 법령이나 제도에 대해 시정을 권고하는 역할을 한다.

채점 기준

상	국가 인권 위원회를 쓰고, 그 역할 두 가지를 옳게 서술한 경우
중	국가 인권 위원회를 쓰고, 그 역할을 한 가지만 옳게 서술한 경우
하	국가 인권 위원회만 쓴 경우

08 예시 답안 (1) B 씨는 수사 기관에 고소하거나 법원에 재판을 청구할 수 있다. (2) C 씨는 행정 기관에 행정 심판을 제기하거나 행정 법원에 소송을 제기할 수 있다.
답안 작성 Hint (가)는 개인이 인권을 침해한 경우로 수사 기관에 고소하거나 법원에 형사 소송과 민사 소송을 제기할 수 있다. (나)는 행정 처분의 취소를 요청해야 하므로 행정 심판 또는 행정 소송을 제기할 수 있다.

채점 기준

상	(가), (나)와 관련된 인권 구제 기관과 구체적인 방법을 모두 옳게 서술한 경우
중	(가), (나)와 관련된 인권 구제 기관과 구체적인 방법 중 하나만 옳게 서술한 경우
하	(가), (나)에 해당하는 국가 기관만 쓴 경우

03 노동권 침해와 구제

16~17쪽

꼼꼼! 필기 노트

❶ 최저 임금 ❷ 단체 교섭권 ❸ 법원 ❹ 부당 해고 ❺ 노동 위원회 ❻ 지방 고용 노동 관서

콕콕! 핵심 개념

1 근로의 권리 2 노동 삼권 3 부당 노동 행위

탄탄! 활동 노트

활동 ① 1 (가) 근로 기준법 / 헌법 제32조 ③항 (나) 노동조합 및 노동 관계 조정법 / 헌법 제33조 ①항 (다) 최저 임금법 / 헌법 제32조 ①항
2 노동 삼권을 헌법과 법률로 보장하여 상대적으로 약자인 근로자가 사용자와 동일한 위치에서 임금, 근로 조건 등을 협상할 수 있다.

활동 ② (가) 부당 노동 행위 / 구제 방법: 노동 위원회나 법원에 권리 구제 요청 (나) 임금 체불 / 구제 방법: 지방 고용 노동 관서에 진정 또는 고소 (다) 부당 해고 / 구제 방법: 노동 위원회에 권리 구제 요청, 법원에 해고 무효 확인의 소 제기

쑥쑥! 실력 키우기

18~19쪽

1 STEP 개념을 되짚는 확인 문제

01 (1) 근로의 권리 (2) 쟁의 행위 (3) 노동 위원회, 법원
02 (1) 단결권 (2) 단체 교섭권 03 (1) X (2) X (3) O
04 (1) ㉡ (2) ㉢ (3) ㉠

2 STEP 기초를 다지는 기본 문제

01 ① 02 ③ 03 ④ 04 ③ 05 ③ 06 ⑤

3 STEP 실력을 완성하는 주관식·서술형 문제

07 정답 ㉠ 단결권, ㉡ 단체 교섭권, ㉢ 단체 행동권 08 해설 참조
09 해설 참조

01 헌법 제32조 ①항은 근로자의 권리를 명시하고 있다.

02 근로자는 근로 조건의 유지 및 개선을 목적으로 사용자와 교섭하기 위해 노동조합을 결성한다.
오답 확인 ④ 국가는 헌법에 따라 근로 조건의 기준을 근로 기준법으로 정하고 있다. ⑤ 우리나라는 최저 임금법으로 근로자에게 최저 수준의 임금을 보장하고 있다.

03 ㄴ은 사용자의 권리로 헌법상 노동 삼권에 해당하지 않는다.

04 노동조합과 사용자 또는 사용자 단체는 정당한 이유 없이 교섭을 거부하거나 회피해서는 안된다.

05 부당 노동 행위의 유형에는 노동조합 가입 시 불이익, 불공정한 고용 계약, 정당한 이유 없는 단체 교섭의 거부, 노동조합의 조직 · 운영에 개입 등이 있다.

06 임금 지급 명령 이후에도 사용자가 계속 임금을 주지 않아 받지 못한 임금은 민사 소송을 거쳐야 받을 수 있다.

07 답안 작성 Hint 헌법 제33조 ①항에는 근로자의 노동 삼권이 명시되어 있다. 노동 삼권은 근로 조건의 유지 · 개선을 목적으로 근로자가 가지는 단결권, 단체 교섭권, 단체 행동권을 말한다.

08 예시 답안 (1) 부당 노동 행위 (2) 노동 위원회나 법원에 권리 구제를 요청할 수 있다.

채점 기준

상	부당 노동 행위를 쓰고, 구제 방법을 모두 옳게 서술한 경우
중	부당 노동 행위를 쓰고, 구제 방법을 노동 위원회와 법원 중 하나만 쓴 경우
하	부당 노동 행위만 쓴 경우

09 예시 답안 △△부에서 용역 업체와 맺은 계약 내용은 근로자가 자주적으로 근로 조건을 향상시키기 위한 활동을 제한하는 것으로, 근로자의 노동 삼권 중 단체 행동권을 침해할 수 있다.
답안 작성 Hint 노동조합과 사용자 간에 단체 교섭이 원만하게 이루어지지 않아 노동 쟁의가 발생할 경우 쟁의 행위 등을 할 수 있는데, △△부와 용역 업체의 계약 내용은 노동 쟁의와 이로 인한 쟁의 행위를 제한하므로 단체 행동권을 침해할 수 있다.

채점 기준

상	단체 행동권을 쓰고, 계약 내용의 부당함을 명확하게 서술한 경우
중	계약이 단체 행동권을 침해한 경우임을 서술한 경우
하	계약 내용의 부당함만 서술한 경우

뚝딱! 단원 마무리하기 (20쪽~23쪽)

01 ③ 02 ③ 03 ② 04 ④ 05 ③ 06 ⑤ 07 ② 08 ③
09 ① 10 ④ 11 ⑤ 12 ④ 13 ① 14 ② 15 노동 삼권
16 ① 17 ② 18 노동 위원회 서술형 문제 19～24 해설 참조

01 밑줄 친 ㉠의 내용을 통해 인권이 모든 사람이 누구나 보편적으로 가지며, 태어날 때부터 부여된 천부 인권이자 자연권임을 유추할 수 있다.

02 (가)는 헌법 제11조 ①항으로 평등권에 해당하고, (나)는 헌법 제21조 ①항으로 자유권에 해당한다.

03 A 군은 헌법 제20조 "모든 국민은 종교의 자유를 가진다."에 명시된 종교의 자유를 침해당하고 있다. 종교의 자유는 자유권에 해당한다.

04 사회권은 인간다운 생활의 보장을 국가에 요구할 수 있는 권리이다. 제시된 권리 외에도 보건권, 모성을 보호받을 권리 등도 사회권에 해당한다.

05 참정권에는 국민 투표권, 선거권, 공무 담임권 등이 있다.
오답 확인 ① 사회권은 교육권, ② 자유권은 표현의 자유, ④ 청구권은 재판 청구권, ⑤ 평등권은 법 앞에 평등과 연결된다.

06 제시문에서 설명하는 기본권은 청구권이다.
오답 확인 ①은 평등권, ②는 자유권, ③은 사회권, ④는 참정권에 해당한다.

07 헌법 제37조 ②항에서는 국가 안전 보장, 질서 유지, 공공복리를 위해서 필요한 경우 기본권을 제한할 수 있다고 보았으나 국민의 대표 기관인 국회에서 제정한 법률에서 의해서만 제한할 수 있고 이때에도 본질적인 내용은 제한할 수 없다고 규정하고 있다.

08 ③ 범죄자의 교도소 수용은 사회 질서를 유지하기 위해 법률로써 범죄자의 신체의 자유를 일시적으로 제한한 경우이므로 인권 침해라고 보기 어렵다.

09 입법 청원은 입법 기관이 법을 제정하지 않았거나 불필요한 법을 제정하여 인권을 침해한 경우 입법 기관에 구제를 요청하는 수단이다. ○○ 시민 단체는 법의 개정을 요구하고자 하므로 국회에 입법 청원을 해야 한다.

10 헌법 소원 심판은 국가의 권력 행사가 국민의 기본권을 침해하였는지 여부를 판단하는 심판으로, 침해당한 개인이 직접 헌법 재판소에 구제 요청을 할 수 있다.
오답 확인 ③ 위헌 법률 심판은 법원의 제청을 통해 이루어진다.

11 대한 법률 구조 공단은 경제적으로 어려운 처지에 있거나 법을 잘 모르는 사람들을 위해 무료로 법률 상담과 소송 대리 등의 법률 구조 사업을 한다. 기초 생활 수급자인 A 씨는 대한 법률 구조 공단을 통해 무료 법률 지원을 받을 수 있다.

12 국가 인권 위원회는 인권 침해와 차별 행위에 관한 진정을 조사하여 인권 침해의 소지가 있는 법령이나 제도에 대해 시정을 권고하는 독립적인 국가 기관이다.

13 법원, 헌법 재판소, 국회, 국가 인권 위원회 모두 국민이 인권을 침해당했을 때 구제 요청을 할 수 있는 기관이다.
오답 확인 ②는 법원의 역할, ③, ④는 국회의 역할, ⑤는 정부의 역할에 해당한다.

14 개인이나 단체가 인권을 침해한 경우에는 수사 기관에 고소하거나 법원에 재판을 청구하여 구제받을 수 있다.

15 노동 삼권은 근로 조건의 유지 및 개선을 위해 헌법에서 보장하고 있는 세 가지 중요한 권리로, 노동조합을 결성할 수 있는 단결권, 근로자 단체가 사용자와 교섭할 수 있는 단체 교섭권, 단체 교섭이 원만하게 체결되지 않을 때 쟁의 행위를 할 수 있는 단체 행동권이 있다.

16 단체 행동권에 대한 내용으로, 단체 교섭이 원만하게 체결되지 않아 노사 간에 분쟁이 발생한 경우 노동자 측은 태업과 파업, 시위 등의 쟁의 행위를 할 수 있다.
오답 확인 ㄷ은 사용자 측이 할 수 있는 쟁의 행위이다. ㄹ. 쟁의 행위는 폭력이나 파괴 행위 등으로 행사해서는 안된다.

17 (가)는 근로자의 노동 삼권 중 단체 행동권을 방해하는 사용자의 행위로, 부당 노동 행위에 해당한다. (나)는 근로자의 노동에 대한 정당한 대가인 임금을 지급하지 않고 있으므로 임금 체불에 해당한다.

18 노동 위원회는 근로자 위원, 사용자 위원, 공익 위원 3자로 구성된 준사법적 성격을 가진 합의제 행정 기관으로, 노사 간의 분쟁을 신속하고 공정하게 조정 · 판정하는 기관이다.

19 **예시 답안** 헌법을 통해 국민의 기본권을 보장하는 것이 국가의 핵심적 의무로 인식된다. 또한 헌법은 최고 법으로 법률이나 정책, 국가 기관에 의한 국민의 인권 침해를 구제할 수 있다.

채점 기준

상	'국가의 핵심적 의무'와 '국민의 인권 침해 구제'를 포함하여 보장 이유 두 가지를 서술한 경우
중	'국가의 핵심적 의무'와 '국민의 인권 침해 구제' 중 하나만 포함하여 보장 이유를 서술한 경우
하	'국가의 핵심적 의무'와 '국민의 인권 침해 구제'를 포함하지 않고 보장 이유를 서술한 경우

20 **예시 답안** 국가 인권 위원회의 시정 권고 결정은 법적인 구속력이 없어 권고를 받아들이지 않을 때 그것을 제재할 수 있는 방법이 없기 때문이다.
답안 작성 Hint 국가 인권 위원회는 법원이나 헌법 재판소처럼 법적 구속력을 가지고 있지 않기 때문에 시정 권고를 받은 기관이나 단체가 이를 받아들이지 않더라도 제재할 수 있는 방법이 없다는 한계가 있다.

채점 기준

상	'시정 권고의 법적 구속력(강제성) 없음'과 '제재 수단이 없음'을 모두 포함하여 서술한 경우
중	'시정 권고의 법적 구속력(강제성) 없음'과 '제재 수단이 없음' 중 하나만 포함하여 서술한 경우
하	'시정 권고의 법적 구속력(강제성) 없음'과 '제재 수단이 없음'를 포함하지 않고 서술한 경우

21 **예시 답안** (1) 청구권 (2) 청구권은 국가에 대해 일정한 행위를 요구할 수 있는 권리이다. (3) 청구권은 다른 기본권을 보장하기 위한 수단적 성격을 가진 권리이다.

채점 기준

상	청구권을 쓰고, 의미와 특징을 모두 서술한 경우
중	청구권을 쓰고, 의미만 서술한 경우
하	청구권만 쓴 경우

22 **예시 답안** (1) 법률 (2) 기본권의 제한만을 법적으로 규정하면 법을 자의적으로 해석하여 기본권을 침해하는 일이 발생할 수 있기 때문에 기본권 제한의 한계를 분명히 하여 국가 권력이 함부로 국민의 기본권을 침해할 수 없도록 하기 위해서이다.

채점 기준

상	법률을 쓰고, '기본권 제한 규정의 자의적 해석'과 '국가 권력의 기본권 침해 방지'를 포함하여 서술한 경우
중	법률을 쓰고, '기본권 제한 규정의 자의적 해석'과 '국가 권력의 기본권 침해 방지' 중 하나만 포함하여 서술한 경우
하	법률만 쓴 경우

23 **예시 답안** 침해된 인권의 내용이 무엇인지 알고, 법에 정해진 방법과 절차에 따라 구제받으려는 노력이 필요하다. 다른 사람이나 사회의 인권 침해 문제에도 관심을 가지고 이를 구제하기 위해 함께 노력하는 자세를 가져야 한다 등

채점 기준

상	인권 보장을 위한 올바른 시민의 자세 두 가지를 모두 서술한 경우
중	인권 보장을 위한 올바른 시민의 자세 두 가지를 미흡하게 서술한 경우
하	인권 보장을 위한 올바른 시민의 자세를 한 가지만 서술한 경우

24 **예시 답안** (1) 근로 기준법 (2) 지방 노동 관서에 밀린 임금을 받을 수 있도록 해 달라고 진정 또는 고소할 수 있습니다.
답안 작성 Hint 근로 기준법은 근로자의 인간 존엄성을 보장하는 근로 조건의 기준을 정하고 있다. 근로 시간, 임금, 휴일 등에 대한 기준이 명시되어 있다.

채점 기준

상	근로 기준법을 쓰고, 구제 기관과 구제 방법을 모두 서술한 경우
중	근로 기준법을 쓰고, 구제 기관과 구제 방법 중 하나만 서술한 경우
하	근로 기준법만 쓴 경우

2. 헌법과 국가 기관

01 국회

26~27쪽

꼼꼼! 필기 노트
❶ 국회 ❷ 비례 대표 국회 의원 ❸ 상임 위원회 ❹ 본회의
❺ 입법 ❻ 예산안 ❼ 일반 국정

콕콕! 핵심 개념

1 입법 2 교섭 단체 3 재정

탄탄! 활동 노트

활동 1 ❶ 10 ❷ 상임 위원회 ❸ 본회의 ❹ 대통령 ❺ 15 ❻ 20

활동 2 **1** (가) 입법에 관한 기능 (나) 재정에 관한 기능 (다) 일반 국정에 관한 기능 **2** 국정 감사 / 국정 조사

쑥쑥! 실력 키우기

28~29쪽

1 STEP 개념을 되짚는 확인 문제

01 (1) 입법 (2) 상임 위원회 (3) 탄핵 소추

02 (1) 일반 국정 (2) 입법 (3) 재정 03 (1) X (2) X (3) O

04 (1) ㉡ (2) ㉠ (3) ㉢

2 STEP 기초를 다지는 기본 문제

01 ① 02 ④ 03 ⑤ 04 ① 05 ⑤ 06 ② 07 ④

3 STEP 실력을 완성하는 주관식·서술형 문제

08 해설 참조 09 해설 참조 10 해설 참조

01 제시된 헌법 조항은 국회의 가장 중요한 권한이 입법에 관한 일임으로 밝히고 있다.

02 지역구 국회 의원은 지역구 후보자 중에 투표를 통해 선출되며, 비례 대표 국회 의원은 정당별 득표율에 비례하여 선출된다.

03 국회는 효율적인 의사 진행을 위해 교섭 단체와 위원회를 두고 있다. 본회의는 국회의 의사를 최종적으로 결정하는 곳이다.
오답 확인 ㄱ, ㄹ은 행정부를 구성하는 조직에 속한다.

04 본회의는 국회의 최종적인 의사 결정을 하는 조직이다.
오답 확인 ③ 교섭 단체는 본회의 전에 국회 의원들의 의사를 통합하고 조정하기 위한 조직이다.

05 국회 의원 또는 정부가 제출한 법률안은 국회 의장을 거쳐 해당 상임 위원회에서 심사를 받는다. 상임 위원회의 심사를 통과한 법률안은 본회의에 상정되고, 본회의에서 가결되면 대통령이 공포한다.

06 국무총리, 대법원장, 헌법 재판소장 등 법률이 정한 중요 공무원의 임명 동의권은 일반 국정에 관한 권한에 속한다.

07 예산안 심의 · 확정권은 국회의 재정에 관한 권한에 속한다.

08 예시 답안 (가)를 통해 선출되는 지역구 국회 의원은 각 지역구의 후보자 중 투표를 통해 선출된다. (나)를 통해 선출되는 비례 대표 국회 의원은 정당별 득표율에 비례하여 선출된다.

채점 기준

상	지역구 국회 의원과 비례 대표 국회 의원을 쓰고, 각각의 특징을 옳게 서술한 경우
중	지역구 국회 의원과 비례 대표 국회 의원을 쓰고, 특징을 하나만 서술한 경우
하	지역구 국회 의원과 비례 대표 국회 의원만 쓴 경우

09 예시 답안 국민의 대표인 국회 의원의 구성이 사회적 소수자, 계층, 직능 등 사회 각 분야를 대표할 수 있도록 하여 국민의 다양한 의사를 반영하기 위해서이다. 자기 지역의 이익을 우선적으로 고려하는 지역 대표의 한계를 극복하고, 입법과 정부 감시 등 국회 본연의 기능을 다할 수 있다 등
답안 작성 Hint 비례 대표 국회 의원을 도입하여 국회 의원의 전문성을 높이고, 지역구 국회 의원이 국민의 대표가 아닌 지역의 대표가 되는 한계를 보완할 수 있다.

채점 기준

상	이유 두 가지를 모두 옳게 서술한 경우
하	이유를 한 가지만 옳게 서술한 경우

10 예시 답안 (1) 일반 국정(또는 국정 통제) 기능 (2) 국회가 행정부와 사법부를 견제하여 국가 기관 상호 간의 균형을 유지하여 국민의 기본권을 보장할 수 있다.

채점 기준

상	국회의 역할을 쓰고, 그 의의를 '견제와 균형의 원리', '기본권 보장'을 포함하여 서술한 경우
중	국회의 역할을 쓰고, 그 의의를 '견제와 균형의 원리'만 포함하여 서술한 경우
하	국회의 역할만 쓴 경우

02 행정부와 대통령

30~31쪽

꼼꼼! 필기 노트

❶ 행정부 ❷ 대통령 ❸ 국무총리 ❹ 국무 회의 ❺ 감사 기관 ❻ 국가 원수 ❼ 행정부 수반

콕콕! 핵심 개념

1 행정 2 감사원 3 국가 원수

탄탄! 활동 노트

활동 1 **1** ㉠ 대통령 ㉡ 국무 회의 ㉢ 국무총리 ㉣ 감사원 ㉤ 행정 각부
2 ❶ 보건 복지부 ❷ 통일부 ❸ 교육부

활동 2 **1** ❶ 행정부 수반 ❷ 국가 원수
2 (가) 행정부 수반 (나) 국가 원수 (다) 국가 원수 (라) 국가 원수

쑥쑥! 실력 키우기

32~33쪽

1 STEP 개념을 되짚는 확인 문제

01 (1) 행정 (2) 국무총리 (3) 계엄 02 (1) 행정 각부 (2) 감사원

03 (1) O (2) × (3) O 04 (1) ㉠ (2) ㉢ (3) ㉣ (4) ㉡

2 STEP 기초를 다지는 기본 문제

01 ④ 02 ③ 03 ④ 04 ③ 05 ② 06 ④

3 STEP 실력을 완성하는 주관식·서술형 문제

07 해설 참조 08 해설 참조 09 해설 참조

01 행정은 국회에서 제·개정한 법률을 집행하고, 국가의 목적이나 공공의 이익을 위해 여러 정책을 만들어 실행하는 국가 작용이다.
오답 확인 ①은 국회, ②는 헌법 재판소, ③은 사법, ⑤는 국가에 대한 설명이다.

02 국회에서 제정한 법률을 구체적으로 집행하는 역할은 행정 각부가 담당한다. 제시된 사례는 교육부에서 담당한다.

03 오답 확인 ㄴ, ㅁ은 대통령의 국가 원수로서의 권한에 속한다.

04 국무총리는 대통령을 도와 행정 각부를 총괄한다.

05 우리나라 헌법 제70조에 '대통령의 임기는 5년으로 하며, 중임할 수 없다.'라고 규정되어 있다.
오답 확인 ⑤ 대통령제의 특징 중 하나로, 의회의 법률안에 대해 거부권을 행사할 수 있다.

06 헌법 제73조는 대통령의 국가 원수로서의 지위에 해당한다.

07 예시 답안 (1) 감사원 (2) 정부의 예산 사용을 감독한다. 행정부와 공무원의 업무 처리를 감찰한다. 국가의 세입·세출의 결산을 확인한다 등
답안 작성 Hint 감사원은 대통령 소속 기구로 되어 있으나 공정성과 중립성을 위해 직무에 관하여는 독립된 지위를 가지고 있다. 감사원은 국가의 세입·세출의 결산 검사, 국가 및 법률이 정한 단체의 회계 검사, 행정 기관 및 공무원의 직무에 관한 감찰 등의 활동을 하여 행정 운영의 개선·향상을 도모한다.

채점 기준

상	감사원을 쓰고, 역할 한 가지를 바르게 서술한 경우
하	감사원만 쓴 경우

08 예시 답안 (가)는 대통령의 국가 원수로서의 지위에 따른 권한에 해당하고, (나)는 대통령의 행정부 수반으로서의 지위에 따른 권한에 해당한다.

채점 기준

상	(가)와 (나)의 지위를 구분하여 정확하게 쓴 경우
하	(가)와 (나)의 지위 중 하나만 쓴 경우

09 예시 답안 (라), (가)~(다)는 대통령의 행정부 수반으로서의 지위에 따른 업무이지만 (라)는 국가 원수로서의 지위에 해당하는 업무이다.
답안 작성 Hint 대통령의 행정부 수반으로서의 지위에 해당하는 권한은 국군 통수권, 행정부 구성 및 지휘·감독권, 공무원 임면권, 대통령령 제정권 등이 있다.

채점 기준

상	성격이 다른 업무를 쓰고, 그 이유를 바르게 서술한 경우
중	성격이 다른 업무를 쓰고, 그 이유를 미흡하게 서술한 경우
하	성격이 다른 업무만 쓴 경우

03 법원과 헌법 재판소

34~35쪽

꼼꼼! 필기 노트
❶ 사법부 ❷ 대법원 ❸ 고등 법원 ❹ 특허 법원 ❺ 가정 법원 ❻ 기본권 보장 기관 ❼ 헌법 소원 심판 ❽ 권한 쟁의 심판

콕콕! 핵심 개념
1 사법 2 대법원 3 헌법 재판소

탄탄! 활동 노트
활동 ① 1 ❶ 대법원장 ❷ 대법관 ❸ 최종심
2 (1) 행정 법원 (2) 고등 법원 (3) 가정 법원 (4) 특허 법원
활동 ② ❶ 헌법 ❷ 기본권 보장 기관 ❸ 9 ❹ 국회 ❺ 권력 분립
활동 ③ 1 (1) 권한 쟁의 심판 (2) 탄핵 심판 (3) 위헌 법률 심판 (4) 정당 해산 심판 (5) 헌법 소원 심판

쑥쑥! 실력 키우기

36~37쪽

1 STEP 개념을 되짚는 확인 문제

01 (1) 사법부(또는 법원) (2) 가정 법원 (3) 헌법 재판소
02 (1) ㉢ (2) ㉡ (3) ㉠ 03 (1) 위헌 법률 심판 (2) 헌법 소원 심판
04 (1) ○ (2) × (3) ×

2 STEP 기초를 다지는 기본 문제

01 ③ 02 ① 03 ③ 04 ① 05 ④ 06 ⑤ 07 ④

3 STEP 실력을 완성하는 주관식·서술형 문제

08 해설 참조 09 해설 참조 10 해설 참조

01 사법(司法)은 사람들 간에 다툼이 발생한 경우 법의 의미를 해석하고 적용함으로써 이를 해결하는 국가의 활동이다.

02 대법원은 사법부 최고의 법원으로 심급 제도의 최종심을 담당하며, 행정부에서 만든 명령이나 규칙이 헌법이나 법률에 위반되는지가 재판의 전제가 될 때는 이를 최종적으로 심사한다.

03 특허 법원은 특허와 관련된 분쟁을 해결하는 역할을 한다.

04 이혼, 양자, 상속 등의 가사 사건은 가정 법원에서 담당한다. 가정 법원이 설치되지 않은 지역에서는 지방 법원에서 1심을 처리한다.

05 ④는 행정부 조직 중 감사원의 역할에 해당한다.
오답 확인 ①은 정당 해산 심판, ②은 권한 쟁의 심판, ③은 헌법 소원 심판, ⑤은 탄핵 심판에 해당한다.

06 헌법 재판관은 국회, 대통령, 대법원장이 각각 3명씩 선출 또는 지명하여 모두 대통령이 임명한다.
오답 확인 ① 헌법 재판관은 9명으로 구성된다. ② 헌법 재판관의 임기는 6년이며, 연임할 수 있다. ④ 헌법 재판소장은 국회의 동의를 얻어 헌법 재판관 중에서 대통령이 임명한다.

07 헌법 소원 심판은 국가 기관에 의하여 헌법에 보장된 기본권을 침해당한 국민이 그 권리를 구제받기 위해서 헌법 재판소에 재판을 청구하는 것이다.

08 예시 답안 (1) 사법권의 독립 (2) 사법부가 다른 국가 기관이나 국가 권력의 간섭 없이 공정한 재판을 통해 법을 적용하고 판단할 수 있도록 사법권의 독립을 보장하여 국민의 자유와 권리를 보장하려는 목적이 있다.
답안 작성 Hint 사법권의 독립은 사법부의 공정한 재판을 위한 제도 중 하나이다. 사법권의 독립에는 법원의 독립, 법관의 신분상 독립, 재판상의 독립이 해당하고 이를 통해 공정한 재판을 할 수 있어 국민의 기본권을 보장할 수 있다.

채점 기준

상	'사법권의 독립'을 쓰고, '공정한 재판', '국민의 권리 보장'을 모두 포함하여 서술한 경우
중	'사법권의 독립'을 쓰고, '공정한 재판'을 포함하여 서술한 경우
하	'사법권의 독립'만 쓴 경우

09 예시 답안 (1) 지방 법원 / 1심 사건의 재판을 담당한다. 지방 법원 단독 판사 판결에 대한 항소 사건을 담당한다 등 (2) 고등 법원 / 1심 법원의 판결에 대한 항소 사건을 담당한다 등

채점 기준

상	지방 법원과 고등 법원을 쓰고, 각각의 기능을 서술한 경우
중	지방 법원과 고등 법원 중 하나를 쓰고, 그 기능을 서술한 경우
하	지방 법원과 고등 법원만 쓴 경우

10 예시 답안 (1) 헌법 재판소 (2) 민주적인 정당성을 확보하고 권력 분립의 원리를 실현하여 국민의 기본권을 보장할 수 있다.
답안 작성 Hint 헌법 재판소의 구성을 국회, 대통령, 대법원장이 각각 3명씩 선출·지명하여 대통령이 임명하는 것은 특정 권력 기관의 영향력이 크게 작용하는 것을 막고 정치적 중립을 유지하여 국민의 자유와 권리를 보호하려는 목적이 있다.

채점 기준

상	헌법 재판소를 쓰고, '민주적 정당성 확보'와 '권력 분립', '국민의 기본권 보장'을 모두 포함하여 이유를 서술한 경우
중	헌법 재판소를 쓰고, '권력 분립'만 포함하여 이유를 서술한 경우
하	헌법 재판소만 쓴 경우

뚝딱! 단원 마무리하기

38~41쪽

01 ② **02** ⑤ **03** ④ **04** ③ **05** ⑤ **06** ② **07** ③
08 국무총리 **09** ④ **10** ① **11** ⑤ **12** ① **13** ④
14 헌법 재판소 **15** ① **16** ④ **17** 권한 쟁의 심판
서술형 문제 **18 ~ 23** 해설 참조

01 행정부는 법률과 정책을 집행하고, 사법부에서는 법률을 적용·해석하며, 입법부에서는 법률을 제정하는 역할을 한다.

02 ㉠은 국회이다. ⑤는 행정부의 국무 회의에 관한 설명이다.

03 국회의 조직 중 상임 위원회의 역할에 관한 내용이다.
오답 확인 ① 본회의는 국회의 의사를 최종적으로 결정하는 곳이다. ② 의장단은 국회 의원 중 의장 1명, 부의장 2명을 선출하여 구성한다. ③ 교섭 단체는 국회 의원들의 다양한 의사를 사전에 통합하고 조정한다. ⑤ 특별 위원회는 특별한 안건을 처리하기 위해 일시적으로 활동하는 국회의 조직이다.

04 국회에서 20인 이상의 소속 의원을 가진 정당은 하나의 교섭 단체가 된다. 다른 교섭 단체에 속하지 않는 20인 이상의 의원으로 따로 교섭 단체를 구성할 수 있다.

05 본회의를 통과한 법률안은 대통령이 15일 이내에 공포하고, 일반적으로 공포 후 20일이 지나면 법률의 효력이 발생한다.
오답 확인 ① ㉠ 국회 의원의 법률안 발의는 국회 의원 10명 이상의 찬성이 필요하다. ② ㉡ 국회 의장은 법률안을 ㉢ 상임 위원회에 회부하고, 상임 위원회에서 심사하여 ㉣ 본회의에 상정한다. 본회의에서 가결된 법률안이 대통령에게 이송된다. ③ ㉢ 상임 위원회는 각 분야의 관련된 안건이나 법률안을 전담하여 심사하는 조직으로, 구성에 있어 같은 정당에 소속되어 있는지는 영향을 미치지 않는다. ④ 본회의는 재적 국회 의원의 과반수 출석으로 열리고, 출석 의원의 과반수 찬성으로 의결된다.

06 오답 확인 ㄴ. 예산안 심의·확정권은 재정에 관한 기능에 해당한다. ㄹ. 법률의 제정 및 개정 권한은 입법에 관한 기능에 해당한다.

07 구체적인 행정 사무는 행정 각부를 통해 집행된다. 국무총리는 대통령을 도와 행정부의 여러 부서를 관리한다.

08 국무총리는 행정부의 조직 중 하나로, 국회의 동의를 얻어 대통령이 임명한다. 총리는 의원 내각제의 특징 중 하나로, 전형적인 대통령제에서는 나타나지 않으므로 국무총리는 우리나라의 혼합 정부 형태임을 알 수 있는 특징 중 하나이다.

09 제시문은 감사원에 대한 설명이다. ④는 국무 회의에 관한 설명이다.

10 제시된 내용은 국가 원수로서의 권한에 해당한다.
오답 확인 ②~⑤는 행정부 수반으로서의 권한에 해당한다.

11 ㄱ, ㄴ은 국가 원수로서의 권한, ㄷ, ㄹ, ㅁ은 행정부 수반으로서의 권한에 해당한다.

12 대화 내용은 대법원에 관한 설명이다.

13 행정 기관의 잘못으로 국민의 권리와 이익이 침해된 사건을 담당하는 법원은 행정 법원이다.

14 헌법 재판소는 헌법의 해석과 관련된 사건을 사법적 절차에 따라 해결하는 헌법 재판 기관으로, 헌법 수호 기관이자 기본권 보장 기관이다.

15 오답 확인 ㄹ은 입법부의 역할에 대한 설명이고, ㅁ은 행정부의 역할에 대한 설명이다.

16 「친일 반민족 행위자 재산의 국가 귀속에 관한 특별법」이 재산권과 자유권 등 기본권을 침해한다고 판단하여 제기한 헌법 재판은 헌법 소원 심판에 해당한다.

17 제시문은 두 지방 자치 단체 간의 권한을 두고 다툼이 발생한 사례이므로 두 지방 자치 단체가 청구한 헌법 재판은 권한 쟁의 심판이다.

18 예시 답안 국회가 행정부를 견제하기 위한 제도로 국가 권력의 남용을 방지하여 궁극적으로 국민의 기본권을 보장하기 위해서 시행한다.

채점 기준

상	'행정부 견제', '권력 남용 방지', '기본권 보장'을 모두 포함하여 서술한 경우
중	'행정부 견제', '권력 남용 방지'만 포함하여 서술한 경우
하	'행정부 견제'만 언급하여 서술한 경우

19 예시 답안 (1) 교섭 단체 (2) 20인 이상의 국회 의원으로 구성된다. (3) 국회 의원들의 다양한 의사를 사전에 통합하고 조정하여 효율적인 의사 진행이 이루어지도록 한다.

채점 기준

상	교섭 단체를 쓰고, 구성 요건과 기능을 모두 옳게 서술한 경우
중	교섭 단체를 쓰고, 구성 요건과 기능 중 하나만 옳게 서술한 경우
하	교섭 단체만 쓴 경우

20 예시 답안 (1) 행정부 수반으로서의 지위 (2) 행정부를 구성하여 지휘·감독한다. 국군을 지휘하고 통솔한다. 행정부 공무원을 임면한다 등

채점 기준

상	행정부 수반으로서의 지위를 쓰고, 권한 두 가지를 서술한 경우
중	행정부 수반으로서의 지위를 쓰고, 권한 한 가지를 서술한 경우
하	행정부 수반으로서의 지위만 쓴 경우

21 예시 답안 사법권의 독립을 제도적으로 보장함으로써 공정한 재판을 할 수 있고, 궁극적으로 국민의 자유와 권리를 보장할 수 있기 때문이다.

답안 작성 Hint 사법권의 독립을 헌법에 명시하여 사법부가 외부의 영향을 받지 않고 공정한 재판을 보장하고 이를 통해 국민의 기본권을 보장할 수 있다.

채점 기준

상	'공정한 재판', '기본권 보장'을 포함하여 서술한 경우
중	'공정한 재판'"만 포함하여 서술한 경우
하	'독립적인 재판 가능'의 내용만 포함하여 서술한 경우

22 예시 답안 (1) 헌법 재판소 (2) 재판의 전제가 되는 법률이 헌법에 위반되는지 여부를 판단한다. 국가 권력의 행사가 국민의 기본권을 침해하였는지 심판한다. 고위 공직자가 직무상 위법한 행위를 한 경우 파면 여부를 심판한다. 민주적 기본 질서를 어긴 정당의 해산 여부를 심판한다. 국가 기관이나 지방 자치 단체 간의 권한 분쟁을 심판한다.

채점 기준

상	헌법 재판소를 쓰고, 헌법 재판소의 권한 두 가지를 서술한 경우
중	헌법 재판소를 쓰고, 헌법 재판소의 권한 한 가지를 서술한 경우
하	헌법 재판소를 쓰고, 헌법 재판소의 권한을 단답형으로 쓴 경우

23 예시 답안 헌법 재판소를 통해 헌법 질서를 보호하고 국민의 기본권을 보장한다.

답안 작성 Hint 우리나라는 1987년 9차 헌법 개정 이후 헌법의 해석과 관련한 다툼을 해결하기 위해 법원과는 별도록 독립된 헌법 재판소를 설치하여 운영하고 있다. 헌법 재판소는 헌법 질서를 보호하는 헌법 수호 기관이자 국민의 기본권을 보장하는 기본권 보장 기관이다.

채점 기준

상	'헌법 질서 수호', '기본권 보장'을 모두 포함하여 서술한 경우
중	'헌법 질서 수호', '기본권 보장'을 중 하나만 포함하여 서술한 경우
하	'헌법 수호 기관'과 '기본권 보장 기관'을 단답형으로 쓴 경우

3. 경제생활과 선택

01 합리적 선택과 경제 체제

44~47쪽

꼼꼼! 필기 노트

❶ 생산 ❷ 분배 ❸ 소비 ❹ 분배 ❺ 소비 ❻ 기업 ❼ 정부 ❽ 상대적 ❾ 자원의 희소성 ❿ 기회비용 ⓫ 합리적 선택 ⓬ 종류 ⓭ 수량 ⓮ 생산 방법 ⓯ 분배 ⓰ 계획 ⓱ 시장

콕콕! 핵심 개념

1 경제 활동 2 정부 3 희소성 4 기회비용 5 시장 경제 체제

탄탄! 활동 노트

활동① **1** 생산 활동: ㉢ 피자를 만들어 판매하는 것은 모두 생산 활동에 해당한다. / 소비 활동: ㉠ 용돈으로 영화를 본 것과 ㉤ 병원에서 진료를 받은 것은 서비스를 구입한 소비 활동이고, ㉡ 선물을 산 것은 재화를 구입한 소비 활동이다. / 분배 활동: ㉣ 은행에 저축하고 받은 이자는 자본을 제공한 대가이므로 분배 활동에 해당한다.
2 (1) 구두, 선물, 피자 (2) 학교 수업, 버스 이용, 의사의 진료

활동② **1** (가) 정부 (나) 가계 (다) 기업 **2** (가) ㄴ, ㄹ (나) ㄱ, ㅁ (다) ㄷ

활동③ **1** (1) 자원의 희소성 (2) 인간의 욕구에 비해 이를 충족시켜 줄 수단이 상대적으로 부족한 상태를 말한다. **2** 자원의 희소성은 시대와 장소에 따라 달라질 수 있어 가변적이며 자원의 절대적인 양이 아닌 인간의 필요나 욕구에 따라 상대적으로 결정된다.

활동④ **1** 합리적 선택이 아니다. 왜냐하면 은주가 사용한 비용은 만 원인데 이로 인해 얻은 편익은 9천 원이므로 비용이 편익보다 크기 때문이다. **2** 책을 사는 것이 합리적인 선택이다. 왜냐하면 비용이 같은 경우 편익이 가장 큰 것을 선택하는 것이 합리적이기 때문이다.

쑥쑥! 실력 키우기

48~49쪽

1 STEP 개념을 되짚는 확인 문제

01 (1) 경제 활동 (2) 생산 (3) 분배 **02** (1) 기회비용 (2) 시장 경제 체제
03 (1) × (2) × (3) ○ **04** (1) ㉢ (2) ㉠ (3) ㉡

2 STEP 기초를 다지는 기본 문제

01 ① **02** ⑤ **03** ③ **04** ② **05** ④ **06** ③

3 STEP 실력을 완성하는 주관식·서술형 문제

07 해설 참조 **08** 해설 참조 **09** 해설 참조

01 생산은 재화나 서비스를 생산하는 것뿐만 아니라 상품을 저장하고 운반하는 행위도 포함된다.

02 공장에서 물건을 생산한 것과 의사가 서비스를 제공하는 것은 생산에 해당한다.

03 기업은 최소 비용으로 최대의 이윤을 얻을 수 있도록 재화나 서비스를 생산한다.

04 오답 확인 ㄴ. 희소성의 문제는 개인뿐 아니라 국가, 공공 기관 등 사회에서도 나타난다. ㄷ. 자원의 희소성은 단순히 자원의 양에 의해서 결정되는 것이 아니라 인간의 욕구나 사회적 상황 등에 의해서 상대적으로 결정된다.

05 지수는 시간당 8,000원을 받기 때문에 지수가 콘서트에 가기 위해 포기한 기회비용은 3시간을 일했을 때 받을 수 있는 24,000원이다.

06 시장 경제 체제는 사유 재산을 보장하기 때문에 개별 경제 주체는 개인의 이익을 추구하기 위해 경제 활동을 한다. 계획 경제 체제는 국가의 계획과 통제에 따라 경제 활동이 이루어진다.

07 예시 답안 자원의 희소성은 자원의 절대적인 양이 아닌 인간의 필요나 욕구에 따라 상대적으로 결정되며 지리적 환경이나 장소에 따라 달라질수 있다.

채점 기준

상	상대성과 가변성의 내용을 정확하게 서술한 경우
중	상대성과 가변성 중 한 가지만 서술한 경우
하	상대성과 가변성을 단답형으로 쓴 경우

08 예시 답안 (1) 편익이 가장 큰 쪽을 선택하는 것이 합리적이다. (2) 비용이 가장 적게 드는 쪽을 선택하는 것이 합리적이다.

채점 기준

상	(가)와 (나)를 모두 정확하게 서술한 경우
하	(가)와 (나) 중 한 가지만 정확하게 서술한 경우

09 예시 답안 (1) (가) 생산물의 종류와 수량의 문제 (나) 생산 방법의 문제 (다) 분배의 문제 (2) 자원이 희소하기 때문에 모든 사회에서 나타난다.

답안 작성 Hint 기본적인 경제 문제는 인간의 욕구에 비해 이를 충족시킬 수단이 상대적으로 부족한 희소성 때문에 발생한다.

채점 기준

상	(가)~(다)의 경제 문제를 모두 쓰고, 발생 원인을 서술한 경우
중	(가)~(다)의 경제 문제 두 가지를 쓰고, 발생 원인을 서술한 경우
하	(가)~(다)의 경제 문제만 쓴 경우

02 기업의 역할과 사회적 책임

50~51쪽

꼼꼼! 필기 노트

❶ 생산 ❷ 일자리 ❸ 소득 ❹ 혁신 ❺ 법 ❻ 사회 공헌 활동

콕콕! 핵심 개념

1 이윤 2 기업가 정신 3 혁신

탄탄! 활동 노트

활동① **1** 비용을 절감하기 위해 임대료가 저렴한 7층을 임대하고, 낙하산을 이용하여 소비자에게 샌드위치를 전달함으로써 다른 곳과 차별화된 판매 전략으로 소비자의 관심을 이끌었다. **2** 실패의 위험이 있지만 임대료 감소를 통한 생산 비용 절감, 새로운 판매 방식 도입 등 혁신을 이루어 기업가 정신을 실현하였다.

활동② **1** 소비자에 대한 책임 **2** 사회적 책임을 다하는 기업은 긍정적인 이미지가 높아져 장기적으로 기업의 발전과 성장에 도움이 된다. 사회적 책임을 지지 않은 기업은 기업의 이미지를 악화시키고, 도덕적·윤리적으로 사회적 반감을 일으켜 경영 위기를 가져올 수 있다 등

쑥쑥! 실력 키우기

52~53쪽

1 STEP 개념을 되짚는 확인 문제

01 (1) 생산 (2) 생산 요소 (3) 세금 (4) 혁신

02 (1) 혁신 (2) 기업의 사회적 책임 03 (1) × (2) ○

04 ㄱ, ㄴ, ㄹ

2 STEP 기초를 다지는 기본 문제

01 ② 02 ① 03 ④ 04 ③ 05 ③

3 STEP 실력을 완성하는 주관식·서술형 문제

06 해설 참조 07 해설 참조 08 해설 참조

01 오답 확인 ㄴ. 사회 간접 자본을 제공하는 경제 주체는 정부이다. ㄹ. 생산 요소를 제공하고 소득을 얻는 경제 주체는 가계이다.

02 창의성과 혁신성, 관리 기술, 경영 노하우와 네트워크가 모두 높은 사람을 가리키는 용어는 기업가이다.

03 기업의 이윤 확대를 위해 기업가는 기업가 정신을 가지고 기업 활동을 해야 하는 것이 주요 임무이다.
오답 확인 ㄷ은 기업의 사회적 책임 중 환경에 대한 책임, ㄹ은 지역 사회에 대한 책임에 해당한다.

04 혁신은 경영 분야에서만 한정적으로 나타나는 것은 아니라 공공 부문, 농업, 예술 등 사회 전반에서 나타날 수 있다.

05 오늘날 기업의 사회적 역할이 커지면서 경제적 책임뿐만 아니라 법적·윤리적·자선적 책임을 지도록 하는 사회적 요구를 받고 있다.

06 예시 답안 (1) 기업가 정신 (2) 실패의 위험을 무릅쓰고 끊임없는 혁신을 통해 새로운 수익을 창출하고, 경쟁력을 확보해 나가려는 기업가의 도전 정신과 의지를 말한다.
답안 작성 Hint 스티브 잡스와 같은 기업인 아닌 김연아와 같은 운동 선수가 끊임없는 실패를 무릅쓰고 도전하여 새로운 기회를 만들어 내는 것도 기업가 정신에 해당한다.

채점 기준

상	기업가 정신을 쓰고, 그 의미를 정확하게 서술한 경우
하	기업가 정신만 쓴 경우

07 예시 답안 (1) 기업의 사회적 책임 (2) 법의 테두리 내에서 이윤을 추구한다. 소비자의 권익을 보호한다. 노동자에게 정당한 임금과 안전한 작업 환경을 제공한다. 거래 업체와 공정한 거래를 한다. 자선이나 기부와 같은 사회 공헌 활동에 참여한다. 환경 오염을 감소하기 위해 노력한다 등
답안 작성 Hint 기업이 경제적 책임 외에 사회 전반에 걸쳐 법적·윤리적·자선적 책임을 져야 한다는 것을 기업의 사회적 책임이라 한다.

채점 기준

상	기업의 사회적 책임을 쓰고, 구체적인 활동 두 가지를 서술한 경우
중	기업의 사회적 책임을 쓰고, 구체적인 활동을 한 가지만 서술한 경우
하	기업의 사회적 책임만 쓴 경우

08 예시 답안 사회적 책임을 다하는 기업은 긍정적인 이미지가 높아져 장기적으로 기업의 발전에 도움이 되기 때문이다.

채점 기준

상	기업의 사회적 책임과 이로 인해 기업이 얻게 되는 긍정적 측면을 바르게 서술한 경우
하	기업이 사회적 책임을 져야 한다는 내용만 서술한 경우

03 경제생활과 금융 생활

54~55쪽

꼼꼼! 필기 노트

❶ 청년기 ❷ 소득 ❸ 소비 ❹ 소비 ❺ 저축 ❻ 평균 수명
❼ 목적 ❽ 분산 투자 ❾ 신용 ❿ 채무 불이행자

콕콕! 핵심 개념

1 자산 2 신용

탄탄! 활동 노트

활동 ① 1 (1) 수익성: 투자 원금으로부터 수익이 발생하는 정도를 말한다. (2) 위험성: 투자 원금을 손해 볼 수 있는 정도를 말한다. (3) 유동성: 자산을 손쉽게 현금화할 수 있는 정도 2 (가) ㉠, ㉢, ㉣, ㉦ (나) ㉡, ㉤, ㉥

활동 ② 1 신용 2 신용을 지나치게 사용하여 제때에 갚지 못하면 신용 등급이 낮아지거나 채무 불이행자가 되어 불이익을 겪게 되므로 신용 거래를 할 때는 항상 그에 따른 결과와 책임을 고려해야 한다.

쑥쑥! 실력 키우기

56~57쪽

1 STEP 개념을 되짚는 확인 문제

01 (1) 자산 관리 (2) 실물 (3) 금융 (4) 수익성 02 (1) 신용 (2) 분산 투자 03 (1) ○ (2) × (3) ○ 04 (1) ㉡ (2) ㉢ (3) ㉠ (4) ㉣

2 STEP 기초를 다지는 기본 문제

01 ③ 02 ③ 03 ② 04 ③ 05 ① 06 ②

3 STEP 실력을 완성하는 주관식·서술형 문제

07 해설 참조 08 해설 참조 09 해설 참조

01 중·장년기에는 소득과 소비가 모두 많은 시기이며, 주로 소득이 소비보다 많은 시기이다.

02 오답 확인 ㄱ. 유소년기에는 부모의 소득에 의존하여 생활하지만 자산 관리를 위한 습관 형성이 중요하다. ㄹ. 노년기에는 소득이 적기 때문에 수익성보다는 안전성을 추구해야 한다.

03 오답 확인 ㄴ. 소득 획득의 불안정성은 증가하였다. ㄷ. 평균 수명이 늘어나면서 노후 대책에 대한 필요성은 증가하였다.

04 노년기에는 수익성보다는 안전성을 추구하는 것이 바람직하다. 예금, 적금과 같은 저축 상품은 수익성은 낮은 대신 안전성이 높다.

05 예금은 원금과 함께 사전에 정해진 이자를 더하여 받는다.

06 신용은 돈을 빌리거나 상품을 사용한 뒤에 약속한 대로 갚을 수 있는 능력이다. 은행 대출, 신용 카드 사용, 휴대 전화 요금 납부, 전기 요금 납부 등은 신용을 사용하여 거래한 사례이다.

07 예시 답안 (1) 분산 투자 (2) 여러 군데 나누어 투자함으로써 위험을 분산시키는 투자 방법을 말한다.
답안 작성 Hint "계란을 한 바구니에 담지 말라"는 말은 자산을 분산시켜 위험 부담을 줄이라는 뜻이다.

채점 기준

상	분산 투자를 쓰고, 그 의미를 정확하게 서술한 경우
하	분산 투자만 쓴 경우

08 예시 답안 (1) 신용 (2) 돈을 빌려 쓰거나 상품을 사용한 뒤 약속한 날짜에 그 대가를 치를 수 있는 능력을 말한다.
답안 작성 Hint 제시된 사진은 신용 카드를 사용하여 거래하는 모습이다. 신용 카드를 통한 거래는 현금이 없어도 상품을 구매하고, 추후에 그 대가를 지불하는 신용 거래에 해당한다.

채점 기준

상	신용을 쓰고, 그 의미를 정확하게 서술한 경우
중	신용을 쓰고, 그 의미를 미흡하게 서술한 경우
하	신용만 쓴 경우

09 예시 답안 (1) 현금이 없어도 거래할 수 있다. 현재의 소득보다 더 많은 소비할 수 있다 등 (2) 충동 구매나 과소비의 우려가 있다. 부채를 갚지 못하면 신용 등급이 낮아지거나 채무 불이행자가 되어 불이익을 겪게 될 수 있다 등

채점 기준

상	신용 거래의 장점과 단점을 각각 한 가지씩 바르게 서술한 경우
하	신용 거래의 장점과 단점 중 한 가지만 바르게 서술한 경우

뚝딱! 단원 마무리하기 58~61쪽

01 ② **02** ③ **03** ④ **04** (가) 정부 (나) 가계 (다) 기업 **05** ④
06 ② **07** ④ **08** ② **09** ③ **10** ② **11** ⑤ **12** ② **13** ④
14 ⑤ **15** ⑤ **16** ③ **17** 신용 서술형 문제 **18**~**23** 해설 참조

01 피자 빵, 컴퓨터, 책, 떡 케이크, 인형 등은 형태가 있는 재화에 해당하며, 아이돌 가수의 공연, 택배 회사의 배달, 학원 강사의 수업, 방과 후 수업 등은 인간에게 유용하지만 형태가 없는 서비스에 해당한다.

02 ③ 노동력을 제공한 대가로 임금을 받는 분배 활동이다.

03 오답 확인 ① 지하철 이용은 서비스를 소비하는 것이다. ② 회사는 주로 생산 활동의 주체이다. ③ 비빔밥은 재화에 해당한다. ⑤ 월급은 노동력을 제공한 대가로 받는 것이므로, 노동력을 이용한 경제 주체가 지급한다.

04 정부는 가계와 기업에서 세금을 걷어 공공재를 생산하며, 가계는 기업에 생산 요소를 제공하고 그 대가를 분배받는다.

05 생산 요소를 제공하고, 소득을 얻는 것은 (나) 가계이다.

06 제시문은 자원의 희소성을 의미한다.
오답 확인 ㄱ. 자원의 희소성은 시간에 따라 달라질 수 있다. ㄷ. 희소성은 인간의 욕구나 사회적 상황에 따라 상대적으로 결정된다.

07 필요한 채소를 조달하는 방법은 '어떻게 생산할 것인가'와 관련이 있다.

08 희소성으로 인해 우리의 삶은 선택의 연속이고, 선택을 할 때에는 편익과 비용을 고려해야 한다.

09 비용이 같다면 편익이 가장 큰 선택이, 편익이 같다면 비용이 가장 적은 선택이 합리적 선택이다.

10 오답 확인 ㄴ. 지수의 책 구입에 대한 기회비용은 영화 관람을 통해 얻을 수 있었던 편익 8이다. ㄹ. 지수와 현우 모두 영화 관람으로 얻을 수 있는 편익이 가장 크지 않기 때문에 영화를 보는 것은 합리적인 선택이 아니다.

11 온라인 세탁소를 운영하는 데 들어가는 비용 5,000만 원과 회사를 그만둠으로써 받지 못하는 1년 동안의 월급 3,600만 원을 합한 8,600만 원이 A 씨가 온라인 세탁소 운영을 선택할 때의 기회비용이다.

12 제시문은 기업의 역할에 대한 내용이다.

13 (가)에 들어갈 용어는 기업가 정신이다.
오답 확인 ㄹ. 기업가 정신은 기발한 아이디어와 같은 사고 영역과 실천적 영역을 균형 있게 강조한다.

14 평균 수명이 연장될수록 소득이 적고 소비는 계속되는 C 시기가 길어지기 때문에 자산 관리를 통해 대비할 필요성은 더욱 증가한다.

15 노년기에는 안전성이 높은 자산을 늘리는 것이 더 바람직하다.

16 제시문은 분산 투자에 대한 내용이다.

17 신용은 빌려 쓴 돈을 약속한 대로 갚을 수 있는 능력이다.

18 예시 답안 과거에는 깨끗한 공기가 희소성이 없는 자유재였지만, 오늘날에는 대기 오염으로 인해 희소성이 있어 대가를 지불해야 하는 경제재가 되었다.

답안 작성 Hint 인간의 욕구보다 존재량이 무한히 많아 희소성이 없어 대가를 치르지 않고 무상으로 얻을 수 있는 재화를 자유재(무상재)라 하고, 희소하기 때문에 대가를 지불해야만 얻을 수 있는 재화를 경제재(유상재)라 한다.

채점 기준

상	희소성 유무에 따른 재화의 성격을 바르게 서술한 경우
하	희소성의 유무만을 서술한 경우

19 예시 답안 한정된 생산 요소를 가지고 어떻게 생산할 것인지에 대한 생산 방법의 문제이다.

채점 기준

상	생산 방법의 문제를 정확하게 서술한 경우
하	생산 방법이라고만 서술한 경우

20 예시 답안 헌법 제119조 ①항은 시장 경제 체제의 내용이, ②항은 계획 경제 체제의 내용이 나타나므로 우리나라의 경제 체제는 시장 경제 체제와 계획 경제 체제의 모습이 함께 나타나는 혼합 경제 체제이다.

채점 기준

상	헌법 조항을 분석한 내용을 쓰고, 혼합 경제 체제와 그 의미를 함께 서술한 경우
중	헌법 조항을 분석한 내용 없이 혼합 경제 체제와 그 의미만 서술한 경우
하	혼합 경제 체제만 쓴 경우

21 예시 답안 기회비용에는 명시적 비용과 암묵적 비용이 모두 포함되므로 실제 지출한 공연 티켓 비용과 대중교통 요금을 합한 24,000원과 포기한 아르바이트 임금 30,000원을 더하여 총 54,000원이라는 기회비용이 발생한다.

답안 작성 Hint 기회비용이란 명시적 비용과 암묵적 비용의 합이다. 명시적 비용이란 실제 지출한 비용을 말하며, 암묵적 비용은 선택함으로써 포기한 것이다.

채점 기준

상	명시적 비용과 암묵적 비용을 각각 구해 기회비용을 정확하게 계산한 경우
중	명시적 비용과 암묵적 비용의 구분없이 기회비용을 계산한 경우
하	기회비용을 계산하지 못한 경우

22 예시 답안 (가)는 수익성은 높고 위험성은 낮은 편이지만 유동성이 낮다. (나)는 위험성이 낮고 유동성은 높지만 수익성이 낮은 편이다. (다)는 수익성은 높지만 위험성도 높은 편이다.

채점 기준

상	(가)~(다) 자산 모두 수익성, 위험성, 유동성 측면에서 분석하여 서술한 경우
중	(가)~(다) 자산 중 두 가지를 수익성, 위험성, 유동성 측면에서 분석하여 서술한 경우
하	(가)~(다) 자산 중 한 가지만 수익성, 위험성, 유동성 측면에서 분석하여 서술한 경우

23 예시 답안 소득과 지출 규모를 고려하여 저축이나 투자의 목적과 기간을 고려하여야 한다. 수익성, 위험성, 유동성 등 자산의 특성을 종합적으로 고려하여 알맞은 방법을 선택해야 한다. 적정한 수익을 얻으면서 위험성을 줄이기 위해 자산을 적절히 분산 투자하여 장기적으로 운용해야 한다 등

채점 기준

상	합리적인 자산 관리 방법 2가지를 바르게 서술한 경우
하	합리적인 자산 관리 방법을 1가지만 바르게 서술한 경우

4. 시장 경제와 가격

01 시장의 의미와 종류

64~65쪽

꼼꼼! 필기 노트

❶ 시장 ❷ 특화 ❸ 거래 ❹ 정보 ❺ 생산 요소 ❻ 보이는 ❼ 상설 ❽ 공급자 ❾ 전자 상거래

콕콕! 핵심 개념

1 시장 2 분업 3 전자 상거래

탄탄! 활동 노트

활동① **1** (가) 시기에는 필요한 물건을 자급자족하였지만, 모든 물건을 직접 만들 수 없고, 많은 시간과 노력이 필요하였다. (나) 시기에 분업과 특화를 통해 잉여 생산물이 발생하여 물물 교환이 이루어졌다. 그러나 거래 상대방을 찾는 데 많은 시간과 노력이 필요하였다. 교환을 통한 만족감이 높아지자 효율적인 거래를 위해 (다) 시기에 일정한 시간과 장소를 정해 거래를 하면서 시장이 형성되었다.

활동② (가) 장점 – 컴퓨터를 직접 살펴보고 살 수 있다. 바로 구입하여 사용할 수 있다 등 / 단점 – 판매 매장까지 이동하는 시간과 차비가 든다. 원하는 컴퓨터 모델이 매장에 없을 수 있다 등

(나) 장점 – 매장까지 가는 시간과 비용을 절약할 수 있다. 최저가 검색을 통해 손쉽게 가격을 비교할 수 있다 등 / 단점 – 컴퓨터가 배송되기까지 시간이 걸린다. 인터넷에 소개된 내용과 실물이 다를 수 있다 등

활동③ (1) 보이는 시장 – ㉠, ㉡, ㉣, ㉤, ㉦, ㉩ / 보이지 않는 시장 – ㉢, ㉥, ㉧, ㉨, ㉪ (2) 생산물 시장 – ㉠, ㉡, ㉣, ㉤, ㉧, ㉦, ㉩ / 생산 요소 시장 – ㉢, ㉥, ㉨, ㉪

쑥쑥! 실력 키우기 66~67쪽

1 STEP 개념을 되짚는 확인 문제

01 (1) 시장 (2) 화폐 (3) 생산 요소 02 (1) 분업 (2) 전자 상거래
03 (1) × (2) ○ (3) × 04 (1) ㉢ (2) ㉠ (3) ㉡

2 STEP 기초를 다지는 기본 문제

01 ③ 02 ① 03 ④ 04 ⑤ 05 ④ 06 ②

3 STEP 실력을 완성하는 주관식·서술형 문제

07 해설 참조 08 해설 참조 09 해설 참조

01 자급자족 경제의 문제점을 해결하고자 분업과 특화가 발달하면서 시장이 형성되었다.

02 생산 과정을 여러 부분으로 나누어 서로 다른 사람들이 특정 부문에서 전문적으로 일하는 노동 형태는 분업이다.

03 오답 확인 ㄱ. 물물 교환은 필요한 물건을 직접 교환하는 방식이다. ㄷ. 시장이 형성되면서 교환이 활발해져 화폐의 필요성은 증대되었다.

04 자급자족 경제에서는 필요한 물건을 스스로 만들어 사용하였다. 분업과 특화를 통해 잉여 생산물이 발생하면서 물물 교환이 증가하였다. 이후 효율적인 거래를 위해 시장이 형성되었고, 현대 사회에서는 인터넷의 발달로 전자 상거래가 활발해지고 있다.

05 백화점, 꽃 시장, 수산물 시장은 보이는 시장이고, 주식 시장은 보이지 않는 시장이다.

06 (가)는 생산물 시장이고 (나)는 생산 요소 시장으로 두 시장은 거래 상품에 따라 구분된다.
오답 확인 ③ 개설 주기에 따라 상설 시장과 정기 시장으로 구분된다. ④ 공급자 수에 따라 완전 경쟁 시장, 불완전 경쟁 시장으로 구분된다.

07 예시 답안 분업과 특화를 통해 각자 잘하는 일에 전념하여 생산하면서 생산량이 증가하였다.
답안 작성 Hint 자급자족 경제에서 필요한 모든 물건을 스스로 만들어 사용하는 데 어려움이 있었다. 이후 분업과 특화를 통해 사회적 분업이 이루어지면서 생산량이 크게 증가하였다.

채점 기준

상	분업과 특화를 포함하여 정확하게 서술한 경우
중	분업과 특화 중 한 가지만 포함하여 서술한 경우
하	분업과 특화를 포함하지 않고 서술한 경우

08 예시 답안 (1) 화폐 (2) 시장 거래에서 지불 수단으로 사용하여 교환의 매개 수단이다. 일정한 시간이 지난 후에도 구매력을 가지고 있으므로 가치 저장의 수단이다. 재화나 서비스의 가치를 재는 기준이 되는 가치의 척도 역할을 한다 등

채점 기준

상	화폐를 쓰고, 화폐의 기능 두 가지를 정확하게 서술한 경우
중	화폐를 쓰고, 화폐의 기능 중 한 가지만 정확하게 서술한 경우
하	화폐만 쓴 경우

09 예시 답안 시장은 각자 잘하는 일을 특화하고 분업하여 생산한 상품을 소비자와 생산자가 만나 자유롭게 거래하는 모든 곳을 말한다.

채점 기준

상	제시된 용어를 모두 사용하여 시장의 의미를 서술한 경우
중	제시된 용어 중 네 가지를 사용하여 시장의 의미를 서술한 경우
하	제시된 용어 중 세 가지 이하를 사용하여 시장의 의미를 서술한 경우

02 수요·공급과 시장 가격의 결정

68~69쪽

꼼꼼! 필기 노트

❶ 수요 ❷ 감소 ❸ 증가 ❹ 우하향 ❺ 공급 ❻ 증가
❼ 감소 ❽ 우상향 ❾ 시장 가격 ❿ 초과 공급
⓫ 초과 수요 ⓬ 신호등 ⓭ 상승 ⓮ 하락 ⓯ 배분

콕콕! 핵심 개념

1 수요 법칙 2 공급 곡선 3 시장 가격

탄탄! 활동 노트

활동 ① **1** ㉠ 공급 ㉡ 수요 ㉢ 공급량 ㉣ 증가 ㉤ 감소 ㉥ 수요량 ㉦ 감소 ㉧ 증가 **2** 사람들이 사회적 지위를 과시하기 위한 소비를 하여 가격이 올라도 수요량이 줄지 않는 '베블렌 효과'가 있다.

활동 ② **1** 600원 / 100개 **2** 딸기 가격이 1,000원일 때 수요량은 50개이고, 공급량은 150개이므로 초과 공급이 발생하여 공급자들이 더 낮은 가격을 받고서라도 딸기를 팔고자 하므로 가격이 하락하게 된다. 딸기 가격이 400원일 때 수요량은 150개이고, 공급량은 50개이므로 초과 수요가 발생하여 소비자들은 더 높은 가격을 주고서라도 딸기를 사고자 하므로 가격이 상승하게 된다.

활동 ③ **1** 시장 가격 **2** 각 개인이 자신의 이익을 추구하는 경제 활동을 하더라도 '보이지 않는 손'인 시장 가격에 의해 자원이 효율적으로 배분되도록 한다.

쑥쑥! 실력 키우기 70~71쪽

1 STEP 개념을 되짚는 확인 문제

01 (1) 수요 (2) 감소, 증가 (3) 우상향 (4) 신호등
02 (1) 공급 법칙 (2) 시장 가격 03 (1) × (2) × (3) ○
04 500 / 40

2 STEP 기초를 다지는 기본 문제

01 ② 02 ③ 03 ⑤ 04 ② 05 ③ 06 ②

3 STEP 실력을 완성하는 주관식·서술형 문제

07 해설 참조 08 해설 참조 09 해설 참조

10 정답 ㉠ 시장 가격 ㉡ 상승 ㉢ 하락

01 소비자가 상품을 사려는 욕구는 수요이고, 특정 가격에서 소비자가 사려고 하는 상품의 양은 수요량이다.

02 수요 곡선은 가격 변화에 따른 수요량의 변화를 나타내기 때문에 y축이 가격, x축이 수량이 된다. 가격이 상승할수록 수요량은 감소하고 가격이 하락할수록 수요량은 증가하기 때문에 우하향하는 곡선으로 그려진다.

03 가격에 따라 변화하는 것은 수요량과 공급량이다.

04 오답 확인 ㄴ. ㉢에서는 수요량과 공급량이 일치한다. ㄹ. ㉣ 시장 가격보다 낮은 가격에서는 초과 수요가 발생한다.

05 가격이 1,000원일 때, 수요량은 16개이지만 공급량은 8개이기 때문에 거래량은 8개이고, 8개만큼 초과 수요가 발생한다.

06 시장 가격은 자원을 효율적으로 배분하는 역할을 하지만 경제 활동의 이익이 균등하게 배분되는 것은 아니다.

07 예시 답안 (1) 수요 법칙 (2) 가격이 상승하면 수요량이 감소하고 가격이 하락하면 수요량이 증가한다.

답안 작성 Hint 제시된 사례를 통해 가격이 변화하면 수요량도 변화한다는 것과 가격과 수요량이 음(−)의 관계에 있음을 알 수 있다.

채점 기준

상	수요 법칙을 쓰고, 그 의미를 정확하게 서술한 경우
중	수요 법칙을 쓰고, 그 의미를 미흡하게 서술한 경우
하	수요 법칙만 쓴 경우

08 예시 답안

가격
0
수량

09 예시 답안 소비자와 생산자에게 무엇을 얼마만큼 소비하고 생산할 것인지를 알려주는 신호등 역할을 한다.

채점 기준

상	'신호등'을 포함하여 시장 가격의 기능을 정확하게 서술한 경우
하	'신호등'이라는 표현만 사용하여 단답형으로 쓴 경우

10 답안 작성 Hint 시장 가격은 수요량과 공급량이 일치하는 지점에서 형성된다. 만약 초과 수요가 발생하면 소비자들은 가격을 더 주고서라도 구매하려고 하기 때문에 가격이 상승한다. 초과 공급이 발생한 경우에는 공급자들이 더 낮은 가격을 받고서라도 판매를 하려고 하므로 가격이 하락한다.

03 시장 가격의 변동

72~73쪽

꼼꼼! 필기 노트

❶ 증가 ❷ 감소 ❸ 증가 ❹ 감소 ❺ 오른쪽 ❻ 상승
❼ 증가 ❽ 왼쪽 ❾ 하락 ❿ 감소 ⓫ 증가 ⓬ 감소
⓭ 오른쪽 ⓮ 하락 ⓯ 증가 ⓰ 왼쪽 ⓱ 상승 ⓲ 감소

콕콕! 핵심 개념

1 대체재 2 보완재

탄탄! 활동 노트

활동 ① **1** 수요 변화 요인 – ㉡, ㉢, ㉤ / 공급 변화 요인 – ㉠, ㉣, ㉥
2 (1) 공급, 증가, 하락 (2) 수요, 증가, 상승 (3) 수요, 감소, 하락 (4) 공급, 감소, 상승 (5) 수요, 감소, 하락 (6) 공급, 증가, 하락

활동 ② **1** 소비자들은 배추 가격이 오를 것으로 예측하고 더 오르기 전에 배추를 사려고 할 것이므로 수요는 증가한다. 반면, 배추 공급자들은 가격이 더 오른 뒤에 파는 것이 더 이득이기 때문에 가격이 더 오를 때까지 기다릴 것이므로 공급은 감소한다.

2 (1)

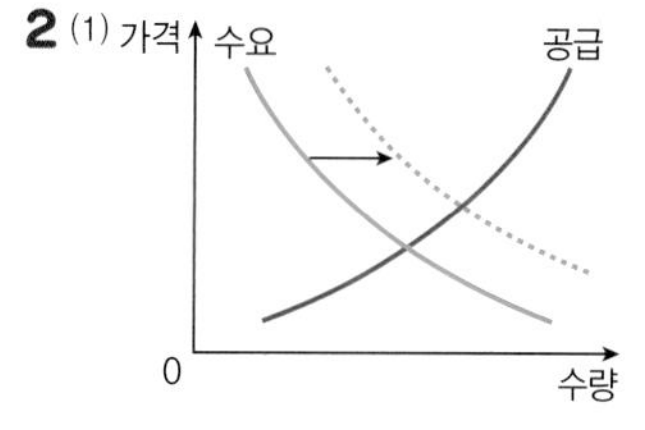

수요가 증가하면 균형 가격은 상승하고 균형 거래량도 증가한다.

(2)

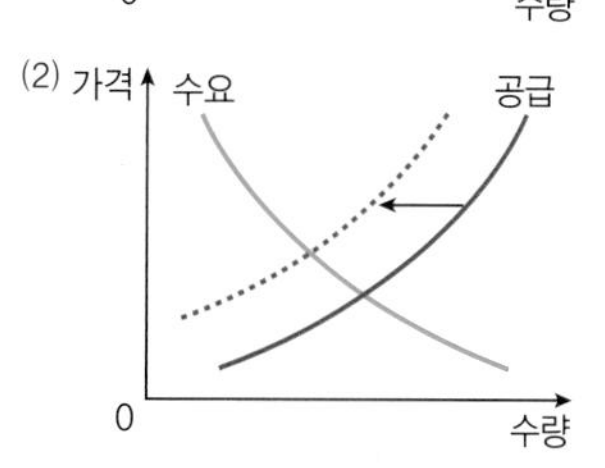

공급이 감소하면 균형 가격은 상승하고 균형 거래량은 감소한다.

쑥쑥! 실력 키우기

74~75쪽

1 STEP 개념을 되짚는 확인 문제

01 (1) 수요 (2) 보완재 (3) 오른쪽 (4) 감소 02 (1) 증가 (2) 감소 (3) 증가 (4) 감소 03 (1) ○ (2) × (3) ○ 04 (1) ㉢, ㉣ (2) ㉠, ㉡

2 STEP 기초를 다지는 기본 문제

01 ① 02 ③ 03 ③ 04 ② 05 ②

3 STEP 실력을 완성하는 주관식·서술형 문제

06 해설 참조 **07** 해설 참조 **08** 해설 참조

01 오답 확인 ㄷ. 생산 비용, ㄹ. 생산 기술은 공급을 변화시키는 요인이다.

02 오답 확인 ㄱ. 생산비 절감으로 공급이 증가하여 공급 곡선이 오른쪽으로 이동한다. ㄹ. 기업의 도산으로 공급자 수가 감소하여 공급 곡선이 왼쪽으로 이동한다.

03 제시된 내용들은 모두 서로 비슷한 만족을 얻을 수 있는 대체재와 관련되어 있다.
오답 확인 보완재는 함께 소비했을 때 더 큰 만족을 얻을 수 있는 상호 보완적인 관계에 있는 재화를 말한다.

04 원료 가격이 하락하면 생산 비용이 감소되어 공급이 증가하면 공급 곡선이 오른쪽으로 이동하여 국수 가격은 하락하고 거래량은 증가한다.

05 폭발에 대한 불안감으로 소비자들의 수요가 감소하기 때문에 수요 곡선이 왼쪽으로 이동한다.

06 예시 답안 공급은 변화 없이 일정한 상태인데 수요가 증가하기 때문이다.
답안 작성 Hint 똑같은 영화관에서 요일에 따라 요금을 다르게 받는 것은 공급은 일정한 데 수요가 달라지기 때문이다.

채점 기준

상	공급은 일정하고 수요만 증가한다는 것을 정확하게 서술한 경우
하	수요가 증가한다는 내용만 서술한 경우

07 예시 답안 치킨과 콜라는 함께 소비할 때 만족이 더 커지는 보완재에 해당한다. 따라서 치킨의 가격이 하락하면서 치킨의 수요가 증가하면 이와 함께 콜라의 수요도 증가하게 된다.

채점 기준

상	보완재의 의미와 콜라의 수요가 증가하는 것을 정확하게 서술한 경우
중	보완재를 쓰고, 콜라의 수요가 증가한다고 서술한 경우
하	콜라의 수요 증가만 서술한 경우

08 예시 답안 (1)

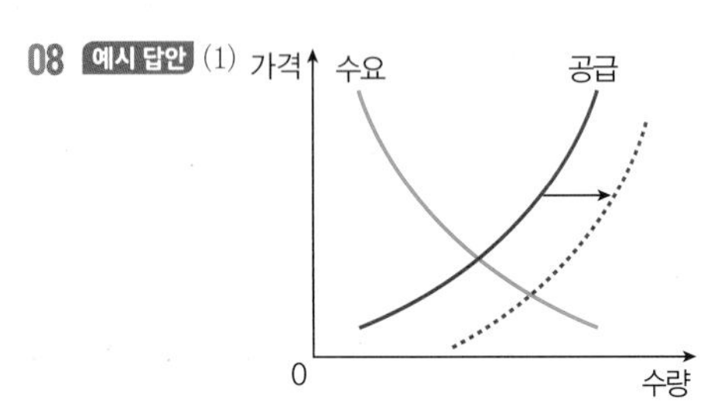

(2) 기술 혁신을 통한 생산비 절감으로 공급이 증가하여 시장 가격은 하락하고, 균형 거래량은 증가한다.

채점 기준

상	그래프를 정확하게 그리고, 가격과 거래량의 변화를 모두 서술한 경우
중	그래프를 정확하게 그리고, 가격과 거래량의 변화 중 하나만 옳게 서술한 경우
하	그래프를 그리거나 가격과 거래량의 변화 중 하나만 쓴 경우

똑딱! 단원 마무리하기 76~79쪽

01 ③ **02** ④ **03** ④ **04** ③ **05** ③ **06** ⑤ **07** ②
08 ㉠ 수요 ㉡ 수요량 ㉢ 우하향 **09** 1,500원 / 300개 **10** ③
11 ③ **12** ⑤ **13** ① **14** ④ **15** ① **16** ④
서술형 문제 **17**~**24** 해설 참조

01 물물 교환 경제에서는 분업과 특화를 통해 생산량이 증가하였다.

02 오답 확인 ㄹ. 효율적인 거래를 위해 만나는 시간과 장소를 정해 시장이 형성되면서 거래 비용이 크게 감소하였다.

03 구체적인 모습이 눈에 보이지 않더라도 상품의 거래가 이루어지는 모든 곳이 시장에 해당한다.

04 수요 법칙에 따르면 가격이 오르면 수요량이 감소하고 가격이 내리면 수요량이 증가한다.
오답 확인 ①, ② 시장 가격은 수요가 아니라 수요량을 변화시킨다. ⑤ 가격과 수요량은 음(−)의 관계이다.

05 오답 확인 ㄱ. 원자재 가격과 같은 생산 비용은 공급을 변화시키는 요인이다. ㄹ. 여러 점포가 문을 닫는 것은 공급자 수와 연관이 있다.

06 오답 확인 ㄱ. 시장 가격의 개별 경제 주체의 이익 추구를 통해 형성된다. ㄴ. 가치를 저장하는 것은 화폐의 기능이다.

07 오답 확인 ㄴ. 가격과 공급량은 양(+)의 관계가 나타난다. ㄹ. 가격이 200원씩 오를 때마다 공급량은 5만 개씩 증가한다.

08 가격과 수요량은 음의 관계이므로 수요 곡선은 우하향한다.

09 수요량과 공급량이 일치하는 지점에서 시장 가격이 결정되며, 시장 가격에서 거래되는 양이 균형 거래량이다.

10 오답 확인 ㄱ. 가격이 400원일 때 10만 개만큼의 초과 수요가 발생한다. ㄹ. 가격이 800원일 때 공급자 간 경쟁으로 가격이 하락한다.

11 수요 곡선과 공급 곡선이 만나는 점에서 균형 가격과 균형 거래량이 결정되므로 균형 가격은 600원, 균형 거래량은 15만 개다.

12 바나나의 효능이 알려지면서 바나나에 대한 수요가 증가하여 수요 곡선이 오른쪽으로 이동할 것이다.

13 감자와 고구마, 커피와 녹차는 어느 것을 소비하더라도 비슷한 만족을 주는 대체 관계에 있다.

오답 확인 ㄷ, ㄹ은 모두 함께 소비했을 때 만족이 더 커지는 보완재에 해당한다.

14 자연재해로 인해 과일 공급이 감소하여 가격이 상승할 것이다.

15 돼지고기와 쇠고기는 대체재이기 때문에 돼지고기 대신 쇠고기를 찾는 소비자가 늘어나 쇠고기의 수요가 증가하게 된다.

16 시장 균형이 A에서 B로 변화하기 위해서는 각각 수요는 증가하고 공급은 감소하여야 한다.

오답 확인 ㄱ. 소득 감소는 수요를 감소시킨다. ㄷ. 기술 개발은 공급을 증가시킨다.

17 **예시 답안** (1) 분업 (2) 빠른 일처리를 통한 효율적 생산, 전문성 향상 등의 장점이 있다. (3) 전체를 보는 시야가 좁아지거나 다른 분야의 업무 처리가 어려운 단점이 있다.

채점 기준

상	분업을 쓰고, 장단점을 각각 1가지씩 정확하게 서술한 경우
중	분업을 쓰고, 장점과 단점 중 1가지만 정확하게 서술한 경우
하	분업만 쓴 경우

18 (1) 200 (2) 100

채점 기준

상	시장 가격과 균형 거래량을 모두 정확하게 쓴 경우
하	시장 가격과 균형 거래량 중 하나만 정확하게 쓴 경우

19 **예시 답안** 공급량이 140개, 수요량이 60개로 초과 공급이 발생하여 공급자들 간의 경쟁으로 인해 가격이 하락하게 된다.

채점 기준

상	'초과 공급'을 포함하여 가격 변화를 정확하게 서술한 경우
하	가격 변화만 서술한 경우

20 **예시 답안** 공급량이 60개, 수요량이 140개로 초과 수요가 발생하여 수요자들 간의 경쟁으로 인해 가격이 상승하게 된다.

채점 기준

상	'초과 수요'를 포함하여 가격 변화를 정확하게 서술한 경우
하	가격 변화만 서술한 경우

21 **예시 답안** (가)는 곡선 위의 점의 이동이므로 가격 변화에 따른 수요량의 변화를 나타내고, (나)는 곡선 자체의 이동이므로 가격 이외의 요인으로 인해 수요가 변화하는 것을 나타낸다.

채점 기준

상	(가), (나) 그래프에서 나타나는 변화를 분석하고 그 의미를 정확하게 서술한 경우
중	(가), (나) 그래프에서 나타나는 변화의 의미만 서술한 경우
하	(가), (나) 그래프 중 1가지의 의미만 서술한 경우

22 **예시 답안** 숙박 시설의 공급은 일정한데, 휴가철 성수기에는 수요가 증가하기 때문이다.

답안 작성 Hint 똑같은 숙박 시설이지만 시기에 따라 요금이 달라지는 이유는 공급은 일정한데, 수요가 달라지기 때문이다.

채점 기준

상	공급이 일정한 상태에서 수요가 증가하는 것을 정확하게 서술한 경우
하	수요가 증가하는 측면만 서술한 경우

23 **예시 답안** 자동차의 수요가 감소하고 자전거의 수요가 증가하여 자전거의 균형 가격은 상승하고, 균형 거래량은 증가한다.

답안 작성 Hint 제시문에서 자동차와 자전거는 대체 관계이다.

채점 기준

상	수요, 시장 가격, 균형 거래량의 변화를 모두 바르게 서술한 경우
중	수요, 시장 가격, 균형 거래량의 변화 중 두 가지를 바르게 서술한 경우
하	수요, 시장 가격, 균형 거래량의 변화 중 한 가지를 바르게 서술한 경우

5. 국민 경제와 국제 거래

01 국민 경제의 이해

82~83쪽

꼼꼼! 필기 노트

❶ 한 나라 안 ❷ 최종 생산물 ❸ 인구수 ❹ 국내 총생산 ❺ 삶의 질 ❻ 환경 오염 ❼ 빈부 격차

콕콕! 핵심 개념

1 국민 경제 지표 2 국내 총생산 3 경제 성장

탄탄! 활동 노트

활동 ① **1** (가)는 시장에서 거래되지 않는 활동으로 국내 총생산에 포함되지 않는다. (다)는 국내에서 이루어지는 생산 활동이 아니므로 국내 총생산에 포함되지 않는다. **2** 시장에서 거래되지 않는 가사 노동이나 봉사활동의 가치를 포함하지 않는다. 여가에 사용된 시간의 가치는 포함하지 않는다. 공해나 환경오염, 범죄나 교통사고 등으로 인한 피해를 포함하지 않는다. 국민의 후생이나 복지 수준을 나타내기 어렵다 등

활동 ② 국내 총생산은 최종 생산물인 빵의 시장 가치인 2,500만 원이다. (또는 밀의 부가 가치 800만 원, 밀가루의 부가 가치 400만 원, 빵의 부가 가치 1,300만 원을 합한 2,500만 원이다.)

활동 ③ **1** 전반적으로 꾸준한 경제 성장이 나타나고 있다. **2** 명목 국내 총생산은 실제 생산량이 증가하지 않더라도 재화나 서비스의 가격이 상승하면 국내 총생산이 증가한 것처럼 나타나므로 물가 변동을 제거하고 상품의 생산량 변동만 나타내는 실질 국내 총생산을 이용하여 계산한다.

쑥쑥! 실력 키우기

84~85쪽

1 STEP 개념을 되짚는 확인 문제

01 (1) 국민 경제 지표 (2) 1인당 국내 총생산 (3) 실질 국내 총생산

02 (1) 최종 생산물 (2) 국내 총생산 (3) 경제 성장

03 (1) ○ (2) × (3) ○ (4) ×

2 STEP 기초를 다지는 기본 문제

01 ① **02** ③ **03** ③ **04** ④ **05** ② **06** ④

3 STEP 실력을 완성하는 주관식·서술형 문제

07 해설 참조 **08** 해설 참조 **09** 해설 참조

01 국내 총생산은 일정 기간 동안 한 나라 안에서 새로이 생산된 최종 생산물의 시장 가치를 합한 것이다.
오답 확인 ② 국민 총생산은 생산 지역과 관계없이 일정 기간 동안 한 나라의 국민이 생산한 최종 생산물의 시장 가치이다.

02 국내 총생산은 국민의 후생이나 복지 수준을 나타내기 어렵다는 한계가 있다.

03 가정주부의 가사 노동, 중간 생산물, 오래된 아파트의 매매 대금 등은 국내 총생산에 반영되지 않는다.

04 국내 총생산은 최종 생산물만을 반영하는 것으로, 생산 과정에서 사용된 원료나 부품 등 중간재는 반영되지 않는다.

05 경제 성장은 삶의 질을 높이는 데 이바지하지만 경제 성장이 언제나 삶의 질의 향상으로 이어지는 것은 아니다.

06 자원 고갈, 환경 파괴, 빈부 격차 심화 등 사회 갈등이 확대되는 부작용이 나타나기도 한다.

07 예시 답안 (1) 국내 총생산 (2) 가정주부의 가사 노동, 무료 누리 소통망 서비스, 지하 경제 활동 등은 국내 총생산에 포함하지 않는다. 오염으로 인한 국민의 후생 수준 저하를 포함하지 않는다. 국민의 삶의 질이나 복지 수준을 나타내기 어렵다 등
답안 작성 Hint 국내 총생산은 한 나라의 경제 활동 규모를 나타내는 중요한 지표이기는 하지만 국민 개개인이 생활 속에서 느끼는 행복, 만족감인 삶의 질을 정확히 반영하지는 못한다.

채점 기준

상	국내 총생산을 쓰고, 한계 두 가지를 옳게 서술한 경우
중	국내 총생산을 쓰고, 한계 한 가지를 옳게 서술한 경우
하	국내 총생산만 쓴 경우

08 예시 답안 (1) ㄱ, ㄷ (2) ㄱ은 시장에서 거래되지 않으므로 국내 총생산에 해당하지 않는다. ㄷ은 우리나라 안에서 생산된 것이 아니기 때문에 국내 총생산에 해당하지 않는다.
답안 작성 Hint 국내 총생산은 일정 기간 동안 한 나라 안에서 새로이 생산된 최종 생산물의 시장 가치를 합한 것으로, 한 나라의 경제 규모와 생산 능력을 파악하기 위해 널리 이용된다.

채점 기준

상	ㄱ, ㄷ을 고르고, 각각의 이유를 두 가지 모두 서술한 경우
중	ㄱ, ㄷ을 고르고, 각각의 이유를 한 가지만 서술한 경우
하	ㄱ, ㄷ만 고른 경우

09 예시 답안 (1) 경제 성장 (2) 소득이 증가한다. 물질적으로 풍요로워진다. 평균 수명이 연장된다. 문화 시설이 보급된다. 교육 및 복지 수준이 향상된다 등 (3) 환경 오염이 심화된다. 자원이 고갈된다. 경제 활동 시간 증가에 따른 과도한 경쟁과 스트레스로 개인의 행복을 위협한다. 빈부 격차가 심화된다. 계층 간의 갈등을 유발한다 등

채점 기준

상	경제 성장을 쓰고, 긍정적 · 부정적 영향을 모두 옳게 서술한 경우
중	경제 성장을 쓰고, 긍정적 · 부정적 영향 중 하나만 서술한 경우
하	경제 성장만 쓴 경우

02 물가 상승과 실업

86~89쪽

꼼꼼! 필기 노트

❶ 물가 ❷ 물가 지수 ❸ 인플레이션 ❹ 증가 ❺ 통화량 ❻ 구매력 ❼ 총수요 감소 정책 ❽ 실업 ❾ 실업률 ❿ 자아실현 ⓫ 마찰적 ⓬ 경기적 ⓭ 구조적

콕콕! 핵심 개념

1 물가 **2** 물가 지수 **3** 인플레이션 **4** 경제 활동 인구 **5** 경기적 실업 **6** 마찰적 실업

탄탄! 활동 노트

활동 ① **1** 소비자의 구매력을 감소하게 한다. 고정된 소득에서 상품 구매 능력이 감소한다. 소득과 부를 불공평하게 재분배하게 된다. 부동산 투기와 같은 불건전한 경제 활동이 확산될 수 있다. 자국 상품의 가격이 외국 상품에 비해 상대적으로 비싸지면서 수출은 감소하고 수입은 증가하여 무역 불균형이 발생한다 등

2 정부: 생활필수품의 가격 인상 규제, 공공요금 인상 억제, 과도한 정부 지출 축소, 조세 확대 등 / 중앙은행: 통화량 감소 및 이자율 상승 정책 실시 / 기업: 효율적 경영과 기술 혁신을 통한 생산 효율성 증대 및 생산 비용 감소 노력 등 / 근로자: 과도한 임금 인상 요구 자제, 자신의 직업 분야의 전문성을 기르기 위한 노력 등 / 소비자: 저축의 생활화, 과소비와 충동구매 자제 등

활동② **1** 경제 전체의 총수요가 총공급보다 많을 때 발생한다. 경제 전반에서 생산 비용이 상승할 때 발생한다. 시중 통화량이 증가하여 화폐의 가치가 하락하고 물가가 상승한다. **2** (1) ㉡, ㉢, ㉤ (2) ㉠, ㉣

활동③ **1** (1) 아버지, 이모, 오빠 (2) 어머니, 다영이 **2** 아버지 – 구조적 실업, 직업 교육 및 인력 개발 프로그램 확대 등 / 오빠 – 마찰적 실업, 구인·구직 정보 시스템 구축, 고용 지원 센터 운영, 취업 박람회 개최 등

활동④ **1** (1) ㉠ 경제 활동 인구 ㉡ 취업자 ㉢ 실업자 (2) 주부, 학생, 노인, 구직 단념자 등 **2** (102만 명/2,775만 명)×100≒3.68%

쑥쑥! 실력 키우기

90~91쪽

1 STEP 개념을 되짚는 확인 문제

01 (1) 물가 (2) 인플레이션 (3) 실업 **02** (1) ㉠ (2) ㉢ (3) ㉡
03 (1) × (2) ○ (3) × **04** (1) 줄이고, 늘려야 (2) 계절적 실업 (3) 근로자

2 STEP 기초를 다지는 기본 문제

01 ⑤ **02** ② **03** ① **04** ④ **05** ② **06** ③

3 STEP 실력을 완성하는 주관식·서술형 문제

07 해설 참조 **08** 해설 참조 **09** 해설 참조

01 물가란 여러 상품의 가격을 합하여 평균한 것이다. 물가 상승은 실물 자산 소유자, 채무자, 수입업자 등에게는 유리하지만, 봉급 생활자, 채권자, 수출업자 등에게는 불리하여 소득과 부의 불공평한 재분배가 일어나게 한다.

02 인플레이션이란 물가가 일정 기간 동안 지속적으로 오르는 현상을 말한다.
오답 확인 ③ 디플레이션이란 물가가 일정 기간 동안 지속적으로 하락하는 현상이다.

03 제시문은 물가가 상승하고 있는 상황이 나타나고 있다. 물가가 상승하면 화폐 가치가 하락하여 상품 구매력이 감소하게 되고, 생활 수준도 하락하게 된다.

04 오답 확인 ③ 경기 침체로 인해 기업이 고용을 줄여 발생하게 되는 것은 경기적 실업이다. ⑤ 경제 활동 인구 중에서 일을 하고 있는 취업자와 일을 하지 않고 있는 실업자로 구분된다.

05 ㉠은 경기적 실업, ㉡은 구조적 실업에 관한 설명이다.

06 $실업률(\%) = \dfrac{실업자\ 수}{경제\ 활동\ 인구} \times 100 = \dfrac{10,000}{40,000} \times 100 = 25\%$

07 예시 답안 (1) 실업 (2) 인적 자원이 낭비될 수 있다. 경제 성장이 저하될 수 있다. 사회 전체의 생산이 감소한다. 실업자에 대한 복지 비용이 증가하여 정부 재정의 부담이 증가한다. 생계형 범죄가 증가하여 사회 불안과 사회 문제가 증가한다 등

채점 기준

상	실업을 쓰고, 사회적 측면의 영향 두 가지를 바르게 서술한 경우
중	실업을 쓰고, 사회적 측면의 영향을 한 가지만 서술한 경우
하	실업만 쓴 경우

08 예시 답안 (1) 정부 지출을 늘리고 세금을 줄이는 등 총수요를 늘리기 위한 정책을 편다. 공공사업 확대, 재정 지출 확대 등을 통해 일자리를 창출한다. 체계적인 직업 훈련과 다양한 취업 정보를 제공한다 등 (2) 시중에 유통되는 통화량을 늘리고 이자율을 낮추는 정책을 편다 등
답안 작성 Hint 정부는 경기 침체 시 경기 활성화를 위해 총수요를 늘리는 정책을 펼치고, 실업 문제를 해결하기 위해 다양한 일자리 창출 정책을 펼친다. 중앙은행은 통화량을 늘리고 이자율을 줄이는 정책을 실시한다.

채점 기준

상	정부와 중앙은행의 노력을 각각 한 가지씩 바르게 서술한 경우
하	정부와 중앙은행의 노력 중 한 가지만 바르게 서술한 경우

09 예시 답안 (1) 구조적 실업 (2) 직업 교육이나 인력 개발 프로그램을 확대한다. 기업은 새로운 일자리를 창출하기 위해 노력한다. 근로자는 변화하는 작업 환경에 적응하기 위해 자기계발에 힘쓴다 등

채점 기준

상	구조적 실업을 쓰고, 해결 방안 두 가지를 바르게 서술한 경우
중	구조적 실업을 쓰고, 해결 방안 한 가지를 바르게 서술한 경우
하	구조적 실업만 쓴 경우

03 국제 거래와 환율

92~95쪽

꼼꼼! 필기 노트

❶ 수출 ❷ 수입 ❸ 관세 ❹ 환율 ❺ 생산비 ❻ 절대 ❼ 비교 ❽ 생산 요소 ❾ 수입 ❿ 수출 ⓫ 상승 ⓬ 하락 ⓭ 상승 ⓮ 하락

콕콕! 핵심 개념

1 국제 거래 2 비교 우위 3 환율 4 외화 수요 5 외화 공급

탄탄! 활동 노트

활동① **1** 물품이 국경을 넘을 때 통관 절차를 거치며 관세를 내야 한다. 거래하는 두 나라의 화폐가 다르기 때문에 환율이 고려해서 거래해야 한다. 나라마다 법과 제도가 다르기 때문에 상품과 생산 요소의 이동에 제약이 있다. 국가마다 보유하고 있는 자원의 종류와 양이 다르고 보관료, 운송비 등이 다르므로 동일 상품이라도 국가마다 가격 차이가 발생한다 등

2 국가 간 생산 여건의 차이로 생산 비용이 다르게 나타나므로 각국이 생산에 유리한 상품을 특화하여 거래함으로써 서로 이득을 볼 수 있다. 세계 시장을 상대로 하여 대규모 생산이 가능하므로 생산비를 절약할 수 있다. 선진국의 발전된 생산 기술을 도입하여 생산비를 절약할 수 있다. 생산 시설을 확충하고 고용을 증대하는 등 부족한 생산 요소를 도입할 수 있다 등

활동② ㉠ – 절대 우위 ㉡ – 비교 우위

활동③ **1** ❶ 환율 ❷ 수요 ❸ 감소 ❹ 공급 ❺ 감소 ❻ 수요 ❼ 증가

2 (가)

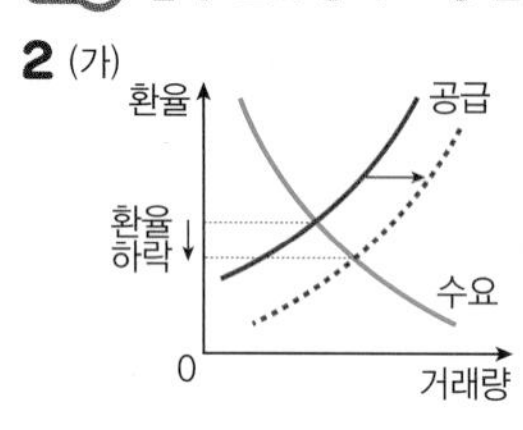

(나)

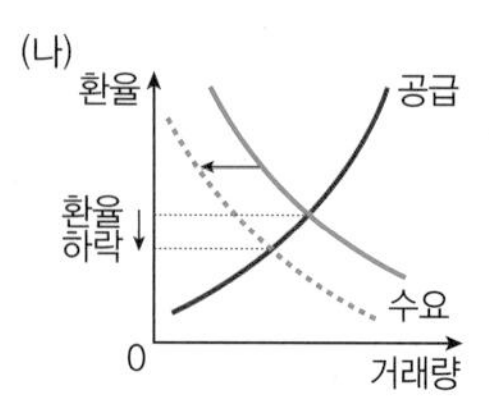

(다)

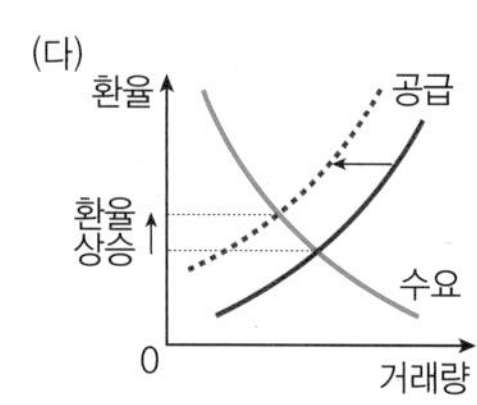

(라)

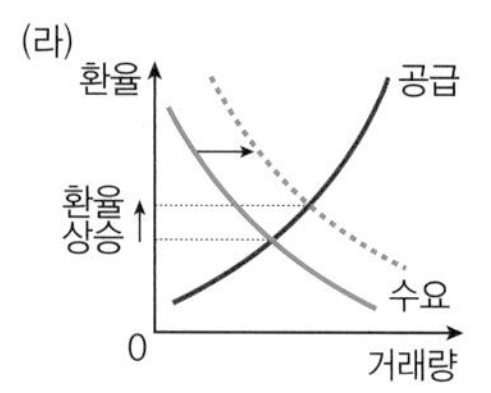

3 (1) 불 (2) 유 (3) 불 (4) 유 (5) 불

쑥쑥! 실력 키우기 96~97쪽

1 STEP 개념을 되짚는 확인 문제

01 (1) 국제 거래 (2) 비교 우위 (3) 감소, 감소 **02** (1) 관세 (2) 수출, 수입 (3) 환율 **03** (1) × (2) ○ (3) × (4) ×

2 STEP 기초를 다지는 기본 문제

01 ③ **02** ② **03** ③ **04** ④ **05** ⑤ **06** ③

3 STEP 실력을 완성하는 주관식·서술형 문제

07 해설 참조 **08** 해설 참조 **09** 정답 ㉠ 절대 우위 ㉡ 비교 우위

01 국제 거래는 국가 간에 이루어지는 상업적 거래를 말한다.

02 국제 거래는 세계화의 영향으로 지속적으로 확대되고 있다.

03 오답 확인 ㄷ은 절대 우위, ㄹ은 비교 우위에 관한 설명이다.

04 환율이 상승하면 1달러를 살 때 우리나라 원화를 더 지급해야 하며, 이는 원화의 가치가 하락했음을 의미한다.

05 제시된 그래프는 외화 공급의 증가로 균형 환율이 하락하였다. 외국인의 국내 기업 투자가 증가하면 외화 공급이 증가한다.
오답 확인 외채 상환 증가나 외국 상품에 대한 수입 증가, 우리나라 국민의 해외여행 증가, 우리나라 국민의 해외 투자 증가는 외화의 수요를 증가시켜 균형 환율이 상승한다.

06 환율이 하락했다는 것은 상대적으로 원화의 가치가 상승했음을 의미한다. 그러므로 환율이 하락하면 한국인 유학생, 우리나라 수입업자에게 유리해진다.
오답 확인 환율이 하락하면 ㄱ. 한국 여행을 계획 중인 미국인, ㄹ. 미국에 자동차를 수출하는 한국인 기업가는 불리해진다.

07 예시 답안 (1) 국제 거래 (2) 국제 거래는 관세를 부과한다. 국제 거래는 환율을 고려해야 한다. 국제 거래는 이동의 제약이 있다. 국제 거래는 국내 거래에 비해 시장 규모가 크다 등

채점 기준

상	국제 거래를 쓰고, 특징을 두 가지 모두 서술한 경우
중	국제 거래를 쓰고, 특징을 한 가지만 서술한 경우
하	국제 거래를 쓰지 못한 경우

08 예시 답안 외국 상품에 대한 수입이 증가한다. 우리나라 국민의 해외여행이 증가한다. 우리나라 국민의 해외 투자가 증가한다. 우리나라 국민의 유학이 증가한다 등
답안 작성 Hint 외화의 수요가 증가하게 되면 균형 환율은 상승하게 된다. 외화의 수요 요인은 수입, 해외여행, 외국 투자, 유학 등이 있다.

채점 기준

상	환율 상승의 수요 요인 두 가지를 옳게 서술한 경우
하	환율 상승의 수요 요인 한 가지를 옳게 서술한 경우

09 답안 작성 Hint 국가마다 경제 여건이 달라 국가 간 생산비의 차이가 발생한다. 이때 각국은 생산에 유리한 상품을 특화하여 생산하고 이를 교역함으로써 더 적은 비용으로 많은 양을 생산할 수 있다.

뚝딱! 단원 마무리하기 98~99쪽

01 ① **02** ④ **03** ③ **04** ② **05** ⑤ **06** ② **07** ⑤ **08** ④ **09** ① **10** ⑤ **11** ③ **12** ④ **13** ⑤ **14** ④ **15** ⑤ **16** ① **17** ⑤ 서술형 문제 **18~23** 해설 참조

01 오답 확인 ② 국내 총생산은 보통 1년의 기간 동안 생산된 상품을 대상으로 한다. ③ 중간재는 국내 총생산에 포함되지 않는다. ④ 국적에 관계없이 한 나라 안에서 생산된 것만 포함한다. ⑤ 국내 총생산은 국민 개개인의 소득을 파악하지는 못한다.

02 오답 확인 ㄴ. 우리나라 공장에서 일하는 외국인 근로자의 소득은 우리나라 안에서 이루어진 생산 활동으로 얻은 소득이므로 국내 총생산에 포함된다.

03 국내 총생산은 가정주부의 가사 노동, 지하 경제 활동 등을 포함하지 못하고, 국민 개개인의 소득이나 생활 수준 파악에 용이하지 못하다.

04 경제 성장은 삶의 질을 높이는 데 기여하지만 반드시 비례하여 높아지는 것은 아니다.

05 경제 성장률이 양(+)일 경우에는 경제 규모가 확대된 것이고, 음(−)일 경우에는 축소된 것이다.

06 오답 확인 ㄴ. 원자재 가격의 하락과 ㄷ. 통화량 감소는 물가를 하락시키는 요인이다.

07 물가가 상승하면 돈을 빌린 사람은 돈을 갚을 때의 가치가 그것을 빌렸을 때보다 작아져서 유리하게 된다.

08 통화량이 증가하면 화폐 가치가 하락하고 상품의 가격이 올라 물가가 상승한다.

09 정부는 물가 안정을 위해 과도한 재정 지출을 축소하고 세금을 늘려야 한다.

10 노동 가능 인구는 경제 활동 인구와 비경제 활동 인구로 구분되고, 경제 활동 인구는 취업자와 실업자로 구분된다.

11 더 나은 직장을 얻기 위한 과정에서 일시적으로 발생하는 실업을 마찰적 실업이라고 한다.

12 $\text{실업률(\%)} = \dfrac{\text{실업자 수}}{\text{경제 활동 인구}} \times 100 = \dfrac{2{,}000}{10{,}000} \times 100 = 20\%$

13 제시된 사례는 경기적 실업으로, 정부는 이를 해결하기 위해 총수요 확대 정책을 펴서 기업이 생산과 고용을 늘리도록 유도해야 한다.

14 실업은 정부의 실업자에 대한 재정 지출을 증가시켜 정부 재정 부담이 커진다.

15 국가 간 경제 여건의 차이로, 다른 국가와의 교역 없이 독자적으로 각국의 경제생활이 이루어질 수 없으므로 국제 거래가 필요하다.

16 오답 확인 ㄷ. 외국인의 국내 관광이 감소하면 외화 공급이 감소하여 환율은 상승한다. ㄹ. 우리나라 국민의 해외여행이 증가하면 외화 수요가 증가하여 환율은 상승한다.

17 환율이 상승하면 수출이 유리해지고 국내 경기가 활성화되는 한편, 수입에 불리해지고 외채 상환 부담이 증가된다.

18 예시 답안 (1) 국내 총생산은 국적에 상관없이 그 나라 안에서 생산된 것을 의미하므로 외국에서 생산된 것은 포함되지 않는다. (2) 국내 총생산은 그 해에 새롭게 생산된 것의 가치만을 포함하므로 5년 전 지어진 아파트의 매매는 포함되지 않는다.
답안 작성 Hint 국내 총생산에 국외 생산품, 중고품, 중간 생산물, 시장에서 거래되지 않은 것은 포함되지 않는다.

채점 기준

상	(가), (나)의 이유를 모두 바르게 서술한 경우
하	(가), (나)의 이유 중 하나만 서술한 경우

19 예시 답안 (1) 인플레이션 (2) 시중에 통화량이 증가하였다. 재화와 서비스를 만드는 생산 비용이 증가하였다. 상품에 대한 총수요가 증가한 만큼 총공급이 증가하지 못하였다 등

채점 기준

상	인플레이션을 쓰고, 발생 원인 두 가지를 모두 서술한 경우
하	인플레이션을 쓰고, 발생 원인 한 가지를 서술한 경우

20 예시 답안 (1) 구조적 실업 (2) 산업 구조의 변화로 인해 쇠퇴하는 산업에서 발생하는 실업의 유형이다. (3) 직업 교육이나 인력 개발 프로그램을 통해 새 일자리를 찾는 것을 도와준다.

채점 기준

상	구조적 실업을 쓰고, 원인과 대책을 모두 서술한 경우
중	구조적 실업을 쓰고, 원인과 대책 중 한 가지만 서술한 경우
하	구조적 실업만 쓴 경우

21 예시 답안 (1) 채무자 − 갚을 돈의 가치가 하락하여 이득을 본다. / 기업가 − 화폐 소득의 구매력을 떨어뜨려 임금을 지급하는 기업가는 이득을 본다. / 수입업자 − 국내 물가 상승으로 수입품의 가격이 상대적으로 싸져 외국 상품의 수입을 증가한다. (2) 채권자 − 빌려준 돈의 가치가 떨어져 손해를 본다. / 근로자 − 화폐 소득의 구매력을 떨어뜨려 임금으로 생활하는 근로자는 손해를 본다. / 수출업자 − 국내 물가가 상승하면 수출품의 가격이 비싸져 수출이 감소한다.

채점 기준

상	유리한 사람과 불리한 사람을 각각 1명씩 이유와 함께 옳게 서술한 경우
중	유리한 사람과 불리한 사람 중 1명을 이유와 함께 서술한 경우
하	유리한 사람과 불리한 사람만 각각 1명씩 쓴 경우

22 예시 답안 수입이 증가하였다. 한국인 유학생이 증가하였다. 우리나라 국민의 해외여행이 증가하였다. 우리나라 국민의 해외 투자가 증가하였다 등
답안 작성 Hint 수입 증가, 해외여행 증가, 외국 투자 증가 등으로 인해 외화 수요가 증가하면 균형 환율은 상승한다.

채점 기준

상	환율이 상승하는 수요 요인 두 가지를 바르게 서술한 경우
하	환율이 상승하는 수요 요인 한 가지를 바르게 서술한 경우

23 예시 답안 수출에 유리해진다. 수입에 불리해진다. 물가가 상승하게 된다. 외채 상환 부담이 증가하게 된다 등

채점 기준

상	환율 상승이 국내 경제에 미치는 영향 두 가지를 옳게 서술한 경우
하	환율 상승이 국내 경제에 미치는 영향 한 가지를 옳게 서술한 경우

6. 국제 사회와 국제 정치

01 국제 사회의 특성과 행위 주체

104~105쪽

꼼꼼! 필기 노트
❶ 국제 사회 ❷ 주권 ❸ 자국의 이익 ❹ 힘의 논리 ❺ 국가
❻ 다국적 기업 ❼ 국제기구 ❽ 국제 비정부 기구

콕콕! 핵심 개념
1 국제 사회 2 국가 3 다국적 기업

탄탄! 활동 노트
활동① ❶ 국제 협력 ❷ 자국의 이익
활동② 1 국가, 국제기구, 다국적 기업
2 정부 간 국제기구 / 국제 비정부기구

쑥쑥! 실력 키우기

106~107쪽

1 STEP 개념을 되짚는 확인 문제
01 (1) 국제 사회 (2) 다국적 기업 (3) 국제기구
02 (1) 없다 (2) 자국의 이익 03 (1) ○ (2) × (3) ×
04 (1) ㉡, ㉢ (2) ㉠, ㉣

2 STEP 기초를 다지는 기본 문제
01 ② 02 ③ 03 ⑤ 04 ③ 05 ① 06 ⑤

3 STEP 실력을 완성하는 주관식·서술형 문제
07 해설 참조 08 해설 참조 09 해설 참조

01 제시문은 국제 사회에 관해 설명하고 있다.

02 국제 사회는 주권을 가진 여러 국가들로 구성되며, 국제 사회에서 국가는 주권 평등의 원칙에 따라 동등한 행위 주체로서 인정받는다.

03 국제 사회는 갈등과 대립을 조정하고 해결할 수 있는 강력한 중앙 정부가 존재하지 않지만 국제법, 국제 여론, 국제기구 등을 통해 국가 간의 관계를 부분적으로 조정하며 국제 질서를 유지하고 있다.

04 국제 사회에서 모든 국가는 원칙적으로 독립적이며 동등한 주권을 가진 행위 주체이다.

05 다국적 기업은 여러 나라에서 생산과 판매 등의 경제 활동을 함으로써 국경의 의미를 약화시킨다.

06 오답 확인 ㄱ. (가)는 정부 간 국제기구이다. ㄴ. (나) 국제 비정부 기구는 정치 분야뿐만 아니라 인권, 환경 등 다양한 분야에서 활동한다.

07 예시 답안 (1) 국제법 (2) 어떤 국가가 국제법을 어겼을 때 이를 제재할 수 있는 강제력이 없어 국제 사회의 분쟁을 해결하는 데 현실적으로 한계가 있다.

답안 작성 Hint 국제법은 국내법과는 달리 강제력이 미약하여 지키지 않아도 이를 제재할 수 있는 수단이 없어 국제 사회의 분쟁을 해결하는 데 한계가 있다.

채점 기준

상	국제법을 쓰고, 그 한계를 바르게 서술한 경우
하	국제법만 쓴 경우

08 예시 답안 다국적 기업의 증가로 인해 국가 간의 경계가 허물어지고 국가 간 상호의존성이 더욱 증가하고 있다.

답안 작성 Hint 그림은 세계 여러 나라에 자회사와 공장을 설립하여 상품을 생산하고 판매하는 기업을 나타내므로 '다국적 기업'을 나타낸다.

채점 기준

상	'다국적 기업의 증가', '국가 간 경계 약화'와 '상호 의존성 심화'를 모두 바르게 서술한 경우
중	'다국적 기업의 증가', '국가 간 경계 약화'와 '상호 의존성 심화' 중 두 가지만 서술한 경우
하	'다국적 기업의 증가'만 쓴 경우

09 예시 답안 (1) 국제기구 (2) 국제기구는 정부를 회원으로 하는 '정부 간 국제기구'와 개인과 민간단체를 회원으로 하는 '국제 비정부 기구'로 나눌 수 있다.

채점 기준

상	국제기구를 쓰고, 정부 간 국제기구와 국제 비정부 기구를 회원 자격과 함께 모두 서술한 경우
중	국제기구를 쓰고, 회원 자격에 대한 언급 없이 정부 간 국제기구와 국제 비정부 기구만 서술한 경우
하	국제기구만 쓴 경우

02 국제 사회의 다양한 모습과 공존 노력

108~109쪽

꼼꼼! 필기 노트
❶ 자국의 이익 ❷ 민족과 종교 ❸ 자원 확보 ❹ 국제 평화
❺ 평화 ❻ 외교정책 ❼ 외교관 ❽ 세계 시민

콕콕! 핵심 개념
1 협력 2 국제 갈등 3 외교

탄탄! 활동 노트
활동① 1 (가) 카슈미르 분쟁 (나) 이스라엘과 팔레스타인 분쟁
(다) 난사 군도 영유권 분쟁 2 (가) 민족과 종교 갈등
(나) 민족과 종교 갈등 (다) 영토와 자원 확보
활동② ❶ 외교 ❷ 평화적 ❸ 설득

쑥쑥! 실력 키우기

110~111쪽

1 STEP 개념을 되짚는 확인 문제

01 (1) 자국의 이익 (2) 외교 (3) 국가 원수 02 (1) 실리 (2) 공존

03 (1) × (2) ○ 04 (1) ㉡, ㉢ (2) ㉠, ㉣

2 STEP 기초를 다지는 기본 문제

01 ② 02 ④ 03 ② 04 ③ 05 ③ 06 ④

3 STEP 실력을 완성하는 주관식·서술형 문제

07 해설 참조 08 해설 참조 09 해설 참조

01 환경 문제와 같은 국제 문제는 한 국가만의 문제가 아니므로 경쟁이나 갈등보다는 국제 사회의 협력이 요구된다.

02 오답 확인 ㄱ. 오늘날에는 이념이나 명분보다는 자국의 실리를 추구한다. ㄷ. 국제 사회에서 일어나는 경쟁과 갈등의 모습은 매우 다양하며, 이러한 경쟁과 갈등의 발생 원인은 대체로 다양한 요인들이 복합적으로 작용하여 일어나고 있다.

03 제시된 사례는 다국적 기업 간에 시장 확보를 두고 갈등을 겪고 있는 모습이다. 오늘날 국제 사회에서는 다국적 기업이 증가하고 이익을 추구하는 과정에서 국제 사회에서의 경쟁 및 갈등이 더욱 심화하고 있다.
오답 확인 ㄹ. 냉전 체제 당시에는 이념을 중시하였으나, 냉전 체제 종식 이후 오늘날에는 실리를 추구하게 되었다.

04 카슈미르 지역은 인도를 중심으로 하는 힌두교와 파키스탄을 중심으로 하는 이슬람교 간 갈등 양상을 보이는 곳이다.

05 외교는 국가 원수나 외교관의 공식 외교뿐만 아니라 일반 시민의 민간 외교까지 포함한다. 최근에는 시민들이 국제 비정부 기구나 자원봉사에 참여하여 국제 문제 해결에 기여하는 등 민간 외교 주체로서의 역할이 강화되고 있다.

06 ㄱ, ㄴ, ㄹ은 모두 외교를 통해 국제 사회의 평화와 공존을 이루려는 노력이라고 할 수 있다.
오답 확인 ㄷ. 전쟁은 국제 사회의 평화와 공존의 사례가 아니라 갈등의 사례이다.

07 예시 답안 무역과 다국적 기업이 증가하면서 한 국가의 경제가 다른 국가들로부터 더 많은 영향을 받게 되어 국제 경제 협력의 필요성이 커지고 있다. 환경 문제는 한 국가만의 문제가 아니므로 국제 협력이 요구된다. 방송 · 통신의 발달로 다른 국가에서 발생하는 자연재해, 전쟁 등의 소식을 접하는 기회가 많아져 이에 대한 국제 협력 요구도 커지고 있다 등

채점 기준

상	국제 사회 협력의 필요성 세 가지를 바르게 서술한 경우
중	국제 사회 협력의 필요성을 두 가지만 바르게 서술한 경우
하	국제 사회 협력의 필요성을 한 가지만 바르게 서술한 경우

08 예시 답안 (1) 외교 (2) 외교를 통해 자국의 대외적 위상 및 이미지를 높일 수 있다. 경제적으로는 자원 · 자본 및 기술을 확보하고 해외 시장을 넓힐 수 있다. 지구촌 공동체 문제를 해결할 수도 있다. 국제 사회의 공존을 위해 외교가 필요하다 등
답안 작성 Hint 오늘날 세계 각국은 국제 사회의 공존을 위해 다양한 외교 정책을 펴고 있다. 외교를 통해 대외적 위상을 높이고 정치 · 경제적 이익을 실현할 수 있다.

채점 기준

상	외교를 쓰고, 외교의 중요성 두 가지를 바르게 서술한 경우
중	외교를 쓰고, 외교의 중요성 한 가지를 바르게 서술한 경우
하	외교만 쓴 경우

09 예시 답안 (1) 과거에는 국가 원수나 외교관을 중심으로 외교가 이루어졌다면 오늘날에는 시민이나 시민 단체에 의한 민간 외교의 역할이 중시되고 있다. (2) 과거에는 안보를 위해 정치적 목적으로 이루어졌다면 오늘날에는 경제적·문화적 교류 확대, 환경, 자원, 인권 등 다양한 분야에서 이루어지고 있다.

채점 기준

상	외교의 변화 양상을 활동 주체와 활동 영역 측면에서 모두 서술한 경우
하	외교의 변화 양상을 활동 주체와 활동 영역 중 하나만 서술한 경우

03 우리나라의 국제 관계와 외교 활동

112~113쪽

꼼꼼! 필기 노트

❶ 미국 ❷ 핵 확산 금지 조약 ❸ 독도 ❹ 동해 ❺ 동북공정 ❻ 외교 ❼ 국제 활동

콕콕! 핵심 개념

1 동북공정 2 일본

탄탄! 활동 노트

활동 ① **1** 해양 자원이 풍부하고, 동북아시아의 군사적 거점으로써 국가 안전 보장을 위해 필요한 군사 정보를 얻을 수 있다. **2** 독도 문제를 영토 분쟁으로 다루려는 것에 반대한다. 일본 제국주의의 한반도 침략에서 비롯된 역사적 문제이기 때문에 역사적 근거에 따라 판단해야 한다.

활동 ② **1** ❶ 고조선 ❷ 고구려 ❸ 발해 ❹ 중국 **2** 중국은 다민족 국가라는 것을 내세워 중국 내 소수 민족의 분리·독립을 막아 현재의 영토를 확고히 하고자 한다. 한반도 통일 이후 중국의 전략 지역인 만주 지역을 두고 발생할 수 있는 분쟁을 대비하고자 하는 것이다.

쑥쑥! 실력 키우기

114~115쪽

1 STEP 개념을 되짚는 확인 문제

01 (1) 비핵화 문제 (2) 국제 활동　02 (1) 독도 (2) 동북공정

03 (1) ○ (2) × (3) ○　04 (1) ㉢, ㉣ (2) ㉠, ㉡

2 STEP 기초를 다지는 기본 문제

01 ⑤　02 ③　03 ④　04 ②　05 ①

3 STEP 실력을 완성하는 주관식·서술형 문제

06 해설 참조　07 해설 참조　08 해설 참조

01 오답 확인 ① 일본과의 갈등은 과거 제국주의 침략 전쟁 과정에서의 식민 통치가 주요 원인이다. ② 동북공정 문제로 갈등 관계에 있는 국가는 중국이다. ④ 독도는 명백한 한국의 영토이므로 우리나라는 독도를 분쟁 지역으로 만드는 것에 대응하지 않고 있다. 국제 사회에 독도를 영유권 분쟁 지역으로 만들어 국제 사법 재판소에서 해결하려고 하는 것은 일본 측 입장이다.

02 제시문은 '독도는 우리 땅'이라는 노래 가사의 일부이다. 독도를 통해 국가 안전 보장에 필요한 동북아시아의 중요한 군사 정보를 얻을 수 있는 지리적 이점이 있어 일본이 독도 영유권을 주장하고 있다.

03 오답 확인 ㄴ. 중국은 동북공정을 통해 고조선, 고구려와 발해를 중국의 역사로 편입하려고 하여 역사 갈등을 일으키고 있다. ㄷ. 북한은 수차례 핵 실험을 통해 핵무기를 개발하여 한반도에 핵 확산 위기와 주변국과의 긴장 관계를 형성하고 있다.

04 ㉠에 들어갈 말은 동북공정이다.
오답 확인 ㄴ. 중국은 동북공정에 대해 순수한 학술 연구라고 주장하지만, 실상은 현재 중국의 영토를 기준으로 하여 중국 역사를 통합하려고 하며 역사적 사실을 왜곡하고 있다.

05 북방 외교는 1980년대 우리 정부가 중국, 소련 등 사회주의 국가들과 관계 개선을 추구했던 외교 정책으로 우리나라 정부의 외교 활동 사례이다.

06 예시 답안 (1) 동북공정 (2) 상대국 주장에 대응할 수 있는 논리적 근거를 마련한다. 적극적 대응과 외교적 노력을 전개한다. 시민들은 문제 해결을 위한 다양한 시민 단체의 활동에 적극적으로 참여한다 등

채점 기준

상	동북공정을 쓰고, 해결 방안 두 가지를 바르게 서술한 경우
중	동북공정을 쓰고, 해결 방안 중 한 가지만 바르게 서술한 경우
하	동북공정만 쓴 경우

07 예시 답안 (1) 외교 정책을 통해 문제를 해결하려고 노력한다. 연구 기관을 설립하여 논리적이고 합리적인 근거를 마련한다 등 (2) 독도 문제의 해결을 위한 캠페인 활동에 적극적으로 참여한다. 시민 단체의 국제 활동을 통해 국제 문제 해결에 기여할 수 있다 등
답안 작성 Hint 독도 영유권 분쟁 등 우리나라가 직면한 국가 간 갈등은 우리나라 정부의 외교 활동, 시민 단체의 국제 활동, 시민 모두가 동참할 때 해결 가능성이 커진다.

채점 기준

상	정부 차원과 시민 사회 차원의 해결 방안을 모두 바르게 서술한 경우
하	정부 차원과 시민 사회 차원의 해결 방안 중 한 가지만 바르게 서술한 경우

08 예시 답안 우리나라의 갈등 문제를 국내외 사람들에게 정확하게 알릴 수 있다. 국제 사회의 공감과 지지를 이끌어낼 수 있다. 시민 단체는 외교적 마찰 등을 이유로 정부가 공식적으로 제기하기 어렵거나 시민 개개인 차원에서 이루어지기 힘든 국제 활동을 통해 국제 문제 해결에 기여할 수 있다 등
답안 작성 Hint 제시문은 우리나라가 겪고 있는 국가 간 갈등의 해소를 위한 시민 단체의 국제 활동 사례를 나타낸다. 시민 단체는 외교적 마찰 등을 이유로 정부가 공식적으로 제기하기 어렵거나 개인 차원에서 이루어지기 힘든 국제 활동을 통해 국제 문제 해결에 기여할 수 있다.

채점 기준

상	시민 단체의 국제 활동을 국가 간 갈등의 해결 측면에서 두 가지 바르게 서술한 경우
중	시민 단체의 국제 활동을 국가 간 갈등의 해결 측면에서 한 가지만 바르게 서술한 경우
하	시민 단체의 국제 활동을 서술하였으나 국가 간 갈등의 해결 측면에 대한 내용이 미흡한 경우

뚝딱! 단원 마무리하기

116~119쪽

01 ③　02 ②　03 국가　04 ⑤　05 ③　06 ③　07 ⑤　08 ②
09 ④　10 ④　11 ①　12 ④　13 ⑤
서술형 문제 14~18 해설 참조

01 교통·통신의 발달로 국가 간 교류가 활발해지고 국가 간 상호 의존성이 높아지면서 국제 사회의 범위가 확대되었다.
오답 확인 ㄱ. 근대 이후 베스트팔렌 조약을 계기로 독립된 주권을 가진 국가가 등장하였다. ㄴ. 현재 세계 각국은 독립적인 주권을 행사하고 있다.

02 신문 기사는 북한의 미사일 위협 문제와 관련하여 미국, 일본, 러시아 중국 등 인접 국가 간 협력 방안을 모색하기 위한 협의에 관한 내용으로, 국제 협력의 중요성을 보여준다.

03 국가는 국제 사회에서 가장 대표적인 행위 주체이다.

04 오답 확인 ㄱ. 국제 사회에서 국가 간에 갈등이 발생할 경우 이를 해결해줄 수 있는 강력한 중앙 정부는 존재하지 않는다. ㄴ. 어떤 국가가 국제법을 어겼을 때 이를 제재하는 것은 현실적으로 어렵다.

05 (가)는 국경 없는 의사회, (나)는 국제 사면 위원회이다.
오답 확인 그린피스는 핵 실험 반대와 자연 보호 운동 등을 통해 지구 환경을 보존하고 평화 유지를 위해 활동하는 국제 비정부 기구이다.

06 오답 확인 2. 외교 활동은 주로 국가 원수와 외교관이 하지만 최근 민간 외교 주체로서 시민의 역할이 중요해지고 있다. 3. 외교는 한 국가가 국제 무대에서 자국의 이익을 평화적으로 달성하기 위한 행위이다.

07 전쟁은 해당 국가뿐만 아니라, 난민 발생 등 전 세계에 부정적인 영향을 미친다. 따라서 분쟁 당사국 간에 외교를 통해 문제를 해결하거나 국제법이나 국제기구를 통해 평화적으로 문제를 해결하려는 노력이 요구된다.

08 미국 중심의 자본주의 진영과 소련 중심의 공산주의 진영 간의 이념 대립은 2차 세계 대전 이후 형성된 냉전 체제에서 나타났다.

09 '핑퐁 외교'는 탁구 경기를 계기로 냉전 체제에서 적대 관계였던 미국과 중국 간의 사이가 개선되면서 국제 사회에서 대립과 긴장이 완화된 상징적인 사건을 말한다.

10 오답 확인 ㄴ. 우리나라는 미 군정 이후 6. 25 전쟁을 겪으면서 미국과 강력한 동맹 관계를 유지하고 있다.

11 오답 확인 ㄷ. 백두산 일대 두만강과 압록강에 접해 있는 지역은 독도가 아니라 간도 지역이다. ㄹ. 독도는 명백히 우리나라의 영토이기 때문에 우리나라는 독도 문제를 영토 분쟁으로 다루려는 것에 반대한다. 국제 사법 재판소를 통해 해결하고자 하는 것은 일본 측의 주장이다.

12 국가 간 갈등을 세계 각국에 알려 국제 사회의 공감대를 이끌어 낼 때 우호적인 입장을 지닌 국가뿐만 아니라 적대적인 입장을 지닌 국가에 대해서도 적절한 외교적 대응이 필요하다.

13 제시문은 시민이나 시민 단체가 국가 간 갈등에 관심을 가지고 이를 해결하기 위해 활동하는 모습이다.

14 예시 답안 (가)를 통해 각국이 자국의 이익을 추구한다는 것을, (나)를 통해 국제 사회에서는 힘의 논리가 작용한다는 것을 알 수 있다.
답안 작성 Hint (가)는 우리나라가 실리 외교를 추구함을 보여주는 사례이다. (나)는 국제 연합 안전 보장 이사회의 5개 상임이사국의 활동 및 권한을 통해 국제 사회는 힘의 논리가 작용함을 보여준다.

채점 기준

상	(가) 자국의 이익 추구, (나) 힘의 논리 작용을 포함하여 서술한 경우
중	(가) 자국의 이익 추구, (나) 힘의 논리 작용 중 한 가지만 포함하여 서술한 경우
하	(가), (나)와 관련이 없는 특성을 서술한 경우

15 예시 답안 국제 사회에서 각 국가는 자국의 이익 추구뿐만 아니라 국제 사회와의 공존을 위한 외교 정책을 시행해야 한다.

채점 기준

상	제시된 단어를 모두 언급하며 내용을 바르게 서술한 경우
중	제시된 단어 중 두 가지만 언급하며 내용을 바르게 서술한 경우
하	제시된 단어 중 한 가지만 언급하여 내용을 바르게 서술한 경우

16 예시 답안 다국적 기업으로 인해 국가 간의 경계가 허물어지고 국가 간 상호의존성이 더욱 증가하고 있다. 때때로 다국적 기업은 국가의 공공 정책과 시민 생활을 위협하기도 한다.
답안 작성 Hint 오늘날 다국적 기업들은 경제력을 바탕으로 국제 사회의 주요한 행위 주체로 활동하면서, 국제 경제뿐만 아니라 국제 정치에도 영향을 미치고 있다.

채점 기준

상	다국적 기업이 국제 사회에 미치는 영향 두 가지를 서술한 경우
하	다국적 기업이 국제 사회에 미치는 영향을 한 가지만 서술한 경우

17 예시 답안 (1) 외교 (2) 국제 사회의 공존을 위해 필요하다. 자국의 대외적 위상과 이미지를 높이는 데 필요하다. 자원과 자본, 기술 확보를 위해 필요하다. 지구촌 공동의 문제를 해결하기 위해 필요하다 등

채점 기준

상	외교를 쓰고, 외교의 필요성 두 가지를 바르게 서술한 경우
중	외교를 쓰고, 외교의 필요성 중 한 가지만 바르게 서술한 경우
하	외교만 쓴 경우

18 예시 답안 (1) 과거에는 국가 원수나 외교관의 공식적 외교 활동 중심으로 이루어졌으나 최근에는 시민들이 국제 비정부 기구에 참여하여 활동하는 등 민간 외교 주체로서 역할을 하기도 한다. (2) 우리나라가 직면한 갈등 문제에 지속적인 관심을 갖고 세계 시민으로서 적극 참여하는 자세가 필요하다 등
답안 작성 Hint 최근 외교 활동에서 민간 차원의 활동이 증가하였다. 또한 과거에는 정치·안보 문제 중심이었지만 최근에는 문화, 환경, 인권, 스포츠 등 다양한 분야로 확대되었고, 이념이나 명분보다 경제적 실리를 추구하는 양상으로 변화하고 있다.

채점 기준

상	외교 활동의 변화와 문제 해결을 위한 자세를 모두 서술한 경우
중	외교 활동의 변화와 문제 해결을 위한 자세를 모두 서술하였으나 내용이 미흡한 경우
하	외교 활동의 변화와 문제 해결을 위한 자세 중 한 가지만 바르게 서술한 경우

7. 인구 변화와 인구 문제

01 인구 분포

122~123쪽

꼼꼼! 필기 노트
❶ 자연적 ❷ 인문 · 사회적 ❸ 북반구 ❹ 중위도 ❺ 해안 ❻ 평야 ❼ 인문 · 사회적

콕콕! 핵심 개념
1 인구 밀도 2 중위도 3 이촌 향도

탄탄! 활동 노트
활동① **1** 인구 밀집 지역 – A, C, D / 인구 희박 지역 – B, E **2** (순서대로) B, A, D, E, C

활동② **1** ❶ 남서부 ❷ 평야 ❸ 남동 임해 공업 지역 ❹ 이촌 향도
2 1940년 – 자연적 요인으로 평야가 발달해 농사짓기 편리한 지역에 인구가 밀집하였다. / 2015년 – 산업화와 더불어 일자리를 찾기 쉬운 도시 지역에 인구가 밀집하였다.

쑥쑥! 실력 키우기

124~125쪽

1 STEP 개념을 되짚는 확인 문제
01 (1) 북반구 (2) 자연적, 인문 · 사회적 (3) 평야 02 (1) 인구 밀도 (2) 이촌 향도 현상 03 (1) × (2) ○ (3) ○ 04 (1) ㉡ (2) ㉠

2 STEP 기초를 다지는 기본 문제
01 ⑤ 02 ① 03 ② 04 ① 05 ③

3 STEP 실력을 완성하는 주관식·서술형 문제
06 해설 참조 07 해설 참조

01 인구 분포는 산업화 이전에는 자연적 요인의 영향을 많이 받았지만 최근에는 인문 · 사회적 요인의 영향력이 커지고 있다.
오답 확인 ① 전 세계 인구의 약 90%는 북반구에 거주하고 있다. ② 해안 지역이 내륙 지역보다 인구 밀도가 높다. ③ 온대 기후와 냉대 기후 지역은 인구 밀도가 높다. ④ 평야 지역보다 산지 지역의 인구 밀도가 낮다.

02 기온이 너무 높거나 낮은 지역, 건조한 지역, 험준한 산지 지역은 인간이 거주하기에 불리하여 인구가 희박하다.

03 지도상 인구가 밀집한 지역은 서부 유럽(A), 동남 및 남부 아시아(C), 미국 북동부(D) 지역이다.

04 산업화 이전에 우리나라는 자연적 조건이 인구 분포에 큰 영향을 끼쳤다.
오답 확인 ④ 산업화 이후 농어촌 지역이나 교통이 불편한 산지 지역은 인구가 감소하였다.

05 (가)는 1940년, (나)는 2015년의 우리나라 인구 분포를 나타낸 지도이다. 연평균 기온이 낮고 산지가 많은 북동부 지역은 산업화 이전에도 인구가 희박하였다.
오답 확인 1940년에는 남서부 지역에 인구가 밀집하였고, 오늘날에는 수도권, 지방 대도시 및 남동 임해 공업 지역을 중심으로 인구가 집중되어 있다.

06 예시 답안 중국은 우리나라보다 인구가 많지만 면적도 훨씬 넓어 우리나라보다 인구 밀도가 낮기 (때문이야.)

채점 기준

상	제시된 세 가지 용어를 모두 활용하여 우리나라의 인구 밀도보다 중국의 인구 밀도가 낮기 때문이라는 것을 서술한 경우
중	우리나라와 중국의 인구 밀도를 비교하였지만 세 가지 용어를 적절하게 활용하지 못한 경우
하	우리나라와의 비교없이 인구 밀도가 낮기 때문이라고 서술한 경우

07 예시 답안 제시된 경관의 특징은 산지가 많이 분포한다는 것이다. 산지 지역은 인구가 희박한데, 그 까닭은 산지가 많아 농경에 불리하고 교통이 불편하기 때문이다.

채점 기준

상	경관의 특징, 인구 분포의 특징과 그 까닭을 모두 바르게 서술한 경우
중	경관의 특징, 인구 분포의 특징과 그 까닭 중 두 가지만 바르게 서술한 경우
하	경관의 특징, 인구 분포의 특징과 그 까닭 중 한 가지만 바르게 서술한 경우

02 인구 이동

126~127쪽

꼼꼼! 필기 노트
❶ 국내 ❷ 강제적 ❸ 경제적 ❹ 일시적 ❺ 개발 도상국 ❻ 노동력

콕콕! 핵심 개념
1 흡인 2 배출 3 경제적 4 정치적

탄탄! 활동 노트
활동① **1** (가) A (나) C (다) D (라) E (마) B **2** 일자리를 찾아 이동한 경우 – B, D, E / 내란이나 기근을 피해 이동한 경우 – C / 휴양지를 찾아 일시적으로 이동한 경우 – A

활동② **1** (1) 중국, 인도, 멕시코, 베트남 등 (2) 영국, 독일, 미국, 대한민국, 일본 등 **2** 높은 임금, 풍부한 일자리, 쾌적한 환경 등

쑥쑥! 실력 키우기

128~129쪽

1 STEP 개념을 되짚는 확인 문제
01 (1) 흡인 요인 (2) 배출 요인 (3) 개발 도상국, 선진국 (4) 난민
02 (1) ○ (2) ○ (3) × 03 (1) 경제적 (2) 강제적

2 STEP 기초를 다지는 기본 문제

01 ⑤ 02 ② 03 ② 04 ③ 05 ④ 06 ④

3 STEP 실력을 완성하는 주관식·서술형 문제

07 해설 참조 08 해설 참조

01 열악한 주거 환경은 인구의 배출 요인에 해당한다. 흡인 요인이란 지역으로 사람들을 끌어들이는 요인을 말한다.

02 인구 이동의 유형은 이동 범위에 따라 국내 이동과 국제 이동, 이동 동기에 따라 자발적 이동과 강제적 이동, 이동 기간에 따라 일시적 이동과 영구적 이동으로 나눌 수 있다.

03 오늘날 세계의 인구 이동은 경제적 · 자발적 이동의 비중이 크다.

04 지도는 세계의 난민 및 망명자 비율과 이동을 보여 주는 자료이다. 난민 및 망명자와 관련 깊은 인구 이동의 유형은 정치적 이동이다.

05 미국으로의 인구 이동이 가장 많은 지역은 미국과 가장 인접한 지역인 라틴 아메리카이다. 라틴 아메리카 사람들은 현재 미국 인구의 15% 이상을 차지하고 있다.

06 인구 유출 지역의 경우 주로 남성 인구가 일자리를 찾아 유출되면서 여성 인구 비율이 높아져 성비 불균형이 나타난다.
오답 확인 ⑤ 유입 지역에서의 다양한 문화 교류는 문제점이 아니라 인구 이동에 따른 장점이라고 볼 수 있다.

07 예시 답안 (1) 일시적 이동 (2) 회사에서 외국 지사로 발령받게 되어 일시적으로 이동하거나 해외 여행을 떠나는 것 등의 사례가 있다.
답안 작성 Hint 인구 이동은 이동하여 머무는 기간에 따라 일시적 이동과 영구적 이동으로 나뉜다. 일시적 이동에는 여행, 유학 등이 있으며, 영구적 이동에는 이민 등이 있다.

채점 기준

상	일시적 이동을 쓰고 적절한 사례를 바르게 서술한 경우
중	적절한 사례를 서술하였으나 일시적 이동을 쓰지 못한 경우
하	일시적 이동을 썼으나 적절한 사례를 서술하지 못한 경우

08 예시 답안 인구 유출 지역에서는 노동력이 부족해지고 주로 남성들이 일자리를 찾아 유출되면서 여성 인구가 상대적으로 많아지는 성비 불균형의 문제점이 발생한다.
답안 작성 Hint 인구 유출이 많은 지역에서는 이주자들이 본국으로 송금하는 외화가 늘어나면서 경제가 활성화되는 등 긍정적 효과가 나타난다. 그러나 젊고 우수한 노동력이 해외로 빠져나가면서 경제 성장이 둔화될 수도 있다.

채점 기준

상	인구 유출 지역의 문제점 두 가지를 모두 바르게 서술한 경우
하	인구 유출 지역의 문제점을 한 가지만 바르게 서술한 경우

03 인구 문제

130~131쪽

꼼꼼! 필기 노트

❶ 노동력 ❷ 평균 수명 ❸ 도시 ❹ 남아 선호 ❺ 저출산 ❻ 고령화

콕콕! 핵심 개념

1 저출산 2 고령화 3 인구 부양력

탄탄! 활동 노트

활동 ① 1 (1) (가), 연령이 낮은 인구가 많으며 연령이 높아질수록 인구가 적다. (2) (나), 연령이 낮은 인구가 상대적으로 적으며 연령이 높은 인구가 상대적으로 많다. 2 (1) 식량 부족 문제, 주택 부족 문제, 실업자 증가 문제 등 (2) 저출산에 따른 노동력 부족, 노인 소외 문제 등

활동 ② 1 ㉢ – ㉠ – ㉡ – ㉣ 2 (1) 저출산 현상 (2) 출산 및 육아 수당 지급, 보육 시설 확대 등

쑥쑥! 실력 키우기

132~133쪽

1 STEP 개념을 되짚는 확인 문제

01 (1) 고령화 (2) 남아 선호, 남초 (3) 출생률, 사망률 02 (1) × (2) ○ (3) × (4) ○ 03 (1) ㉢ (2) ㉠ (3) ㉣ (4) ㉡

2 STEP 기초를 다지는 기본 문제

01 ③ 02 ④ 03 ③ 04 ⑤ 05 ⑤ 06 ⑤

3 STEP 실력을 완성하는 주관식·서술형 문제

07 해설 참조 08 해설 참조

01 오늘날 선진국은 인구 증가율이 매우 낮거나 정체되어 있고, 개발 도상국은 인구 증가율이 매우 높게 나타난다.

02 자료는 선진국의 인구 피라미드로 선진국은 노년층 인구 비중이 높아지면서 노인 부양 부담이 증가하고 있다.
오답 확인 ① 제시된 인구 피라미드는 선진국의 인구 피라미드이다. ② 선진국은 경제 활동 인구가 줄어들어 노동력이 부족하다. ③ 출산율이 매우 낮아 인구가 정체 또는 감소하고 있다. ⑤는 개발 도상국에서 나타나는 문제점이다.

03 제시된 내용은 개발 도상국에서 나타나는 인구 문제이다. 스웨덴에서는 저출산 현상이 나타나고 있다.

04 보기에 제시된 내용은 모두 개발 도상국의 인구 문제를 해결하기 위한 방안에 해당한다.

05 우리나라는 저출산과 고령화로 인한 사회 보장 비용 부담의 증가와 노동력 부족 및 인구 감소 문제가 발생하고 있다. 인구가 폭발적으로 증가하여 일자리가 부족해지는 현상은 개발 도상국에서 찾아볼 수 있는 인구 문제이다.

06 1980년대까지 출산 억제를 목적으로 실시되었던 가족계획 사업은 저출산 현상이 나타나면서 출산 장려 정책으로 전환되었다.

07 예시 답안 여성의 사회 진출이 증가하였고, 가치관의 변화로 결혼 연령이 상승하였다. 소득 및 고용의 불안정으로 자녀의 양육 부담이 증가하였다. 등

답안 작성 Hint 우리나라의 합계 출산율이 낮아지고 있는 까닭은 자녀 양육비 부담, 결혼 연령 상승 및 미혼 인구 증가 등의 사회적 · 경제적 요인과 결혼 및 가족에 관한 가치관 변화 등이 복합적으로 작용하기 때문이다.

채점 기준

상	저출산의 원인을 두 가지 모두 바르게 서술한 경우
중	저출산의 원인을 한 가지만 바르게 서술한 경우
하	저출산의 원인을 서술하였으나 전반적으로 미흡한 경우

08 예시 답안 (1) 일본과 독일은 초고령 사회로 고령화로 인한 사회 보장 비용이 증대되는 등의 문제가 발생할 것이다. (2) 노인 일자리를 증대시키거나 사회 보장 제도를 정비한다. 등

채점 기준

상	고령화 현상을 서술하고 이를 해결할 적절한 방안을 제시한 경우
중	고령화 현상을 서술했으나 해결 방안을 제시하지 못한 경우
하	고령화를 해결하기 위한 방안만 제시한 경우

뚝딱! 단원 마무리하기 134~137쪽

01 ① 02 ⑤ 03 ⑤ 04 ① 05 ③ 06 ③ 07 ④ 08 ④
09 ④ 10 ② 11 ⑤ 12 ⑤ 13 ⑤ 14 ④ 15 ① 16 ①
서술형 문제 17~21 해설 참조

01 서부 유럽 지역은 산업 혁명 이후 일찍부터 경제가 성장하여 인구가 밀집하였고, 동남 및 남부 아시아 지역은 계절풍의 영향으로 벼농사가 발달하여 인구가 밀집하였다.

오답 확인 ㄷ. 북부 아프리카의 사하라 사막 지역은 강수량이 매우 적어 농경과 목축에 불리하여 인구가 희박하다. ㄹ. 남아메리카의 아마존 열대 우림 지역은 고온 다습하여 인구가 희박하다.

02 사진은 동남아시아 지역(베트남)의 벼농사 사진이다. 동남아시아 지역은 기온이 높고 강수량이 풍부하여 벼농사에 유리하고 인구 부양력이 높아 많은 인구가 분포한다.

03 중국과 인도, 방글라데시가 있는 아시아에 세계 인구의 약 60%가 밀집해 있다.

오답 확인 ① 인구는 주로 중위도에 분포한다. ② 육지가 많은 북반구에 인구가 주로 분포한다. ③ 북부 아프리카 지역은 사막이 있고 건조하여 인구가 희박하다. ④ 국토 면적이 넓은 국가들은 일반적으로 인구 밀도가 낮다.

04 제시된 도시 중 인구가 밀집되어 있으며 산업과 도시가 발달하고 유럽에 속하는 나라는 프랑스뿐이다.

05 지구상의 인구는 주로 육지가 많은 북반구, 북반구 중에 기후가 온화한 중위도 지역에 집중적으로 분포한다.

06 1960년대 이후 이촌 향도 현상으로 수도권과 남동 임해 공업 지역에 인구가 급증하였다.

07 1960년대 이후 산업화가 진행되면서 인구 분포는 인문 · 사회적 요인의 영향을 크게 받았다. 즉 일자리가 풍부한 도시 지역으로 인구가 모여들면서 서울과 부산, 인천, 대구, 대전, 광주 등의 대도시에 인구가 밀집하였으며 포항과 울산, 광양, 여수 등의 공업 도시도 인구가 크게 증가하였다.

08 제주도에 중국 관광객이 많이 오지만 제주도가 전국에서 인구 밀도가 가장 높은 지역은 아니다. 인구 밀도가 높은 지역은 수도권이나 남동 임해 공업 지역에 분포해 있다.

09 서남부 지역은 평야가 넓게 펼쳐져 있어 농업 기반 사회에서는 인구가 많이 분포하는 지역이었지만 산업화 이후 인구가 도시로 이동하면서 현재는 인구가 많이 줄어들었다.

10 인구 이동 요인 중 전쟁, 취업 기회 부족, 낮은 임금, 부족한 일자리 등은 인구 배출 요인이며, 쾌적한 환경, 편리한 교통, 다양한 교육 · 문화 시설 등은 인구 흡인 요인이다.

11 제시된 내용은 시리아에서 발생한 내전으로 난민이 발생하여 이웃 나라인 레바논으로 이동하게 된 경우이다. 이는 내전이라는 정치적 요인으로 발생한 인구 이동이다.

12 사람들을 끌어들이는 긍정적 요인은 흡인 요인, 사람들을 다른 지역으로 밀어내는 요인은 배출 요인이다.

13 신항로 개척 이후 유럽인들은 식민지 개척을 위해 아메리카와 오세아니아 등지로 이동하였으며, 신대륙의 부족한 노동력을 보충하기 위해 아프리카인들을 강제로 이주시켰다.

오답 확인 ① 과거에는 종교적 · 강제적 이동의 비중이 높았다. ② 오늘날 여행, 유학 등의 일시적 이동은 증가하고 있다. ③ 영국 청교도들의 아메리카로의 이동은 종교적 이동의 사례이다. ④ 오늘날에는 일자리를 찾아 개발 도상국에서 선진국으로 이동하는 경제적 이동의 비중이 높다.

14 일제 강점기에는 북부 지방에 광공업이 발달하면서 많은 사람이 일자리를 찾아 함경도 지방으로 이주하였다.

15 제시된 인구 피라미드는 개발 도상국의 인구 피라미드이다. 저출산 현상은 개발 도상국이 아니라 선진국에서 나타나는 인구 문제이다.

16 산아 제한 정책은 개발 도상국에서 폭발적으로 증가하는 인구 성장을 막기 위해 정부에서 정책적으로 출산율을 낮추는 정책을 말한다.

17 예시 답안 과거 벼농사 중심의 농업 사회였던 우리나라는 평야가 많아 경지율이 높은 서남부 지역에 인구가 밀집하였고, 험준한 산지가 많은 북동부 지역은 인구가 희박하였다.

채점 기준

상	서남부 지역에 평야가 많아 인구가 밀집하였고, 북동부 지역에 산지가 많아 인구가 희박하다는 내용을 모두 바르게 서술한 경우
중	서남부 지역에 평야가 많아 인구가 밀집하였고, 북동부 지역에 산지가 많아 인구가 희박하다는 내용 중 한 가지만 바르게 서술한 경우
하	서남부 지역이 인구 밀집 지역, 북동부 지역이 인구 희박 지역이라는 내용만 언급한 경우

18 예시 답안 (1) 이촌 향도 현상 (2) 산업화로 도시에 일자리가 늘어나면서 경제적인 목적으로 이동하였다.

채점 기준

상	이촌 향도 현상을 쓰고, 목적을 바르게 서술한 경우
중	이촌 향도 현상을 쓰지 못하고, 목적만 바르게 서술한 경우
하	이촌 향도 현상만 쓴 경우

19 예시 답안 다양한 문화를 가진 사람들이 모이게 되므로 문화적 갈등이 발생할 수 있다. 일자리 경쟁이 심해져 사회적 갈등이 발생한다. 외국인 범죄가 증가한다. 등

채점 기준

상	인구 유입 지역의 문제점을 세 가지 모두 바르게 서술한 경우
중	인구 유입 지역의 문제점을 두 가지만 바르게 서술한 경우
하	인구 유입 지역의 문제점을 한 가지만 바르게 서술한 경우

20 예시 답안 (1) 인구 증가에 따른 식량 부족 현상이 나타난다. 자원 부족 문제를 겪을 수도 있다. 등 (2) 인구 증가 속도를 조절할 수 있도록 산아 제한 정책을 실시한다. 식량 생산량 자체를 늘릴 수 있는 선진 농업 기술의 보급 등이 필요하다.

답안 작성 Hint 중부 아프리카는 합계 출산율이 높아 인구가 지속적으로 성장하고 있다. 이 지역은 인구 부양력이 인구 증가에 미치지 못하기 때문에 빈곤과 기아 문제를 겪고 있다.

채점 기준

상	중부 아프리카 국가들의 인구 증가에 따른 문제를 서술하고 이를 해결하기 위한 방안을 모두 바르게 서술한 경우
중	중부 아프리카 국가들의 인구 증가에 따른 문제와 이를 해결하기 위한 방안 중 한 가지만 바르게 서술한 경우
하	인구 증가라고만 언급한 경우

21 예시 답안 유소년층 인구가 매우 적고 노인 인구가 상대적으로 많아 저출산과 고령화 현상이 나타나고 있을 것이다. 이와 같은 현상이 지속되면 노동력이 부족하여 생산성이 떨어지고, 청장년층의 노인 인구 부양 부담이 늘어나는 등의 문제가 발생한다.

채점 기준

상	저출산과 고령화 문제를 두 가지 모두 바르게 서술한 경우
하	저출산과 고령화 문제 중 한 가지만 바르게 서술한 경우

8. 사람이 만든 삶터, 도시

01 세계 여러 도시의 위치와 특징

140~141쪽

꼼꼼! 필기 노트

❶ 고층 ❷ 서비스업 ❸ 도쿄 ❹ 이집트 ❺ 남아프리카 공화국 ❻ 잉카

콕콕! 핵심 개념

1 도시 2 뉴욕 3 이스탄불

탄탄! 활동 노트

활동 ① 1 ㉠ 스카이라인 ㉡ 랜드마크 2 ❶ 런던 ❷ 뉴욕 ❸ 파리 ❹ 두바이 ❺ 시드니 ❻ 리우데자네이루

활동 ② ❶ E, 뉴욕 ❷ F, 상파울루 ❸ C, 싱가포르 ❹ B, 카이로 ❺ A, 브뤼셀 ❻ D, 도쿄

쑥쑥! 실력 키우기

142~143쪽

1 STEP 개념을 되짚는 확인 문제

01 (1) 도시 (2) 집약 02 (1) 런던 (2) 싱가포르 03 (1) × (2) × (3) ○ 04 (1) ㉡ (2) ㉠ (3) ㉢

2 STEP 기초를 다지는 기본 문제

01 ⑤ 02 ② 03 ③ 04 ⑤ 05 ④ 06 ①

3 STEP 실력을 완성하는 주관식·서술형 문제

07 해설 참조 08 해설 참조 09 해설 참조 10 해설 참조

01 도시에 거주하는 주민들은 직업과 생활 모습이 다양하고 생활 범위가 넓다.

02 제시된 내용과 같은 특징을 갖춘 도시는 브라질의 최대 도시인 상파울루이다.

03 도시의 스카이라인과 랜드마크를 통해 에펠탑, 개선문, 노틀담 대성당 등을 찾아볼 수 있다. 이러한 랜드마크를 가진 도시는 프랑스의 파리이다.

04 A는 브뤼셀, B는 카이로, C는 싱가포르, D는 도쿄이다.

05 홍콩은 오로라 현상과 무관하다. 오로라 현상은 고위도의 극지방에 가까운 곳에서 나타나는 현상으로 대표적인 도시는 캐나다의 옐로나이프, 아이슬란드의 레이캬비크 등이 있다.

06 사진은 튀르키예의 이스탄불로, 이스탄불은 튀르키예의 최대 도시이지만 수도는 아니다. 튀르키예의 수도는 앙카라이다.

오답 확인 이스탄불은 보스포루스 해협을 가운데 두고 아시아와 유럽 양 대륙에 걸쳐 있다. 이스탄불은 동서양을 연결하는 곳답게 다양한 문화와 역사가 함께하는 도시이다.

07 예시 답안 도시는 상대적으로 좁은 지역에 많은 사람이 모여 있어 인구 밀도가 높고, 한정된 공간을 효율적으로 활용해야 하므로 토지 이용이 매우 집약적이다. 또한 도시에는 생활 편의 시설과 각종 기능이 발달해 있다.

채점 기준

상	도시의 인구 밀도, 토지 이용, 기능 세 가지를 모두 바르게 서술한 경우
중	도시의 인구 밀도, 토지 이용, 기능 세 가지 중 두 가지만 바르게 서술한 경우
하	도시의 인구 밀도, 토지 이용, 기능 세 가지 중 한 가지만 바르게 서술한 경우

08 예시 답안 도시는 농경지, 숲, 하천 등을 쉽게 볼 수 있는 촌락과 달리 고층 건물, 도로 등과 같은 인문 경관이 더 많다.

채점 기준

상	도시 경관의 특징을 촌락과 비교하여 바르게 서술한 경우
하	도시 경관의 특징을 서술하였으나 미흡한 경우

09 예시 답안 정치, 경제, 사회, 문화 등 여러 분야에서 세계적인 영향력이 큰 도시들이다.

답안 작성 Hint 미국의 뉴욕과 영국의 런던, 일본의 도쿄 등은 다국적 기업의 본사가 많고, 자본과 정보가 집중하여 주변 국가와 도시들에 미치는 영향력이 매우 큰 도시이다.

채점 기준

상	정치, 경제, 사회, 문화 등의 분야에서 세계적인 중심지 역할을 하는 도시임을 바르게 서술한 경우
중	세계 도시의 기능을 서술하였으나 미흡한 경우
하	세계적으로 유명한 도시라고만 서술한 경우

10 예시 답안 도시의 지리적 위치 자체가 개성을 만들어 낸 도시, 자연 경관이 아름다운 도시, 오랜 세월에 걸쳐 만들어진 역사 유적이 많은 도시 등이 있다.

채점 기준

상	유명하거나 매력적인 도시의 특징을 세 가지 모두 바르게 서술한 경우
중	유명하거나 매력적인 도시의 특징을 두 가지만 바르게 서술한 경우
하	유명하거나 매력적인 도시의 특징을 한 가지만 바르게 서술한 경우

02 도시 구조와 도시 경관

144~145쪽

꼼꼼! 필기 노트

❶ 도심 ❷ 교통 ❸ 도심 ❹ 접근성 ❺ 지대(땅값) ❻ 집심 ❼ 이심 ❽ 도심

콕콕! 핵심 개념

1 도심 2 부도심 3 인구 공동화 4 개발 제한 구역

탄탄! 활동 노트

활동 ① (가) 행정, 금융, 상업 등의 기능이 모여 있는 도시의 중심지 기능을 하는 곳이다. (나) 금융 기관, 각종 편의 시설 등이 들어서 있으며, 도심에 집중된 상업 기능과 서비스 기능을 분담한다. (다) 도심이나 부도심으로 출퇴근하는 사람들의 생활 공간으로, 대규모 아파트 단지를 많이 볼 수 있다. (라) 도시의 무분별한 확대를 방지하고 주변 지역과의 조화로운 발전을 위해 설정한 공간을 볼 수 있다.

활동 ② **1** ㉠ 접근성 ㉡ 지대(땅값) **2** 땅값이 가장 비싼 A 지역은 접근성이 좋은 도심 지역이다. **3** 인구 공동화, 도심의 인구는 야간이 되면 모두 주거지가 밀집한 주변 지역으로 이동한다.

쑥쑥! 실력 키우기 146~147쪽

1 STEP 개념을 되짚는 확인 문제

01 (1) 중심 업무 지구 (2) 지역 분화 (3) 집심 **02** (1) 개발 제한 구역 (2) 접근성 **03** (1) ○ (2) × **03** (1) ㉠ (2) ㉢ (3) ㉡

2 STEP 기초를 다지는 기본 문제

01 ① **02** ② **03** ⑤ **04** ④ **05** ⑤ **06** ⑤

3 STEP 실력을 완성하는 주관식·서술형 문제

07 해설 참조 **08** 해설 참조

01 교통이 편리한 도심은 접근성이 높아 상업 · 업무 기능이 주로 입지한다.

오답 확인 ②, ④는 주변 지역에 대한 설명이며, ③, ⑤는 개발 제한 구역에 대한 설명이다.

02 제시된 글은 부도심에 관한 설명이다. 부도심은 백화점, 금융 기관, 각종 편의 시설이 들어서 도심에 집중된 상업 기능과 서비스 기능을 분담하는 역할을 한다.

오답 확인 ③ 위성 도시는 대도시 주변에 위치하면서 대도시의 주거, 공업, 행정 등과 같은 기능 일부를 분담한다.

03 사진의 경관은 주변 지역의 대규모 아파트 단지이다. 도시의 주변 지역에는 주로 주거 단지와 함께 규모가 다양한 공장, 상가, 창고, 학교 등의 시설들이 들어서 있다.

04 도심에서 주변 지역으로 갈수록 싸고 넓은 토지가 필요한 주택, 학교, 공장 등이 증가한다.

오답 확인 ① 땅값이 낮아진다. ② 주간 인구는 감소하고 야간 인구는 증가한다. ③ 건물의 높이가 낮아진다. ⑤ 은행의 본점, 백화점, 대기업의 본사 등은 도심에 주로 입지한다.

05 도시가 성장하면서 접근성과 지대의 차이로 같은 종류의 기능은 모이고 다른 종류의 기능은 분리된다.

오답 확인 ㄱ. 공업 지역은 땅값이 저렴한 주변 지역으로 분산된다. ㄴ. 일반적으로 접근성이 높은 지역일수록 땅값이 높다.

06 도심으로부터 거리가 멀수록 주거나 공업 기능이 밀집한다. 상업이나 업무 기능은 도심에 최대로 밀집한다.

07 예시 답안 (1) 도심, 도시의 중심부에 위치하여 교통이 편리하고, 접근성이 높다. 행정 · 금융 기관, 백화점, 대기업의 본사 등이 모여 중심 업무 지구를 이룬다. 등 (2) 개발 제한 구역(그린벨트), 개발 제한 구역은 도시의 무분별한 팽창을 막는 역할을 한다. 등

채점 기준

상	A, B 지역의 명칭과 도심의 특징, 개발 제한 구역의 역할을 모두 바르게 서술한 경우
중	A, B 지역의 명칭을 썼으나 도심의 특징과 개발 제한 구역의 역할 중 한 가지만 바르게 서술한 경우
하	A, B 지역의 명칭만 바르게 쓴 경우

08 예시 답안 (1) 인구 공동화 현상 (2) 도심에 인구 공동화 현상이 나타나는 까닭은 도심의 땅값이 비싸 주거 지역이 입지하기 어렵기 때문에 업무 장소인 회사와 주거지가 서로 분화된다. 이에 따라 주간에 일하기 위해 도심에 모여든 사람들이 야간이 되면 주변 지역에 위치한 주거지로 이동하여 도심이 텅 비게 되는 현상이 나타난다.

채점 기준

상	인구 공동화 현상을 쓰고 발생 이유를 바르게 서술한 경우
중	인구 공동화 현상을 쓰지 못했지만 발생 이유를 바르게 서술한 경우
하	인구 공동화 현상을 썼지만 발생 이유를 바르게 서술하지 못한 경우

03 도시화 과정과 도시 문제

148~149쪽

꼼꼼! 필기 노트

❶ 도시화 ❷ 초기 ❸ 가속화 ❹ 종착 ❺ 도시 문제 ❻ 인구 공동화

콕콕! 핵심 개념

1 도시화 2 도시화율 3 도시 문제 4 슬럼

탄탄! 활동 노트

활동① **1** ❶ 도쿄, 델리, 상하이, 뭄바이, 오사카, 베이징 ❷ 도쿄, 델리, 상하이, 뭄바이, 베이징, 다카, 카라치 ❸ – ❹ – ❺ 카이로 ❻ 카이로, 라고스 ❼ 멕시코시티, 상파울루, 뉴욕 ❽ 멕시코시티 **2** 아시아 3 2014년에 비해 2030년의 대도시들은 개발 도상국의 대도시인 경우가 많다.

활동② **1** A – 가속화 단계 B – 종착 단계 **2** 초기 단계 – 도시화율이 낮고 농업이 산업의 중심을 이룬다. / A 단계 – 산업화가 빠르게 진행되어 도시로의 인구 이동이 급격히 이루어진다. / B 단계 – 도시화율의 증가 속도가 둔화되며 도시에서 농촌으로 인구가 유출되기도 한다.

3 ㉠ 이촌 향도 ㉡ 역도시화

쑥쑥! 실력 키우기

150~151쪽

1 STEP 개념을 되짚는 확인 문제

01 (1) 도시화 (2) 가속화, 종착 (3) 종착 02 (1) 도시화율 (2) 역도시화
03 (1) ○ (2) × (3) ○ 04 (1) ㉡ (2) ㉢ (3) ㉠

2 STEP 기초를 다지는 기본 문제

01 ⑤ 02 ② 03 ⑤ 04 ⑤ 05 ⑤ 06 ③

3 STEP 실력을 완성하는 주관식·서술형 문제

07 해설 참조 08 해설 참조 09 해설 참조

01 도시화는 도시의 수가 증가하거나 도시에 거주하는 인구 비율이 높아지고, 도시적인 생활 양식이 확대되는 과정을 말한다. ⑤ 도시화가 진행되면 1차 산업에 종사하는 인구 비율은 감소하고 2, 3차 산업에 종사하는 인구 비율이 증가한다.

02 선진국은 산업 혁명 이후 200년에 가까운 기간 동안 점진적으로 도시화가 진행되었다. ㄷ. 제2차 세계 대전 이후 산업화와 함께 급속한 도시화가 진행된 곳은 개발 도상국이다.

03 A는 종착 단계로 도시화율이 80% 이상이고 도시화율의 증가 속도가 둔화되는 시점이다. 종착 단계에서는 도시의 인구가 촌락으로 유출되는 역도시화가 나타나기도 한다.
오답 확인 ①, ②는 초기 단계에 대한 설명이다. ③, ④는 가속화 단계에 대한 설명이다.

04 ㄱ. 오늘날 세계의 도시화를 주도하는 대륙은 아시아와 아프리카 대륙이다. ㄴ. 선진국에서는 도시에서 도시로의 이동과 역도시화 현상이 나타나기도 한다.

05 도시 문제는 근본적으로 도시화 과정에서 발생한 인구와 기능의 지나친 도시 집중으로 발생한다.

06 도시의 기반 시설이 부족한 것은 선진국보다는 도시화가 급속하게 진행된 개발 도상국에서 볼 수 있는 도시 문제이다.

07 예시 답안 선진국은 도시화가 일찍 시작되어 오랜 기간에 걸쳐 서서히 진행되었으며, 개발 도상국은 20세기 중반 이후 도시화가 빠른 속도로 진행되고 있다.

채점 기준

상	선진국과 개발 도상국의 도시화 과정의 차이점을 바르게 서술한 경우
중	선진국과 개발 도상국의 도시화 과정 중 하나만 바르게 서술한 경우
하	선진국과 개발 도상국의 도시화 과정을 서술하였으나 미흡한 경우

08 예시 답안 밑줄 친 내용은 슬럼을 의미한다. 최근 도심의 노후화된 건물을 개조하거나 새로 지어 슬럼을 새롭게 개선하는 도

심 재개발 사업(도심 재활성화)이 활발하게 진행되고 있다.

채점 기준

상	슬럼을 쓰고 도심 재개발 사업을 바르게 서술한 경우
중	슬럼은 썼지만 도심 재개발 사업은 서술하지 못한 경우
하	슬럼을 쓰지 못했지만 도심 재개발 사업은 서술한 경우

09 **예시 답안** 개발 도상국은 도시화가 짧은 기간 동안 급격하게 진행되었기 때문에 주택과 각종 시설 및 일자리 부족, 열악한 위생, 환경 오염 등의 문제가 발생하고 있다.

채점 기준

상	개발 도상국의 도시 문제와 원인을 모두 바르게 서술한 경우
중	개발 도상국의 도시 문제의 발생 원인만 바르게 서술한 경우
하	개발 도상국의 도시 문제만 나열한 경우

04 살기 좋은 도시

152~153쪽

꼼꼼! 필기 노트

❶ 삶의 질 ❷ 채터누가 ❸ 교통

콕콕! 핵심 개념

1 삶의 질 2 헬싱키 3 쿠리치바

탄탄! 활동 노트

활동 ① **1** 오스트레일리아, 캐나다 **2** 살기 좋은 도시는 반드시 경제적인 풍요로움과 일치하지 않는다. 경제적인 풍요로움뿐만 아니라 의료, 문화, 환경, 안전성 등 종합적인 삶의 질 자체가 살기 좋은 도시의 조건이 되기 때문이다.

활동 ② **1** 살기 좋은 도시는 쾌적한 자연환경이 나타나며, 도시 고유의 매력과 특성을 유지하고 있는 곳이다. 또한 적정 규모의 인구가 거주하며, 안전한 생활을 할 수 있는 곳이다. **2** 녹지 공간을 확보하고 미세먼지 등 대기 오염 상태를 개선하는 등 쾌적한 환경을 갖추어야 한다. 의료 시설과 복지 시설의 확대 및 보급이 더 많이 이루어져야 한다. 등

쑥쑥! 실력 키우기

154~155쪽

1 STEP 개념을 되짚는 확인 문제

01 (1) 살기 좋은 도시 (2) 삶의 질 **02** (1) 빈 (2) 밴쿠버 (3) 채터누가 (4) 쿠리치바 **03** (1) × (2) ○ (3) ○

2 STEP 기초를 다지는 기본 문제

01 ② **02** ① **03** ④ **04** ② **05** ③ **06** ⑤

3 STEP 실력을 완성하는 주관식·서술형 문제

07 해설 참조 **08** 해설 참조

01 도시에서는 소비와 여가 활동뿐만 아니라 생산 활동도 이루어진다.

02 순위표에서 유럽의 도시는 2위 오스트리아의 빈, 공동 10위 핀란드의 헬싱키와 스위스의 취리히가 있다.

03 교육 환경, 도시 기반 시설, 의료 시설, 안전성, 다양한 문화 등은 모두 살기 좋은 도시의 기준 지표가 된다.

04 제시된 도시들은 교육, 안전성, 각종, 기반 시설, 문화 및 환경, 의료 서비스 등을 평가하는 '세계의 살기 좋은 도시'에서 높은 점수를 획득한 도시들이다.

05 경제적 풍요도 살기 좋은 도시의 조건이 될 수 있지만 경제적 풍요로움이 다른 조건보다 우선시되지는 않는다.

06 제시된 경관의 도시는 브라질의 환경 생태 도시 쿠리치바이다. ⑤는 미국의 채터누가에 관한 설명이다.

07 **예시 답안** (1) (가) 미국의 채터누가 (나) 브라질의 쿠리치바 (2) 두 도시 모두 과거에는 살기 좋은 도시가 아니었지만 도시민의 노력을 통해 오늘날 살기 좋은 도시로 변화하였다.

채점 기준

상	(가)와 (나)의 도시 이름과 두 도시의 공통점을 바르게 서술한 경우
중	공통점을 바르게 서술했지만 (가), (나) 이름 중 한 가지만 쓴 경우
하	(가), (나)의 도시 이름은 썼지만 공통점을 서술하지 못한 경우

08 **예시 답안** 살기 좋은 도시의 조건은 자연환경이 아름답고 개성 있는 문화를 공유하며 여유롭고 안전한 생활을 할 수 있는 곳이다.

채점 기준

상	살기 좋은 도시의 조건을 세 가지 모두 바르게 서술한 경우
중	살기 좋은 도시의 조건을 두 가지만 바르게 서술한 경우
하	살기 좋은 도시의 조건을 한 가지만 바르게 서술한 경우

뚝딱! 단원 마무리하기

156~159쪽

01 ④ **02** ④ **03** ⑤ **04** ④ **05** ③ **06** ④ **07** ① **08** ④ **09** ③ **10** ⑤ **11** ④ **12** ③ **13** ⑤ **14** ② **15** ① **16** ② **17** ① **18** ③ **서술형 문제** **19~24** 해설 참조

01 도시는 제조업, 서비스업 등의 비농업 활동의 비중이 높은 곳이다.

02 도시의 스카이라인에 드러난 랜드마크를 바탕으로 볼 때 ㉠은 시계탑 빅벤과 런던브리지 등을 통해 런던임을 알 수 있고 ㉡은 에펠탑, 개선문 등을 통해 파리임을 알 수 있다. ㉢은 바다 위의 호텔인 버즈 알 아랍과 세계 최고층 빌딩인 부르즈할리파 등을 통해 두바이임을 알 수 있다.

03 제시된 특징을 모두 충족시키는 도시는 싱가포르이다.

04 ④는 정치 · 경제 · 문화 등 여러 분야에서 세계적인 영향력이 큰 뉴욕이다.

05 제시된 특징을 갖춘 랜드마크는 오스트레일리아 시드니의 오페라 하우스이다.
오답 확인 빅벤은 영국 국회 의사당 북쪽의 시계탑이며 에펠탑은 파리의 상징물이고 부르즈할리파는 두바이에 있는 세계 최고층 빌딩이다. 에스플러네이드는 열대 과일 두리안을 본 따 만든 싱가포르의 랜드마크이다.

06 사진의 경관은 오로라 현상이다. 오로라 현상으로 유명한 도시는 캐나다의 고위도에 위치한 도시인 옐로나이프이다.

07 부도심은 도심과 주변 지역 사이에 위치하며, 도심의 기능을 분담한다.

08 도시의 중심은 토지 이용이 집약적이라 고층 건물이 많고 외곽으로 갈수록 건물의 높이가 낮아진다.

09 지도는 서울시의 사업체수를 나타내고 있다. 사업체는 도심에 가장 많고 부도심에 그 다음으로 많으며 주변 지역으로 갈수록 적어진다. 교통량, 땅값, 주간 인구 역시 이와 유사한 경향을 나타낸다. 반면 아파트 수는 도심으로 갈수록 적고 주변 지역으로 갈수록 많아지므로 지도와는 반대 경향이 나타난다.

10 A는 도심, B는 부도심, C는 주변 지역이다. 도심에서 주변 지역으로 갈수록 토지 이용은 조방적이 된다.

11 주간에 도심에 있던 인구는 야간이 되면 대부분 주거지가 있는 주변 지역으로 돌아간다. 따라서 도심과 주변 지역의 인구는 시간대별로 반비례 관계에 있다.

12 가속화 단계에서는 이촌 향도 현상으로 도시의 인구가 급증한다.

13 보기의 내용 모두 도시화에 관한 옳은 설명이다.

14 도시화율이 80%를 넘은 것은 1990년대에 와서 나타난 현상이다.

15 제시된 도시 문제는 선진국에서 나타나는 도시 문제이다. 제시된 국가 중 선진국에 해당하는 나라는 미국뿐이다.

16 헬싱키, 빈, 멜버른, 밴쿠버는 살기 좋은 도시로 유명한 도시들이다.

17 제시된 내용은 오스트리아의 빈에 관한 설명이다. 빈은 도시 환경이 깨끗하고 문화 시설이 잘 갖추어져 있다.

18 살기 좋은 도시를 만들기 위해서는 삶의 질을 향상시키고 생활의 편리성을 도모하기 위한 지역 주민, 지방 자치 단체, 정부 등의 노력이 필요하다. ③ 녹지 공간을 확대하여 쾌적한 환경을 유지해야 한다.

19 예시 답안 (1) 도시 (2) 도시의 인구 밀도는 매우 높으며 토지 이용은 집약적이다.

채점 기준

상	도시, 인구 밀도가 높음, 토지 이용이 집약적이라는 내용을 모두 바르게 쓴 경우
중	도시, 인구 밀도 높음, 토지 이용 집약적 중 두 가지를 쓴 경우
하	도시, 인구 밀도 높음, 토지 이용 집약적 중 한 가지만 쓴 경우

20 예시 답안 (1) 도심 (2) 도심은 다른 지역에 비해 교통이 편리하고 접근성이 높아 땅값이 비싸다. 따라서 비싼 땅값을 지불하고도 이익을 남길 수 있는 상업 · 업무 기능이 주로 입지한다.

채점 기준

상	도심을 쓰고, 상업 · 업무 기능이 주로 입지하는 까닭을 바르게 서술한 경우
중	도심을 쓰고, 상업 · 업무 기능이 주로 입지하는 까닭을 서술하였으나 미흡한 경우
하	도심만 서술한 경우

21 예시 답안 (1) 개발 제한 구역 (2) 개발 제한 구역은 도시의 무분별한 팽창을 막고 주변 지역과의 조화로운 발전을 위해 존재한다.

채점 기준

상	개발 제한 구역을 쓰고 해당 구역의 존재 이유를 바르게 서술한 경우
중	개발 제한 구역의 존재 이유만 바르게 서술한 경우
하	개발 제한 구역만 쓴 경우

22 예시 답안 도시화란 도시 인구가 증가하고 도시의 수가 늘어나며, 도시적 생활 양식이 확대되는 것을 말한다.

채점 기준

상	도시화의 의미를 바르게 서술한 경우
하	도시화의 의미를 서술하였으나 미흡한 경우

23 예시 답안 (1) 지역 분화 (2) 지역 분화를 일으키는 두 가지 요인은 지역의 접근성과 땅값이다.

채점 기준

상	지역 분화, 접근성, 땅값 세 가지를 모두 바르게 쓴 경우
중	지역 분화, 접근성, 땅값 중 두 가지만 바르게 쓴 경우
하	지역 분화, 접근성, 땅값 중 한 가지만 바르게 쓴 경우

24 예시 답안 (가)는 개발 도상국의 도시화가 빠르게 진행되면서 도시 기반 시설이 완비되지 않은 상태에서 무허가나 불량 주택들이 과도하게 들어서며 불량 주거 지역이 되었고 (나)는 선진국의 오랜 도시화 과정에서 노후화된 주택 지역에 빈민들이 들어와 살면서 슬럼이 되었다.

채점 기준

상	(가)와 (나)의 형성 원인을 모두 바르게 서술한 경우
중	(가)와 (나)의 형성 원인 중 한 가지만 바르게 서술한 경우
하	(가)와 (나)의 형성 원인을 서술하였으나 미흡한 경우

9. 글로벌 경제 활동과 지역 변화

01 농업 생산의 기업화와 세계화

162~163쪽

꼼꼼! 필기 노트

❶ 자본 ❷ 품종 개량 ❸ 상업적 ❹ 국제 가격 ❺ 기호

콕콕! 핵심 개념

1 기업화 2 세계화

탄탄! 활동 노트

활동① **1** 열대 기후 지역에 많이 분포하고 있으며, 개발 도상국인 경우가 많다. **2** 인건비가 저렴하며 D 회사가 주로 생산하는 바나나와 파인애플 등이 열대 기후에서 생산하기 적합하기 때문이다. **3** 긍정적 영향 – 일자리가 늘어난다. 지역 경제가 활성화된다. 등 / 부정적 영향 – 농약 사용으로 환경이 오염된다. 작물의 국제 가격 하락 시 경제적 위기를 겪게 된다. 등

활동② **1** ㉠ 농업의 세계화로 많은 농산물이 수입되면서 쌀 외에도 먹을거리가 많아져 쌀 소비량이 지속적으로 감소하고 있다. **2** 영농 가구가 받을 피해 – ㉠ 농가 소득이 감소하여 경제적 어려움을 겪게 된다. / 국가가 받을 피해 – ㉠ 식량 자급률 감소로 외국 농산물에 의존하는 비율이 높아져 식량 안보가 위태로워진다.

쑥쑥! 실력 키우기

164~165쪽

1 STEP 개념을 되짚는 확인 문제

01 (1) 자본, 기업화 (2) 세계화 (3) 플랜테이션 02 (1) 낙농업 (2) 원예 농업 03 (1) × (2) ○ (3) × 04 (1) 상업적 (2) 식량

2 STEP 기초를 다지는 기본 문제

01 ④ 02 ④ 03 ⑤ 04 ② 05 ④ 06 ③

3 STEP 실력을 완성하는 주관식·서술형 문제

07 해설 참조 08 해설 참조

01 그림은 마트에서 필리핀산 망고와 이란산 석류를 판매하는 모습으로 이는 농업의 세계화를 나타낸다. 식량 작물은 육류 소비와 농산물 소비의 다양화로 소비가 감소하고 있다.

02 제시된 내용이 설명하는 국제기구는 세계 무역 기구(WTO)이다.

03 사진은 밀을 기계를 이용하여 대규모로 수확하는 모습이다. 이러한 대량 생산 및 농업의 기계화는 농업의 기업화 현상의 특징이다.

04 국가 간 교류의 증대와 세계 무역 기구의 출범으로 농업의 세계화가 확대되었다. 농업의 세계화로 농업 생산의 다각화가 이루어졌다.

오답 확인 ㄷ. 이촌 향도 현상은 도시화와 관련 있는 현상이다. ㅁ. 농업의 세계화로 다양한 수입 농산물을 저렴하게 구매할 수 있게 되면서 소비자들의 부담은 줄어든 측면이 있다.

05 농업의 세계화로 열대 기후 지역에서 재배된 바나나와 파인애플 등은 생산지에서 멀리 떨어진 소비지로 유통·판매된다. 따라서 과일의 생산지와 소비지는 일치하지 않는 경우가 많다.

06 오늘날 농업이 상업화되면서 다국적 농업 기업이 농업에 미치는 영향력이 커지고 있다.

07 예시 답안 (1) 팜유 생산량이 늘어나면서 팜유와 관련된 일자리가 증가하고, 지역 경제가 활성화된다. (2) 팜유 생산을 위해 열대 우림을 파괴하면서 수질 및 토양이 오염되고 오랑우탄을 비롯한 생물 종이 사라지고 있다.

채점 기준

상	팜유 생산이 인도네시아에 미치는 이점과 문제점을 모두 바르게 서술한 경우
중	팜유 생산이 인도네시아에 미치는 이점과 문제점 중 한 가지만 바르게 서술한 경우
하	팜유 생산이 인도네시아에 미치는 이점과 문제점을 서술하였으나 미흡한 경우

08 예시 답안 (1) 소비자는 저렴한 가격으로 다양한 농산물을 구입할 수 있다. (2) 장기간 운송되는 농산물에 방부제를 사용하는 경우가 많아 건강에 위협이 될지도 모른다.

채점 기준

상	농산물 수입에 따른 소비자의 장단점을 모두 바르게 서술한 경우
중	농산물 수입에 따른 소비자의 장단점 중 한 가지만 바르게 서술한 경우
하	농산물 수입에 따른 소비자의 장단점을 서술하였으나 미흡한 경우

02 다국적 기업의 공간적 분업 체계

166~167쪽

꼼꼼! 필기 노트

❶ 공간적 분업 ❷ 본사 ❸ 고급 인력(전문 인력) ❹ 구매력 ❺ 생산 공장 ❻ 일자리

콕콕! 핵심 개념

1 다국적 기업 2 공간적 분업 3 산업 공동화

탄탄! 활동 노트

활동① **1** 다국적 기업 **2** 한국, 독일에서 기획·디자인된 까닭 – 기업 활동에 필요한 자본과 제품 개발에 필요한 고급 인력을 구하기 유리하기 때문이다. / 중국, 베트남에서 제조된 까닭 – 중국이나 베트남은 한국과 독일보다 노동력이 풍부하고 인건비가 저렴하여 제품 생산비가 적게 들기 때문이다.

활동 ② **1** 중국의 경제 발전으로 중국의 인건비가 상승하자 다국적 기업이 중국보다 인건비가 저렴한 베트남으로 공장을 이전하기 때문이다. **2** 중국에 미칠 영향 – 다국적 기업의 공장 철수로 일자리가 줄어들고 경제 상황이 악화된다. / 베트남에 미칠 영향 – 다국적 기업의 공장 이전으로 일자리가 늘고 경제가 활성화된다.

쑥쑥! 실력 키우기

168~169쪽

1 STEP 개념을 되짚는 확인 문제

01 (1) 공간적 분업 (2) 자유 무역 협정 **02** (1) 다국적 기업 (2) 산업 공동화 **03** (1) × (2) ○ (3) × **04** (1) ㉢ (2) ㉠ (3) ㉡

2 STEP 기초를 다지는 기본 문제

01 ② **02** ③ **03** ② **04** ④ **05** ④

3 STEP 실력을 완성하는 주관식·서술형 문제

06 해설 참조 **07** 해설 참조 **08** 해설 참조

01 지도에 표시된 기업은 다국적 기업이다. 다국적 기업의 생산 공장과 연구소는 조건에 따라 서로 다른 곳에 입지한다.

02 다국적 기업의 연구소는 고급 인력을 구하기 쉬운 곳에 입지하고 판매 지점은 구매력이 높은 곳에 입지하는 경우가 많다.

03 개발 도상국의 시골 어촌 마을에 다국적 기업의 공장이 들어서는 까닭은 이곳의 저렴한 인건비를 활용하기 위해서이다.

04 다국적 기업의 생산 공장에서 발생한 이익은 본사로 흡수되어 지역 발전에 큰 도움이 되지 못할 때가 많다.

05 지역의 기반을 이루던 산업이 다른 지역으로 이전하거나 폐쇄되면서 해당 산업이 쇠퇴하는 현상을 산업 공동화라고 한다.

06 예시 답안 세계화로 국가 간 교류가 활발해지고, 세계 무역 기구의 출범, 자유 무역 협정의 체결 확대 등으로 상품의 생산과 판매가 확대됨에 따라 다국적 기업이 성장하고 있다.

채점 기준

상	다국적 기업의 성장 배경 두 가지를 모두 바르게 서술한 경우
중	다국적 기업의 성장 배경을 한 가지만 바르게 서술한 경우
하	다국적 기업의 성장 배경을 서술하였지만 미흡한 경우

07 예시 답안 중국과 베트남의 유입 기업과 유출 기업의 수를 비교해 보면 중국은 다국적 기업 생산 공장의 유출이 많고, 베트남은 다국적 기업 생산 공장의 유입이 많다.

채점 기준

상	중국과 베트남의 생산 공장 유입과 유출을 모두 바르게 서술한 경우
하	중국과 베트남의 공장 유입과 유출을 서술하였으나 미흡한 경우

08 예시 답안 중국의 경제가 발전하면서 인건비가 지속적으로 상승하자 이에 부담을 느낀 다국적 기업이 인건비가 좀 더 저렴한 베트남으로 생산 공장을 옮기기 때문이다.

채점 기준

상	중국의 인건비보다 베트남의 인건비가 저렴하기 때문이라는 요지로 서술한 경우
하	중국과 베트남의 상황을 서술하였으나 인건비와 연관 지어 설명하지 못한 경우

03 서비스업의 세계화

170~171쪽

꼼꼼! 필기 노트

❶ 서비스업 ❷ 전자 상거래 ❸ 해외 직접 구매(해외 직구) ❹ 일자리

콕콕! 핵심 개념

1 서비스업 2 세계화 3 전자 상거래

탄탄! 활동 노트

활동 ① **1** 정보 통신 기술(인터넷)의 발달 **2** 관광 상품의 인터넷 예약, 인터넷을 이용한 원격 강의, 원격 진료 등

활동 ② **1** 예 기업의 목적은 이윤 추구이며 콜센터와 같은 서비스를 인건비가 저렴한 필리핀에 위치시킴으로서 비용을 줄이고 기업의 이윤을 극대화할 수 있기 때문이다. **2** 예 필리핀은 영어를 공용어로 사용하여 의사소통이 원활하고, 경제 수준에 비해 교육 수준이 상대적으로 높은 국가이기 때문이다.

쑥쑥! 실력 키우기

172~173쪽

1 STEP 개념을 되짚는 확인 문제

01 (1) 정보화 (2) 서비스업 (3) 전자 상거래 **02** (1) 물류 산업 (2) 콜센터 **03** (1) ○ (2) ○ (3) ○ **04** (1) 높다 (2) 성장

2 STEP 기초를 다지는 기본 문제

01 ⑤ **02** ⑤ **03** ④ **04** ⑤ **05** ④ **06** ①

3 STEP 실력을 완성하는 주관식·서술형 문제

07 해설 참조 **08** 해설 참조 **09** 해설 참조

01 정보화에 따라 교육이나 의료 활동처럼 과거에는 직접 만나서 행해지던 서비스업이 점차 비대면 활동으로 변화하고 있다.

02 유형의 재화(물건)나 무형의 용역(사람의 행위)을 제공받는 산업을 모두 서비스업이라고 한다. 선생님의 강의, 택배 기사님의 배송, 여행을 위한 예약, 의사 선생님의 진료는 모두 서비스업의 사례가 된다.

03 인터넷을 통해 상품을 거래하는 것을 전자 상거래라고 한다.

04 서비스 제공자와 소비자가 직접 만나지 않아도 서비스가 이루어지게 된 상황은 서비스업의 세계화를 가능하게 하였다.

05 사진은 택배를 분류하는 자동화 시스템이다. 정보화 사회에 접어들면서 전자 상거래가 활성화되고 이에 따라 전자 상거래에서 주문한 제품을 배송하기 위한 물류 산업도 발달하고 있다.

06 다국적 기업의 서비스업이 들어선 지역에서는 일자리 증가와 관련 서비스업의 성장을 기대할 수 있다.
오답 확인 다국적 기업의 서비스업이 들어서면 지역의 총소득이 증가하고 지역 경제가 활성화된다.

07 **예시 답안** 온라인 업체인 A사의 성장이 오프라인 업체인 W 마트를 크게 앞지르는 까닭은 정보 통신 기술의 발달에 따른 정보화 때문이다.

채점 기준

상	A사의 성장 배경으로 정보 통신 기술 발달에 따른 정보화를 서술한 경우
하	A사의 성장 배경으로 정보 통신 기술 발달과 연관 짓지 못한 경우

08 **예시 답안** 필리핀은 미국보다 인건비가 저렴하며, 영어를 공용어로 사용하여 의사소통이 원활하기 때문이다.
답안 작성 Hint 콜센터는 주로 전화와 온라인으로 업무를 처리하기 때문에 고객과 근접한 거리에 있을 필요가 없다.

채점 기준

상	인건비가 저렴한 것과 영어에 능통하다는 것을 모두 서술한 경우
중	인건비가 저렴한 것과 영어에 능통하다는 것 중 한 가지만 서술한 경우
하	필리핀에 콜센터가 발달하기에 유리한 조건을 서술하였으나 미흡한 경우

09 **예시 답안** (1) 일자리가 늘어난다. 지역 경제가 활성화된다. 등 (2) 콜센터가 인도의 A 지역보다 인건비가 저렴하고 더 좋은 조건의 지역이 나타난다면 언제든지 이전할 수 있어 일자리를 잃을 수도 있다.

채점 기준

상	일자리 증대 등과 같은 좋은 점과 콜센터 이전에 따른 직장 폐쇄와 같은 불안한 점을 각각 바르게 서술한 경우
하	일자리 증대 등과 같은 좋은 점과 콜센터 이전에 따른 직장 폐쇄와 같은 불안한 점 중 한 가지만 바르게 서술한 경우

뚝딱! 단원 마무리하기

174~177쪽

01 ④ **02** ② **03** ③ **04** ④ **05** ④ **06** ② **07** ④ **08** ④
09 ④ **10** ③ **11** ③ **12** ③ **13** ⑤ **14** ③ **15** ①
서술형 문제 **16~21** 해설 참조

01 교통 · 통신의 발달, 세계 무역 기구(WTO) 체제 출범과 자유 무역 협정(FTA) 체결 등으로 지역 간 교류가 증가하면서 전 세계를 대상으로 농작물의 생산과 소비가 이루어지는 농업의 세계화가 진행되고 있다.

02 세계화로 상업적 농업이 활발해지면서 세계 여러 국가는 농업 경쟁력을 높이기 위해 한 종류의 곡물을 재배하는 방식에서 벗어나 원예 작물이나 기호 작물을 재배하는 등 농업 생산의 다각화가 이루어지고 있다.

03 농업의 세계화로 지역의 산업이 첨단 산업으로 변화하지 않는다.

04 바나나와 같은 열대 기후 작물은 열대 기후 지역이면서 인건비가 저렴한 개발 도상국에서 집중적으로 재배된다. 특히 농업의 세계화로 바나나의 국제적 이동량은 더욱 늘어나고 있다.

05 D 국가로 가능한 국가는 인도네시아이다. 라오스는 섬나라가 아니며 몰디브는 팜유를 수출하지 않는다. 이집트 역시 섬나라가 아니며 오스트레일리아는 개발 도상국이 아니다.

06 자료는 같은 작물이라도 수입 농산물이 좀 더 저렴하다는 것을 보여 주고 있다. 외국산 농산물의 수입이 늘면서 소비자는 다양하고 저렴한 농산물을 구입할 수 있게 되었다.

07 오늘날에는 국가 간 무역 장벽이 낮아지면서 다국적 기업의 수가 빠르게 증가하고 있다.

08 다국적 기업은 두 개 이상의 국가에서 제품의 개발, 연구, 생산, 판매가 이루어지는 기업을 의미한다.

09 지도의 내용은 다국적 기업의 생산 공간의 분업을 나타내고 있다. 다국적 기업이 공간적 분업을 하는 까닭은 생산 비용을 절감하고 시장을 개척하기 위해서이다.

10 다국적 기업의 본사는 보통 의사 결정을 내리는 본사를 자기 나라에 두고 연구소, 생산 공장, 판매 지점 등을 다양한 나라에 설치하여 운영한다.

11 다국적 기업의 생산 공장이 중국에서 베트남으로 이동하는 까닭은 베트남의 인건비가 중국보다 저렴하기 때문이다.

12 다국적 기업의 생산 공장이 베트남으로 이동하면서 베트남은 일자리가 증가하고 관련 산업이 발달하는 등 지역 경제가 활성화되지만 공장에서 발생하는 유해 물질 때문에 환경 오염이 발생할 수 있다.

13 재래 시장에서 전통시장 상품권을 이용하여 물건을 구매하는 것은 세계화에 따른 서비스업의 변화 모습과 관련이 없다.

14 전자 상거래의 증가로 물류 산업 역시 발전하는 모습을 보인다.

15 관광 산업의 세계화로 교통 및 숙박 산업이 성장하고 있다.

16 **예시 답안** (1) 세계 무역 기구(WTO) (2) 세계 무역의 관리 및 자유화를 기본 목표로 세계 무역 분쟁 조정, 관세 인하 요구 등의 법적인 권한과 구속력을 행사한다.

채점 기준

상	세계 무역 기구(WTO)를 쓰고 그 역할을 바르게 서술한 경우
중	명칭은 쓰지 못했지만 그 역할을 바르게 서술한 경우
하	명칭만 쓴 경우

17 예시 답안 (1) 세계 각지에서 생산한 농산물을 저렴하게 먹을 수 있다. 먹을거리가 풍성해진다. 등 (2) 수입 과정에서 농산물의 부패를 막기 위해 사용한 화학 약품 때문에 안전성 문제가 발생하기도 한다. 수입 곡물 의존도가 높은 일부 국가에서는 식량 부족 문제가 나타나기도 한다. 등

채점 기준

상	농업의 세계화로 인한 장점과 단점을 모두 바르게 서술한 경우
중	농업의 세계화로 인한 장점과 단점 중 한 가지만 바르게 서술한 경우
하	농업의 세계화로 인한 장점과 단점의 서술이 모두 미흡한 경우

18 예시 답안 1인당 쌀 소비량이 지속적으로 감소하는 것은 농업의 세계화에 따라 다양한 농산물이 수입되면서 쌀 이외의 먹을거리가 많아졌기 때문이다.

채점 기준

상	쌀 소비량이 지속적으로 감소한다는 것을 쓰고 그 까닭이 농업의 세계화에 따른 식생활의 다양화라는 것을 서술한 경우
중	쌀 소비량이 지속적으로 감소한다는 것을 썼지만 그 까닭을 농업의 세계화와 연관 짓지 못한 경우
하	쌀 소비량의 지속적인 감소라고만 쓴 경우

19 예시 답안 (1) 식량 자급률이 낮아지는 것은 식생활 변화로 쌀 소비가 줄어들고, 농업의 세계화에 따라 수입 농산물의 비중이 점차 증가하기 때문이다. (2) 장기적으로는 식량 부족의 위험에 놓일 수 있다. 국제 농산물 가격이 상승할 경우 심각한 식량난에 빠질 수 있다. 등

채점 기준

상	식량 자급률이 낮아지고 있음을 쓰고 그 까닭을 농업의 세계화와 연관 지어 바르게 서술한 경우
하	식량 자급률이 낮아지고 있음을 썼지만 그 까닭을 농업의 세계화와 연관 지어 서술하지 못한 경우

20 예시 답안 (1) 지역의 기반을 이루던 산업이 다른 지역으로 이전하면서 해당 산업이 쇠퇴하는 현상을 산업 공동화 현상이라고 한다. (2) 산업 공동화는 다국적 기업의 생산 공장이 생산비가 저렴한 지역을 찾아 빠져나가면서 발생하게 된다.

답안 작성 Hint 다국적 기업이 생산비를 절감하기 위해 국내 생산 공장을 해외로 이전하면 생산 공장이 있던 지역은 산업 공동화 현상으로 산업의 기반을 잃어 지역 경제가 침체될 수 있다.

채점 기준

상	산업 공동화의 의미와 발생 원인을 모두 바르게 서술한 경우
중	산업 공동화의 발생 원인은 바르게 서술하였으나 의미에 대한 서술이 미흡한 경우
하	산업 공동화의 의미만 바르게 서술한 경우

21 예시 답안 기존의 상거래는 소비자가 직접 상점을 방문하여 상품을 구매하였지만 전자 상거래는 소비자가 상점을 방문할 필요 없이 상품을 구매하고 원하는 곳에서 받을 수 있다.

채점 기준

상	교통과 통신의 발달에 따른 전자 상거래의 특징을 기존 상거래와 비교하여 바르게 서술한 경우
하	전자 상거래의 특징을 서술하였으나 기존 상거래와 비교하지 못한 경우

10. 환경 문제와 지속 가능한 환경

01 기후 변화의 원인과 해결 노력

180~181쪽

꼼꼼! 필기 노트

❶ 인위적 요인 ❷ 화석 연료 ❸ 해수면 ❹ 지속 가능한 발전 ❺ 교토 의정서 ❻ 파리 협정

콕콕! 핵심 개념

1 온실가스 2 지구 온난화 3 지속 가능한 발전

탄탄! 활동 노트

활동① 1 ❶ 해수면 ❷ 온실가스 ❸ 지구 온난화 2 태풍, 홍수, 가뭄, 사막화 등의 발생 빈도와 강도가 증가하고 생태계 변화를 가져온다. 등

활동② 1 ❶ 온실가스 ❷ 온실 효과 ❸ 활동 2 A – 메탄 B – 이산화 탄소

쑥쑥! 실력 키우기

182~183쪽

1 STEP 개념을 되짚는 확인 문제

01 (1) 인위적 요인(인간 활동) (2) 온실 효과 (3) 이산화 탄소
02 (1) 지속 가능한 발전 (2) 교토 의정서 03 (1) ○ (2) ○ (3) ×
04 (1) ㉡ (2) ㉠

2 STEP 기초를 다지는 기본 문제

01 ⑤ 02 ③ 03 ④ 04 ② 05 ④ 06 ①

3 STEP 실력을 완성하는 주관식·서술형 문제

07 해설 참조 08 해설 참조

01 온실가스는 온실 효과를 일으키는 기체로 이산화 탄소, 메탄, 아산화 질소 등이 대표적이다. ⑤ 지속 가능한 에너지의 사용은 온실가스를 감축시킬 수 있는 방안이 된다.

02 지구의 평균 기온이 상승하면서 극지방의 빙하가 녹아 해발 고도가 낮은 섬나라와 해안 저지대가 침수될 위험에 처해 있다.

03 지난 100년간 전 세계 평균 기온은 약 0.7℃ 상승하였다. 이 때문에 북극과 그린란드에 덮인 빙하와 만년설이 녹아 줄어들고, 해수면이 상승하여 일부 해안 지역이 물에 잠기고 있다.

04 방글라데시는 빈번한 강수와 해수면 상승에 따른 하천 유량의 증가로 홍수 피해가 심각해지고 있다.

05 남태평양의 섬나라인 투발루는 지도상의 D에 해당한다.

06 파리 협정은 2020년 이후 적용할 새로운 기후 협약으로 교토 의정서에는 선진국에만 온실가스 배출 감축 의무가 있었지만 파리 협정에서는 선진국과 개발 도상국 모두 감축 목표를 지켜야 한다.

오답 확인 ② 바젤 협약은 유해 폐기물의 국가 간 이동 및 처리를 통제하기 위한 협약이며 ④ 람사르 협약은 습지를 보호하기 위해 체결된 협약이다. ⑤ 사막화 방지 협약은 사막화를 방지하고 사막화 피해를 입은 개발 도상국을 지원 · 보호하기 위한 협약이다.

07 **예시 답안** (1) (가) 개발 도상국 (나) 선진국 (2) ㉠ 지구 온난화에 책임이 있는 선진국이 먼저 의무적으로 온실가스를 감축해야 합니다. ㉡ 최근 개발 도상국의 배출량도 많으므로 개발 도상국도 온실가스 감축에 동참해야 하며, 선진국만 부담 의무를 지는 것에 반대합니다.

채점 기준

상	(가), (나)를 바르게 쓰고, ㉠, ㉡에 해당하는 입장을 모두 바르게 서술한 경우
중	(가), (나)를 쓰지 못했으나, ㉠, ㉡의 입장을 바르게 서술한 경우
하	(가), (나)만 쓴 경우

08 **예시 답안** (1) 지속 가능한 발전 (2) 미래 세대가 그들의 필요를 충족할 능력을 저해하지 않으면서 현재 세대의 필요를 충족하는 발전을 말한다.

채점 기준

상	지속 가능한 발전을 쓰고, 그 뜻을 정확히 서술한 경우
중	지속 가능한 발전의 뜻만 바르게 서술한 경우
하	지속 가능한 발전만 쓴 경우

02 환경 문제 유발 산업의 이동

184~185쪽

꼼꼼! 필기 노트

❶ 환경 문제 ❷ 개발 도상국 ❸ 노동비 ❹ 친환경 ❺ 성장 ❻ 건강

콕콕! 핵심 개념

1 환경 문제 유발 산업 2 전자 쓰레기 3 화훼 산업

탄탄! 활동 노트

활동① 1 ❶ 전자 쓰레기 ❷ 선진국 ❸ 개발 도상국 ❹ 광물(금속 자원) 2 환경 오염이 심각하고, 노동자들이 유독성 물질에 노출되면서 건강이 악화된다. 등

활동② 1 사탕수수 바이오 에탄올 2 개발 도상국의 환경 문제가 경제 성장 위주의 정책과 선진국에 의존하는 관계 속에서 발생하고 있음을 알 수 있다. 개발 도상국 중에는 지하자원이나 농업, 임업, 어업에서 얻은 1차 생산물을 선진국에 수출하여 국가 경제를 유지하는 경우가 많다. 이 과정에서 환경을 훼손하는 문제가 발생하게 된다.

쑥쑥! 실력 키우기

186~187쪽

1 STEP 개념을 되짚는 확인 문제

01 (1) 환경 문제 유발 산업 (2) 불평등 02 (1) ○ (2) ○ (3) ○ (4) × 03 (1) 선진국, 개발 도상국 (2) 노동 집약적 04 (1) ㉠ (2) ㉡

2 STEP 기초를 다지는 기본 문제

01 ② 02 ⑤ 03 ⑤ 04 ③ 05 ① 06 ③

3 STEP 실력을 완성하는 주관식·서술형 문제

07 해설 참조 08 해설 참조

01 공해 유발 공장, 전자 쓰레기 처리 산업, 화훼 산업 등은 제품 생산 과정에서 많은 양의 오염 물질을 배출하거나 폐기물을 처리하는 과정에서 환경 문제를 일으키는 환경 문제 유발 산업에 해당한다.

오답 확인 ㄴ, ㄷ은 지속 가능한 자원으로 환경에 영향을 적게 주면서 자원의 낭비를 최소화하는 자원이다.

02 첨단 기능을 갖춘 전자 제품이 새롭게 등장할 때마다 그전에 사용하던 제품을 교체하면서 버려지는 전자 제품들이 생겨난다.

03 전자 쓰레기의 대부분은 미국과 같은 선진국에서 배출된 것이다.

04 중국, 인도, 브라질 등이 대표적인 전자 쓰레기 처리 지역에 해당한다.

05 화훼 산업의 발달로 생태계의 파괴, 어획량 감소 등의 문제도 함께 나타나고 있다.

06 화훼 산업은 최근 선진국에서 개발 도상국으로 이동하는 경향이 나타나고 있다.

07 **예시 답안** (1) 전자 쓰레기의 부품을 분리하면 금속 자원을 채취할 수 있기 때문에 경제적 이익을 얻을 수 있다. (2) 유해 물질 배출에 따른 환경 오염과 생태계 파괴가 발생하고, 지역 주민의 건강과 생활을 위협받는다.

채점 기준

상	전자 쓰레기 유입 이유와 문제점을 모두 바르게 서술한 경우
중	전자 쓰레기 유입 이유와 문제점 중 한 가지만 바르게 서술한 경우
하	전자 쓰레기 유입 이유와 문제점을 서술하였으나 전반적으로 미흡한 경우

08 예시 답안 네덜란드의 화훼 농가들이 줄어드는 까닭은 기후 변화에 적응하고 탄소 배출 비용을 절감하기 위해서이며, 네덜란드의 화훼 농가들이 동아프리카 지역으로 이전하는 까닭은 기후가 따뜻하고, 비용이 적게 들기 때문이다.

채점 기준

상	네덜란드의 화훼 농가가 감소하고 동아프리카 지역의 화훼 농가가 증가하는 이유를 바르게 서술한 경우
중	네덜란드의 화훼 농가가 감소하고 동아프리카 지역의 화훼 농가가 증가하는 이유 중 한 가지만 바르게 서술한 경우
하	비용과 기후라는 단어가 포함되지 않았으며, 전반적인 서술이 미흡한 경우

03 생활 속의 환경 이슈

188~189쪽

꼼꼼! 필기 노트

❶ 환경 ❷ 열대 우림 ❸ 원주민 ❹ 온실가스

콕콕! 핵심 개념

1 환경 이슈 2 유전자 재조합 농산물 3 푸드 마일리지 4 로컬 푸드

탄탄! 활동 노트

활동 ① 1 콩 2 본래의 유전자 일부를 변형시켜 새로운 성질의 유전자를 지니도록 개발한 농산물 3 찬성 – 노동력과 비용을 절감하고 병충해에 강한 농작물을 재배할 수 있다. / 반대 – 유전자 재조합 농산물에 관한 안전성 여부가 밝혀지지 않았다.

활동 ② 1 ❶ 생산자 ❷ 소비자 ❸ 온실가스 2 예 푸드 마일리지가 높은 글로벌 푸드의 대안으로 그 지역에서 생산된 먹을거리를 그 지역에서 소비하자는 로컬 푸드 운동을 확대 · 전개해 나가야 한다. 이를 통해 푸드 마일리지를 줄이게 되면 식품의 안정성을 확보하고, 온실가스를 줄일 수 있다.

쑥쑥! 실력 키우기

190~191쪽

1 STEP 개념을 되짚는 확인 문제

01 (1) 환경 이슈 (2) 유전자 재조합 농산물 (3) 안전성

02 (1) ○ (2) ○ 03 (1) 멀수록 (2) 국가 및 지역적 (3) 먹을거리

04 (1) ㉠ (2) ㉡

2 STEP 기초를 다지는 기본 문제

01 ③ 02 ⑤ 03 ② 04 ⑤ 05 ① 06 ⑤

3 STEP 실력을 완성하는 주관식·서술형 문제

07 해설 참조 08 해설 참조

01 신체적 약자도 관광을 즐길 수 있다는 것은 케이블카 설치에 대한 찬성 견해에 해당한다.

02 유전자 재조합 농산물은 특정한 목적에 맞도록 유전자 일부를 변형시켜 만든 농산물로 콩, 옥수수 등이 있다.

03 유전자 재조합 농산물은 노동력과 비용을 절감할 수 있고, 병충해에 강하며 많은 열매를 맺을 수 있다는 장점이 있다.

04 유전자 재조합 농산물은 적은 노동력과 비용으로 많은 양을 수확할 수 있어 생산성이 높다. 따라서 세계의 식량 문제를 해결해 줄 수 있다는 기대를 하고 있다.

05 로컬 푸드는 그 지역에서 생산된 먹을거리는 그 지역에서 소비하자는 운동으로 먹을거리의 신선도를 높이고, 온실가스를 줄이는 데 그 의미가 있다. ①은 푸드 마일리지에 관한 내용이다.

06 푸드 마일리지가 높을수록 온실가스 배출량도 많아진다.

07 예시 답안 (1) 신체적 약자도 관광을 즐길 수 있다. 관광 소득이 늘어나고 지역 경제가 활성화된다. 등 (2) 생태계와 자연 경관이 파괴된다. 케이블카 설치 주변 지역에만 이익이 돌아간다. 등

채점 기준

상	찬성과 반대 견해를 각각 두 가지 모두 바르게 서술한 경우
중	찬성과 반대 견해를 각각 한 가지만 바르게 서술한 경우
하	찬성과 반대 견해 중 한 가지만 바르게 서술한 경우

08 예시 답안 (1) 로컬 푸드 (2) 로컬 푸드 운동이 전개되면 소비자는 신선하고 안전한 먹을거리를 구매할 수 있으며, 농민들은 더욱 안정적인 소득을 얻을 수 있다.

채점 기준

상	로컬 푸드를 쓰고, 소비자와 농민의 입장에서 각각 바르게 서술한 경우
중	소비자와 농민의 입장에서 바르게 서술하였으나, 로컬 푸드를 쓰지 못한 경우
하	로컬 푸드만 쓴 경우

뚝딱! 단원 마무리하기

192~195쪽

01 ① 02 ③ 03 ③ 04 ⑤ 05 ④ 06 ④ 07 ④ 08 ①
09 ② 10 ⑤ 11 ② 12 ① 13 ① 14 ③ 15 ⑤ 16 ⑤

서술형 문제 17~21 해설 참조

01 화석 연료를 사용하는 공장과 자동차의 증가 등은 이산화 탄소의 발생량을 증가시켜 지구 온난화를 가중시킨다.

02 지구의 평균 기온이 올라가면서 극지방과 고산 지역의 빙하가 녹아 해수면이 꾸준히 상승하고 있다.

03 기후 변화와 같은 전 지구적 환경 문제를 해결하고 지속 가능한 발전을 모색하기 위해서는 개인적 노력뿐만 아니라 국가적 · 국제적 차원의 노력과 협력이 필요하다.

04 기후 변화로 지구의 평균 기온이 상승하면서 극지방과 고산 지역의 빙하가 녹아 해수면이 꾸준히 상승하고 있으며, 그 결과 해발 고도가 낮은 지역은 바닷물에 잠기고 있다.

05 승용차 대신 자전거나 대중교통을 이용하면 온실가스 배출량을 많이 줄일 수 있다.

06 환경 문제 유발 산업을 유입하려는 개발 도상국은 환경보다 경제 성장이 우선이다. ④ 네덜란드는 개발보다는 환경에 더 많은 관심이 있다.

07 A와 B는 전자 쓰레기의 주요 처리 지역에 해당한다.
오답 확인 ㄱ, ㄷ은 선진국과 환경 오염에 관한 사회적 인식이 높은 나라에 관한 설명이다.

08 개발 도상국 또는 환경 오염에 관한 사회적 인식이 높지 않은 나라에서 환경 문제 유발 산업을 유치하고 있으며 이들 나라는 경제 성장과 개발을 중요시하고 있다.

09 바젤 협약은 유해 폐기물의 불법적인 이동을 금지하는 것이 협약의 기본 취지다.
오답 확인 ① 파리 협정은 교토 의정서를 대체할 신기후 체제이다. ③ 교토 의정서는 지구 온난화 규제와 방지를 위한 협약으로 선진국의 온실가스 배출량 감축을 목표로 한다. ④ 람사르 협약은 습지를 보전하기 위한 국제 환경 협약이다. ⑤ 몬트리올 의정서는 오존층 파괴 물질의 규제에 관한 국제 협약이다.

10 제시된 지도는 전기 · 전자 제품으로 구성된 전자 쓰레기의 발생 및 처리 지역을 나타낸 것이다.

11 케냐에 화훼 산업이 발전하면서 물을 마음대로 쓰기가 어려워지고 장미를 키우는 데 사용되는 농약 등으로 인해 호수가 오염되어 물고기 어획량도 감소하였다.

12 각자의 이해관계와 가치관 등이 달라 찬성과 반대의 쟁점을 가지는 환경 문제를 환경 이슈라고 한다.

13 유전자 재조합 농산물은 아직 안전성 여부가 밝혀지지 않았다.

14 푸드 마일리지가 높은 먹을거리는 원산지에서 수입국으로 운반되는 과정에서 신선도를 유지하기 위해 많은 양의 방부제와 살충제를 사용하는 경우가 많다.

15 지역에서 생산된 먹을거리는 그 지역에서 소비하자는 운동이 로컬 푸드 운동이다.
오답 확인 ② 로컬 푸드 직매장보다 일반 상점의 푸드 마일리지가 더 높을 것이다.

16 ㄱ, ㄴ은 갯벌을 개발할 경우 나타날 수 있는 부작용에 해당한다.

17 **예시 답안** (1) 산업화 과정에서 발생하는 화석 연료의 사용 증가, 도시화에 따른 삼림 파괴 등으로 이산화 탄소의 배출량이 증가한다. (2) 이산화 탄소의 배출량 증가는 지구 온난화와 같은 환경 문제를 발생시킨다.

채점 기준

상	온실가스의 증가 원인과 대표적 환경 문제를 모두 바르게 서술한 경우
중	온실가스의 증가 원인만 바르게 서술한 경우
하	환경 문제에 관해 썼으나 전반적인 서술이 미흡한 경우

18 **예시 답안** (1) 교토 의정서 (2) 교토 의정서를 대체할 신기후 체제로, 선진국에만 온실가스 배출량 감축 의무를 지우지 않고, 선진국과 개발 도상국 모두 자국이 정한 방식에 따라 온실가스 배출량을 감축해야 한다.

채점 기준

상	㉠ 교토 의정서를 쓰고, ㉡ 선진국과 개발 도상국 모두 온실가스 배출량을 감축해야 한다는 것을 정확하게 서술한 경우
중	㉡ 선진국과 개발 도상국 모두 온실가스 배출량을 감축해야 한다는 것을 서술하였으나 ㉠ 교토 의정서를 쓰지 못한 경우
하	㉠ 교토 의정서만 쓴 경우

19 **예시 답안** 장미 농장이 들어선 이후 장미를 키우기 위해 사용된 각종 화학 물질과 농약이 토양과 호수로 흘러들어 어획량이 감소하고 수질이 악화되는 등 환경 오염이 심해졌다.

채점 기준

상	케냐의 장미 농장 주변에서 발생하고 있는 환경 문제를 바르게 서술한 경우
하	케냐의 장미 농장 주변에서 발생하고 있는 환경 문제에 관한 서술이 미흡한 경우

20 **예시 답안** (1) 전자 쓰레기 (2) 전자 쓰레기를 포함한 환경 문제 유발 산업은 주로 선진국에서 개발 도상국으로 이동하는 경향을 보이고 있다. (3) 개발 도상국의 노동비가 선진국보다 저렴하고, 선진국에 비해 상대적으로 환경 규제가 적기 때문이다.

채점 기준

상	전자 쓰레기를 쓰고, 이동 경향과 이동 원인을 정확하게 서술한 경우
중	전자 쓰레기를 쓰고, 이동 경향과 이동 원인 중 하나만 서술한 경우
하	전자 쓰레기만 쓴 경우

21 **예시 답안** (1) 먹을거리가 생산자의 손을 떠나 소비자의 식탁에 오르기까지의 소요된 총거리를 나타낸 것이다. (2) 푸드 마일리지가 높을수록 배출되는 온실가스의 양이 많아진다.

채점 기준

상	푸드 마일리지의 의미와 특징을 모두 바르게 서술한 경우
중	푸드 마일리지를 의미와 특징 중 한 가지만 바르게 서술한 경우
하	푸드 마일리지를 의미와 특징을 서술하였으나 전반적으로 미흡한 경우

11. 세계 속의 우리나라

01 우리나라의 영역과 독도

198~199쪽

꼼꼼! 필기 노트

❶ 영토 ❷ 영해 ❸ 12 ❹ 영공 ❺ 한반도 ❻ 직선 ❼ 통상 ❽ 화산

콕콕! 핵심 개념

1 영토 2 영해 3 영공 4 독도

탄탄! 활동 노트

활동① 1 ❶ 영역 ❷ 영토 ❸ 영해 ❹ 영공 ❺ 한반도 ❻ 12 2 (1) 섬이 많고 해안선이 복잡한 황·남해는 가장 외곽에 있는 섬들을 연결한 직선 기선으로부터 12해리까지가 영해에 해당한다. (2) 우리나라와 일본이 인접한 대한 해협에서는 직선 기선에서 3해리까지가 우리나라의 영해로 설정되었다. (3) 해안선이 단조로운 동해안과 제주도, 울릉도, 독도에서는 통상 기선이 적용되어 해안의 최저 조위선으로부터 12해리까지가 우리나라의 영해이다.

활동② 1 A – 해양 심층수 B – 메탄하이드레이트 2 독도 주변에는 미래의 에너지로 주목받는 메탄하이드레이트와 식수, 의약품 개발에 활용 가능한 해양 심층수가 매장되어 있어 경제적 가치가 높다.

쑥쑥! 실력 키우기

200~201쪽

1 STEP 개념을 되짚는 확인 문제

01 (1) 영역 (2) 영토 (3) 12 02 (1) 통상 기선 (2) 직선 기선
03 (1) × (2) × (3) ○ 04 (1) 통상 기선 (2) 직선 기선 (3) 메탄하이드레이트

2 STEP 기초를 다지는 기본 문제

01 ③ 02 ② 03 ⑤ 04 ① 05 ④ 06 ⑤

3 STEP 실력을 완성하는 주관식·서술형 문제

07 해설 참조 08 해설 참조 09 해설 참조

01 ③ 통상 기선은 바닷물이 가장 많이 빠졌을 때의 해안선을 기준으로 한다.

02 영공은 영토와 영해의 상공으로 일반적으로 항공기가 통과하는 대기권까지를 인정한다.

03 배타적 경제 수역이란 바다에 대한 경제적 권리를 주장할 수 있는 수역을 의미한다.
오답 확인 ㄱ. 기선으로부터 200해리에 이르는 수역 중에서 영해를 제외한 수역을 말한다. ㄴ. 동해는 일본, 황해는 중국과 배타적 경제 수역이 겹친다.

04 독도는 경상북도 울릉군 울릉읍 독도리에 있는 섬으로, 우리나라 영토 중 가장 동쪽에 있다.

05 A는 메탄하이드레이트이다. ④는 수심 200m 이하의 깊은 곳에 있는 해양 심층수에 관한 설명이다.

06 독도 경비대는 경찰로 구성되어 있다. 군인이 아닌 경찰이 독도를 지키는 것은 독도가 분쟁 지역이 아닌 명백한 우리 영토라는 것을 보여 주고 있는 것이다.

07 **예시 답안** 해안선이 단조로운 동해는 통상 기선이 적용되어 해안의 최저 조위선으로부터 12해리까지가 영해이고, 섬이 많고 해안선이 복잡한 황해와 남해는 가장 바깥쪽에 있는 섬들을 연결한 직선 기선으로부터 12해리까지가 영해에 해당한다.

채점 기준

상	동해와 황해·남해의 해안선의 특징과 영해 설정 방법을 비교하여 바르게 서술한 경우
중	동해와 황해·남해의 해안선의 특징과 영해의 설정 방법이 다른 까닭을 서술하였으나 미흡한 경우
하	동해와 황해·남해의 해안선의 특징만 서술한 경우

08 **예시 답안** (1) 대한 해협 (2) 우리나라와 일본의 거리가 가까워 영해를 각각 12해리씩 확보할 수 없으므로 예외적으로 3해리까지를 영해로 설정하였다.

채점 기준

상	대한 해협을 쓰고, 그 까닭을 정확히 서술한 경우
중	그 까닭은 정확히 서술했으나, 대한 해협을 쓰지 못한 경우
하	대한 해협만 쓴 경우

09 **예시 답안** 독도 경비대, 통상적으로 군인이 지킨다는 것은 분쟁 지역임을 의미하고 경찰이 지킨다는 것은 민생 치안의 개념으로 생각할 수 있다. 따라서 군인이 아닌 경찰이 독도를 지키는 것은 독도가 분쟁 지역이 아닌 우리의 영토라는 것을 명백히 하는 것이다.

채점 기준

상	독도 경비대를 쓰고, 경찰이 독도를 지키는 까닭을 바르게 서술한 경우
중	경찰이 독도를 지키는 까닭은 바르게 서술하였으나, 독도 경비대는 쓰지 않은 경우
하	독도 경비대만 쓴 경우

02 세계화 속의 지역화 전략

202~203쪽

꼼꼼! 필기 노트

❶ 세계화 ❷ 브랜드 ❸ 장소 ❹ 에펠탑

콕콕! 핵심 개념

1 지역화 전략 2 지역 브랜드 3 장소 마케팅

탄탄! 활동 노트

활동 1 1 ❶ 상품 ❷ 이미지 ❸ 장소 마케팅 ❹ 경제 2 (1) ㉢ (2) ㉠ (3) ㉡

활동 2 1 ❶ 지역 ❷ 지리적 표시제 2 (1) 보성 (2) 순창 (3) 성주 (4) 밀양

쑥쑥! 실력 키우기 204~205쪽

1 STEP 개념을 되짚는 확인 문제

01 (1) 지역 브랜드 (2) 지리적 표시제 (3) 장소 마케팅 02 (1) × (2) ○ (3) ○ 03 (1) 지역화 전략 (2) 대게 04 (1) ㉠ (2) ㉡

2 STEP 기초를 다지는 기본 문제

01 ③ 02 ⑤ 03 ⑤ 04 ② 05 ④ 06 ②

3 STEP 실력을 완성하는 주관식·서술형 문제

07 해설 참조 08 해설 참조 09 해설 참조

01 제시된 사례는 지역화 전략 중 지역 브랜드 사례에 해당한다.
오답 확인 ㄱ, ㄹ은 장소 마케팅에 해당한다.

02 특정한 장소를 상품으로 인식하고, 그 장소의 이미지를 개발하는 전략이 장소 마케팅이다. ⑤ 콜로세움은 이탈리아 로마의 장소 마케팅 사례에 적당하다.

03 자신이 사는 지역에 알맞은 지역화 전략을 개발해야 한다. 지역화 전략의 효과를 높이기 위해서는 지역 주민의 참여와 협조가 필요하다.

04 충청남도 보령은 머드 축제를 통해 장소 마케팅을 구현하고 있다.
오답 확인 A는 평창 C는 문경, D는 보성, E는 순천이다.

05 보성에서는 보성차밭 및 축제를 통해 관광객을 유치하여 지역 경제를 활성화하려는 노력을 하고 있다.

06 지역 브랜드를 잘 활용하면 지역 경제가 활성화되고 주민들의 자긍심을 높일 수 있다.
오답 확인 ㄴ. 지역의 정체성과 고유한 특성이 증대되며 ㄹ. 지역의 상품 및 서비스 판매량도 증가할 것이다.

07 예시 답안 세계화로 지역 간 교류가 활발해지고 경쟁이 치열해지면서 지역 고유의 특성을 살리는 것이 그 지역의 경쟁력을 높일 수 있기 때문에 지역화가 등장하였다.
답안 작성 Hint 세계화 시대에는 지역 간 교류도 활발하지만 경쟁 또한 치열하다. 각 지역은 다른 지역과 차별화된 지역화 전략을 통해 경쟁력을 높이기 위해 노력하고 있다.

채점 기준

상	지역화의 등장 배경을 바르게 서술한 경우
하	지역화의 등장 배경을 서술하였으나 미흡한 경우

08 예시 답안 (1) 세계화로 문화가 획일화되는 가운데 지역의 고유한 특성을 강조하여 경쟁력을 갖추고자 하는 방안을 말한다. (2) 지역화 전략을 통해 주민들의 정체성을 다지고 자긍심을 높일 수 있다. 기업을 유치하여 일자리를 늘리고 관광 산업으로 소득을 높일 수 있다. 등

채점 기준

상	지역화 전략의 의미를 정확히 서술하고, 지역화 전략의 효과를 두 가지 모두 서술한 경우
중	지역화 전략의 의미를 정확히 서술하고, 지역화 전략의 효과를 한 가지만 서술한 경우
하	지역화 전략의 의미만 서술한 경우

09 예시 답안 (1) 장소 마케팅 (2) 특정한 장소를 상품으로 인식하고 그 장소의 이미지를 개발하는 전략을 말한다.

채점 기준

상	장소 마케팅을 쓰고, 그 의미를 정확히 서술한 경우
중	의미는 바르게 서술했으나, 장소 마케팅을 쓰지 못한 경우
하	장소 마케팅만 쓴 경우

03 세계화 시대 통일 한국의 미래

206~207쪽

꼼꼼! 필기 노트

❶ 동아시아 ❷ 유럽 ❸ 이산가족 ❹ 세계 평화 ❺ 자본 ❻ 노동력

콕콕! 핵심 개념

1 반도국 2 문화적 이질성 3 통일

탄탄! 활동 노트

활동 1 1 아시안 하이웨이 2 완공 조건 – 남북 통일이 이루어져 도로가 완공되고 서로 간의 왕래도 자유로워야 한다. / 완공에 따른 효과 – 아시아와 유럽이 하나로 연결되어 육로가 열리게 된다. 이에 따라 무역이 활발해져 국민 소득이 늘어나고 한반도가 대륙과 해양 진출의 관문 역할을 맡게 되면서 동아시아의 중심 국가로 발돋움할 수 있을 것이다.

활동 2 1 ❶ 어묵 ❷ 얼음 보숭이 ❸ 주스 ❹ 도넛 2 남과 북이 서로 다른 정치·경제 체제에서 오랜 시간 지내면서 문화의 이질성이 심각해지고 있다. 이러한 문화의 이질성을 극복하고 민족의 동질성을 회복하기 위해서라도 통일은 필요하다.

쑥쑥! 실력 키우기 208~209쪽

1 STEP 개념을 되짚는 확인 문제

01 (1) ○ (2) × (3) ○ 02 (1) 동아시아 (2) 대륙으로 (3) 문화적 이질성 (4) 반도국 03 (1) 태평양 (2) 통일 (3) 아시안 하이웨이

2 STEP 기초를 다지는 기본 문제

01 ⑤ 02 ⑤ 03 ① 04 ④ 05 ⑤ 06 ④

3 STEP 실력을 완성하는 주관식·서술형 문제

07 해설 참조 08 해설 참조 09 해설 참조

01 우리나라는 유라시아 대륙 동쪽에 있는 반도국으로 북쪽으로는 유라시아 대륙에 진출할 수 있고, 남쪽으로는 태평양에 진출할 수 있는 동아시아의 요지에 위치한다.
오답 확인 ㄱ. 동아시아의 중심에 위치하고 있다. ㄴ. 중국과 일본 사이에 위치한 교통의 중심지이다.

02 남북한의 군사비 부담이 증가하는 것도 분단으로 인한 문제점 중 하나이다.

03 통일이 되면 북한의 풍부한 자원과 노동력, 남한의 자본과 기술력이 결합되어 국가 경쟁력이 더욱 강화될 것이다.

04 통일이 되면 비무장 지대의 생태적 기능이나 역사적 기능을 강화할 수 있다.

05 아시안 하이웨이는 아시아 국가 간의 물적 · 인적 교류 확대를 위해 32개국을 연결하는 도로망이다.

06 통일을 위해서는 남북 간의 정치 · 군사적 대립을 지양하고, 경제 · 문화적 협력을 확대해 나갈 필요가 있다.

07 예시 답안 분단 이후 남한은 대륙으로 진출할 수 있는 육로가 차단되었으며, 민족의 정체성 훼손, 문화적 이질성 심화, 군사비 부담 증가 등 많은 문제점이 나타나고 있다.

채점 기준

상	분단에 따른 문제점을 세 가지 모두 바르게 서술한 경우
중	분단에 따른 문제점을 두 가지만 바르게 서술한 경우
하	분단에 따른 문제점을 한 가지만 바르게 서술한 경우

08 예시 답안 (1) 반도국 (2) 반도국은 대륙과 해양 모두 진출이 유리하다는 장점이 있다.

채점 기준

상	반도국을 쓰고, 반도국의 위치적 장점을 바르게 서술한 경우
중	반도국의 위치적 장점은 바르게 서술하였으나 반도국을 쓰지 못한 경우
하	반도국만 쓴 경우

09 예시 답안 통일이 되면 북한의 자원을 이용할 수 있고 새로운 일자리도 생겨날 것이다. 또한 저출산과 고령화로 발생한 노동력 부족 문제를 완화할 수도 있다.

채점 기준

상	통일 이후 나타날 경제적 변화를 세 가지 모두 바르게 서술한 경우
중	통일 이후 나타날 경제적 변화를 두 가지만 바르게 서술한 경우
하	통일 이후 나타날 경제적 변화를 한 가지만 바르게 서술한 경우

뚝딱! 단원 마무리하기 210~213쪽

01 ④ 02 ④ 03 ③ 04 ③ 05 ⑤ 06 ⑤ 07 ① 08 ①
09 ② 10 ① 11 ② 12 ③ 13 ③ 14 ② 15 ⑤ 16 ④
서술형 문제 17~22 해설 참조

01 A는 영공, B는 영토, C는 영해로 국가 영역의 기본 조건에 해당한다. 배타적 경제 수역은 200해리에서 영해를 제외한 D에 해당한다.

02 서해안과 남해안은 직선 기선을 사용하고 동해안 및 제주도, 울릉도, 독도는 통상 기선을 사용하고 있다.

03 대한 해협은 직선 기선을 사용하고 있으나 일본과의 거리가 가까워 3해리 범위까지만 영해로 규정하고 있다.

04 독도는 우리나라의 최동단에 위치한 섬으로, 동도와 서도 및 여러 개의 바위섬으로 이루어져 있다.

05 독도 주변 바다 해저에는 차세대 에너지원으로 주목받고 있는 메탄하이드레이트가 많이 매장되어 있다.

06 지역 브랜드를 개발하기 위해서는 먼저 지역의 다양한 자원을 확인하고 그에 맞는 차별화된 브랜드를 개발하여 지역 경쟁력을 강화한다.

07 (가)는 지역 브랜드, (나)는 장소 마케팅에 해당한다.

08 ㉠은 강원도 평창군의 지역 브랜드인 'HAPPY 700'에 관한 설명이다.

09 보령시는 보령 머드의 우수성을 널리 알리고 '보령 머드 화장품'과 대천 해수욕장을 비롯한 지역 관광 명소를 홍보하기 위해 1998년 처음으로 보령 머드 축제를 개최하였다.

10 지역의 특성을 담고 있는 상품이나 서비스에 그 지역의 이미지를 결합하여 그 지역 자체를 브랜드처럼 만드는 것이 지역 브랜드이다.

11 강원도 횡성은 횡성 한우가 지리적 표시제 인증을 받았다.

12 남한은 분단으로 인해 대륙으로의 진출이 어렵다.

13 통일을 통해 서로 다른 언어 문제와 같은 문화적 이질성을 극복해 나갈 수 있다.

14 통일이 되면 남한의 저출산과 고령화로 인한 노동력 부족 문제가 완화되고 청 · 장년층의 경제적 부담도 감소할 것이다.

15 분단이 오래 지속될수록 남북한의 격차가 심해지기 때문에 하루빨리 통일이 이루어져야 한다.

16 우리나라는 반도국이지만 분단으로 인해 사실상 섬나라와 비슷한 상황이다. 아시안 하이웨이가 완공되면 우리나라는 대륙과 해양으로의 진출이 모두 가능해질 것이다.

17 예시 답안 (1) 영공 (2) 최근에는 항공 교통 및 우주 산업의 발달, 군사적 중요성이 증대되면서 관심이 커지고 있다.

채점 기준

상	영공을 쓰고, 영공의 중요성을 두 가지 모두 바르게 서술한 경우
중	영공을 쓰고, 영공의 중요성을 한 가지만 바르게 서술한 경우
하	영공만 쓴 경우

18 예시 답안 (1) 배타적 경제 수역은 기선으로부터 200해리에 이르는 수역 중 영해를 제외한 수역이다. (2) 배타적 경제 수역의 특징은 다음과 같다. 첫째, 연안국은 배타적 경제 수역 내에서 자원의 탐사와 개발 및 보존, 경제적 개발 등에 관한 권리를 보장받는다. 둘째, 경제적 목적이 없다면 타국의 선박 항해나 케이블 설치 등이 가능하다.

채점 기준

상	배타적 경제 수역의 의미와 특징 두 가지를 모두 바르게 서술한 경우
중	배타적 경제 수역의 의미와 특징 한 가지를 바르게 서술한 경우
하	배타적 경제 수역의 의미만 바르게 서술한 경우

19 예시 답안 독도는 우리나라 최동단에 위치한 섬으로, 교통 · 군사상 중요한 요충지이다. 또한 독도는 배타적 경제 수역 설정과 관련하여 매우 중요한 기점이다.

채점 기준

상	독도의 영역적 가치를 두 가지 모두 바르게 서술한 경우
중	독도의 영역적 가치를 한 가지만 바르게 서술한 경우
하	독도의 가치를 서술하였으나 영역적 가치가 아닌 경우

20 예시 답안 (1) 지역 경제가 활성화된다. 지역 경쟁력이 강화된다. 등 (2) 지역화 전략의 효과를 높이기 위해서는 지역 주민의 참여와 협조가 무엇보다 중요하다.

채점 기준

상	효과 두 가지와 중요 조건을 모두 바르게 서술한 경우
중	효과 한 가지와 중요 조건을 바르게 서술한 경우
하	효과와 중요 조건 중 한 가지만 바르게 서술한 경우

21 예시 답안 (1) 통일 (2) 통일이 되면 경의선, 경원선 등이 유라시아 횡단 철도와 연결되어 우리나라는 유라시아 물류 교통망의 전진 기지이자 관문 역할을 하게 될 것이다. 이에 따라 동아시아의 중심 국가로 발돋움하고 경제적으로도 크게 성장할 것이다.

채점 기준

상	통일을 쓰고, 통일 이후의 효과를 바르게 서술한 경우
중	통일 이후의 효과만 바르게 서술한 경우
하	통일만 쓴 경우

22 예시 답안 생활권이 확대되면서 새로운 직업과 일자리가 늘어날 것이다. 중국을 거치지 않고 백두산에 갈 수 있을 것이다. 등

채점 기준

상	통일 이후 우리 생활의 변화 두 가지를 바르게 예측하여 서술한 경우
중	통일 이후 우리 생활의 변화 한 가지를 바르게 예측하여 서술한 경우
하	통일 이후 우리 생활의 변화를 예측하였으나 타당하지 않은 경우

12. 더불어 사는 세계

01 지구상의 다양한 지리적 문제

216~217쪽

꼼꼼! 필기 노트

❶ 물 ❷ 자연재해 ❸ 인구 ❹ 농경지 ❺ 열대 우림 ❻ 생태계 ❼ 주권 ❽ 일본

콕콕! 핵심 개념

1 지리적 문제 2 기아 3 영역 분쟁

탄탄! 활동 노트

활동① 1 전쟁이나 종교적 · 정치적 박해를 피해 외국으로 탈출하는 사람들 2 난민 발생의 원인 – 역사적 배경, 민족, 종교와 영토, 자원 문제 등으로 인한 영역 분쟁으로 발생한다. / 난민 생활의 문제점 – 난민 캠프의 시설이 매우 열악하고 공공 의료나 교육을 제공받기 힘들며, 식량 또한 얼마 되지 않는 배급에 의존해야 한다.

활동② (가) 중국, 베트남, 필리핀, 말레이시아, 브루나이 / 해양 자원 확보, 군사적 요충지 획득 등 (나) 러시아, 일본 / 해양 자원 확보, 해상 진출로 확보 등

쑥쑥! 실력 키우기 218~219쪽

1 STEP 개념을 되짚는 확인 문제

01 (1) 기아 (2) 난민 (3) 영역 분쟁 (4) 열대 우림 02 (1) ○ (2) × (3) ○ (4) ○ 03 (1) 감소하면 (2) 선진국 (3) 중국

2 STEP 기초를 다지는 기본 문제

01 ④ 02 ② 03 ⑤ 04 ③ 05 ③ 06 ④

3 STEP 실력을 완성하는 주관식·서술형 문제

07 해설 참조 08 해설 참조 09 해설 참조

01 전쟁, 잦은 분쟁 등은 기아를 발생시키는 인위적인 요인에 해당한다.

02 기아 문제는 주로 아프리카와 일부 아시아 등지의 개발 도상국에서 심각하게 나타난다.

03 ㄴ, ㄹ, ㅁ은 지구촌 곳곳에서 발생하는 영역을 둘러싼 갈등과 분쟁의 원인이 되고 있다.

04 기아와 난민 문제는 서로 긴밀하게 연결되어 있다.

05 지도의 A는 남중국해에 위치한 난사 군도이다. 난사 군도를 둘러싼 주변 국가들의 분쟁이 계속되고 있는 까닭은 이곳이 교통 · 군사적 요충지일 뿐만 아니라 부근에 석유, 천연가스 등의 자원이 풍부하게 매장되어 있기 때문이다.

06 난사 군도에 대해 영유권을 주장하고 있는 나라는 중국, 베트남, 필리핀, 브루나이, 말레이시아 등이다.

07 예시 답안 (1) 기아 (2) 기아는 홍수, 가뭄 등의 자연재해와 농작물 병충해가 발생하여 식량을 생산할 수 없거나 전 세계적으로 식량의 분배와 공급이 원활하지 않기 때문에 발생한다.

채점 기준

상	기아를 쓰고, 원인 세 가지를 모두 바르게 서술한 경우
중	기아를 쓰고, 원인을 두 가지만 바르게 서술한 경우
하	기아를 쓰고, 원인을 한 가지만 바르게 서술한 경우

08 예시 답안 (1) 생물 종 다양성 감소 (2) 생물 종 다양성이 감소하면 인간이 이용 가능한 생물 자원의 수가 감소하고, 먹이 사슬이 끊겨 생태계가 빠르게 파괴된다.

채점 기준

상	생물 종 다양성 감소를 쓰고, 그 결과를 바르게 서술한 경우
중	생물 종 다양성 감소의 결과만 바르게 서술한 경우
하	생물 종 다양성 감소만 쓴 경우

09 예시 답안 역사적 배경, 민족, 종교와 영토, 자원 등을 둘러싼 갈등을 들 수 있다.

채점 기준

상	영역 분쟁을 쓰고, 그 원인을 두 가지 모두 바르게 서술한 경우
중	영역 분쟁을 쓰고, 그 원인을 한 가지만 바르게 서술한 경우
하	영역 분쟁만 쓴 경우

02 발전 수준의 지역 차

220~221쪽

꼼꼼! 필기 노트

❶ 1인당 국내 총생산 ❷ 국제 연합 개발 계획 ❸ 성 불평등 지수 ❹ 광물 자원 ❺ 에너지 자원

콕콕! 핵심 개념

1 빈곤 2 국내 총생산 3 인간 개발 지수

탄탄! 활동 노트

활동 ① 1 ❶ 교육 수준 ❷ 선진화 ❸ 높을수록 2 (1) 북아메리카 (2) 아프리카

활동 ② 1 (가) ㉠, 에티오피아 (나) ㉣, 라오스 (다) ㉡, 앙골라 (라) ㉢, 볼리비아 2 국외 자본과 기술 투자 유치, 사회 기반 시설과 산업에 대한 투자 확대 등의 노력을 하고 있다.

쑥쑥! 실력 키우기

222~223쪽

1 STEP 개념을 되짚는 확인 문제

01 (1) ○ (2) × (3) × (4) ○ **02** (1) 국내 총생산(GDP) (2) 인간 개발 지수(HDI) (3) 1인당 국내 총생산 **03** (1) 적정 기술 (2) 선진국

2 STEP 기초를 다지는 기본 문제

01 ④ **02** ② **03** ④ **04** ④ **05** ⑤ **06** ①

3 STEP 실력을 완성하는 주관식·서술형 문제

07 해설 참조 **08** 해설 참조

01 ㄴ, ㄹ은 빈곤 문제 해결을 위한 저개발국의 해결 과제와 노력에 해당한다.

02 B는 아프리카 사하라 이남에 위치한 앙골라로, 대표적인 저개발 지역 중 하나이다.

03 인간 개발 지수는 국제 연합 개발 계획(UNDP)에서 매년 각국의 1인당 국내 총생산, 기대 수명, 교육 수준 등을 기준으로 하여 국가별로 국민의 삶의 질을 평가하는 것이다.

04 성 불평등 지수는 '0~1'의 값을 가지며 0이면 완전 평등, 1이면 완전 불평등한 값을 의미한다.

05 발전 수준이 다양하기 때문에 여러 지표를 활용하여 발전 정도를 측정해야 한다.

06 ① 저출산 · 고령화 현상이 나타나 어려움을 겪고 있는 지역은 주로 선진국이다. ⑤ 저개발 지역이 해결해야 할 과제에는 낮은 인구 부양력, 정치적 불안정 등이 있다.

07 예시 답안 (1) 아프리카 (2) 아프리카는 국내 자본과 기술력 부족, 내전, 부정부패 등으로 경제적 어려움을 겪고 있다.

채점 기준

상	아프리카를 쓰고, 빈곤한 까닭을 세 가지 모두 바르게 서술한 경우
중	아프리카를 쓰고, 빈곤한 까닭을 두 가지만 바르게 서술한 경우
하	아프리카를 쓰고, 빈곤한 까닭을 한 가지만 바르게 서술한 경우

08 예시 답안 (1) 성 불평등 지수(GII) (2) 성 불평등 지수는 해당 지역이나 국가의 여성과 남성의 평등한 정도를 알 수 있는 지표이다. 성 불평등 지수를 통해 여성과 남성이 동등한 지위를 갖고 있는가를 판단 및 평가하고, 이를 성 불평등을 개선하는 자료로 활용하고 있다.

채점 기준

상	성 불평등 지수를 쓰고, 그 의미와 활용도를 정확하게 서술한 경우
중	성 불평등 지수는 쓰지 못하고, 그 의미와 활용도는 정확하게 서술한 경우
하	성 불평등 지수만 쓴 경우

03 지역 간 불평등 완화 노력

224~225쪽

꼼꼼! 필기 노트

❶ 난민 ❷ 식량 ❸ 아동 ❹ 빈곤 ❺ 국제 비정부 기구 ❻ 공정 무역

콕콕! 핵심 개념

1 국제 연합 2 공적 개발 원조 3 한국 국제 협력단 4 공정 무역

탄탄! 활동 노트

활동① **1** 선진국의 정부나 공공 기관들이 저개발국의 경제 개발과 복지 향상을 위해 제공하는 원조 **2** 지원하는 나라 – 영국, 프랑스, 독일, 캐나다, 미국 등 / 지원받는 나라 – 소말리아, 에티오피아, 중앙아프리카 공화국, 니제르, 말리 등

활동② **1** ❶ 생산자 ❷ 중간 상인 ❸ 유통 ❹ 공정 무역 ❺ 유통
2 생산자 – 공정한 노동의 대가를 받을 수 있다. 쾌적하고 깨끗한 환경에서 일할 수 있다. 등 / 소비자 – 저개발국의 어려운 사람들을 도와줄 수 있다. 친환경 제품을 구매할 수 있다. 등

쑥쑥! 실력 키우기

226~227쪽

1 STEP 개념을 되짚는 확인 문제

01 (1) 국제기구 (2) 공적 개발 원조 (3) 한국 국제 협력단 02 (1) 국제 비정부 기구 (2) 국경 없는 의사회 (3) 1인당 국내 총생산 03 (1) ○ (2) × (3) ○ 04 (1) ㉠ (2) ㉢ (3) ㉡

2 STEP 기초를 다지는 기본 문제

01 ② 02 ④ 03 ⑤ 04 ⑤ 05 ② 06 ⑤

3 STEP 실력을 완성하는 주관식·서술형 문제

07 해설 참조 08 해설 참조 09 해설 참조

01 국제 비정부 기구(NGO)는 민간단체가 중심이 되어 조직한 비정부 기구이다. ② 세계 은행은 국제기구에 해당한다.

02 한국 국제 협력단은 우리나라와 저개발 국가 간에 우호적인 협력 관계를 증진하는 것을 목적으로 하고 있다.

03 정부 간 국제기구에는 국제 연합 아동 기금, 국제 연합 난민 기구, 세계 보건 기구, 경제 협력 개발 기구 등이 있다.

오답 확인 ㄱ은 환경 보호 운동을 하며, ㄷ은 분쟁 지역에 의료 지원 활동을 하는 국제 비정부 기구에 해당한다.

04 공적 개발 원조 위원회(DAC)는 OECD의 하부 기관으로, 저개발국의 개발 원조 문제를 전문적으로 취급하는 기관이다.

05 유엔 난민 기구는 난민의 권리 보호와 복지 향상을 위해 난민에 대한 긴급 구조 활동, 안전한 피난처 제공 등의 활동을 한다.

06 저개발국은 기본적인 생존이 어려운 경우도 많다. 따라서 저개발국 간의 지원보다는 선진국이 저개발국에 우수한 기술과 자본 등을 지원하는 것이 필요하다.

07 예시 답안 지속 가능 발전 목표는 전 세계의 공동 목표로서 빈곤 퇴치를 최우선으로 한다.

채점 기준

상	지속 가능 발전 목표의 궁극적인 목적을 바르게 서술한 경우
하	지속 가능 발전 목표의 궁극적인 목적을 서술하지 못한 경우

08 예시 답안 (1) 유엔 평화 유지군(PKF) (2) 분쟁 지역에 파견되어 질서를 유지하고, 주민들의 안전을 지키며 분쟁의 재발을 방지하기 위해 노력한다.

채점 기준

상	유엔 평화 유지군을 쓰고, 그 역할을 정확하게 서술한 경우
중	유엔 평화 유지군은 쓰지 못하고 역할만 정확하게 서술한 경우
하	유엔 평화 유지군만 쓴 경우

09 예시 답안 (1) 공정 무역 (2) 저개발국 생산자의 노동에 대한 정당한 대가를 줄 수 있다. (3) 비용과 노력이 많이 들어 생산자도 쉽게 참여하기 어렵고, 소비자의 입장에서는 가격이 비싸고 판매하는 가게를 찾기 어렵다.

채점 기준

상	공정 무역을 쓰고, 효과와 한계를 모두 정확하게 서술한 경우
중	공정 무역을 쓰고, 효과와 한계 중 어느 하나만 바르게 서술한 경우
하	공정 무역만 쓴 경우

뚝딱! 단원 마무리하기

228~231쪽

01 ② 02 ④ 03 ② 04 ④ 05 ② 06 ① 07 ⑤ 08 ④
09 ③ 10 ④ 11 ④ 12 ④ 13 ⑤ 14 ④ 15 ⑤ 16 ②
서술형 문제 17~21 해설 참조

01 기아, 영역 분쟁, 난민 등 다양한 지리적 문제는 서로 긴밀하게 연결되어 있다.

02 A는 난사 군도(쯔엉사 군도) 분쟁 지역을 나타낸 것이다. 난사 군도는 인도양과 태평양을 잇는 중요한 길목에 있어 전략

적 가치가 높고, 석유와 천연가스가 매장되어 있어 경제적 가치가 뛰어나다.

오답 확인 ㄱ, ㄹ은 쿠릴 열도 분쟁과 관련된 내용이다.

03 A 지역은 전체 생물 종의 절반 이상이 분포하는 열대 우림 지역으로 농경지 확대, 동식물 서식지 파괴 등으로 삼림 파괴가 심각하게 이루어지고 있다.

오답 확인 ② 영양 결핍 인구는 기아와 관련한 지리적 문제로 특히 아프리카 대륙에서 심각하게 발생하고 있다.

04 영역 분쟁이 발생하는 배경으로는 역사적 배경, 민족, 종교와 영토, 자원 등의 문제를 들 수 있다.

오답 확인 ㄱ. 가뭄, 홍수, 이상 한파 등으로 기아가 발생하고 있으며, ㄹ. 동식물 서식지 파괴, 무분별한 남획 등으로 생물 종 다양성 감소 문제가 발생하고 있다.

05 전쟁이나 종교적 · 정치적 박해를 피해 외국으로 탈출하는 난민 문제 역시 전 지구적 차원에서 함께 해결해야 할 지리적 문제에 해당한다.

06 기아는 가뭄, 홍수, 태풍 등의 자연재해가 발생하여 식량을 생산할 수 없거나 전 세계적으로 식량의 분배와 공급이 원활하지 않아 발생한다. 특히 아프리카와 일부 아시아 등지에서는 식량은 부족하지만 인구 증가율이 높아 기아가 더 악화되고 있다.

07 제시된 지도는 1인당 국내 총생산을 나타낸 것으로 이와 같은 지표를 활용하여 지역별 발전 수준의 차이를 비교해 볼 수 있다.

08 제시된 내용은 성 불평등 지수에 관한 설명이다.

09 인간 개발 지수는 '0~1'의 값을 가지며, 그 수치가 높을수록 발전 수준이 높다.

10 라오스는 1986년 시장 개방 이후 꾸준히 성장하고 있다. 라오스 정부는 2003년에 국가 성장 및 빈곤 퇴치 전략을 수립하여 2005년까지 빈곤 인구를 절반으로 줄이고, 2010년까지는 완전히 빈곤을 퇴치하는 것을 목표로 개발을 추진하였다.

11 제시된 내용은 저개발국이 많이 분포하는 아프리카에 관한 설명으로 최근 이 지역은 성장 잠재력을 바탕으로 '기회의 땅'으로 변모하고 있다.

12 세계 정치와 경제를 주도하는 주요 8개국(미국, 러시아, 영국, 캐나다, 프랑스, 독일, 이탈리아, 일본)은 콘서트 개최를 통해 아프리카의 난민과 기아 문제 해결을 위한 자금 마련을 시도하였다.

13 공적 개발 원조에 관한 찬성의 입장은 ㄱ, ㄴ, ㅁ에 해당한다.

오답 확인 ㄱ, ㄴ은 공적 개발 원조에 관한 반대의 입장이다.

14 2000년에 현대 사회의 저개발과 빈곤 문제를 해결하기 위해 '새천년 개발 목표'가 마련되었다. 2015년에 8개 분야의 개발 목표 달성 시한이 마무리되었는데 눈부신 성과도 있었지만 새로운 과제를 남긴 분야도 있었다.

15 공정 무역은 중간 상인의 개입을 줄이고, 유통 비용을 낮추는 무역 방식이다.

16 공적 개발 원조는 개인이나 민간 차원이 아닌 정부를 비롯한 공공 기관 차원에서 저개발국이나 국제기구에 도움을 주는 것을 의미한다.

17 **예시 답안** 사하라 이남 아프리카와 남부 아시아에서 영양 부족 인구 비율이 높게 나타난다.

채점 기준

상	영양 부족 인구 비율이 높은 지역을 바르게 서술한 경우
하	영양 부족 인구 비율이 높은 지역을 서술하지 못한 경우

18 **예시 답안** (1) 생물 종 다양성 감소 (2) 생물 종 다양성 감소는 농경지의 확대, 동식물 서식지 파괴, 무분별한 남획 등으로 발생한다.

채점 기준

상	생물 종 다양성 감소를 쓰고, 원인을 두 가지 모두 바르게 서술한 경우
중	생물 종 다양성 감소를 쓰고, 원인을 한 가지만 바르게 서술한 경우
하	생물 종 다양성 감소만 쓴 경우

19 **예시 답안** (1) 국내 자본과 기술력 부족, 내전, 부정부패 등 (2) 해외 투자 유치, 식량 생산성 증대 등의 노력을 하고 있다.

채점 기준

상	저개발의 원인과 저개발 지역의 노력 두 가지를 모두 바르게 서술한 경우
중	저개발의 원인과 저개발 지역의 노력 중 한 가지만 바르게 서술한 경우
하	저개발의 원인만 바르게 서술한 경우

20 **예시 답안** 1인당 국내 총생산과 인간 개발 지수는 북서부 유럽과 북아메리카, 오세아니아 등의 선진국에서 공통적으로 높게 나타난다.

채점 기준

상	1인당 국내 총생산과 인간 개발 지수가 높은 지역의 공통점을 바르게 서술한 경우
하	1인당 국내 총생산과 인간 개발 지수가 높은 지역의 공통점을 바르게 서술하지 못한 경우

21 **예시 답안** 선진국의 원조가 저개발국의 전통을 훼손하거나 환경을 파괴하기도 하며, 구호품이 빈곤한 사람들에게 도달하지 않는 등의 문제점이 발생하기도 한다.

채점 기준

상	원조의 한계 세 가지를 모두 바르게 서술한 경우
중	원조의 한계 두 가지만 바르게 서술한 경우
하	원조의 한계 한 가지만 바르게 서술한 경우

MEMO

2015 개정 교육과정

학교시험대비 평가 시리즈

중학 **사회 ② 평가문제집**

정답과 **해설**